PEDON LEIMA

PATRICIA CORNWELL
PEDON LEIMA

Suomentanut
Ilkka Rekiaro

Helsingissä
Kustannusosakeyhtiö Otava

Suomennettu käsikirjoituksesta

Englanninkielinen alkuteos
Predator
Copyright © 2005 by Cornwell Enterprises, Inc.
All rights reserved.

Painopaikka:
Otavan Kirjapaino Oy
Keuruu 2005

ISBN 951-1-19961-7

"On täysin varmaa, että sellaisia pahoja enkeleitä on olemassa."

Korkeimman oikeuden presidentti
MATTHEW HALE, 1661

1

Sunnuntai on edennyt iltapäivään ja tohtori Kay Scarpetta on työhuoneessaan Rikostutkimusakatemiassa Floridan Hollywoodissa, missä taivas vetäytyy paraikaa pilveen enteillen uutta ukkosmyrskyä. Helmikuussa ei yleensä ole näin sateista ja tukalaa. Aseet paukkuvat ja hän kuulee huutoja mutta ei saa niistä selvää. Taistelusimulaatioissa käy viikonloppuisin paljon väkeä. Erikoisosastojen agentit juoksevat siellä täällä mustissa kenttävaatteissaan aseitaan lakkaamatta paukutellen, eikä kukaan ole kuulemassa, ei kukaan paitsi Scarpetta, ja hänkään tuskin edes huomaa pauketta. Hän käy läpi louisianalaisen kuolinsyyntutkijan pikana lähettämää potilaskertomusta naisesta, joka murhasi viisi ihmistä ja väittää ettei muista asiasta mitään.

Tapaus ei vaikuta sopivan aggressioalttiustutkimukseen, joka on saanut lempinimen Peto. Siinä selvitetään etuaivolohkon synnynnäisen rakenteen vaikutusta aggressioherkkyyteen. Scarpetta kuulee lukiessaan pihalta moottoripyörän pärinän, joka voimistuu koko ajan.

Hän naputtelee oikeuspsykologi Benton Wesleylle sähköpostin:

Olisi mielenkiintoista saada tutkimukseen mukaan nainen, mutta eikö sinun ollut tarkoitus rajata Peto-tutkimus miehiin?

Moottoripyörä papattaa rakennuksen eteen ja pysähtyy Scarpettan ikkunan alle. Pete Marino tulossa taas häiritsemään, Scarpetta ajattelee ärtyneesti, kun Benton lähettää hänelle jo vastauksen:

Louisianasta tuskin irtoaisi lupaa, vaikka haluaisimmekin hänet. Siellä ollaan kovin innoissaan kuolemanrangaistuksesta. Mutta louisianalaisessa keittiössä ei ole mitään vikaa.

Hän katsoo ikkunasta kun Marino sammuttaa moottorin, nousee pyörän selästä ja vilkaisee ympärilleen tuolla hänelle ominaisella rehvastelevalla tavalla alati uteliaana tietämään, kuka häntä katselee. Scarpetta laittaa parhaillaan Peto-tutkimuksen papereita lukittavaan pöytälaatikkoonsa, kun Marino astuu huoneeseen – koputtamatta – ja istuutuu – pyytämättä.

"Tiedätkö mitään Johnny Swiftin tapauksesta?" kysyy Marino. Hänen paksut, tatuoidut käsivartensa ovat paljaina. Hänellä on hihaton denimliivi, jonka selässä on Harleyn logo.

Marino on akatemian johtava rikostutkija ja toimii lisäksi Browardin piirikunnan kuolinsyyntutkijan palveluksessa osa-aikaisena etsivänä. Viime aikoina hän on näyttänyt moottoripyöräjengiläisen parodialta. Hän laskee kypäränsä pöydälle, naarmuisen mustan aivoämpärin, jossa on luodinreikätarroja.

"Virkistä muistiani. Ja tuo on keulakoriste." Scarpetta osoittaa kypärää. "Pelkkä koriste josta ei ole mitään apua jos ajat kolarin moottoripyörälläsi."

Marino heittää pöydälle kansion. "San Franciscosta muuttanut lääkäri jolla oli vastaanotto Miamissa. Hänellä oli rantahuvila Hollywoodissa yhdessä veljensä kanssa. Aika lähellä Renaissancea, tiedätkö sinä ne kaksi kerrostaloa John Loydin puiston lähellä? Suunnilleen kolme kuukautta sitten kiitospäivänä veli löysi hänet rantahuvilasta sohvalta kuolleena. Rintakehässä oli ampumahaava. Hän oli juuri käynyt ranneleikkauksessa joka epäonnistui. Ensi näkemältä ilmiselvä itsemurha."

"En ollut silloin vielä kuolinsyyntutkijan palveluksessa", Scarpetta muistuttaa.

Hän oli jo siinä vaiheessa johtanut Akatemian oikeuslääketieteen osastoa. Mutta hän otti vastaan Browardin piirikunnan kuolinsyyntutkijanviraston konsultoivan oikeuspatologin tehtävät vasta kun viraston johtaja tohtori Bronson ryhtyi lyhentämään työviikkoaan ja puhumaan eläkkeelle jäämisestä.

"Muistan kuulleeni siitä jotain", Scarpetta sanoo. Hän on nykyään vaivautunut Marinon seurassa, eikä enää juuri välittäisi tavata häntä.

"Tohtori Bronson teki ruumiinavauksen", sanoo Marino katsellen Scarpettan pöytää, katsellen kaikkea paitsi häntä itseään.

"Olitko sinä mukana jutussa?"

"En. En ollut paikalla. Tapaus on vielä auki, koska Hollywoodin poliisi epäili että asia oli mutkikkaampi, että Laurelilla oli sormensa pelissä."

"Laurelilla?"

"Johnny Swiftin veljellä. He ovat identtiset kaksoset. Todisteita ei kuitenkaan löytynyt ja asia jäi siihen. Sitten sain perjantaiyönä kolmen maissa kotiini omituisen puhelun. Me jäljitimme sen erääseen yleisöpuhelimeen Bostoniin."

"Massachusettsiin?"

"Sinne missä teekutsut pidettiin."

"Minä luulin että sinulla on salainen numero."

"Niin onkin."

Marino vetää farkkujensa takataskusta kaksinkerroin taitetun ruskean paperilapun ja avaa sen.

"Minä luen sinulle mitä se tyyppi sanoi, minä meinaan kirjoitin sen sanasta sanaan paperille. Hän käytti itsestään nimeä Karju."

"Siis karju eli sika?" Scarpetta katsoo häntä kysyvästi ja miettii jo, syöttääkö Marino hänelle pajunköyttä, pilaileeko tämä hänen kustannuksellaan.

Sitä Marino on viime aikoina harrastanut usein.

"Hän sanoi: *Minä olen Karju. Sinä lähetit heille rangaistuksen, teit heidät pilkan alaisiksi.* Mitä lie sekin tarkoittaa? Sitten hän jatkoi: *Johnny Swiftin ruumiin luota puuttui jotain tietystä syystä, ja jos et ihan tyhmä ole, tutki kunnolla miten Christian Christianin kävi. Mikään ei ole pelkkää yhteensattumaa. Kysy Scarpettalta, sillä Jumalan käsi murskaa kaikki pervot, myös sen lesbonartun, hänen siskontyttönsä.*"

Scarpettan ääni ei paljasta hänen tunteitaan kun hän sanoo: "Oletko varma että hän sanoi juuri noin?"

"Näytänkö minä romaanikirjailijalta?"

"Christian Christian?"

"Hitostako sen tietää? Se soittaja ei tarjonnut tilaisuutta kysyä, miten nimi kirjoitetaan. Se puhui hiljaa ikään kuin täysin tunteettomalla äänellä ja paiskasi sitten luurin kiinni."

"Mainitsiko hän Lucyn nimeltä vai vain…?"

"Minä kerroin juuri sanasta sanaan, mitä hän sanoi", Marino keskeyttää. "Eihän sinulla ole muita sisarentyttäriä. On selvää, että hän tarkoitti Lucya. Ja nimi Karju voi olla väännös jostain, viitata johonkin muuhun. Minä otin yhteyden Hollywoodin poliisiin, ja siellä meitä pyydettiin tutkimaan Johnny Swiftin tapausta asap. Ilmeisesti todisteissa on viitteitä siitä, että hän ei ampunutkaan itse itseään vaan että hänet ammuttiin lähietäisyydeltä. Jomminkummin päinhän siinä on täytynyt käydä."

"Kyllä, sikäli kuin laukauksia oli vain yksi. Tulkinnassa täytyy olla jotain vikaa. Onko meillä mitään vihiä siitä, kuka Christian Christian on? Onko kyseessä edes ihminen?"

"Toistaiseksi tietokonehaussa ei ole ilmennyt mitään, mistä olisi apua."

"Miksi tulit kertomaan tästä vasta nyt? Olenhan minä ollut täällä koko viikonlopun."

"On pitänyt vähän kiirettä."

"Kun saat näin tärkeitä uutisia, sinun ei sovi vetkutella kolmea päivää ennen kuin kerrot minulle", sanoo Scarpetta niin tyynesti kuin pystyy.

"En tiedä onko sinulla kanttia puhua salaamisesta."

"Miten niin?" kysyy Scarpetta hämmästyneenä.

"Sinun on syytä olla varovaisempi. En halua sanoa sen enempää."

"Marino, minä en osaa lukea sinua rivien välistä."

"Ai joo. Hollywood haluaisi kuulla Bentonin asiantuntijamielipiteen tästä", Marino lisää kuin ohimennen, kuin ei välittäisi suuntaan eikä toiseen.

Yleensä hän ei osaa salata sitä mitä hän Benton Wesleystä ajattelee.

"Voihan poliisi toki pyytää häntä antamaan lausunnon", Scarpetta sanoo. "Minä en voi luvata hänen puolestaan."

"Poliisi haluaisi Bentonin selvittävän, onko se Karju joku sekopää, ja minä sanoin että sitä ei pysty ihan noin vain sanomaan, kun puhelua ei ole nauhalla vaan Bentonille on antaa vain se mitä minä raapustin pikakirjoituksella paperipussiin."

Marino nousee tuoliltaan ja näyttää jopa isommalta köriläältä kuin on, ja saa Scarpettan tuntemaan itsensä vielä pienemmäksi kuin ennen. Marino ottaa pöydältä kelvottoman kypäränsä ja laittaa aurinkolasit silmilleen. Hän ei ole katsonut Scarpettaa kertaakaan koko keskustelun aikana, eikä Scarpetta näe enää hänen silmiään. Hän ei näe mitä ne kertovat.

"Minä paneudun asiaan perusteellisesti. Viipymättä", Scarpetta sanoo kun Marino kävelee ovelle. "Voimme myöhemmin käydä tapauksen läpi jos haluat."

"Hä?"

"Jospa tulisit käymään kotonani?"

"Hä?" sanoo Marino uudestaan. "Moneltako?"

"Seitsemältä", vastaa Scarpetta.

2

Benton Wesley katselee potilastaan pleksilasiseinän läpi magneettikuvaamon ohjaamossa. Valaistus on säädetty himmeäksi, kaarevalla pöydällä on monta videonäyttöä, ja hänen rannekellonsa on salkun päällä. Häntä viluttaa. Hän on ollut kognitiivisen aivokuvantamisen laboratoriossa useita tunteja ja häntä kolottaa luita myöten.

Tämäniltaista potilasta käsitellään tunnistenumerolla, mutta hänellä on nimikin. Basil Jenrette. Hän on lievästi ahdistunut ja älykäs kolmekymmentäkolmevuotias pakkomurhaaja. Benton välttää sanaa sarjamurhaaja. Se on kulunut käytössä niin ettei siitä ole enää mitään apua – eikä ollut alun alkaenkaan paitsi sikäli, että se antoi ymmärtää henkilön murhanneen ainakin kolme ihmistä tietyn ajan kuluessa. Sarjasta puhuminen viittaa peräkkäisyyteen. Se ei kerro mitään murhaajan motiiveista tai mielentilasta, ja kun Basil Jenrette murhasi, hän oli pakkomielteinen. Hän ei pystynyt lopettamaan.

Hänen aivojaan skannataan magneettikuvauslaitteella, joka on voimakkuudeltaan kolme teslaa ja jonka magneettikenttä on 60 000 kertaa niin voimakas kuin maan magneettikenttä. Syynä kuvantamiseen on halu selvittää, löytyykö hänen aivojensa harmaasta ja valkoisesta aineesta ja sen toiminnasta selityksiä sille, miksi hän on murhannut. Benton on kysynyt asiaa häneltä monet kerrat kliinisissä haastatteluissa.

Kun näin naisen, asia oli selvä. Minun oli pakko.

Pakko heti siltä istumalta?

Ei heti kadulla. Saatoin seurata häntä kunnes keksin suunnitelman. Totta puhuen se tuntui sitä paremmalta mitä enemmän minä suunnittelin.

Ja kauanko siihen meni? Seuraamiseen ja suunnitteluun? Osaatko sanoa osapuilleen? Päiviä, tunteja, minuutteja?

Minuutteja. Ehkä tunteja. Joskus päiviä. Miten milloinkin. Typeriä ne akat! Jos sinä olisit heidän asemassaan ja tajuaisit, että sinut on siepattu, jäisitkö sinä autoon istumaan edes yrittämättä päästä vapaaksi?

Niinkö siinä kävi, Basil? He istuivat autossa yrittämättä karata?

Kaikki paitsi kaksi viimeistä. Sinä tiedät heistä, heidän takiaanhan minä täällä olen. He eivät olisi panneet vastaan ellei autoni olisi hajonnut. Se oli kurjaa. Jos itse olisit samassa jamassa, haluaisitko että sinut tapetaan jo sinne autoon vai jäisitkö odottamaan, mitä minä tekisin sinulle kun olisin vienyt sinut salaiseen paikkaani?

Mikä sinun salainen paikkasi oli? Oliko se aina sama paikka?

Vain siksi että sen auton piti hajota.

Toistaiseksi Basil Jenretten aivojen rakenteessa ei ole näkynyt mitään erikoista paitsi pikkuaivojen takaosan poikkeavuus, noin kuuden millimetrin kysta, joka saattaa vaikuttaa hieman hänen tasapainoaistiinsa, mutta ei mitään muuta. Vika on hänen aivojensa toiminnassa, ei rakenteessa. Täytyy olla. Muuten häntä ei olisi otettu mukaan Peto-tutkimukseen eikä hän olisi todennäköisesti suostunutkaan osallistumaan siihen. Basilille kaikki on yhtä leikkiä, ja hän on älykkäämpi kuin Einstein, pitää itseään maailman lahjakkaimpana ihmisenä. Hän ei ole katunut tekojaan hetkeäkään ja puhuu täyttä totta sanoessaan, että hän tappaisi lisää naisia jos saisi tilaisuuden. Basil on valitettavasti myös mukavan seurallinen.

Valvomossa olevat kaksi vanginvartijaa ovat vuoroin uteliaita ja hämmentyneitä katsoessaan ikkunan läpi parimetristä magneettirengasta. Vartijoilla on virkapuvut mutta ei aseita. Tänne ei saa tuoda asetta. Eikä muitakaan metalliesineitä, esimerkiksi käsirautoja tai ketjuja, ja ainoastaan muoviremmit pidättelevät Basilin nilkkoja ja ranteita yhdessä kun hän makaa pöydällä magneetin sisällä kuunnellen radiotaajuuksisten sykäysten ilkeitä naksutuksia ja pamahduksia, jotka ovat kuin suurjännitejohdoissa soiva helvetinmusiikki, ainakin Bentonin mielestä.

"Muistakaa että seuraavana ovat värit. Teidän tarvitsee vain sanoa värin nimi", sanoo neuropsykologi, tohtori Susan Lane mikrofoniin. "Älkää nyökkäilkö, Jenrette. Teidän leukanne on sidottu teipillä, jotta muistaisitte olla liikkumatta."

"10–4", kuuluu Basilin ääni kaiuttimesta.

Kello on puoli yhdeksän illalla ja Benton on huolissaan. Hän on ollut huolissaan useita kuukausia, ei tosin niinkään siitä, että kaikki maailman Basil Jenrettet alkavat yhtäkkiä riehua hullun lailla McLeanin sairaalan vanhojen tiiliseinien sisällä ja murhaavat kaikki vastaantulijat, vaan siitä, että tämä tutkimus on tuomittu epäonnistumaan, että siihen myönnetyt rahat ja siihen uhrattu aika menevät hukkaan. McLean toimii yhteistyössä Harvardin lääketieteellisen tiedekunnan kanssa eivätkä sen paremmin sairaala kuin yliopistokaan ole tunnettuja pitkämielisyydestä epäonnistumisia kohtaan.

"Teidän ei tarvitse saada kaikkia oikein", selittää tohtori Lane mikrofoniin. "Me emme odota virheetöntä tulosta."

"Vihreä, punainen, sininen, sininen, vihreä." Basilin itsevarma ääni täyttää valvomon.

Tutkimusavustaja kirjaa tulokset muistiin ja teknikko seuraa tarkkana näytöllä olevia kuvia.

Tohtori Lane painaa taas nappia. "Herra Jenrette? Te vastailette erinomaisesti. Näettekö kaiken hyvin?"

"10–4."

"Hienoa. Pysykää vaiti aina kun näette mustan kuvan. Älkää sano mitään, katsotte vain näytössä olevaa valkoista pistettä."

"10–4."

Lane vapauttaa mikrofonipainikkeen ja sanoo Bentonille: "Miksi hän vastailee poliisikoodilla?"

"Hän on entinen poliisi. Se selittänee, miten hän sai uhrit autoon."

"Tohtori Wesley?" sanoo tutkimusapulainen ja kääntyy tuolillaan. "Teille on puhelu. Komisario Thrushilta."

Benton ottaa puhelimen vastaan.

"Mitä nyt?" hän kysyy Thrushilta, joka on Massachusettsin osavaltion poliisin murharyhmässä.

"Toivottavasti ette ajatellut lopettaa tänä iltana aikaisin", sanoo Thrush. "Oletteko kuullut siitä ruumiista joka löytyi aamulla Walden Pondin läheltä?"

"En. Olen ollut täällä koko päivän."

"Valkoinen nainen, henkilöllisyys tuntematon. Iästä on vaikea sanoa mitään. Ehkä neljänkymmenen kieppeillä, jonkin verran alle tai yli. Häntä oli ammuttu päähän ja haulikon hylsy oli työnnetty perseeseen."

"Kaikki uutta minulle."

"Avaus on jo tehty mutta ajattelin että haluaisitte käydä vilkaisemassa. Tämä ei ole ihan vakiopullaa."

"Minä vapaudun täältä vajaassa tunnissa", sanoo Benton. "Tavataan ruumishuoneella."

Talossa on hiljaista kun Kay Scarpetta kiertää rauhattomana huoneesta toiseen sytyttämässä kaikki valot. Hän kuulostelee auton tai moottoripyörän ääntä, odottaa Marinoa. Pete on myöhässä eikä ole vastannut soittopyyntöihin.

Scarpetta tarkistaa että varashälytin on päällä ja että pihavalot palavat. Hän on levoton ja jännittynyt. Hän pysähtyy keittiön puhelimen kohdalla ja katsoo videonäyttöä varmistaen, että etu-, taka- ja sivupihoja valvovat kamerat toimivat. Piha näyttää videokuvissa hämärältä. Sitruspuut, palmut ja kiinanruusut liikkuvat hiljakseen tuulessa. Uima-altaan takana oleva laituri ja sen takainen kanava ovat pelkkää mustaa, jossa erottuu sameina valkoisina pisteinä rantalamppuja. Hän hämmentää tomaattikastiketta ja sieniä liedellä kuparikattiloissa. Hän katsoo miten taikina on noussut ja vilkaisee pesualtaan vieressä peitetyssä kulhossa olevaa tuoretta mozzarellaa.

Kello on lähes yhdeksän ja Marinon piti tulla kaksi tuntia sitten. Huomenna Scarpettalla on opetusta ja muita töitä, eikä hänellä ole aikaa Marinon myöhästelyyn. Hän tuntee itsensä hyväksikäytetyksi. Hän on saanut Marinosta tarpeekseen. Hän on tutkinut Johnny Swiftin oletettua itsemurhaa tauotta viimeiset kolme tuntia, ja nyt Marino ei viitsi edes tulla. Scarpetta on loukkaantunut, sitten vihainen. On helpompaa olla vihainen.

Hän on hyvin vihainen kun hän kävelee takaisin olohuoneeseen ja kuulostelee vieläkin auton tai moottoripyörän ääntä, odottaa vieläkin Marinoa. Hän nostaa sohvalta 12-kaliiperisen Remington Marine Magnumin ja istuutuu. Nikkelipintainen haulikko on raskas hänen sylissään. Hän työntää lukkoon pienen avaimen. Hän kiertää avainta oikealle ja vetää lukon irti liipaisinkaaresta. Hän vetäisee pumpun taakse varmistaakseen että ase on tyhjä.

3

"Seuraavaksi luemme sanoja", selittää tohtori Lane mikrofoniin Basilille. "Lukekaa sanat vasemmalta oikealle. Ja muistakaa olla liikkumatta. Tähän asti on mennyt oikein hyvin."

"10–4."

"Haluatteko nähdä miltä se näyttää?" kysyy teknikko vartijoilta.

Hänen nimensä on Josh. Hän luki MIT:ssä fysiikkaa pääaineenaan ja työskentelee teknikkona samalla kun opiskelee seuraavaan tutkintoonsa. Hän on älykäs ja hänellä on kieroutunut huumorintaju.

"Minä tiedän jo miltä hän näyttää. Minä saatoin hänet aamulla suihkuun", sanoo toinen vartija.

"Entä seuraavaksi?" tohtori Lane kysyy Bentonilta. "Mitä hän teki naisille saatuaan heidät autoonsa?"

"Punainen, sininen, sininen, punainen…"

Vartijat astuvat lähemmäksi Joshin videonäyttöä.

"Hän vei heidät jonnekin, puhkaisi heiltä silmät, piti heidät elossa pari päivää, raiskasi heidät monta kertaa, viilsi kurkun auki ja jätti ruumiin jonnekin löydettäväksi sellaiseen asentoon, joka järkytti löytäjiä." Benton selittää tämän tohtori Lanelle asiallisella ammatti-ihmisen äänellään. "Siis ne uhrit joista me tiedämme. Minä uumoilen hänen murhanneen muitakin. Floridassa katosi samaan aikaan muutama nainen. Ruumiita ei ole löydetty mutta heidän oletetaan kuolleen."

"Minne hän heidät vei? Motelliin, kotiinsa?"

"Odottakaahan hetki", Josh sanoo vartijoille, kun hän napsauttaa valikosta 3D ja sitten SSD, mikä tarkoittaa pinnan väritystä. "Tämä on tosi siisti. Me emme ikinä näytä näitä potilaille."

"Kuinka niin?"

"He menisivät sekaisin."

"Me emme tiedä minne", vastaa Benton tohtori Lanelle pitäen samalla silmällä Joshia valmiina tulemaan väliin jos Josh menee liian pitkälle. "Mutta yksi asia niissä ruumiissa jäi askarruttamaan. Kaikissa oli mikroskooppisia kuparihiukkasia."

"Miten ihmeessä?"

"Niitä oli hiekassa ja kaikessa muussa, mitä vereen oli tarttunut. Niitä oli iholla ja hiuksissa."

"Sininen, vihreä, sininen, punainen..."

"Kuulostaa oudolta."

Tohtori Lane painaa nappia. "Herra Jenrette? Miten jakselette? Onko kaikki hyvin?"

"10–4."

"Seuraavaksi näette värien nimiä, jotka on kirjoitettu eri värillä kuin mitä ne tarkoittavat. Sanokaa ääneen kirjainten väri. Ei muuta."

"10–4."

"Eikö ole makea?" kysyy Josh kun jonkinlainen kuolinnaamio täyttää näytön. Se koostuu millimetrin paksuista viipalekuvista, jotka on skannattu Basil Jenretten päästä. Kuvassa hän on kalpea, kalju ja silmätön. Kuva päättyy repaleisena leuan alapuolelle kuin hänet olisi mestattu.

Josh pyörittää kuvaa, jotta vartijat näkevät sen eri suunnista.

"Miksi kaula näyttää katkaistulta?" toinen vartija kysyy.

"Koska päätä kuvannettiin vain siihen asti."

"Iho näyttää epätodelliselta."

"Punainen öh vihreä, sininen tai siis punainen, vihreä..." Basilin ääni kuuluu kaiuttimesta.

"Ei se ole ihoa. Miten minä selittäisin... tietokone muuttaa kuvat kolmiulotteisiksi, se hahmontaa pintaa."

"Punainen, sininen öh vihreä, sininen ei kun vihreä..."

"Me käytämme sitä oikeastaan vain ankkurointiin, kun laitamme rakenteellisen ja toiminnallisen kuvan päällekkäin. Se tehdään analyysiohjelmalla, jolla voi yhdistellä dataa ja katsella sitä ihan miten huvittaa, pitää vähän hauskaa."

"Että on kaveri ruma!"

Benton on saanut kyllikseen. Hän katsoo Joshia terävästi. "Josh? Joko olet valmis?"

"Neljä, kolme, kaksi, yksi, valmis", sanoo Josh, ja tohtori Lane aloittaa häiriötestin.

"Sininen, punainen tai siis... hitto, punainen ei vaan sininen, vihreä, punainen..." Basilin ääni tunkeutuu huoneeseen, ja hän nimeää kaikki värit väärin.

"Onko hän kertonut miksi?" tohtori Lane kysyy Bentonilta.

"Anteeksi", sanoo Benton, ajatukset muualla. "Miksi mitä?"

"Punainen, sininen, paska! Öh, punainen, sinivihreä..."

"Miksi hän puhkaisi heiltä silmät."

"Hän sanoi ettei halunnut heidän näkevän miten pieni penis hänellä on."

"Sininen, sinipunainen, punainen, vihreä..."

"Tässä hän ei oikein onnistunut", sanoo tohtori Lane. "Suurin osa meni vikaan. Millä poliisilaitoksella hän oli töissä, jotta osaan varoa ylinopeutta siinä maailmankolkassa?" Hän painaa nappia. "Onko kaikki hyvin, herra Jenrette?"

"10–4."

"Daden piirikunnassa Floridassa."

"Vahinko. Minä olen aina viihtynyt Miamissa. Eli sitä kautta te onnistuitte löytämään tämän herran. Teillä on yhteyksiä Etelä-Floridaan", sanoo tohtori Lane ja painaa taas puhenappia.

"No ei aivan." Benton katsoo ikkunan läpi Basilin päätä, joka on magneettirenkaan sisällä. Hän kuvittelee mielessään Basilin pukeutuneena farkkuihin ja nappikauluksiseen valkoiseen paitaan kuin kuka tahansa normaali mies.

Vangit eivät saa kulkea sairaala-alueella vankilavaatteissa. Se olisi huonoa pr:ää.

"Kun me ryhdyimme tiedustelemaan osavaltion vankiloista sopivia koehenkilöitä, Floridassa ajateltiin että hän oli kuin tehty tutkimukseen. Hän oli pitkästynyt. He halusivat päästä hänestä eroon", selittää Benton.

"Hienoa, herra Jenrette", sanoo tohtori Lane mikrofoniin. "Tohtori Wesley tulee nyt sinne puolelle antamaan teille hiiren. Seuraavaksi näytämme teille kasvoja."

"10–4."

Tavallisesti tohtori Lane olisi itse mennyt kuvantamoon käsittelemään potilasta. Mutta Peto-tutkimuksessa naislääkäreitä ja -teknikoita ei päästetä tekemisiin potilaiden kanssa. Myös mieslääkäreiden ja -teknikoiden on oltava kuvantamossa varuillaan. Muualla tutkija saa päättää, miten koehenkilöt pidetään aloillaan. Bentonilla on mukanaan kaksi vanginvartijaa, kun hän sytyttää kuvantamon valot ja sulkee oven. Vartijat pysyttelevät magneetin lähellä valppaina, kun Benton yhdistää hiiren johdon ja asettaa hiiren Basilin sidottuihin käsiin.

Basil ei ole kummoisen näköinen, lyhyt, hintelä mies, jolla on harva vaalea tukka ja harmaat silmät lähellä toisiaan. Eläinkunnassa leijonilla, tiikereillä ja karhuilla, petoeläimillä siis, on silmät lähellä toisiaan. Kirahveilla, kaniineilla, kyyhkyillä ja muilla saaliseläimillä silmät ovat kauempana toisistaan pään sivuilla, koska niiden elossapysyminen edellyttää laajaa näkökenttää. Benton on jo pitkään miettinyt, koskeeko sama evoluutioilmiö ihmisiä. Kas siinä tutkimusaihe, johon kukaan ei myöntäisi rahoitusta.

"Miten menee, Basil?" kysyy Benton.

"Millaisia kasvoja?" Basilin ääni kuuluu magneetin sisältä. Kuvantamislaite tuo mieleen rautakeuhkon.

"Tohtori Lane selittää pian."

"Minulla on yllätys", sanoo Basil. "Minä kerron kun lopetamme."

Hänellä on outo katse, kuin sairas eläin katsoisi hänen silmistään ulos.

"Hienoa. Minä pidän yllätyksistä. Muutaman minuutin päästä on valmista", sanoo Benton hymyillen. "Sitten juttelemme vähäsen."

Vartijat tulevat Bentonin kanssa takaisin kuvantamosta valvomoon, ja tohtori Lane alkaa selittää mikrofonin ja kaiuttimen kautta Basilille, että hänen tulee napsauttaa hiiren vasenta näppäintä jos kuva esittää miestä ja oikeaa näppäintä jos kuva esittää naista.

"Teidän ei tarvitse sanoa mitään, riittää kun painatte nappia", tohtori Lane kertaa.

Testejä on kolme, mutta niiden tarkoitus ei ole selvittää, osaako potilas erottaa miehet naisista, vaan tässä aivotoiminnan kuvantamisessa mitataan affektien käsittelyä. Ruudulla näkyvien miesten ja naisten kasvojen takana on toisia kasvoja, jotka välähtävät niin nopeasti, että silmä ei niitä havaitse, mutta aivot näkevät kaiken. Jenretten aivot havaitsevat nämä naamioiden takana olevat kasvot, joiden ilme on joko onnellinen, vihainen tai pelokas, toisin sanoen jollain tapaa provosoiva.

Jokaisen sarjan jälkeen tohtori Lane kysyy Basililta, mitä hän näki ja mitä tunteita kasvojen ilmeet mahdollisesti välittivät. Miesten kasvot ovat totisempia kuin naisten, hän vastaa. Hänen vastauksensa on kaikissa sarjoissa pääpiirteissään sama. Se ei vielä sinänsä kerro mitään. Mikään tässä tutkimuksessa ei kerro mitään ennen kuin on analysoitu tuhansia aivokuvia. Sitten tutkijat saavat käsityksen siitä, mitkä aivoalueet olivat testeissä ak-tiivisimmat. He toivovat saavansa selville, toimivatko Basilin ai-vot eri tavalla kuin normaalina pidetyn henkilön aivot. He toi-vovat löytävänsä muitakin eroja kuin sen, että hänellä on aivois-saan kysta, jolla ei ole mitään tekemistä hänen pedonvaistojen-sa kanssa.

"Näkyykö mitään erityistä?" Benton kysyy tohtori Lanelta. "Ja kuten aina, kiitos kovasti, Susan. Sinä olet ystävä hädässä."

He yrittävät järjestää vankien kuvantamiset iltaisin tai vii-konloppuisin, jolloin paikalla on mahdollisimman vähän väkeä.

"Lokalisoijien perusteella hän vaikuttaa normaalilta... en huomannut isoja poikkeavuuksia. Paitsi puheripulin. Hän solk-kaa lakkaamatta. Ei kai hänellä vain ole todettu bipolaarisuut-ta?" Hän tarkoittaa kaksisuuntaista mielialahäiriötä.

"Muiden lausuntojen ja hänen taustansa valossa asia on käy-nyt mielessä. Mutta ei. Ei ole todettu. Hän ei ole saanut lääkitys-tä mistään psykiatrisista syistä. Ja hän on ollut vankilassa vain vuoden. Ihanteellinen koehenkilö."

"Sinun ihanteellinen koehenkilösi ei oikein onnistunut tor-jumaan häiritseviä ärsykkeitä. Hän teki häiriötestissä valtavasti virheitä. Minä veikkaan, ettei hän pysy sarjassa, mikä tietenkin sopisi yhteen kaksisuuntaisen mielialahäiriön kanssa. Myöhem-min tiedämme enemmän."

Hän painaa taas nappia ja sanoo: "Herra Jenrette? Valmista on. Selviydyitte hienosti. Tohtori Wesley tulee hakemaan teidät. Nouskaa istumaan oikein hitaasti. Oikein hitaasti jottei ala hui-mata."

"Oliko tuossa kaikki? Vain nuo typerät kokeet? Näyttäkää minulle kuvia!"

Tohtori Lane katsoo Bentoniin ja vapauttaa puhenapin.

"Tehän lupasitte tutkia minun aivojani kun minä katselen ku-via."

"Uhrien ruuminavauskuvia", Benton selittää tohtori Lanelle. "Te lupasitte minulle kuvia! Te lupasitte!"

"No niin", Lane sanoo Bentonille. "Pidä hyvänäsi."

Haulikko tuntuu raskaalta ja kömpelöltä eikä hän tahdo ylet-tyä painamaan liipaisinta vasemmalla isovarpaallaan maates-saan sohvalla piippu rintakehään suunnattuna.

Scarpetta siirtää haulikkoa alemmaksi ja miettii millaista olisi yrittää tätä temppua ranneleikkauksen jälkeen. Hänen haulikkonsa painaa noin kolme ja puoli kiloa ja alkaa vapista käsissä, kun hän pitelee sitä lähes puolimetrisestä piipusta. Hän laskee jalkansa lattialle ja riisuu oikeasta jalasta lenkkarin ja sukan. Hänellä vasen jalka on hallitseva, mutta hänen on kokeiltava oikealla jalalla ja hän miettii oliko Johnny Swiftillä vasen vai oikea jalka hallitseva. Sillä oli merkitystä, mutta ei välttämättä kovin suurta, varsinkin jos Swift oli depressiossa ja määrätietoinen, mutta Scarpetta ei ole varma oliko hän kumpaakaan, ei ole varma kovin monesta muustakaan asiasta.

Hän ajattelee Marinoa, ja mitä enemmän hänen ajatuksensa karkaavat mieheen, sitä enemmän hänen mielenmalttinsa järkkyy. Marinolla ei ole oikeutta kohdella häntä näin, oikeutta kohdella häntä samalla tavoin epäkunnioittavasti kuin heidän ensitapaamisellaan vuosia sitten, niin monia vuosia sitten että hänestä on suorastaan ihme, että Marino vielä muistaa miten kohdella häntä epäkunnioittavasti. Scarpettan tekemän tomaattikastikkeen tuoksu leijuu olohuoneessa. Se täyttää talon, ja katkeruus saa hänen sydämensä lyömään nopeammin ja rintakehän ahdistamaan. Hän käy makuulle oikealle kyljelleen, nojaa haulikon tukin sohvan selkään, asettaa piipun rintakehäänsä vasten ja painaa liipaisinta oikealla isovarpaalla.

4

Basil Jenrette ei satuta Bentonia.

Basil istuu kahleista vapaana pöydän ääressä Bentonia vastapäätä pienessä toimenpidehuoneessa, jonka ovi on kiinni. Basil on nyt hiljainen ja kohtelias. Hänen kiukunpuuskansa magneettikuvaamossa kesti pari minuuttia, ja hänen rauhoituttuaan tohtori Lane oli jo lähtenyt. Hän ei nähnyt tohtoria kun hänet saatettiin ulos, ja Benton pitää huolen siitä ettei hän näe tohtori Lanea enää koskaan.

"Eihän sinua vain huimaa?" kysyy Benton tyynellä, myötätuntoisella tavallaan.

"Minulla on oikein hyvä olo. Kokeet olivat mahtavia. Minä olen aina tykännyt kokeista. Minä arvasin että vastaisin kaikkiin oikein. Missä ne kuvat ovat? Sinä lupasit."

"Basil, me emme ole puhuneet sellaisesta."

"Minä vastasin kaikkiin oikein, täydet pisteet."

"Eli sinulla oli hauskaa."

"Näytä minulle ensi kerralla kuvat kuten lupasit."

"En minä ole mitään luvannut. Basil, oliko kokemus mielestäsi innostava?"

"Täällä ei kai saa polttaa."

"Ei valitettavasti."

"Miltä minun aivoni näyttävät? Onko kaikki kunnossa? Löytyikö mitään? Pystyykö aivokuvista näkemään, miten fiksu ihminen on? Jos sinä näyttäisit minulle niitä kuvia, näkisit että ne vastaavat minun aivoissani olevia kuvia."

Nyt hän puhuu hiljaa mutta nopeasti, hänen silmänsä ovat kirkkaat, melkeinpä lasittuneet kun hän löpertelee siitä mitä tutkijat saattavat löytää hänen aivoistaan sikäli kuin pystyvät niitä tulkitsemaan. Hän vakuuttaa moneen kertaan, että jotain löydettävää niissä on.

"Voisitko selittää, mitä tarkoitat, Basil?" kysyy Benton.

"Minun muistiani. Jos te pystytte katsomaan sinne, minun muistiini."

"Se ei valitettavasti onnistu."

"Ei vai? Te saitte varmasti jos jonkinlaisia kuvia, kun se kone paukutti ja naksutti. Sinä varmasti näit ne kuvat mutta et halua kertoa minulle. Niitä oli kymmenen ja sinä näit ne. Näit heidän kuvansa, kymmenen kuvaa eikä neljä. Minä sanon aina huvikseni 10–4, varsinainen vitsi! Sinä luulet että heitä oli neljä ja minä tiedän että heitä oli kymmenen ja sinä tietäisit jos näyttäisit minulle kuvat, koska silloin näkisit, että ne natsaavat minun aivoissani olevien kanssa. 10–4."

"Basil, kerro mitä kuvia sinä tarkoitat."

"Kunhan lasken leikkiä", hän vastaa iskien silmää. "Minä haluan postini."

"Millaisia kuvia me voisimme sinun aivoissasi nähdä?"

"Ne tyhmät naiset. Minä en saa postiani."

"Väitätkö sinä tappaneesi kymmenen naista?" kysyy Benton, eikä hänen äänessään ole järkytystä tai tuomitsevuutta.

Basil hymyilee kuin jotain olisi juolahtanut mieleen.

"Nyt minä saan liikuttaa päätäni, eikö niin? Leukani ei ole enää sidottu. Teipataanko leuka paikoilleen, kun minulle annetaan piikki?"

"Basil, ei sinulle piikkiä anneta. Se kuuluu tähän vaihtokauppaan. Sinun tuomiosi on muutettu elinkautiseksi. Muistatko kun puhuimme siitä?"

"Koska minä olen hullu", hän sanoo hymyillen. "Siksi minä olen täällä."

"Ei. Käydään asia läpi uudestaan, koska sinun on ymmärrettävä se oikein. Sinä olet täällä koska olet luvannut osallistua meidän tutkimukseemme, Basil. Floridan kuvernööri antoi luvan siirtää sinut meidän osavaltiomme sairaalaan, Butleriin, mutta Massachusettsin osavaltio suostui vasta kun sinun tuomiosi oli lievennetty elinkautiseksi. Meillä ei ole kuolemanrangaistusta täällä Massachusettissa."

"Minä tiedän että sinä haluat nähdä ne kymmenen naista. Nähdä heidät sellaisina kuin minä heidät muistan. He ovat minun aivoissani."

Hän tietää että on mahdotonta havaita ajatuksia ja muistoja aivoja kuvantamalla. Hän vain leikkii tuttuja nokkelia leikkejään. Hän haluaa ruumiinavauskuvat ruokkiakseen niillä väkivaltaisia fantasioitaan, ja kuten kaikki narsistiset sosiopaatit hän uskoo olevansa hauskaa seuraa.

"Siinäkö se lupaamasi yllätys oli?" kysyy Benton. "Että sinä teit kymmenen murhaa etkä vain niitä neljää joista sait syytteen?"

Hän pudistaa päätään ja sanoo: "Yhdestä sinä haluat varmasti kuulla. Se on se yllätys. Minä säästän sen sinulle, koska sinä olet kohdellut minua hyvin. Mutta minä haluan postini. Muuten ei tule kauppoja."

"Minä haluaisin kovasti kuulla sinun yllätyksesi."

"Se nainen siellä joulukoristekaupassa", hän sanoo. "Muistatko hänet?"

"Kerropa sinä hänestä", sanoo Benton tietämättä mitä Basil tarkoittaa. Hän ei ole kuullut joulukoristekaupassa sattuneesta murhasta.

"Entä se posti?"

"Minä katson mitä voin tehdä."

"Ja vannot kautta kiven ja kannon?"

"Minä tutkin asiaa."

"En muista tarkkaa päivää. Annahan kun mietin." Hän tuijottaa kattoon vapaat kädet sylissä rauhallisina. "Kolmisen vuotta sitten Las Olasissa, taisi olla heinäkuun tietämillä. Eli noin kaksi ja puoli vuotta sitten ellen erehdy. Kuka ihme haluaa ostaa joulukrääsää heinäkuussa Etelä-Floridassa? Hän myi pikku joulupukkeja ja tonttuja ja jouluseimiä. Minä kävin siellä yhtenä aamupäivänä kun olin valvonut koko yön."

"Muistatko hänen nimensä?"

"En saanut tietää sitä missään vaiheessa. Tai ehkä sentään. Mutta en muista sitä enää. Nimi saattaisi palautua mieleen jos näyttäisit niitä kuvia. Voisit ehkä nähdä sen minun aivoissani. Minäpä yritän kuvailla häntä. Joo! Hän oli valkoinen ja hänellä oli pitkä tukka. Hän oli värjäyttänyt sen saman väriseksi kuin Lucylla siinä televisiosarjassa. Aika lihava. Ehkä 35- tai 40-vuotias. Minä astuin sisään, lukitsin oven ja uhkasin häntä puukolla. Minä raiskasin hänet takana varastossa ja vedin kurkun auki tästä tähän yhdellä viillolla."

Hän tekee sormella viiltoliikkeen kurkullaan.

"Sattui yksi hassu juttu. Siellä oli sellainen edestakaisin kääntyilevä tuuletin. Minä laitoin sen päälle, koska siellä oli kuumaa ja tunkkaista, ja se puhalsi helvetisti veripisaroita joka paikkaan. Sinne tuli valtava sotku. Sitten, mietitäänpäs." Hän katsoo taas kattoon kuten usein valehdellessaan. "Minä en ollut sinä päivänä liikkeellä poliisiautolla vaan pyörällä ja olin jättänyt sen maksulliselle parkkipaikalle hotelli Riversiden taakse."

"Moottoripyörällä vai polkupyörällä?"

"Honda Night Stalkerilla. Luuletko sinä että minä lähtisin polkupyörällä tappamaan naista?"

"Sinulla oli siis alun alkaenkin tarkoitus tappaa joku sinä aamupäivänä?"

"Ajatus tuntui hyvältä."

"Suunnittelitko sinä tappavasi juuri hänet vai umpimähkään jonkun vain?"

"Muistan että parkkipaikan lätäköillä oli sorsia, koska oli satanut monta päivää. Emoja poikasineen vaikka millä mitalla. Se on aina kiusannut minua. Sorsaparat. Niitä jää rutosti auton alle. Kadulla näkee littanaksi ajettuja poikasia ja emon joka taapertaa siinä kuolleen poikasensa ympärillä mahdottoman surullisen näköisenä."

"Ajoitko sinä koskaan sorsien päälle?"

"Tohtori, minä en ikinä tekisi eläimelle pahaa."

"Sinä sanoit että lapsena sinä tapoit lintuja ja jäniksiä."

"Se oli kauan sitten. Teidäthän sinä millaisia pojat ovat kun saavat ilmakiväärin käteensä. No niin, tarinaa jatkaakseni: minä sain vain kaksikymmentäkuusi dollaria ja yhdeksänkymmentäyksi senttiä. Sinun pitää hommata minulle se posti."

"Sen sinä olet sanonut jo monta kertaa. Minä lupasin tehdä parhaani."

"Melkoinen pettymys kaiken sen jälkeen. Kaksikymmentäkuusi dollaria ja yhdeksänkymmentäyksi senttiä."

"Kassakoneesta."

"10–4."

"Sinun on täytynyt olla yltä päältä veressä."

"Myymälän perällä oli vessa." Taas Basil katsoo kattoon. "Minä kaadoin hänen päälleen Cloroxia. Tuli yhtäkkiä mieleen. Hävittääkseni oman dna:ni. Nyt sinä olet vastapalveluksen velkaa. Järkkää jumalauta se posti minulle! Ja järkkää minut pois itsemurhasellistä. Minä haluan tavallisen sellin missä minua ei koko ajan kytätä."

"Me haluamme varmistaa, että sinulle ei satu mitään."

"Jos sinä hommaat minulle uuden sellin ja minun postini, minä kerron lisää siitä joulukoristekaupasta", hän sanoo ja hänen silmänsä ovat nyt hyvin lasittuneet ja hän liikehtii tuolilla levottomasti, puristelee käsiä nyrkkiin ja naputtaa jalalla lattiaa. "Minä ansaitsen palkkion."

5

Lucy istuu siten että näkee etuoven ja kaikki tulijat ja lähtijät. Hän katselee ihmisiä näiden tietämättä. Hän katselee ja laskelmoi jopa silloin kun hänen tulisi ottaa rennosti.

Muutamana viime iltana hän on käynyt Lorrainella jututtamassa baarimestareita, joiden nimet ovat Buddy ja Tonia. Kumpikaan ei tiedä Lucyn oikeaa nimeä, kumpikin muistaa Johnny Swiftin, muistaa hänet adonismaisena lääkärinä ja heterona. Aivolääkärinä peräti joka piti Provincetownista ja oli valitettavasti hetero, sanoo Buddy. Vahinko, sanoo Buddy. Oli aina yksin paitsi käydessään täällä viimeisen kerran, sanoo Tonia. Hän oli töissä sinä iltana ja muistaa että Johnnylla oli ranteissa lastat. Kun Tonia kysyi niistä, Swift vastasi että hän oli juuri ollut leikkauksessa ja että se oli mennyt huonosti.

Johnny istui jonkun naisen kanssa baaritiskin ääressä ja he olivat hyvin läheisiä keskenään, juttelivat kuin olisivat olleet kahdestaan. Nainen oli nimeltään Jan ja vaikutti todella fiksulta, oli nätti ja kohtelias, hyvin arka, ei ollenkaan itseään täynnä, nuori, arkisesti farkuissa ja collegessa, muistelee Tonia. Oli selvää ettei Johnny ollut tuntenut häntä pitkään, oli ehkä vasta äsken tavannut hänet, todennut mielenkiintoiseksi ja selvästikin piti hänestä, sanoo Tonia.

Piti hänestä eroottisessa mielessä? kysyy Lucy.

En saanut sitä vaikutelmaa. Johnny tuntui enemmänkin... no, näytti siltä kuin Janilla olisi ollut jonkinlainen ongelma ja Johnny yritti auttaa häntä. Hänhän oli lääkäri.

Se ei ole Lucysta hämmästyttävää. Johnny oli epäitsekäs. Hän oli harvinaisen lempeä.

Lucy istuu Lorrainella baaritiskin ääressä ja yrittää kuvitella tilanteen, että Johnny astui sisään juuri kuten hän äsken, astui sisään ja istuutui saman baaritiskin ääreen, ehkä jopa samalle jakkaralle. Hän kuvittelee Johnnyn olevan Janin seurassa. Ehkä he ovat vasta äsken tavanneet. Johnnyn tapana ei ollut iskeä naisia, ryhtyä noin vain juttusille. Hän ei juossut naisissa vaan saattoi hyvinkin auttaa Jania, antaa hänelle neuvoja. Mutta missä asiassa? Jossain terveysasiassa? Psykologisessa ongelmassa?

Arkaa nuorta Jania koskeva tarina askarruttaa ja huolestuttaa Lucya. Hän ei oikein tiedä miksi.

Ehkä Johnny oli allapäin, ehkä häntä pelotti, koska rannekanavaleikkaus ei ollut mennyt niin hyvin kuin hän toivoi. Ehkä ujon nuoren naisen auttaminen ja hänen kanssaan ystävystyminen sai hänet unohtamaan pelkonsa, tuntemaan itsensä vahvaksi ja tärkeäksi. Lucy siemaisee tequilaa ja miettii mitä Johnny sanoi hänelle San Franciscossa kun hän näki Johnnyn viimeisen kerran.

Biologia on julma isäntä, Johnny sanoi. Fyysiset rajoitukset ovat armottomia. Arpeutunut ja rampautunut ihminen ei kelpaa kenellekään. Hän on mennyttä kuin ajopuu.

Älä nyt liioittele, Johnny. Rannekanavaleikkaushan se vain on eikä amputointi.

Pyydän anteeksi, sanoi Johnny. Meidän ei ollut tarkoitus puhua minusta.

Lucy muistelee häntä istuessaan Lorrainella katselemassa ihmisiä, enimmäkseen miehiä, jotka ovesta sisään ja ulos astuessaan päästävät lunta tupaan.

Bostonissa on alkanut lumisade, kun Benton ajaa Porsche Turbo S:llään yliopiston kampuksella lääketieteellisen tiedekunnan viktorianaikaisten tiilitalojen ohi ja muistaa kauan sitten menneet päivät jolloin Scarpetta kutsui häntä öisin ruumishuoneelle. Hän tiesi aina että silloin oli kyseessä kamala tapaus.

Suurin osa oikeuspsykologeista ei ole kertaakaan käynyt ruumishuoneella. He eivät ole koskaan seuranneet ruumiinavausta eivätkä välitä edes katsoa niistä otettuja valokuvia. Heitä kiinnostavat enemmän rikollisen itsensä yksityiskohdat kuin se, mitä hän uhreilleen teki, sillä uhri on vain välikappale, jolla rikollinen väkivaltaisuutensa ilmaisee. Moni oikeuspsykologi ja -psykiatri esittää tämän verukkeen. Todennäköisemmin kenkä puristaa kuitenkin siitä, että heillä ei ole rohkeutta tai halua haastatella uhreja tai varsinkaan käydä katsomassa heidän silvottuja ruumiitaan.

Benton on poikkeus. Oltuaan yli kymmenen vuotta alttiina Scarpettan vaikutukselle hän on pakostakin poikkeus.

Teillä ei ole oikeutta tutkia ainuttakaan tapausta ellette suostu kuuntelemaan, mitä sanottavaa kuolleilla on, sanoi Scarpetta noin viisitoista vuotta sitten heidän selvittäessään ensimmäistä kertaa murhaa yhdessä. Jos teiltä ei liikene aikaa heille, minultakaan ei liikene aikaa teille, agentti Wesley.

Olkoon menneeksi, tohtori Scarpetta. Minä annan teidän hoitaa esittelyt.

Hyvä on sitten, sanoi Scarpetta. Tulkaa perässä.

Silloin Benton oli käynyt ensimmäisen kerran ruumishuoneen kylmäsäilössä, ja hän muistaa vieläkin ovenkahvan kovan kalahduksen ja kolean, haisevan ilman tulvahduksen. Hän tunnistaisi sen hajun missä vain, sen kalmanhajun, pahan ja tunkkaisen. Se leijuu ilmassa raskaana ja hänestä on aina tuntunut että jos sen voisi nähdä, se näyttäisi likaiselta usvalta, joka vähitellen leviää ruumiista kohotessaan.

Hän käy mielessään läpi keskustelun Basilin kanssa, analysoi jokaisen sanan, jokaisen hermovärähdyksen, jokaisen ilmeen. Väkivaltarikolliset lupaavat vaikka mitä. He manipuloivat toisia häpeämättömästi saadakseen tahtonsa läpi, lupaavat paljastaa ruumiin paikan, tunnustaa rikoksia joita ei ole onnistuttu ratkaisemaan, kertoa yksityiskohtia omista teoistaan, valottaa motiiveitaan ja mielentilaansa. Useimmiten kaikki on silkkaa sepitettä. Basilin tapauksessa Benton on huolissaan. Basilin puheet kuulostavat ainakin osittain uskottavilta.

Hän yrittää saada Scarpettan kiinni matkapuhelimella. Hän ei vastaa. Muutaman minuutin päästä hän yrittää uudestaan eikä Scarpetta vastaa vieläkään.

Hän jättää viestin. "Soita kun saat tämän", hän sanoo.

Ovi avautuu taas ja sisään astuu kuin tuiskun puhaltamana nainen.

Hänellä on pitkä musta päällystakki ja hän harjaa siitä lunta ja vetää hupun niskaansa. Hänen vaalea ihonsa punoittaa pakkasesta ja hänen silmänsä ovat kirkkaat. Hän on kaunis, hätkähdyttävän kaunis. Hänellä on vaaleat hiukset, tummat silmät ja vartalo, jota hän näyttelee mielellään. Lucy katsoo kun hän lipuu ravintolan perälle, lipuu pöytien välistä kuin seksikäs pyhiinvaeltaja tai eroottinen noita pitkässä mustassa takissaan, jonka helmat lepattavat hänen mustien saappaidensa ympärillä hänen suunnatessaan suoraa päätä baaritiskille, missä on useita tyhjiä jakkaroita. Hän valitsee paikan Lucyn vierestä, taittaa takkinsa kokoon ja istuutuu sen päälle sanaakaan sanomatta ja sivulleen vilkaisematta.

Lucy juo tequilaansa ja katsoo baarin yläpuolella olevaa televisiota kuin tuorein julkkisromanssi olisi muka mielenkiintoinen. Buddy laittaa naiselle drinkin kuin tietäisi mitä hän haluaa.

"Saanko toisen?" Lucy sanoo Buddylle ennen pitkää.

"Aivan heti."

Mustatakkinen nainen kiinnostuu värikkäästä tequilapullosta, jonka Buddy ottaa hyllyltä. Hän katsoo tarkkaan kun vaaleankellertävä viina valuu ohuena virtana täyttäen tulppaanilasin pohjan. Lucy huljuttaa tequilaa hiljakseen ja sen tuoksu täyttää hänen sieraimensa aivoihin asti.

"Siitä saa haadeksenmoisen päänsäryn", mustatakkinen nainen sanoo käheällä äänellä, joka on viettelevä ja tihkuu salaisuuksia.

"Se on paljon tavallista viinaa puhtaampaa", sanoo Lucy. "En ole vähään aikaa kuullut haadeksenmoisesta. Useimmat tuttavani puhuvat helvetinmoisesta."

"Minä olen saanut pahimmat kankkuset margaritoista", nainen sanoo siemaillessaan vaaleanpunaista cosmopolitania, joka näyttää samppanjalasissa tappavalta. "Enkä minä usko helvettiin."

"Pian uskot jos jatkat tuon paskan litkimistä", sanoo Lucy, ja katsoo baarin seinäpeilistä kun ovi avautuu jälleen ja lunta tuprahtaa taas Lorrainen tupaan.

Lahdelta puuskiva tuuli kuulostaa silkin hulmuamiselta ja tuo hänen mieleensä tuulen pyykkinarulla piiskaamat silkkisukat, vaikkei hän ole koskaan nähnyt silkkisukkia pyykkinarulla eikä edes kuullut miltä ne kuulostavat tuulessa. Hän on huomannut vierustoverinsa mustat sukat koska korkeat jakkarat ja lyhyet hameet eivät ole turvallinen yhdistelmä ellei nainen ole baarissa, jossa miehet ovat kiinnostuneita ainoastaan toisistaan, ja niinhän Provincetownissa on yleensä laita.

"Laitetaanko toinen Cosmo, Stevie?" kysyy Buddy, ja nyt Lucy tietää hänen nimensä.

"Ei", vastaa Lucy juomakaverinsa puolesta. "Antaa Stevien maistaa tequilaa."

"Minä olen valmis maistamaan mitä vain", sanoo Stevie.

"Olen tainnut nähdä sinut Piedissä ja Vixenissä tanssimassa eri tyyppien kanssa."

"Minä en tanssi."

"Olen minä sinut nähnyt. Sinua on vaikea olla huomaamatta."

"Käytkö sinä täällä usein?" kysyy Lucy, joka ei ole nähnyt Stevietä koskaan ennen, ei Piedissä eikä Vixenissä eikä missään muussakaan Ptownin yökerhossa tai ravintolassa.

Stevie katsoo kun Buddy kaataa taas tequilaa. Hän jättää pullon baaritiskille, astuu sivummalle palvelemaan uutta asiakasta.

"Olen täällä ensimmäistä kertaa", vastaa Stevie Lucylle. "Ystävänpäivälahja itselleni, viikko Ptwonissa."

"Sydäntalvella?"

"Ei kai ystävänpäivää ole kesään siirretty? Se sattuu olemaan minun suosikkini juhlapäivien kirjavassa joukossa."

"Ei se mikään juhlapäivä ole. Minä olen käynyt täällä joka ilta tällä viikolla enkä ole nähnyt sinua kertaakaan."

"Mikä ihmeen baaripoliisi sinä luulet olevasi?" Stevie hymyilee, katsoo Lucyn silmiin niin syvään että se ei voi olla vaikuttamatta.

Lucy tuntee jotain. Ei, hän ajattelee. Ei taas.

"Jospa minä en käykään täällä vain iltaisin kuten sinä", sanoo Stevie ja hipaisee Lucyn käsivartta ottaessaan tequilapullon.

Tunne voimistuu. Stevie tutkii värikästä etikettiä ja laskee pullon takaisin tiskille kiirehtimättä, vartalo Lucya koskettaen. Tunne voimistuu.

"Cuervoa? Mitä ihmeellistä Cuervossa on?" kysyy Stevie.

"Mistä sinä voisit tietää mitä minä teen?" kysyy Lucy.

Hän yrittää päästä tunteesta eroon.

"Kunhan arvailin. Sinä näytät yöihmiseltä", sanoo Stevie. "Sinä olet syntyjäsi punapää, etkö vain? Tai sinulla on musta tukka jossa on tummanpunaista. Tukkaa ei saa värjäämällä tuollaiseksi. Et ole aina päästänyt sitä niin pitkäksi kuin se on nyt."

"Meedioko sinä olet?"

Tunne on käynyt hirveäksi. Se ei lähde pois.

"Kunhan arvailen", vastaa Stevien viettelevä ääni. "Sinä et ole vielä kertonut. Mitä ihmeellistä Cuervossa on?"

"Cuervo Reserva de la Familia. On se aika ihmeellistä."

"Kas kas. Minulla taitaa olla tänä iltana edessä yhtä ja toista uutta ja ihmeellistä", sanoo Stevie ja koskettaa Lucyn käsivartta. Hänen kätensä lepää sillä hetken. "Ensimmäinen kerta Ptownissa. Ensimmäinen shotti viidenkymmenen prosentin agaavetequilaa, joka maksaa kolmekymppiä per paukku."

Lucy miettii mistä Stevie tietää mitä tämä tequila maksaa. Hän näyttää tietävän hämmästyttävän paljon ollakseen täysin tietämätön tequilasta.

"Taidan ottaa toisen", Stevie sanoo Buddylle, "ja voisit kyllä lorauttaa lasin hiukan enemmän. Ole kiltti minulle."

Buddy hymyilee kaataessaan uuden drinkin, ja kahden lasillisen päästä Stevie nojaa Lucyyn ja kuiskaa hänen korvaansa: "Onko sinulla mitään?"

"Mitä esimerkiksi?" kysyy Lucy kun hän antautuu.

Tequila ja suunnitelma yöksi jäämisestä saavat tunteen voimistumaan.

"Tiedäthän sinä", sanoo Stevie hiljaa ja hänen hönkäyksensä koskettavat Lucyn korvaa, hänen toinen rintansa painuu Lucyn olkavarteen. "Jotain poltettavaa. Jotain mikä on sen arvoista."

"Mistä luulet että minulla olisi?"

"Kunhan arvailen."

"Sinä olet hämmästyttävän hyvä arvailija."

"Täältä sitä ei saa mistään. Minä olen nähnyt sinut."

Lucy teki kaupat eilen, tietää mistä sitä saa, Vixenistä, sieltä missä hän ei tanssi. Hän ei muista nähneensä Stevietä. Siellä ei ollut edes kovin paljon väkeä, ei koskaan ole tähän aikaan vuodesta. Hän olisi huomannut Stevien. Hän olisi huomannut hänet isostakin joukosta, vilkkaalta kadulta, mistä vain.

"Ehkä se baaripoliisi oletkin sinä", sanoo Lucy.

"Sinä et arvaakaan miten hassulta tuo kuulostaa", sanoo Stevien viettelevä ääni. "Missä sinä olet yötä?"

"Tässä ihan lähellä."

6

Massachusettsin osavaltion kuolinsyyntutkijan virasto on kuten yleensä muissakin osavaltioissa kaupungin parhaiden kortteleiden laitamilla lääketieteellisen tiedekunnan lähistöllä. Punatiilestä ja betonista rakennettu kokonaisuus on moottoritien varressa ja sitä vastapäätä on Suffolkin piirikunnan vankila. Ikkunoista ei ole nimeksikään kauniita näkymiä ja liikenteen melu on loputon.

Benton pysäköi autonsa takaovelle ja huomaa että pihalla on vain kaksi muuta autoa. Tummansininen Ford Crown Victoria on komisario Thrushin virka-auto. Honda-maasturi lienee oikeuspatologin, joka saa liian pientä palkkaa eikä varmastikaan ollut haltioissaan, kun Thrush taivutteli hänet tulemaan töihin tähän aikaan. Benton soittaa ovikelloa ja silmäilee melkein tyhjää pysäköintialuetta. Hänellä ei käy edes mielessä, että hän olisi yksin ja turvassa. Ovi avautuu ja Thrush viittaa hänet sisään.

"Tämä on iltaisin karmea paikka", sanoo Thrush.

"Ei tässä ole kehumista päivälläkään", sanoo Benton.

"Hyvä kun pääsit tulemaan. Miten ihmeessä sinä lähdit tuolla liikkeelle?" Thrush kysyy katsoen mustaa Porschea ja sulkee oven heidän perässään. "Tällä ilmalla? Hulluko sinä olet?"

"Neliveto. Aamulla ei tullut lunta kun ajoin töihin."

"Muut psykologit, joiden kanssa olen tekemisissä, eivät ikinä tule tänne vaikka aurinko paistaisi", valittaa Thrush. "Eivätkä tule profiloijatkaan. Suurin osa minun tapaamistani FBI:n agenteista ei ole koskaan nähnyt ruumista."

"Paitsi ne jotka ovat töissä päämajassa."

"Älä muuta sano. Meillä riittää käveleviä vainajia pääpoliisiasemallakin. Tässä."

Hän ojentaa Bentonille kirjekuoren heidän kävellessään käytävää pitkin.

"Minä laitoin sinulle kaikki tiedot levylle. Kaikki kuvat rikospaikalta ja ruumiinavauksesta ja kaiken mitä on tähän mennessä pantu paperille. Kaikki on siinä. Lupaavat kunnon myräkkää."

Benton ajattelee taas Scarpettaa. Huomenna on ystävänpäivä ja heidän on määrä viettää ilta yhdessä, romanttinen illallinen satamassa. Scarpettan on tarkoitus jäädä Bostoniin viikonlopuksi. He eivät ole tavanneet lähes kuukauteen. Mutta Scarpetta ei ehkä pääse tulemaan lumimyrskyn vuoksi.

"Minä kuulin että lunta tulisi vain vähän", sanoo Benton.

"Cape Codilta päin on tulossa myrsky. Toivottavasti sinulla on toinenkin kulkupeli tuon miljoonan dollarin urheiluauton lisäksi."

Thrush on iso mies. Hän on paljasjalkainen massachusettsilainen ja sen kuulee hänen murteestaan. Hän on hieman yli viidenkymmenen, hänellä on sotilaallisen lyhyt harmaa tukka ja ryppyinen ruskea puku, ja hän on luultavasti ollut töissä tauotta koko päivän. Hän kävelee kirkkaasti valaistua käytävää pitkin Bentonin kanssa. Se on putipuhdas ja tuoksuu ilmanraikasteelta. Käytävän molemmin puolin on varastoja ja todisteaineistohuoneita. Mihinkään ei pääse ilman korttiavainta. Käytävällä on jopa defibrillaattorikärry, vaikkei Benton käsitä miksi, ja pyyhkäisyelektronimikroskooppi. Hän ei ole nähnyt toista niin tilavaa ja hyvinvarustettua ruumishuonetta. Henkilökunta on asia erikseen.

Laitos on kärsinyt lamaannuttavista henkilöstöongelmista vuosikaudet, sillä huonot palkat eivät houkuttele päteviä patologeja ja muita työntekijöitä. Kaiken kukkurana ovat väitteet, että laitoksella on tehty virheitä ja rötöksiä, mistä on noussut tuhoisia kiistoja ja pr-ongelmia, jotka vaikeuttavat kaikkien siellä työskentelevien elämää. Laitos ei ole avoinna medialle eikä ulkopuolisille, ja vihamielisyys ja luottamuspula ovat levinneet kaikkialle. Benton on mielissään voidessaan käydä laitoksella illalla. Päivällä siellä tuntisi itsensä ei-toivotuksi.

Hän ja Thrush pysähtyvät yhden ruumiinavaussalin suljetun oven edessä. Tätä salia käytetään kuuluisien tapausten tutkimiseen, samoin sellaisten, joita pidetään bioriskeinä tai jostain syystä omituisina. Hänen matkapuhelimensa värisee. Hän katsoo näyttöä. Soittajan numero tuntematon. Yleensä se tarkoittaa Scarpettaa.

"Hei", sanoo Scarpetta. "Toivottavasti sinulla on ollut parempi ilta kuin minulla."

"Minä olen ruumishuoneella." Sitten Thrushille: "Hetkinen."

"Ei kuulosta hyvältä", sanoo Scarpetta.

"Minä kerron myöhemmin. Yksi kysymys. Oletko kuullut tapauksesta, joka sattui joulukoristemyymälässä Las Olasissa ehkä kaksi ja puoli vuotta sitten?"

"Tapauksella tarkoittanet henkirikosta?"

"Kyllä."

"En ihan hatusta. Lucy voisi ottaa selvää. Siellä kuulemma sataa lunta."

"Minä järjestän sinulle kyydin tänne vaikka joutuisin vuokraamaan pukilta poron."

"Minä rakastan sinua."

"Ja minä sinua", sanoo Benton.

Benton lopettaa puhelun ja kysyy Thrushilta: "Kuka meidän yhteyshenkilömme on?"

"Tohtori Lonsdale ystävällisesti auttoi minua. Tulet pitämään hänestä. Mutta hän ei tehnyt ruumiinavausta vaan sen teki eräs toinen."

Eräs toinen on laitoksen johtaja. Hänestä tuli johtaja koska hän on nainen.

"Jos minulta kysytään", sanoo Thrush, "naisilla ei ole mitään asiaa tälle alalle. Millainen nainen haluaisi tehdä tällaista työtä?"

"On alalla hyviäkin naisia", sanoo Benton. "Erittäinkin hyviä. Kaikki eivät ole päässeet asemaansa siksi että ovat naisia. Pikemminkin siitä huolimatta."

Thrush ei tiedä Scarpettasta. Benton ei ole koskaan maininnut häntä edes ihmisille, jotka tuntee varsin hyvin.

"Naisten ei ole hyvä nähdä tällaista", sanoo Thrush.

Yöilma on purevaa ja maidonvalkoista koko Commercial Streetin pituudelta. Lumihiutaleet tupruavat katulyhtyjen valossa heijastuen yöhön kirkkaina, kunnes maailma hehkuu ja näyttää epätodelliselta heidän kävellessään kahdestaan keskellä hiljaista autiota joenrantaa kohti taloa, jonka Lucy vuokrasi muutama päivä sitten Marinon saatua oudon soiton mieheltä nimeltä Karju.

Lucy virittää takkaan tulen ja istuutuu Stevien kanssa sen eteen täkeille käärimään sätkän erinomaisesta marihuanasta, joka on peräisin Brittiläisestä Columbiasta. He polttavat sen yhdessä. Polttavat ja juttelevat ja nauravat ja sitten Stevie haluaa lisää.

"Yksi riittää", hän pyytää kun Lucy riisuu häntä.

"Erikoisia", sanoo Lucy katsoessaan Stevien hoikkaa alastonta vartaloa, jossa on punaisia kämmenenjälkiä, ehkä tatuointeja. Niitä on neljä. Kaksi Stevien rinnoilla kuin niihin olisi tartuttu, kaksi reisien sisäpuolella ylhäällä kuin jalkoja olisi väkisin vedetty haralleen. Selässä niitä ei ole, eikä muualla minne Stevie ei itse ylettyisi niitä laittamaan sikäli kuin ne olivat pelkkiä koristeita. Lucy katsoo pitkään. Hän koskettaa yhtä kädenkuvaa, asettaa kämmenensä sen päälle hyväillen Stevien rintaa.

"Katson vain onko se sopivan kokoinen", sanoo Lucy. "Väriäkö ne ovat?"

"Riisu sinäkin vaatteet."

Lucy tekee mitä haluaa mutta ei riisuudu. Hän tekee monen tunnin ajan mitä haluaa takan valossa täkkien päällä, ja Stevie antaa hänen tehdä, on elävämpi kuin kukaan kehen Lucy on milloinkaan koskenut, sileä ja pehmeäpiirteinen, hoikka tavalla jolla Lucy ei enää ole hoikka, ja kun Stevie yrittää riisua häntä, miltei väkisin, Lucy ei anna, ja Stevie väsyy ja luovuttaa ja Lucy auttaa hänet sänkyyn. Kun Stevie on nukahtanut, Lucy makaa valveilla ja kuuntelee tuulen pahaenteistä ujellusta yrittäen keksiä, miltä se oikeastaan kuulostaa, ja tulee siihen tulokseen, ettei se kuulostakaan silkkisukilta vaan ahdingolta ja kärsimykseltä.

7

Ruumiinavaussali on pieni. Siellä on laattalattia, tuttu välinevaunu, digitaalivaaka, todisteaineistokaappi, sahoja ja erilaisia teriä, leikkuulautoja ja siirrettävä pöytä, joka on työnnetty kiinni seinän vierellä olevaan pesualtaaseen. Kylmähuoneen ovi on raollaan.

Thrush ojentaa Bentonille siniset Nitrile-käsineet ja kysyy: "Haluatko kenkäsuojukset tai hengityssuojaimen?"

"Ei kiitos", vastaa Benton kun tohtori Lonsdale astuu kylmähuoneesta työntäen teräksistä pöytää jolla on pussiin suljettu ruumis.

"Meidän on toimittava nopeasti", sanoo Lonsdale kun hän pysäyttää pöydän pesualtaan lähelle ja lukitsee kaksi pyörää. "Vaimolle oli kanssa selittelemistä. Tänään on hänen syntymäpäivänsä."

Hän avaa pussin vetoketjun ja levittää sen auki. Uhrilla on epätasaisesti leikattu lyhyt tukka. Se on vielä kostea ja verinen koska siinä on aivojen ja muiden kudosten palasia. Naisen kasvoista ei ole jäljellä juuri mitään. Näyttää siltä kuin pieni pommi olisi räjähtänyt hänen päässään, ja niin hänelle tavallaan kävikin.

"Häntä ammuttiin suuhun, mutta haulit eivät tulleet ulos", sanoo tohtori Lonsdale. Hän on nuori ja hänessä on innokkuutta, joka on hyvin lähellä kärsimättömyyttä. "Massiivisia kallonmurtumia, aivojen muhentuminen, joka tietenkin yleensä liittyy itsemurhiin, mutta ei mitään muita itsemurhaan viittaavia merkkejä. Minusta vaikuttaa siltä, että hänen päänsä oli aika selvästi takakenossa, kun liipaisinta vedettiin, mikä selittäisi sen, että kasvot hävisivät lähes täysin ja osa hampaista irtosi. Nämäkään merkit eivät ole harvinaisia itsemurhissa."

Hän sytyttää suurennuslampun ja suuntaa sen päähän.

"Hänen suutaan ei tarvitse avata", hän selittää, "koska kasvot ovat hävinneet. Ei niin pahaa ettei jotain hyvääkin."

Benton kumartuu lähelle ja haistaa pilaantuvan veren mädän hajun.

"Nokea kitalaessa ja kielessä", jatkaa tohtori Lonsdale. "Haavaumia kielen pinnassa, ihossa perioraalisesti ja nasolabiaalipoimussa johtuen haulikon laukauskaasun laajenemisen pullistavasta vaikutuksesta. On kauniimpiakin tapoja kuolla."

Hän avaa vetoketjun alas asti.

"Säästitte sokerin pohjalle", sanoo Thrush. "Mitä tuumitte? Minulle tulee mieleen Hullu Hevonen."

"Tarkoitatteko sitä intiaania?" Tohtori Lonsdale katsoo häntä kysyvästi kun hän kiertää auki korkin lasipurkista jossa on kirkasta nestettä.

"Tarkoitan. Eikö hän painanut punaisia kämmenenjälkiä hevosensa perseelle?"

Naisen iholla on punaisia kämmenenjälkiä rinnoissa, vatsas-

sa ja reisien yläosassa sisäpinnalla, ja Benton siirtää suurennus-
lamppua lähemmäksi.

Tohtori Lonsdale painelee yhden kämmenenjäljen reunaa va-
nupuikolla ja sanoo: "Isopropanoli tai muu liuote irrottaa sen.
Selvästikään se ei ole vesiliukoista vaan tuo mieleen aineen, jota
käytetään tilapäiseen tatuointiin. Jonkinlaista maalia se on. Tai
sitten se on väritetty ei-vesiliukoisella tussilla."

"Ilmeisesti ette ole nähnyt vastaavaa muissa ruumiissa?" ky-
syy Benton.

"En todellakaan."

Suurennuslasilla katsoen kämmenenjälkien reunat ovat terä-
vät kuin ne olisi tehty mallineella, ja Benton etsii siveltimen jäl-
kiä tai muita merkkejä, joista voisi päätellä miten maali tai tussi
on levitetty. Hän ei löydä niitä, mutta värin tummuudesta pää-
tellen hän otaksuu jäljet tuoreiksi.

"Luulisin että nainen on saattanut saada nämä jäljet jo joskus
aiemmin. Toisin sanoen ne eivät välttämättä liity hänen kuole-
maansa", lisää tohtori Lonsdale.

"Siltä minustakin tuntuu", sanoo Thrush. "Täällä päin har-
rastetaan paljon noituutta, onhan noitaoikeudenkäynneistään
tunnettu Salemkin lähistöllä."

"Minua askarruttaa, kuinka nopeasti tällaiset jäljet alkavat
haalistua", sanoo Benton. "Oletteko mitannut ne? Ovatko ne sa-
mankokoiset kuin hänen kätensä?" Hän viittaa ruumiiseen.

"Minusta ne näyttävät isommilta", sanoo Thrush pidellen
toista kättään pystyssä.

"Entä selkäpuoli?" kysyy Benton.

"Yksi kummassakin pakarassa ja yksi lapaluiden välissä",
vastaa tohtori Lonsdale. "Näyttävät miehen käden kokoisilta."

"Tosiaan", sanoo Thrush.

Tohtori Lonsdale vetää ruumiin puoliksi kyljelleen ja Benton
tutkii selän kämmenenjälkiä.

"Tuossa on abraasion merkkejä", sanoo Benton huomattu-
aan lapaluiden välisessä kämmenenjäljessä naarmuisen kohdan.
"Hieman tulehtuneita."

"En tunne kaikkia yksityiskohtia", sanoo tohtori Lonsdale.
"Minä en ole tutkinut häntä."

"Näyttää siltä että kämmen maalattiin sen jälkeen kun hän
sai naarmut", sanoo Benton. "Ovatko nuo haavoja?"

"Ehkä paikallisia turvotuksia. Histologia antaisi vastauksen. Minä en ole tutkinut häntä", muistuttaa tohtori Lonsdale. "En osallistunut ruumiinavaukseen", hän tähdentää. "Minä vain vilkaisin häntä ennen kuin hain hänet äsken tuolta kylmähuoneesta. Luin kyllä nopeasti ruumiinavauspöytäkirjan."

Jos pomo on hutiloinut tai ollut epäpätevä, Lonsdale ei ainakaan halua ottaa siitä syytä niskoilleen.

"Osaatteko arvioida milloin hän kuoli?" kysyy Benton.

"Pakkanen ainakin hidasti mätänemistä."

"Oliko ruumis jäässä kun se löydettiin?"

"Ei. Hänen ruumiinlämpönsä oli hieman yli kolme astetta kun ruumis tuotiin tänne. Minä en käynyt löytöpaikalla. En tiedä tarkemmin."

"Tänä aamuna kymmeneltä oli kuusi astetta pakkasta", Thrush sanoo Bentonille. "Säätilatiedot ovat sillä levyllä jonka minä sinulle annoin."

"Ruumiinavauspöytäkirja on siis jo saneltu", toteaa Benton.

"Sekin on sillä levyllä", sanoo Thrush.

"Entä hiukkastodisteet?"

"Hiekkaa, kuituja ja muita vereen tarttuneita hiukkasia", vastaa Thrush. "Minä tutkitutan ne labrassa niin nopeasti kuin pystyn."

"Kerrohan siitä haulikon hylsystä", sanoo Benton.

"Se oli peräsuolessa. Se ei näkynyt ulospäin, mutta paljastui röntgenissä. Hitonmoinen juttu. Kun näin kuvan ensimmäisen kerran, minä ajattelin että hylsy oli ruumiin alla röntgenpöydällä. En olisi ikinä arvannut että se on peräsuolessa."

"Millainen?"

"Remington Express Magnum, kaksitoistakaliiperinen."

"Ja kaksitoista haulia aivoissa?"

"Juuri niin."

"Vaikka hän olisikin tehnyt itsemurhan, hän ei ainakaan työntänyt sen jälkeen hylsyä itse peräaukkoonsa", sanoo Benton. "Oletko etsinyt NIBIN:istä?"

"Panin haun vireille", vastaa Thrush. "Nalliin jäi iskurista selvä naarmu. Ei sitä tiedä vaikka jotain löytyisikin."

8

Varhain seuraavana aamuna lumihiutaleet lentävät vaakasuoraan Cape Codin lahden yli ja sulavat veteen putoillessaan. Lumi jättää vain heikkoja jälkiä ruskealle rantakaistaleelle jolle Lucyn ikkunoista näkee, mutta lähitalojen katoilla ja hänen makuuhuoneensa parvekkeella sitä on paksulti. Hän vetää peiton leukaansa asti ja katsoo merelle ja pyryyn tyytymättömänä siitä, että joutuu nousemaan ja olemaan tekemisissä vieressään nukkuvan naisen, Stevien, kanssa.

Lucya kaduttaa että hän meni illalla Lorrainelle. Hän ei olisi saanut. Katumus jäytää mieltä. Hän inhoaa itseään ja hänellä on kiire päästä pois pienestä rantamökistä, jossa on kolmea seinää kiertävä kuisti ja pärekatto, lukemattomien vuokralaisten kolhimat huonekalut ja pieni keittiö, jossa on vanhanaikaisten kodinkoneiden luoma homehtunut tunnelma. Hän katselee kun aamun saraste leikkii taivaanrannassa, maalaa sen harmaasävyiksi, ja koko ajan lunta sataa lähes yhtä kovasti kuin illalla. Hän ajattelee Johnnya joka tuli Provincetowniin viikko ennen kuolemaansa ja tapasi jonkun. Lucyn olisi pitänyt saada se selville jo kauan sitten, mutta hän ei pystynyt. Hän ei pystynyt kohtaamaan sitä asiaa. Hän katselee Stevien rauhallista hengitystä.

"Oletko hereillä?" kysyy Lucy. "Sinun pitää nousta."

Hän katsoo ikkunasta ulos, katsoo tyrskyävällä harmaalla lahdella keikkuvia sorsia ja miettii miten ihmeessä ne eivät jäädy. Hän tietää kyllä miten hyvä lämpöeriste untuva on, mutta hän ei silti pysty käsittämään, miten mikään tasalämpöinen eläin pystyy kellumaan jääkylmässä vedessä lumimyrskyssä. Häntä viluttaa, vaikka hän on paksun peiton alla, viluttaa ja inhottaa, ja hänellä on epämukava olo, koska hänellä on rintaliivit, pikkuhousut ja nappikauluspaita päällä.

"Stevie, herätys! Minun pitää lähteä", hän sanoo kovalla äänellä.

Stevie ei liikahda. Hänen selkänsä nousee ja laskee hitaasti jokaisen rauhallisen hengenvedon myötä, ja katumus piinaa Lucya ja häntä ärsyttää ja suututtaa koska hän aina vain uudestaan sortuu tähän samaan, tähän mitä hän inhoaa. Hän on jo melkein vuoden ajan vannonut itselleen, että *ei enää*, ja sitten tulee vastaan sellaisia iltoja kuin eilen, eikä se ole fiksua eikä järkevää ja häntä kaduttaa aina, joka ainoa kerta, koska se on alentavaa ja koska hän joutuu valehtelemaan päästäkseen vapaaksi. Hänellä ei ole valinnanvaraa. Hänen elämässään valintojen aika on ohi. Hän on jo liian syvällä voidakseen valita jotain muuta, ja osa valinnoista on tehty hänen puolestaan. Hän ei tosin pysty vieläkään uskomaan sitä todeksi. Hän koskettaa aristavia rintojaan ja turvonnutta vatsaansa varmistaakseen, että se on totta, eikä hän pysty vieläkään ymmärtämään sitä. Miten hänelle saattoi käydä niin?

Miten Johnny saattoi kuolla?

Lucy ei ollut selvittänyt, miten Johnnyn oli käynyt. Lucy oli kävellyt pois ja vienyt salaisuutensa mukanaan.

Minä olen pahoillani, hän ajattelee, toivoen että Johnny ymmärtää hänen ajatuksensa kuten ennenkin, missä hän sitten onkin. Ehkä Johnny pystyy nyt lukemaan hänen ajatuksiaan. Ehkä hän ymmärtää, miksi Lucy pysytteli poissa, hyväksyi todeksi sen että Johnny teki itselleen mitä teki. Ehkä Johnny oli masentunut. Ehkä hän tunsi olevansa tuhoon tuomittu. Lucy ei ollut missään vaiheessa uskonut, että veli olisi murhannut Johnnyn. Hän ei ollut edes ajatellut sitä mahdollisuutta, että joku muu olisi hänet murhannut. Sitten Marino sai soiton, pahaenteisen soiton Karjulta.

"Sinun pitää nousta", hän sanoo Stevielle.

Lucy ottaa yöpöydältä .380-kaliiperisen Colt Mustangin.

"Nouse jo!"

Basil Jenrette makaa sellissään teräslaverilla ohut peite päällään, sellainen josta ei lähde syanidia tai muita myrkkykaasuja tulipalossa. Patja on ohut ja kova eikä siitäkään vapaudu tappavia kaasuja vaikka se palaisi. Piikki olisi ollut epämiellyttävä, tuoli vielä kurjempi, mutta kaasukammio – ei kiitos. Hän ei halunnut kuolla tukehtumalla.

Kun hän katsoo patjaansa vuodetta sijatessaan hän ajattelee tulipaloja ja tukehtumista. Ei hän aivan kamala ole. Hän ei sentään ole koskaan tehnyt sitä, mitä soitonopettaja teki kunnes Basil lakkasi käymästä tunneilla, vaikka sai äidiltä kuinka kovasti maistaa vyötä. Hän lopetti eikä suostunut menemään enää yhdellekään tunnille jolla häntä yskitti, jolla kurkkua kuristi, tunnille jolla hän oli tukehtua. Hän ei ollut ajatellut asiaa kovin paljon ennen kuin kaasukammio tuli puheeksi. Vaikka hän tiesikin yhtä ja toista siitä, miten teloitukset pannaan toimeen Gainesvillessa, piikillä siis, vartijat uhkasivat häntä kaasukammiolla, nauraa hekottivat kun hän käpertyi laverilleen ja alkoi vapista.

Hänen ei enää tarvitse pelätä kaasukammiota eikä muutakaan teloitusta. Hän on koehenkilö.

Hän kuuntelee teräsoven alareunan vetolaatikon ääntä, kuuntelee odottaen että laatikko avautuisi, kuuntelee aamiaisensa tuloa.

Hän ei näe, että ulkona on valoisaa, koska sellissä ei ole ikkunaa, mutta hän tietää, että on aamu, tietää kierrostaan tekevien vartijoiden äänistä ja vetolaatikoiden avaamisista ja sulkemisista, joka tulee siitä kun muut vangit saavat munia ja pekonia ja sämpylöitä, joskus paistettuja munia, joskus munakokkelia. Hän haistaa ruoan kun hän makaa sängyllä myrkytön peitto myrkyttömällä patjalla ja miettii postiaan. Hänen on saatava se. Hän ei ole koskaan ollut tämän vihaisempi tai ahdistuneempi. Hän kuulostelee askelia ja sitten setä Tuomon lihavat mustat kasvot ilmestyvät teräsverkkoikkunaan joka on korkealla ovessa.

Sitä nimeä Basil hänestä käyttää. Setä Tuomo. Siksi Basil ei saa enää postia, siksi että kutsuu häntä setä Tuomoksi. Hän ei ole saanut sitä kuukauteen.

"Anna jo se posti!" hän sanoo setä Tuomon kasvoille jotka ovat teräsverkon takana. "Minulla on perustuslaillinen oikeus siihen."

"Kuka sinunlaisellesi surkimukselle kirjoittaisi?" kysyvät kasvot verkon takaa.

Basil ei näe hyvin, erottaa vain mustat kasvot ja kosteat silmät jotka kurkistelevat häneen päin. Basil tietää mitä tehdä silmille, miten sammuttaa ne jotta ne eivät häikäise häntä, näe sellaista mitä niiden ei kuulu nähdä ennen kuin ne muuttuvat hulluiksi ja hän on vähällä tukehtua. Hän ei pysty tekemään juuri mitään täällä itsemurhasellissään, ja raivo ja ahdistus kiertävät hänen vatsaansa tiukalle kuin tiskirättiä.

"Minä tiedän että minulle on postia", sanoo Basil. "Antakaa se minulle!"

Kasvot katoavat ja luukku avautuu. Basil nousee sängyltä,

ottaa tarjottimen vastaan, ja harmaan teräsoven alaosan laatikko sulkeutuu kovasti kalahtaen.

"Toivottavasti kukaan ei ole sylkäissyt sinun ruokaasi", sanoo setä Tuomo verkon takaa. "Hyvää ruokahalua", hän lisää.

Lautalattian leveät lankut ovat kylmät Lucyn paljaiden jalkojen alla kun hän palaa makuuhuoneeseen. Stevie nukkuu peiton alla, ja Lucy laskee kaksi kahvikuppia yöpöydälle ja työntää kätensä patjan alle haroen pistoolin lippaita. Hän oli edellisiltana harkitsematon, mutta ei niin harkitsematon että olisi jättänyt aseensa ladatuksi kun talossa oli vieras ihminen.

"Stevie?" hän sanoo. "Herää jo. Kuuletko?"

Stevie avaa silmänsä ja katsoo Lucya joka seisoo sängyn vieressä ja työntää lipasta pistooliin.

"Mikä näky", haukottelee Stevie.

"Minun pitää lähteä." Lucy ojentaa hänelle kahvin.

Stevie tuijottaa asetta. "Sinun täytyy luottaa minuun kun jätit sen yöksi tuohon pöydälle."

"Miksen minä luottaisi sinuun?"

"Teidän juristien pitää kai pelätä kaikkia niitä ihmisiä joiden elämän te olette pilanneet", sanoo Stevie. "Nykyään ihmiset ovat arvaamattomia."

Lucy sanoi hänelle olevansa asianajaja Bostonista. Stevie luultavasti uskoo yhtä ja toista perätöntä.

"Mistä sinä tiesit että minä juon kahvin mustana?"

"En minä tiennyt", sanoo Lucy. "Talossa ei ole kermaa eikä maitoa. Minun on pakko lähteä."

"Jäisit tänne. Minusta tuntuu että minä saan sinut viihtymään. Me emme päässeet loppuun, eikö totta? Minä olin niin kännissä ja pilvessä, että en saanut sinua riisutuksi. Kerta se on ensimmäinenkin."

"Moni muukin kerta näyttää olleen sinulle ensimmäinen."

"Sinä et riisunut", muistuttaa Stevie ja ryystää kahvia. "Se oli ensimmäinen kerta minun elämässäni, usko pois."

"Sinä olit jo poissa pelistä."

"Olin minä sen verran pirteä että olisin jaksanut yrittää. Eikä vielä ole myöhäistä yrittää uudestaan."

Hän nousee istumaan, nojaa tyynyjä vasten ja lakana valahtaa hänen rintojensa alle ja hänen nänninsä ovat viileässä ilmassa pystyt. Hän tietää oikein hyvin mitä hänellä on tarjota ja miten eikä Lucy usko että eilisiltainen oli ensimmäinen kerta, että mikään oli ensimmäinen kerta.

"Hitto miten särkee päätä", sanoo Stevie ja katsoo kun Lucy katsoo häneen. "Etkö sinä väittänyt ettei hyvästä tequilasta saa krapulaa?"

"Sinä sekoitit siihen votkaa."

Stevie kerää lisää tyynyjä selkänsä taakse ja lakana laskeutuu hänen lanteilleen. Hän vetää vaalean tukkansa silmiltä ja hän on melkoinen näky aamuvalossa, mutta Lucy on saanut hänestä tarpeekseen ja punaiset kämmenenjäljet tympäisevät häntä taas.

"Muistatko kun kysyin illalla noista?" sanoo Lucy katsoen niitä.

"Sinä kysyit eilen vaikka mitä."

"Minä kysyin missä sinä teetit ne."

"Tule takaisin sänkyyn." Stevie taputtaa vuodetta ja hänen silmänsä tuntuvat polttavan Lucyn ihoa.

"Sen on täytynyt sattua. Paitsi jos ne on vain maalattu. Minä luulen että ne on."

"Minä saan ne pois kynsilakanpoistoaineella tai vauvaöljyllä. Sinulla ei varmasti ole kumpaakaan tässä talossa."

"Mikä niiden tarkoitus on?" Lucy katsoo kämmenenjälkiä.

"Idea ei ollut minun."

"Kenen sitten?"

"Yhden ärsyttävän ämmän. Hän laittoi ne ja minun pitää siivota ne pois."

Lucyn otsa menee ryppyyn ja hän katsoo Stevietä pitkään. "Sinä annoit jonkun maalata ne ihollesi. Aika pervoa." Ja hän tuntee mustasukkaisuuden piston kuvitellessaan miten joku maalasi Stevien vartaloa. "Sinun ei tarvitse kertoa kuka", sanoo Lucy kuin sillä ei olisi merkitystä.

"On paljon parempi antaa kuin ottaa", sanoo Stevie ja taas Lucylle tulee mustasukkainen olo. "Tule tänne", sanoo Stevie lohduttavalla äänellään ja taputtaa taas patjaa.

"Meidän pitää lähteä. Minulla on tekemistä", sanoo Lucy ja vie mustat reisitaskuhousut, ison mustan villapaidan ja pistoolin makuuhuoneen vieressä olevaan pieneen kylpyhuoneeseen.

Hän sulkee ja lukitsee oven. Hän riisuutuu katsomatta itseään peilistä toivoen että olisi pelkkää kuvittelua tai pahaa unta mitä hänen vartalolleen on tapahtunut. Hän tunnustelee itseään suihkussa nähdäkseen onko mikään muuttunut ja välttää katsomasta peiliin kuivatessaan itseään.

"Katso nyt sinua!" sanoo Stevie kun Lucy astuu makuuhuoneeseen pukeutuneena ja ajatuksissaan, paljon pahemmalla päällä kuin hetki sitten. "Sinä näytät ihan salaiselta agentilta. Sinä olet aika pakkaus. Minä haluaisin olla juuri tuollainen."

"Et sinä minua tunne."

"Tunnen minä tarpeeksi eilisillan jälkeen", sanoo Stevie ja katsoo Lucya ylhäältä alas. "Kukapa ei haluaisi olla juuri tuollainen? Sinä näytät siltä ettet pelkää mitään. Vai pelkäätkö?"

Lucy kumartuu ja peittää Stevien leukaan asti vuodevaatteilla, ja Stevien ilme muuttuu. Hän jäykistyy ja kääntää katseensa alas.

"Anna anteeksi. En tarkoittanut loukata", sanoo Stevie nöyristellen ja hänen poskensa alkavat punoittaa.

"Täällä on koleaa. Minä vain peitin sinut koska..."

"Ei se mitään. Sitä on sattunut ennenkin." Stevie nostaa katseensa, hänen silmänsä ovat pohjattomat kaivot täynnä pelkoa ja alakuloisuutta. "Sinä pidät minua rumana, etkö vain? Rumana ja lihavana. Sinä et pidä minusta. Et ainakaan päivänvalossa."

"Sinä olet kaikkea muuta kuin ruma ja lihava", sanoo Lucy. "Ja minä pidän sinusta. Asia on vain... hitto vie, anna anteeksi. Tarkoitukseni ei ollut..."

"En minä ole hämmästynyt. Miksi sinunlaisesi nainen pitäisi minunlaisestani naisesta?" kysyy Stevie, vetää peiton ympärilleen noustessaan sängystä niin että se peittää hänet kokonaan. "Sinä saisit ihan kenet vain. Minä olen kiitollinen. Kiitos sinulle! Minä en kerro kenellekään."

Lucy on sanaton. Hän katselee kun Stevie hakee vaatteensa olohuoneesta ja pukeutuu vapisten, suu kummasti vääntyen.

"Älä itke, Stevie."

"Kutsu minua edes oikealla nimellä."

"Mitä sinä tarkoitat?"

Stevie vastaa tummat silmät pelosta suurina: "Minä haluan lähteä. Minä en kerro kenellekään. Kiitos, minä olen oikein kiitollinen."

"Mitä ihmettä sinä oikein puhut?" kysyy Lucy.

Stevie hakee pitkän mustan päällystakkinsa ja vetää sen pääl-
leen. Lucy katsoo ikkunasta kun hän kävelee pois lumipyryssä
mustan takin helmat mustien saappaiden pitkien varsien ympä-
rillä lepattaen.

9

Puolen tunnin päästä Lucy kiskaisee laskettelupusakkansa
vetoketjun kiinni ja panee taskuun pistoolin ja kaksi varalipasta.
Hän lukitsee mökin ja nousee lumisia puuportaita kadulle
miettien Stevietä ja hänen käsittämätöntä käytöstään. Hän tun-
tee syyllisyyttä. Hän ajattelee Johnnya ja tuntee taas syyllisyyttä
muistellessaan San Franciscoa missä Johnny vei hänet päivälli-
selle ja vakuutti että kaikki menisi hyvin.
Sinulla ei ole mitään hätää, Johnny lupasi.
Minä en voi elää näin, sanoi Lucy.
Market Streetillä olevassa Meccassa oli naisten ilta ja ravinto-
la oli täynnä naisia, kauniita naisia jotka näyttivät onnellisilta ja
itsevarmoilta ja omahyväisiltä. Lucysta tuntui että häntä tuijo-
tettiin ja se vaivasi häntä aivan eri tavalla kuin koskaan ennen.
Minä haluan tehdä asialle jotain nyt heti, sanoi Lucy. Katso
nyt minua!
Lucy, sinussa ei ole mitään vikaa.
Minä olin tällainen pullukka viimeksi kymmenvuotiaana.
Jos sinä lakkaat ottamasta lääkettä...
Siitä tulee paha ja väsynyt olo.
Sinä et saa tehdä mitään äkkipikaista. Sinun pitää luottaa mi-
nuun.
Johnny katsoi häntä silmiin kynttilänvalossa ja hänen kas-
vonsa jäivät lähtemättömästi Lucyn mieleen, kasvot ja se miten
Johnny häntä sinä iltana katsoi. Johnny oli komea, hänellä oli
hienopiirteiset kasvot ja erikoiset silmät, tiikerin silmien väriset,
eikä Lucy pystynyt salaamaan häneltä mitään. Johnny tiesi kai-
ken ja kaikilla mahdollisilla tavoilla.

Yksinäisyys ja syyllisyydentunne seuraavat Lucya kun hän kävelee lumista jalkakäytävää länteen Cape Codin lahden rannalla. Hän karkasi. Hän muistaa milloin hän kuuli Johnnyn kuolemasta. Hän kuuli siitä radiosta, niin kuin kuolemasta ei saisi koskaan kuulla.

Kuuluisa lääkäri löydettiin ammuttuna asunnostaan Hollywoodissa. Poliisiviranomaisia lähellä olevien lähteiden mukaan kyseessä oli mahdollisesti itsemurha...

Lucy ei voinut kysyä keneltäkään. Hän oli pitänyt salassa sen että tunsi Johnnyn eikä ollut koskaan tavannut hänen veljeään Laurelia tai heidän muita ystäviään, joten keneltä hän olisi voinut kysyä?

Hänen matkapuhelimensa värisee ja hän pistää nappikuulokkeen korvaan ja vastaa.

"Missä sinä olet?" kysyy Benton.

"Kävelen lumimyrskyssä Ptownissa. No en kirjaimellisesti myrskyssä. Se on laantunut pyryksi." Lucy on sekaisin, hieman krapulainen.

"Onko ilmennyt mitään mielenkiintoista?"

Lucy miettii eilisiltaa ja tuntee hämmennystä ja häpeää.

Hän sanoo ääneen: "Vain ettei hän ollut yksin käydessään täällä viimeisen kerran viikko ennen kuolemaansa. Ilmeisesti hän kävi täällä heti leikkauksen jälkeen ja lensi sitten Floridaan."

"Oliko Laurel hänen mukanaan?"

"Ei."

"Miten hän selvisi yksin?"

"Kuten sanoin, hän ei näytä olleen yksin."

"Keneltä kuulit?"

"Yhdeltä baarimikolta. Johnny ilmeisesti tapasi jonkun."

"Tiedätkö kenet?"

"Naisen. Paljon itseään nuoremman."

"Nimeltään?"

"En tiedä vielä. Johnny oli leikkauksen takia poissa tolaltaan, sehän meni aika huonosti kuten tiedät. Ihmiset tekevät kaikenlaista, kun heitä pelottaa ja heillä on paha olo."

"Millainen olo sinulla on?"

"Ihan hyvä", valehtee Lucy.

Hän oli pelkuri. Hän oli itsekäs.

"Et kuulosta siltä", sanoo Benton. "Ei Johnnyn kohtalo sinun vikasi ole."

"Minä karkasin. Minä en tehnyt asialle mitään."

"Tule vähäksi aikaa meidän luoksemme. Kay tulee tänne viikoksi. Olisimme oikein mielissämme jos tulisit. Samalla ehdimme jutella kahden kesken", sanoo psykologi Benton.

"Minä en halua nähdä häntä. Yritä saada hänet ymmärtämään."

"Lucy, sinä et voi loputtomiin kohdella häntä näin."

"En minä tahallani ketään loukkaa." Hän ajattelee taas Stevietä.

"Kerro sitten totuus. Niin yksinkertaista se on."

"Sinä soitit minulle." Lucy vaihtaa yhtäkkiä puheenaihetta.

"Minä tarvitsen sinulta palveluksen niin pian kuin suinkin", sanoo Benton. "Tämä puhelin on turvallinen."

"Tämä myös ellei täällä ole piilossa joku sieppauslaitteen kanssa. Anna tulla."

Benton kertoo murhasta, joka mahdollisesti tehtiin jonkinlaisessa joulukoristekaupassa ilmeisesti Las Olasissa noin kaksi ja puoli vuotta sitten. Hän kertoo Lucylle kaiken mitä Basil Jenrette kertoi hänelle. Benton selittää ettei Scarpetta muista yhtään tämänkaltaista tapausta, mutta Scarpetta ei toisaalta ollut siihen aikaan Etelä-Floridassa.

"Tiedot ovat eräältä sosiopaatilta", Benton muistuttaa, "joten en panisi päätäni pantiksi että niissä on mitään perää."

"Oliko murhatulta puhkaistu silmät?"

"Sitä hän ei kertonut. En halunnut kysyä kovin paljon ennen kuin olin tarkistanut hänen tarinansa. Voisitko etsiä tietokannasta ja kertoa mitä sieltä löytyy?"

"Minä aloitan koneessa", lupaa Lucy.

10

Kirjahyllyn yllä oleva seinäkello näyttää puoli yhtä ja asianajaja, joka edustaa vauvaikäisen veljensä murhannutta poikaa, käy kiireettömästi läpi papereitaan Kay Scarpettan pöydän toisella puolella.

Dave on nuori, tumma, sopusuhtainen, yksi niitä miehiä joiden epäsäännölliset kasvonpiirteet jostain syystä sopivat yhteen muodostaen miellyttävän kokonaisuuden. Hänet tunnetaan hoitovirheareenalla hurmaavuudestaan, ja aina kun hän käy Akatemiassa, sihteerit ja naisopiskelijat tekevät tikusta asiaa kävelläkseen Scarpettan oven ohi, paitsi tietenkin Rose. Hän on ollut Scarpettan sihteerinä viisitoista vuotta, ohitti jo kauan sitten eläkeiän eikä ole erityisen herkkä miesten charmille, joskin Marinon charmi on huomattava poikkeus. Marino lienee ainoa mies, jonka flirttailusta Rose on mielissään. Scarpetta tarttuu luuriin ja kysyy missä Marino viipyy. Hänen piti tulla tähän palaveriin.

"Minä yritin illalla saada hänet kiinni", Scarpetta sanoo puhelimeen Roselle. "Monta kertaa."

"Minäpä rupean etsimään", sanoo Rose. "Hän on ollut viime aikoina omituinen."

"Ei vain viime aikoina."

Dave lukee ruumiinavauspöytäkirjaa pää takakenossa nenän päällä olevien sarvisankalasien läpi.

"Viime viikot ovat olleet pahimmat kaikista. Minulla on paha aavistus että syynä on joku nainen."

"Yritä löytää hänet."

Scarpetta laskee luurin kädestään ja katsoo pöydän yli nähdäkseen, onko Dave valmis jatkamaan kysymyksiään taas yhdestä vaikeasta kuolemasta, jonka hän uskoo olevan ratkaistavissa, kunhan palkkio nousee riittävän suureksi. Toisin kuin useimmat poliisilaitokset, jotka pyytävät Akatemian lääke- ja luonnontieteen asiantuntijoiden apua, asianajajat yleensä maksavat saamastaan avusta, ja nyrkkisääntönä voidaan pitää, että suurin osa maksavista asiakkaista edustaa päämiehiä, jotka ovat niin syyllisiä kuin olla voi.

"Eikö Marino tulekaan?" Dave kysyy.

"Me etsimme häntä."

"Minun on mentävä vajaan tunnin päästä lausuntoon." Dave siirtyy selvityksen seuraavalle liuskalle. "Summa summarum on minun nähdäkseni se, että tutkimus viittaa iskuun eikä sen enempään."

"Sitä minä en voi sanoa oikeudessa", sanoo Scarpetta katsoen selvitystä, pöytäkirjaa ruumiinavauksesta jota hän ei ole itse suorittanut. "Sen sijaan voin sanoa, että vaikka kovakalvonalainen verenpurkauma voi johtua iskusta – tässä tapauksessa putoamisesta sohvalta laattalattialle – se on erittäin epätodennäköinen syy ja hematooma johtui luultavammin väkivaltaisesta ravistamisesta, joka aiheuttaa repeytymiä aivokopassa ja kovakalvonalaista verenvuotoa ja selkäydinvaurion."

"Entä verkkokalvon verenvuoto? Emmekö me ole yhtä mieltä siitä, että sekin voi johtua iskusta, esimerkiksi siitä että hänen päänsä iskeytyi laattalattiaan? Ja että siitä seurasi verenvuoto."

"Se ei ole todennäköistä näin lyhyessä putoamisessa. Tässäkin todennäköisempi syy oli pään raju heiluttaminen edestakaisin. Aivan kuten selvityksessä todetaan."

"Sinusta ei ole minulle oikein apua, Kay."

"Jos sinulle ei kelpaa puolueeton lausunto, sinun on etsittävä toinen asiantuntija."

"Toista ei ole tyrkyllä. Sinä olet vertaasi vailla." Dave hymyilee. "Entä K-vitamiinin puutos?"

"Jos sinulla on ennen kuolemaa otettu verinäyte, joka osoittaa valkuaisaineista johtuvaa K-vitamiinin puutosta", vastaa Scarpetta. "Jos etsit metsätonttuja."

"Homma kiikastaa siitä, että meillä ei ole sellaista verinäytettä. Hän kuoli ennen kuin hänet saatiin sairaalaan."

"Kas siinä pulma."

"Riepotellun lapsen oireyhtymää ei voi todistaa. Se on ehdottoman epäselvä ja epätodennäköinen. Sen sinä voit ainakin sanoa."

"Selvää on se, että neljätoistavuotiasta poikaa ei voi jättää vastasyntyneen pikkuveljensä lapsenvahdiksi, jos hän on ollut jo kahdesti nuorisotuomioistuimessa syytettynä toisten lasten kimppuun käymisestä ja on legendaarisen kuuluisa äkkipikaisuudestaan."

"Mutta sitä sinä et suostu sanomaan."

"Tuskinpa."

"Minulle riittää että sinä toteat ettei ole kiistattomia todisteita siitä että sitä lasta riepoteltiin."

"Minä totean myös ettei ole kiistattomia todisteita siitä että häntä ei riepoteltu, että minä en löydä ruumiinavauspöytäkirjasta mitään vikaa."

"Kaikki kunnia Akatemialle", sanoo David ja nousee tuoliltaan. "Mutta te kohtelette minua kaltoin. Marino ei tule paikalle. Ja nyt sinä naulaat minut ristille."

"Olen pahoillani Marinon takia", sanoo Scarpetta.

"Sinun kannattaa pitää hänet kovemmassa kurissa."

"Helpommin sanottu kuin tehty."

Dave työntää hienon raidallisen paitansa helman housuihin, suoristaa hienon silkkisolmionsa ja vetää mittatyönä teetetyn silkkitakin päälleen. Hän laittaa paperinsa krokotiilinnahkaiseen salkkuun.

"Huhu kertoo että sinä tutkit Johnny Swiftin kuolemaa", sanoo David ja napsauttaa hopeanväriset lukot kiinni.

Scarpetta on ymmällään. Hän ei keksi miten Dave voisi tietää asiasta.

Hän sanoo: "Dave, minulla on ollut tapana jättää huhut sikseen."

"Hänen veljensä omistaa yhden lempiravintoloistani South Beachissa. Sen nimi on Rumours", sanoo Dave. "Laurelilla on ollut ongelmia."

"Minä en tiedä hänestä mitään."

"Eräs ravintolan työntekijä levittää huhua, että Laurel tappoi Johnnyn rahasta, saadakseen sen mitä Johnny hänelle testamentissaan jätti. Hänen mukaansa Laurelilla on riippuvuuksia joihin hänellä ei ole varaa."

"Kuulostaa huhupuheelta. Tai siltä että joku kantaa kaunaa."

Dave astuu ovelle.

"Minä en ole jutellut sen naisen kanssa. Aina kun yritän hän on poissa. Itse olen muuten sitä mieltä, että Laurel on kelpo tyyppi. Tuntuu vain aikamoiselta sattumalta, että heti kun minä kuulen huhuja, Johnnyn kuolemaa ruvetaan uudestaan tutkimaan."

"Minun tietääkseni sitä ei ole missään vaiheessa lakattu tutkimasta", sanoo Scarpetta.

Lumihiutaleet ovat jäisiä ja teräviä ja jalkakäytävät ja kadut vitivalkoisia. Liikkeellä on hyvin vähän väkeä.

Lucy kävelee reippaasti, siemaillen välillä kupista höyryävän kuumaa lattea. Hän on matkalla Anchor Inniin josta hän otti monta päivää sitten huoneen tekaistulla nimellä saadakseen piilopaikan vuokraamalleen Hummerille. Hän ei ole ajanut sillä kertaakaan mökin pihaan, sillä hän ei halua ulkopuolisten tietävän millaisella autolla hän liikkuu. Hän poikkeaa kapealle tielle joka luikertelee pienelle pysäköintialueelle rantaan. Hummer on lumen peitossa. Hän avaa ovilukot, käynnistää moottorin ja kytkee lämmityksen sulattamaan tuulilasia. Valkoiseksi huurtuneiden ikkunoiden suojassa hän tuntee olevansa hämärässä, kylmässä iglussa.

Kun Lucy yrittää saada puhelimeen erään lentäjänsä, rukkaskäsi pyyhkäisee yhtäkkiä lunta ovi-ikkunasta ja mustahuppuiset kasvot ilmestyvät näkyviin. Lucy keskeyttää puhelun ja heittää puhelimen toiselle etupenkille.

Hän katsoo Stevietä pitkään ja avaa sitten ikkunan käyden mielessään kiireesti läpi kaikki mahdollisuudet. On huono juttu että Stevie seurasi häntä sinne. Vielä huonompi juttu on ettei hän ollut huomannut seuraajaansa.

"Mikä hätänä?" kysyy Lucy.

"Halusin kertoa sinulle jotain."

Stevien ilmettä on vaikea tulkita. Hän saattaa olla kyynelten partaalla ja poissa tolaltaan mielipahasta, tai sitten lahdelta puhaltava pakkastuuli saa hänen silmänsä kirkkaiksi.

"Sinä olet ihmeellisin ihminen jonka minä olen ikinä tavannut", sanoo Stevie. "Sinä taidat olla minun sankarini. Minun uusi sankarini."

Lucy ei ole varma pitääkö Stevie häntä pilkkanaan. Ehkä hän on tosissaan.

"Stevie, minun pitää päästä lentokentälle."

"Lentoja ei ole vielä ruvettu perumaan. Mutta loppuviikosta tulee kuulemma kamala."

"Kiitos säätiedotuksesta", sanoo Lucy, ja Stevien silmien katse on tulinen ja hermostuttava. "Pyydän anteeksi. Tarkoitukseni ei ollut missään vaiheessa loukata sinua."

"Et sinä loukannutkaan", sanoo Stevie kuin olisi kuullut asiasta ensimmäisen kerran. "Et lainkaan. Minä en arvannut että pitäisin sinusta näin kovasti. Halusin etsiä sinut päästäkseni sanomaan sen. Tunge se johonkin fiksun pääsi sopukkaan. Ehkä se palautuu mieleen jonain sadepäivänä. En olisi arvannut että pitäisin sinusta näin paljon."

"Sinä sanoit sen jo."

"Tämä on mielenkiintoista. Sinä vaikutat niin itsevarmalta, oikeastaan ylimieliseltä. Kovalta ja etäiseltä. Mutta minä tajusin että sinä olet sisimmässäsi erilainen. On hassua miten odotukset menevät joskus täysin vikaan."

Hummeriin tupruaa lunta. Se hunnuttaa sisätilat kuin tomusokeri.

"Miten sinä löysit minut?" kysyy Lucy.

"Palasin sinne mökillesi mutta sinä olit jo lähtenyt. Minä seurasin jälkiäsi. Ne johtivat tänne. Kengännumerosi taitaa olla kahdeksan. Ei se ollut vaikeaa."

"Olen pahoillani…"

"Älä", sanoo Stevie kiivaasti, vahvasti. "Minä tiedän että minä olen vain yksi sulka hatussa."

"En minä sellainen ole", sanoo Lucy, mutta onhan hän.

Hän tietää sen, vaikkei koskaan sano sitä suoraan. Hänen käy Stevietä sääliksi. Hänen käy sääliksi tätiään, Johnnya, kaikkia joita hän on kohdellut kaltoin.

"Jotkut voisivat sanoa että sinäkin olet minulle sulka hatussa", sanoo Stevie leikkisästi, viettelevästi, mutta Lucy ei enää kaipaa samaa tunnetta takaisin.

Stevie on jälleen itsevarma, jälleen täynnä salaisuuksia, jälleen hämmästyttävän vetovoimainen.

Lucy vetäisee Hummerin pakin päälle juuri kun lunta tuprahtaa sisään ja hiutaleet ja mereltä puhaltava vihuri nipistelevät silmiä.

Stevie vie kätensä takintaskuun, vetää esiin paperilapun ja ojentaa sen avoimesta ikkunasta Lucylle.

"Minun numeroni", hän sanoo.

Suuntanumero on 617, Bostonin alue. Hän ei ole kertonut Lucylle missä hän asuu. Eikä Lucy kysynyt.

"Sen minä vain halusin sanoa", Stevie selittää. "Ja toivottaa hyvää ystävänpäivää."

He katsovat toisiaan avoimesta ikkunasta moottorin käydessä, ja lumi sataa ja hiutaleet tarttuvat Stevien mustaan takkiin.

Hän on kaunis ja Lucylla on sama tunne kuin eilen Lorrainella. Hän luuli että se oli ohi. Mutta hän tuntee sen taas.

"Minä en ole samanlainen kuin muut", sanoo Stevie ja katsoo Lucya silmiin.

"Et olekaan."

"Minun kännykkänumeroni", sanoo Stevie. "Minä asun varsinaisesti Floridassa. Harvardista lähdettyäni en viitsinyt vaihtaa kännynumeroa. Samahan se."

"Opiskelitko sinä Harvardissa?"

"Yleensä on kerro siitä muille. Se kuulostaa aika tympeältä."

"Missä päin Floridaa?"

"Gainesvillessa", hän vastaa. "Hyvää ystävänpäivää", hän toivottaa uudestaan. "Toivottavasti siitä tulee elämäsi unohtumattomin."

11

Miehen keskiruumiin värikäs kuva täyttää luokan 1A näyttötaulun. Hänen paidannappinsa ovat auki ja hänen kuollut kätensä pitelee löyhästi isoa puukkoa jonka terä on syvällä hänen karvaisessa rintakehässään.

"Itsemurha", sanoo opiskelija pulpettinsa takaa.

"Tässä on toinen fakta, joka ei tosin näy tästä kuvasta", sanoo Scarpetta kuudelletoista opiskelijalle jotka ovat mukana tällä Akatemian tunnilla. "Hänellä on useita pistohaavoja."

"Tappo." Sama opiskelija muuttaa kiireesti vastaustaan ja kaikki nauravat.

Scarpetta vaihtaa kuvan. Tässä kuvassa näkyvät tappavaa haavaa ympäröivät lukuisat muut haavat.

"Ne eivät vaikuta syviltä", sanoo toinen opiskelija.

"Entä suunta? Niiden pitäisi olla yläviistoja jos hän iski ne itse."

"Kysymys", sanoo Scarpetta luokan edessä olevalta korokkeelta. "Mitä paidannappien avaaminen kertoo teille?"

Tulee hiljaista.

"Jos te päättäisitte puukottaa itsenne hengiltä, iskisittekö vaatteiden läpi?" hän kysyy. "Ja te olitte oikeassa", hän sanoo opiskelijalle joka sanoi etteivät haavat ole syviä. "Suurin osa näistä" – Scarpetta osoittaa näyttötaulua eri kohdista – "puhkaisi nipin napin ihon. Kutsumme niitä empimisjäljiksi."

Opiskelijat tekevät muistiinpanoja. He ovat fiksu ja innokas joukko, eri ikäisiä, eri taustaisia, eri puolilta maata, kaksi Englannista asti. Monet ovat komisarioita, jotka haluavat rikosteknisen tutkimuksen intensiivikurssin. Toiset ovat kuolinsyyntutkijoita jotka haluavat täsmälleen samaa. Jotkut ovat vastavalmistuneita opiskelijoita, joilla on psykologian, tumabiologian tai mikroskopian ylempi korkeakoulututkinto. Yksi on apulaissyyttäjä, joka haluaa syytetyille enemmän vankeustuomioita.

Scarpetta näyttää taululla seuraavan kuvan. Se on aivan erityisen kammottava ja esittää miestä, jonka suolisto on tulvahtanut esiin isosta vatsanseudun haavasta. Moni opiskelija kauhistelee ääneen.

"Onko seppuku tuttu kenellekään?" kysyy Scarpetta.

"Harakiri", sanoo joku ovelta.

Tohtori Joe Amos, tämän vuoden oikeuspatologian stipendiaatti, kävelee sisään kuin tämä olisi hänen luentonsa. Hän on pitkä ja hintelä ja hänellä on sotkuinen musta tukka, pitkä suippo leuka ja tummat, kiiluvat silmät. Scarpettalle tulee hänestä mieleen musta lintu, etenkin korppi.

"En haluaisi keskeyttää", sanoo Amos ja keskeyttää kuitenkin. "Tämä mies" – hän nyökkää näyttötaululla näkyvään karmeaan kuvaan päin – iski itseään vatsansivuun isolla metsästyspuukolla ja kiskaisi sen vatsan poikki toiselle puolelle. Miehellä riitti motivaatiota."

"Tekö ruumiin tutkitte, tohtori Amos?" kysyy eräs opiskelijoista, naisopiskelija ja kaunis sellainen.

Tohtori Amos siirtyy lähemmäksi häntä kasvoillaan hyvin totinen ja tärkeä ilme. "En. Mutta painakaa mieleenne tämä: itsemurhan ja henkirikoksen erottaa siitä, että itsemurhaaja vetää puukon vatsan poikki ja sitten ylös. Näin syntyy klassinen L-kuvio, joka nähdään myös harakirissä. Mutta ei tässä."

Hän viittaa opiskelijoita katsomaan näyttötaulua.

Scarpetta hillitsee kiukkunsa.

"Murhaajan olisi aika vaikea tehdä se", lisää Amos.

"Tämä haava ei ole L:n muotoinen."

"Aivan oikein", sanoo Amos. "Kuka äänestää henkirikosta?"

Muutama opiskelija nostaa kätensä ylös.

"Minä myös", sanoo Amos itsevarmasti.

"Tohtori Amos, kuinka nopeasti hän kuoli?"

"Hän saattoi elää muutaman minuutin. Verenvuoto on hyvin nopeaa. Tohtori Scarpetta, saisinko vaivata teitä aivan hetkeksi? Pyydän anteeksi keskeytystä", Amos sanoo opiskelijoille.

Scarpetta ja Amos kävelevät käytävään.

"Mitä asianne koskee?" kysyy Scarpetta.

"Sitä helvettitilannetta joka on sovittu iltapäiväksi", vastaa Amos. "Haluaisin panna hiukan pökköä pesään."

"Eikä tämä voinut odottaa kunnes luentoni oli ohi?"

"Ajattelin että saisitte jonkun opiskelijan avustajaksi. He ovat valmiit vaikka mihin jos te pyydätte."

Scarpetta sivuuttaa imartelun.

"Kysykää haluaisiko joku auttaa iltapäivän helvettitilanteessa ja sanokaa että te ette voi kertoa yksityiskohtia kaikkien kuullen."

"Millaisia yksityiskohtia?"

"Minä ajattelin Jennyä. Jos antaisitte hänelle vapautuksen kello kolmelta alkavalta tunniltanne, jotta hän voi auttaa minua." Amos puhuu kauniista naisopiskelijasta joka kysyi oliko hän suorittanut ruumiinavauksen.

Scarpetta on nähnyt heidät yhdessä jo useamman kerran. Joe on kihloissa, mutta se ei näytä estävän häntä viihtymästä kauniiden naisopiskelijoiden seurassa, vaikka Akatemiassa on tehty selväksi, ettei se ole suotavaa. Amos ei ole toistaiseksi jäänyt kiinni anteeksiantamattomasta sääntöjen rikkomuksesta, mutta tavallaan Scarpetta toivoo että hän olisi jäänyt. Hän haluaisi päästä Amosista eroon.

"Laitetaan hänet esittämään syyllistä", Amos selittää innoissaan. "Hän on niin viattoman ja suloisen näköinen. Otetaan kaksi opiskelijaa kerrallaan ja pannaan heidät selvittämään murha, jossa uhria on ammuttu useita kertoja hänen istuessaan pöntöllä. Siis tietenkin motellihuoneessa. Ja Jenny tulee sisään esittäen musertunutta ja hysteeristä. Murhatun miehen tytärtä. Katsotaan unohtavatko opiskelijat varovaisuutensa."

Scarpetta ei sano mitään.

"Paikalla on tietenkin pari poliisia. Sanotaan vaikka että he katselevat paikkoja ja olettavat murhaajan päässeen pakoon. Näin me saamme selville, onko kukaan tarpeeksi fiksu varmistamaan, ettei niin kaunis tyttö ole murhaaja, joka juuri ampui oman isänsä hänen ollessaan paskalla. Ja kas kummaa! Tyttö onkin syyllinen. Toiset unohtavat varovaisuutensa, tyttö vetää aseen esiin ja alkaa ampua, mutta sitten hänet ammutaan. Voilà! Klassinen itsemurha poliisin avustuksella."

"Te voitte itse kysyä Jennyltä luennon jälkeen", sanoo Scarpetta yrittäessään muistaa miksi lavastus kuulostaa tutulta.

Joe Amosille helvettitilanteet ovat kaikki kaikessa. Ne ovat Marinon keksintö, äärimmilleen viedyt lavastetut rikostilanteet, joiden on tarkoitus kuvastaa todellisia riskejä ja todellisen kuoleman lieveilmiöitä. Joskus Scarpettasta tuntuu että Amosin kannattaisi luopua oikeuspatologiasta ja myydä sielunsa Hollywoodille. Jos hänellä on sielu. Amosin juuri luonnehtima skenaario muistuttaa Scarpettaa jostakin.

"Aika hyvä, eikö olekin?" kysyy Amos. "Se voisi tapahtua todellisuudessa."

Sitten Scarpetta muistaa. Se on jo tapahtunut todellisuudessa.

"Meillä oli Virginiassa tuollainen tapaus", sanoo Scarpetta. "Kun olin pomona."

"Ihanko totta?" hämmästyy Amos. "Eipä taida olla mitään uutta auringon alla."

"Ja asiasta toiseen, Joe", sanoo Scarpetta. "Useimmiten seppukussa eli harakirissa kuolinsyynä on sydänpysähdys, joka johtuu sydämen äkillisestä kokoonpainumisesta, mikä puolestaan on seuraus haavan aiheuttamasta vatsaontelon paineen yhtäkkisestä laskusta. Verenvuoto ei ole ensisijainen syy."

"Puhutteko siitä äskeisestä tapauksesta? Oliko se teidän omanne?" Amos viittaa luentosaliin.

"Marinon ja minun. Vuosia sitten. Ja vielä toinen asia", lisää Scarpetta. "Se oli itsemurha, ei murha."

12

Citation X lentää etelään hieman alle yhden machin nopeudella kun Lucy siirtää tiedostoja yksityiseen virtuaaliverkkoon, joka on suojattu niin vahvoilla palomuureilla, että edes terroristeja etsivät viranomaiset eivät pysty murtautumaan sisään.

Ainakin Lucy itse uskoo, että hänen tietoverkkonsa on turvallinen. Hän uskoo ettei yksikään hakkeri viranomaiset mukaan lukien pysty seuraamaan lyhenteellä HIT tunnetun tietokannan tuottaman kryptatun datan siirtoa. HIT on lyhenne sanoista Heterogenous Image Transmission, heterogeeninen kuvansiirto. Lucy on varma, että viranomaiset eivät tiedä tästä tietokannasta. Hän on varma, että vain muutama ihminen tietää siitä. HIT on kehitetty varta vasten hänen firmalleen ja ohjelma menisi oitis kaupaksi muillekin, mutta hän ei ole rahapulassa, sillä hän rikastui vuosia sitten muilla ohjelmilla, lähinnä samoilla hakuohjelmilla, joita hän parhaillaankin käyttää etsiessään väkivaltaisia kuolemia, jotka ovat sattuneet eteläfloridalaisissa myymälöissä, muissakin kuin joulukoristekaupoissa.

Hän ei ole löytänyt väkivaltarikoksia, paitsi murhia niistä paikoista joista niitä voi odottaa löytyvän – viinakaupoista ja öisin auki olevista elintarvikekioskeista, hieromalaitoksista ja stripteasebaareista – mutta ei ratkaistuja eikä ratkaisemattomia tapauksia, jotka voisivat vahvistaa todeksi sen mitä Basil Jenrette kertoi Bentonille. Sen sijaan hän on löytänyt kaupan nimeltä Christmas Shop. Se oli A1A:n ja East Las Olas Boulevardin risteyksessä rannan tuntumassa muutaman halvanoloisen turistikaupan, kahvilan ja jäätelöpaikan joukossa. Kaksi vuotta sitten Christmas Shop myytiin ketjulle nimeltä Beach Bums, joka myy t-paitoja, uimapukuja ja matkamuistoja.

Joen on vaikea uskoa kuinka monta tapausta Scarpetta on käsitellyt verraten lyhyellä urallaan. Oikeuspatologit eivät yleensä saa työtä alle kolmekymmentävuotiaina, olettaen että heidän raskas opintouransa on keskeytyksetön. Scarpetta oli käyttänyt lääketieteen jatko-opintoihin kuusi vuotta ja opiskellut lisäksi lakia kolme vuotta. Kolmekymmentäviisivuotiaana hän oli Yhdysvaltain tunnetuimman oikeuslääkärijärjestelmän johtaja. Ja hän erosi useimmista virkaveljistään siinä, että hän ei ollut pelkkä hallintovirkailija. Hän teki ruumiinavauksia, tuhansia ruumiinavauksia.

Suurin osa niistä on kirjattu tietokantaan, johon periaatteessa vain hänellä itsellään on käyttöoikeus, ja hän on saanut jopa liittovaltion agentteja suorittamaan tutkimuksia väkivallasta – kaikenlaisesta väkivallasta: seksuaalisesta, huumeisiin liittyvästä, kotiväkivallasta. Varsin monissa hänen vanhemmissa tapauksissaan päätutkijana oli Marino, joka oli paikallisen murharyhmän etsivä Scarpettan toimiessa pomona. Siksi Scarpettan tietokannassa ovat myös Marinon laatimat tutkimuspöytäkirjat. Tietokanta on oikea aarreaitta. Se on suihkukaivo josta pursuu parasta samppanjaa. Se on hekumallinen.

Joe selaa tapausta C328-93, poliisin itsemurhaa, joka on tämän iltapäivän helvettitilanteen malli. Hän napsauttaa taas paikalta otettuja kuvia ja miettii Jennyä. Todellisessa tapauksessa isänsä ampunut tytär makaa mahallaan verilammikossa olohuoneen lattialla. Hän on saanut kolme osumaa, yhden vatsaan, kaksi rintakehään, ja Joe miettii mitä hänellä oli päällään kun hän ampui isänsä tämän istuessa wc:ssä ja miten hän sen jälkeen yritti vetää poliiseja nenästä ennen kuin otti aseensa uudelleen esiin. Hän kuoli paljain jaloin päällään lahkeista katkaistut farkut ja t-paita. Hänellä ei ollut pikkuhousuja eikä rintaliivejä. Joe napsauttaa auki ruumiinavauskuvat. Häntä ei niinkään kiinnosta, miltä tytär näytti kun hänet oli leikattu auki vaan miltä hän näytti alastomana kylmällä teräspöydällä. Hän oli vasta viisitoistavuotias, kun poliisit ampuivat hänet, ja Joe ajattelee Jennyä.

Hän nostaa katseensa, hymyilee Jennylle joka on pöydän toisella puolella. Jenny on istunut kärsivällisesti ohjeita odottaen. Joe avaa pöytälaatikon ja ottaa esiin yhdeksänmillimetrisen Glockin, vetää luistin taakse tarkistaakseen että pesä on tyhjä, irrottaa lippaan ja työntää pistoolin pöydän yli Jennylle.

"Oletko koskaan ampunut?" Joe kysyy uusimmalta lempioppilaaltaan.

Jennyllä on aivan ihastuttava nöpönenä ja maitosuklaanväriset isot silmät, ja Joe kuvittelee millainen hän olisi alastomana ja kuolleena kuten tietokoneen näytön kuvien tyttö.

"Meillä oli kotona aseita", vastaa Jenny. "Mitä te katselette, jos saan kysyä?"

"Sähköposteja", vastaa Joe. Valehteleminen on aina ollut hänelle helppoa.

Oikeastaan hänestä on mukavampi valehdella kuin puhua totta. Totuus ei sitä paitsi ole aina totuus. Mikä loppujen lopuksi on totta? Totta on se, minkä hän päättää olevan totta. Silkka tulkintakysymys. Jenny kurottaa kaulaansa nähdäkseen hänen näytölleen.

"Vaude. Teille lähetetään sähköpostissa kokonaisia tapauskertomuksia."

"Toisinaan", sanoo Joe ja napsauttaa auki toisen kuvan, ja sitten väritulostin käynnistyy hänen pöytänsä takana. "Meidän temppumme on salainen", hän sanoo. "Voinko minä luottaa sinuun?"

"Totta kai, tohtori Amos. Minä ymmärrän salassapidon tarpeellisuuden oikein hyvin. Jos en ymmärtäisi, olisin valmistautumassa aivan väärään ammattiin."

Tulostimesta tulee esiin värikuva kuolleesta tytöstä, joka makaa mahallaan verilammikossa olohuoneen lattialla. Joe kiertyy ottamaan sen, katsoo sitä ja ojentaa sen Jennylle.

"Sinä esität häntä tänään iltapäivällä", sanoo Joe.

"Toivottavasti en noin vakuuttavasti", vitsailee Jenny.

"Ja tässä on sinun aseesi." Hän katsoo Glockia joka on pöydällä Jennyn edessä. "Mihin ajattelit piilottaa sen?"

Jenny katsoo kuvaa järkkymättä ja kysyy: "Mihin hän sen piilotti?"

"Se ei näy kuvassa", vastaa Joe. "Pieneen käsilaukkuun, jonka olisi sivumennen sanoen pitänyt saada edes yhden poliisin hälytyskellot soimaan. Tyttö on muka löytänyt isänsä kuolleena, soittaa hätänumeroon, avaa oven poliiseille ja pitää käsilaukkua kädessä. Hän on hysteerinen, hän on ollut koko ajan sisällä, joten miksi hänellä on käsilaukku kädessä?"

"Te haluatte minun tekevän samoin."

"Laita pistooli käsilaukkuun. Jossain vaiheessa otat sieltä muka nenäliinan, koska sinä pillität, ja vedätkin esiin pistoolin ja alat ampua."

"Onko muita ohjeita?"

"Sitten sinut ammutaan. Yritä näyttää kauniilta."

Jenny hymyilee. "Entä muuta?"

"Tytön vaatteet." Joe katsoo Jennyä, yrittää kertoa katseellaan mitä hän haluaa.

Jenny tietää.

"Minulla ei ole ihan samanlaisia vaatteita", Jenny sanoo härnäten Joeta hieman, esittäen sinisilmäistä.

Hän on kaikkea muuta kuin sinisilmäinen, häntä on varmasti nussittu pikkutytöstä saakka.

"Jenny, yritä päästä mahdollisimman lähelle. Sortsit, t-paita, ei kenkiä eikä sukkia."

"Minusta näyttää siltä ettei hänellä ole alusvaatteita."

"Se on totta."

"Hän näyttää lutkalta."

"Okei. Näytä sinäkin sitten lutkalta", sanoo Joe.

Jennystä tämä on huvittavaa.

"Etkö sinä meinaan olekin lutka?" kysyy Joe ja hänen pienet tummat silmänsä tuijottavat Jennyä. "Jos et ole, minä pyydän jonkun toisen. Tähän lavastukseen tarvitaan lutka."

"Ei teidän tarvitse ketään toista pyytää."

"Ei vai?"

"Ei."

Jenny kääntyy ympäri vilkaisemaan suljettua ovea kuin pelkäisi jonkun astuvan sisään. Joe ei sano mitään.

"Meidän voi käydä huonosti", Jenny sanoo.

"Ei käy."

"Minä en halua potkuja Akatemiasta", sanoo Jenny.

"Sinä haluat isona kuolinsyyntutkijaksi."

Jenny nyökkää katsoen häntä silmiin, hypistellen tyynesti Akatemian nimellä varustetun pikeepaitansa ylintä nappia. Paita istuu hänelle hyvin. Joe nauttii siitä miten Jenny sen täyttää.

"Minä olen aikuinen", sanoo Jenny.

"Sinä olet Texasista", sanoo Joe ja katsoo miten hän täyttää pikeepaitansa, miten hän täyttää tyköistuvat khakihousunsa.

"Texasissa kaikki on isoa, eikö totta?"

"Puhutteko te minulle tuhmia, tohtori Amos?" kysyy Jenny Texasin murteella.

Joe kuvittelee että Jenny olisi kuollut. Hän kuvittelee hänet verilammikossa lattialla kuolleeksi ammuttuna. Hän kuvittelee hänet alastomana teräspöydällä. Yksi elämän valheista on että kuolleen ruumis ei voisi olla seksikäs. Alaston kuin alaston, jos vartalo on hyvännäköinen eikä ole ollut kuolleena kovin kauan. On naurettavaa väittää, etteivät miehet joskus ajattelisi kaunista naista kuolleena. Poliisit laittavat valokuvia korkkitauluilleen, kuvia naisuhreista joilla on poikkeuksellisen komea vartalo. Miespuoliset kuolinsyyntutkijat pitävät poliiseille luentoja ja näyttävät heille tiettyjä kuvia valiten joukosta tarkoituksellisesti itselleen mieluisat. Joe on nähnyt sen omin silmin. Hän tietää mitä miehet tekevät.

"Jos sinä esität vakuuttavasti kuollutta", hän evästää Jennyä, "minä kokkaan sinulle päivällisen. Olen viiniharrastaja."

"Te olette myös kihloissa."

"Hän on konferenssissa Chicagossa. Voi olla että hän ei pääse lumisateen vuoksi heti takaisin."

Jenny nousee. Hän katsoo kelloaan ja sitten Joeta.

"Kuka oli teidän lellioppilaanne ennen minua?" hän kysyy.

"Sinä olet poikkeustapaus", vastaa Joe.

13

Kun kone on vielä tunnin päässä Fort Lauderdalessa sijaitsevalta Signature Aviationin kentältä, Lucy nousee tuoliltaan käymään taas vessassa ja hakemassa lisää kahvia. Myrskypilvet peittävät suihkukoneen pienistä soikeista ikkunoista näkyvän taivaan.

Hän istuutuu taas nahkapenkilleen ja suorittaa lisää hakuja Browardin piirikunnan vero- ja kiinteistörekistereistä, uutisista ja kaikesta mitä mieleen tulee saadakseen tietoa entisestä Chistmas Shopista. Tiloissa toimi 1970-luvun puolivälistä 1990-luvun alkuun kuppila nimeltä Rum Runner. Seuraavat kaksi vuotta siellä oli jäätelöbaari nimeltä Coco Nuts. Sitten vuonna 2000 tilat vuokrasi rouva Florrie Anna Quincy, West Palm Beachista kotoisin ollut varakkaan puutarhayrittäjän leski.

Lucyn sormet lepäävät kevyesti näppäimistöllä, kun hän lukaisee *Miami Heraldissa* hieman Christmas Shopin avaamisen jälkeen julkaistun jutun. Siinä kerrotaan, että rouva Quincy oli kotoisin Chicagosta, missä hänen isänsä toimi meklarina ja oli aina joulun alla vapaaehtoisena joulupukkina Macyn tavaratalossa.

"'Joulu oli meidän elämässämme vuoden hienoin aika', sanoi rouva Quincy. 'Minun isäni rakkaus olivat puutavarafutuurit, ja ehkä juuri siksi että hän oli asunut lapsena Kanadan Albertan metsäseuduilla, meillä oli kotona joulukuusia kautta vuoden, ruukuissa kasvavia isoja kuusia, joissa oli valkoiset kynttilät ja pieniä veistettyjä koristeita. Siksi minä kai viihdyn joulukoristeiden parissa koko vuoden.'

"Hänen myymälänsä on pullollaan koristeita, soittorasioita, jos jonkinlaisia pukkeja, talvimaisemia ja pieniä sähköjunia jotka surisevat pienillä kiskoillaan. On oltava varovainen liikkuessaan hänen herkästi särkyvän mielikuvitusmaailmansa käytävillä, ja siellä ollessa unohtuu helposti, että ulkona oven takana ovat auringonpaiste, palmut ja Atlantti. Rouva Quincy kertoo, että viime kuussa avatussa liikkeessä on käynyt varsin paljon asiakkaita, joskin katselijoita on huomattavasti enemmän kuin ostajia…"

Lucy siemailee kahvia ja silmäilee tarjottimella olevaa juustobagelia. Hänen on nälkä mutta hän pelkää syödä. Ruoka on jatkuvasti hänen mielessään, painon ajatteleminen on pakkomielle, vaikka hän tietää ettei laihduttaminen auta. Vaikka hän kuinka näkisi nälkää se ei muuttaisi miksikään hänen ulkonäköään ja oloaan. Hänen kehonsa oli hänen hienoviritteisin koneensa ja nyt se on pettänyt hänet.

Hän suorittaa taas uuden haun ja yrittää saada Marinon kiinni penkin käsinojassa olevalla puhelimella samalla kun tutkii hakutuloksia. Marino vastaa mutta kuuluvuus on huono.

"Minä olen koneessa", sanoo Lucy lukiessaan näyttöä.

"Milloin sinä opettelet itse lentämään sillä vehkeellä?"

"En varmasti koskaan. Minulla ei ole aikaa lupamenettelyyn. Nykyisin en ehdi juuri lentää edes helikopterilla."

Hän ei halua ehtiä. Mitä enemmän hän lentää, sitä enemmän hän siitä pitää, mutta hän ei halua pitää siitä enää. Lääkitys on selitettävä ilmailuviranomaisille ellei kyse ole viattomasta käsikauppalääkkeestä, ja kun hän menee seuraavan kerran hakemaan lääkärintodistusta, hänen on mainittava Dostinex. Siitä herää kysymyksiä. Valtion byrokraatit penkovat hänen yksityis-elämänsä läpikotaisin ja todennäköisesti löytävät jonkin veruk-keen perua hänen lentolupakirjansa. Ainoa tapa kiertää se on ol-la menemättä lääkärille, ja hän on yrittänyt välttää sitä jo jonkin aikaa. Tai sitten hän voi tyystin luopua lentämisestä.

"Minulle riittävät harrikat", sanoo Marino.

"Sain juuri vinkin. En siitä jutusta. Eräästä toisesta."

"Keneltä?" kysyy Marino epäluuloisesti.

"Bentonilta. Joku potilas oli kuulemma kertonut jostain Las Olasissa tehdystä selvittämättömästä murhasta."

Lucy valitsee sanansa tarkasti. Peto-tutkimuksesta ei ole ker-rottu Marinolle. Benton ei halua häntä mukaan, sillä hän pelkää ettei Marino ymmärtäisi tai olisi avuksi. Marinon asenne väki-valtarikollisiin on, että heidät kuuluu hakata, panna vankilaan ja sitten tappaa mahdollisimman raakamaisesti. Hän lienee ko-ko planeetalla se jota vähiten kiinnostaa tietää murhaako jo-ku psykopaatti ihmisiä, koska hän on mielisairas eikä siksi, et-tä hän on paha, tai onko pedofiili yhtä voimaton vastustamaan himojaan kuin psykoottinen henkilö harha-aistimuksiaan. Ma-rinon mielestä psykologiset oivallukset ja aivojen rakenteelli-nen ja toiminnallinen kuvantaminen ovat joutavaa hevonpas-kaa.

"Tämä potilas on kuulemma väittänyt, että noin kaksi ja puo-li vuotta sitten Christmas Shopissa raiskattiin ja murhattiin jo-ku nainen", Lucy selittää Marinolle ja pelkää että jonain päivänä häneltä vielä lipsahtaa, että Benton tutkii vankien psyykeä.

Marino tietää, että McLean ei ole oikeuspsykiatrinen laitos vaan Harvardin opetussairaala, psykiatrisen sairaalan malliesi-merkki, jonka maksavien potilaiden osasto, niin sanottu pavil-jonki, palvelee rikkaita ja kuuluisia. Jos sinne viedään vanke-ja tutkittavaksi, jotain poikkeuksellista ja salamyhkäistä on te-keillä.

"Missä ihmeessä?" kysyy Marino.

Lucy toistaa sen mitä äsken sanoi ja lisää: "Liikkeen omisti joku Florrie Anna Quincy, valkoinen, kolmekymmentäkahdek-sanvuotias, puolisonsa omisti taimitarhoja West Palm Beachissa. Niissä myytiin puita. Lähinnä sitruspuita. Christmas Shop oli pystyssä vain kaksi vuotta, vuodesta 2000 vuoteen 2002."

Lucy naputtelee lisää hakukäskyjä ja muuttaa tietokantatie-
dostoja tekstitiedostoiksi, jotka hän lähettää sähköpostin liittee-
nä Bentonille.

"Oletko kuullut kaupasta nimeltä Beach Bums?"

"Pätkii taas", sanoo Marino.

"Kuuletko? Kuuluuko nyt paremmin? Marino?"

"Kuuluu."

"Sen niminen kauppa sillä paikalla nykyisin toimii. Rouva
Quincy ja hänen seitsemäntoistavuotias tyttärensä Helen katosi-
vat heinäkuussa 2002. Löysin siitä lehtijutun. Sen jälkeen heistä
ei juuri kirjoitettu, mitä nyt muutama pikkujuttu siellä täällä, ei-
kä viimeisen vuoden aikana enää yhtään mitään."

"Ehkä heidät löydettiin mutta siitä ei kirjoitettu lehdissä", sa-
noo Marino.

"En löydä mitään merkkejä siitä, että he olisivat elossa. Per-
heen poika yritti viime keväänä saada heidät julistetuiksi viralli-
sesti kuolleiksi mutta ei onnistunut. Voisitkohan kysyä Fort Lau-
derdalen poliisilta muistaako kukaan mitään rouva Quincyn ja
hänen tyttärensä katoamisesta. Minä aion poiketa Beach Bum-
sissa jossain vaiheessa huomenissa."

"Fort Lauderdalen poliisi ei jättäisi selvitystä kesken ilman
todella painavaa syytä."

"Otetaan selvää mikä se syy on", sanoo Lucy.

Scarpetta jatkaa inttämistä USAirin lipputiskillä.

"Ei tule kysymykseen", hän sanoo uudestaan ja on valmis
menettämään malttinsa, niin pettynyt hän on. "Tässä on minun
varausnumeroni ja tässä tulostamani kuitti. Tässä näin. Ensim-
mäinen luokka, lähtö kello 18.20. Miten minun varaukseni voi
olla peruutettu?"

"Niin tässä tietokoneella lukee. Teidän varauksenne peruu-
tettiin kello 14.15."

"Tänäänkö?" Scarpetta ei suostu uskomaan.

On varmasti sattunut väärinkäsitys.

"Kyllä, tänään."

"Mahdotonta. En minä ole sitä peruuttanut."

"Joku on."

"Antakaa minulle sitten uusi paikka", sanoo Scarpetta ja kai-
vaa laukusta lompakkoa.

"Kone on täynnä. Voin laittaa teidät jonotuslistalle turisti-luokkaan, mutta jonossa on jo seitsemän nimeä."

Scarpetta varaa paikan huomiseksi ja soittaa Roselle.

"Sinun on valitettavasti ajettava takaisin hakemaan minut", Scarpetta sanoo.

"Voi ei. Mitä on sattunut? Onko lento peruttu?"

"Varaukseni on jostain syystä peruttu. Kone on ylibuukattu. Rose, varmistitko sinä varauksen aiemmin tänään?"

"Ilman muuta. Puolelta päivin."

"Minä en ymmärrä mitä on tapahtunut", sanoo Scarpetta ja ajattelee Bentonia ja heidän yhteistä ystävänpäiväänsä. "Pas-kat!" hän tuhahtaa.

14

Keltainen kuu on epämuotoinen kuin ylikypsä mango ja riip-puu raskaana puiden ja rikkaruohojen ja syvien varjojen yllä. Karju näkee kuutamon epätasaisessa valossa sen verran että erottaa etsimänsä.

Hän näkee sen lähestyvän koska hän tietää mistä etsiä. Hän on jo muutaman minuutin ajan seurannut sen infrapunaener-giaa lämpökameralla, jota hän liikuttaa hitaasti vaakasuoraan kuin taikasauvaa. Kevyen oliivinvihreän muoviputken takaosan näytössä marssii kirkkaanpunaisia rasteja, kun laite havaitsee tasalämpöisen kohteen ja maan pintalämpötilan eroja.

Hän on Karju ja hän pystyy irtautumaan ruumiistaan milloin vain ja muuttumaan näkymättömäksi. Nytkin hän on näkymä-tön yön autiossa pimeydessä kun hän pitelee lämpökameraa jo-ka mittaa elävien olentojen lämpöä ja ilmoittaa sen hänelle pie-nillä kirkkailla punaisilla valoilla, jotka virtaavat rivissä mustal-la lasilla.

Otus lienee pesukarhu.

Typerä elukka. Karju juttelee sille mielessään istuessaan ja-lat ristissä hiekalla ja liikuttaessaan lämpökameraa edestakaisin.

Hän vilkaisee putken takaosassa viliseviä punaisia valoja osoittaen etupäällä kohteeseen. Hän etsii pimeästä ja tuntee takanaan vanhan ränsistyneen talon, tuntee miten se vetää häntä puoleensa. Hänen päänsä vaikuttaa korvatulppien vuoksi tukkoiselta, hengitys tuntuu raskaalta kuin snorkkelin kautta hengittäessä, kun pää on pinnan alla ja on hiljaista ja vain oma nopea huohotus kuuluu. Hän ei pidä korvatulpista mutta hänen on käytettävä niitä.

Sinä tiedät mitä nyt tapahtuu, hän sanoo otukselle mielessään. No etpä sentään taida tietää.

Hän katsoo kun musta paksu hahmo hiipii edemmäksi toivottoman hitaasti. Se liikkuu matalana kuin tuuheaturkkinen kissa ja ehkä se onkin kissa. Se hiipii verkkaisesti sarojen ja bermudaheinän joukossa, pujahdellen välillä sysimustaan varjoon mäntyjen piikikkäiden siluettien ja kaatuneiden runkojen joukkoon. Hän liikuttaa lämpökameraansa, tarkkailee otusta, katselee kun punaiset pisteet virtaavat näytössä. Otus on tyhmä, tuuli tulee väärästä suunnasta jotta se voisi haistaa hänet ja olla muuta kuin tyhmä.

Hän sammuttaa lämpökameran ja laskee sen syliinsä. Hän ottaa käsiinsä maastomaalatun Mossberg 385 Ulti-Mag -pumpun. Sen tukki tuntuu poskea vasten kovalta ja viileältä, kun hän suuntaa hiusrenkaan otukseen.

Mihin sinä luulet pääseväsi? hän ilkkuu eläimelle.

Eläin ei juokse. Typerä elukka.

Juokse nyt! Sitten näet miten sinun käy.

Se jatkaa autuaan tietämättömänä verkkaista menoaan matalana maan pintaa myötäillen.

Hän tuntee sydämensä jyskyttävän raskaasti ja hitaasti ja kuulee oman huohotuksensa seuratessaan otusta vihreänä hohtavalla tähtäimellä ja painaa liipaisinta ja silloin haulikon pamahdus halkaisee yön hiljaisuuden kuin munankuoren. Otus nytkähtää ja jää sitten liikkumatta paikoilleen. Hän kiskaisee tulpat korvistaan ja kuuntelee huutoa tai murahdusta mutta ei kuule mitään paitsi autojen äänet kaukaa maantieltä 27 ja hänen omien jalkojensa ääni kun hän nousee seisomaan ja ravistelee puutuneita koipiaan. Hän lennättää hylsyn ulos, nappaa sen käteensä, pistää taskuun ja lähtee kävelemään. Hän painaa haulikkoa sivulta ja valo syttyy ja paistaa otukseen.

Se on kissa, karvainen ja viirullinen, ja sillä on turvonnut maha. Hän tökkäisee sen jalalla ympäri. Se on tiine, ja kuunnellessaan hän miettii ampuisiko sitä uudestaan. Ei kuulu mitään, ei liikettä, ei ääntä, ei minkäänlaista elonmerkkiä. Kissa oli varmaankin hiipimässä kohti autiotaloa etsimään syötävää. Hän miettii haistoiko se jotain syötävää. Jos kissa haistoi talossa syötävää, siellä täytyy olla tuoreita merkkejä siitä, että joku on ollut siellä. Hän pohtii tätä mahdollisuutta samalla kun painaa varmistinta ja nostaa haulikon olalle kietaisten kyynärvarren tukin päälle kuin metsuri kirveen varrelle. Hän katsoo kuollutta kissaa ja miettii Christmas Shopin metsuria esittävää isoa puuveistosta, sitä joka oli oven vieressä.

"Typerä elukka", hän sanoo eikä kukaan ole kuulemassa paitsi kuollut kissa.

"Ei vaan sinä se typerä olet." Jumalan ääni kuuluu hänen takaansa.

Hän kääntyy ympäri. Nainen on siellä mustissaan, musta hulmuava hahmo kuutamossa.

"Minähän kielsin tuon", nainen sanoo.

"Ei sitä täällä kukaan kuule", Karju sanoo ja siirtää haulikon toiselle olalle ja näkee puisen metsurin kuin se olisi hänen edessään.

"Minä en varoita kahdesti."

"Minä en tiennyt että sinä olet täällä."

"Sinä tiedät missä minä olen jos minä haluan sinun tietävän."

"Minä hankin sinulle ne metsätys- ja kalastuslehden numerot. Kaksi kappaletta. Ja paperia. Kiiltopintaista laserpaperia."

"Minä käskin hankkia yhteensä kuusi, kaksi perhokalastuslehteä ja kaksi *Angling Journalia*."

"Minä varastin ne. Oli liian vaikeaa saada kerralla kaikki kuusi."

"Mene sitten uudestaan. Miksi sinä olet noin tyhmä?"

Nainen on Jumala. Hänen älykkyysosamääränsä on sataviisikymmentä.

"Tottele minua", sanoo nainen.

Jumala on nainen ja nimenomaan tämä nainen eikä ole muita jumalia. Hänestä tuli Jumala kun Karju oli tehnyt väärin ja vietiin pois, vietiin hyvin kauas pois sinne missä on pakkasta ja sataa lunta, ja sitten hän tuli takaisin ja siinä vaiheessa naisesta oli jotenkin vain tullut Jumala ja hän sanoi Karjulle että Karju oli hänen Kätensä. Jumalan käsi.

Karju katselee kun Jumala menee pois, katoaa pimeään. Hän kuulee moottorin kovan äänen kun Jumala lentää pois, lentää maantietä pitkin. Ja hän miettii suostuuko tämä enää koskaan makaamaan hänen kanssaan. Hän miettii sitä jatkuvasti. Kun naisesta tuli Jumala, hän ei enää suostunut makaamaan hänen kanssaan. Heidän liittonsa on pyhä, nainen selittää. Hän makaa muiden kanssa mutta ei Karjun, koska Karju on hänen Kätensä. Nainen nauraa hänelle, sanoo ettei hän tietenkään voi maata oman Kätensä kanssa. Se olisi yhtä kuin itsensä kanssa makaaminen. Ja sitten nainen nauraa.

"Sinä olit tyhmä, etkö vain ollutkin?" kysyy Karju maassa makaavalta kuolleelta tiineltä otukselta.

Karju kaipaa seksiä. Hän haluaa sitä nyt heti tuijottaessaan kuollutta otusta ja hän tökkäisee sitä taas saappaankärjellä ja ajattelee Jumalaa ja miltä hän näyttää alastomana ja hänen ihoaan jossa on kädenjälkiä.

Minä tiedän että sinä haluat sitä, Karju.

Niin minä haluan, hän sanoo. Minä haluan.

Minä tiedän minne sinä haluat panna kätesi. Enkö minä olekin oikeassa?

Olet.

Sinä haluat panna ne sinne minne minä annan toisten panna kätensä.

Et antaisi muiden panna. Kyllä, minä haluan.

Nainen käskee hänen maalata punaisia kädenjälkiä paikkoihin, joihin Karju ei haluaisi muiden koskevan, paikkoihin joihin hän laittoi kätensä kun hän teki rumasti ja hänet pantiin vankilaan, vietiin kylmään paikkaan jossa sataa lunta, paikkaan jossa hänet laitettiin koneeseen ja hänen molekyylinsä pantiin uuteen järjestykseen.

15

Seuraavana aamuna, tiistaina, pilviä kerääntyy taivaalle kaukaa mereltä ja tiine otus makaa maassa jäykkänä ja kärpäset ovat löytäneet sen.

"Katso nyt mitä sinä teit! Tapoit kaikki lapsesi. Typerys!"

Karju tökkäisee sitä saappaankärjellä. Kärpäset hajaantuvat kuin kipinät. Hän katsoo kun ne surisevat takaisin kissan päähän hyytyneen veren kimppuun. Hän tuijottaa jäykkää raatoa ja sen päällä kuhisevia kärpäsiä. Hän tuijottaa sitä mutta sen katseleminen ei vaivaa häntä. Hän kyykistyy sen viereen niin lähelle että kärpäset lähtevät taas lentoon, ja nyt hän haistaa sen. Hän haistaa kuoleman, haistaa löyhkän joka muutamassa päivässä väkevöityy niin vahvaksi, että sen huomaa tuulen suunnasta riippuen jo puolen hehtaarin alalla. Kärpäset munivat koloihin ja haavoihin ja pian ruhossa kuhisee toukkia, mutta ne eivät häntä haittaa. Hän katselee mielellään mitä kuolema tekee.

Hän kävelee kohti autiotaloa haulikko sylissä poikittain. Hän kuuntelee autojen ääniä kaukaa maantieltä 27, mutta kenelläkään ei ole syytä poiketa tänne. Jossain vaiheessa toki on. Mutta ei nyt. Hän astuu laholle kuistille ja yksi kiero lauta antaa myöten hänen saappaansa alla, ja hän sysää oven auki ja astuu pimeään tunkkaiseen taloon jossa kaikki on paksun pölyn peitossa. Talossa on aurinkoisellakin ilmalla hämärää ja tukahduttavaa, mutta tänä aamuna siellä on vielä kurjempaa, koska ukkosmyrsky on tulossa. Kello on kahdeksan ja talossa on lähes yhtä pimeää kuin yöllä ja hän alkaa hikoilla.

"Sinäkö se olet?" kuuluu ääni pimeästä talon takaa, sieltä mistä sen tuleekin kuulua.

Yhtä seinää vasten on vanerista kevyttiilten varaan kyhätty pöytä ja sillä on pieni lasinen akvaario jossa ei ole vettä. Hän osoittaa haulikolla akvaariota ja painaa nappia. Ksenonvalo syttyy ja valaisee kirkkaasti lasin ja akvaariossa olevan mustan tarantelin. Se on liikkumatta akvaarion hiekan ja kuorikatteen peittämällä pohjalla kuin musta käsi. Se on vesisienensä ja mieluisimman kivensä vierellä. Akvaarion nurkassa pienet kaskaat sirittävät, sillä valo häiritsee niitä.

"Tule juttelemaan minun kanssani", sanoo ääni, vaativa mutta heikompi kuin vielä edellispäivänä.

Hän ei ole varma onko hän mielissään siitä että ääni on elossa, mutta kai hän on. Hän nostaa akvaarion päältä kannen pois ja puhuu hämähäkille hiljaa ja hellästi. Sen takaruumiin karvat ovat lähteneet ja sitä peittää kuivunut liima ja vaaleankeltainen veri, ja viha kouraisee häntä kun hän ajattelee miksi se on karvaton ja melkein kuollut verenvuotoon. Hämähäkin karvat kasvavat takaisin vasta sen luotua ihonsa eikä silloinkaan ole varmaa tuleeko se kuntoon.

"Sinä tiedät kenen vika se on", hän sanoo hämähäkille. "Ja minä tein asialle jotain."

"Tule tänne", kutsuu ääni. "Kuuletko sinä?"

Hämähäkki ei liiku. Se saattaa vielä kuolla. Se saattaa aivan hyvin kuolla.

"Olen pahoillani että olin poissa näin kauan. Minä tiedän että sinä olet yksinäinen", hän sanoo hämähäkille. "Minä en voinut ottaa sinua mukaan tuossa tilassa. Se oli pitkä matka. Ja kylmä."

Hän vie kätensä akvaarioon ja silittää hämähäkkiä hellästi. Se ei juuri liikahdakaan.

"Sinäkö siellä olet?" Ääni on heikompi ja käheä mutta myös vaativa.

Hän yrittää kuvitella miltä tuntuu kun ääni on vaiennut, ja hän ajattelee kuollutta otusta joka makaa maassa kangistuneena ja kärpäsiä kuhisevana.

"Sinäkö se olet?"

Hän painaa edelleen sormellaan nappia ja valo osoittaa samaan suuntaan kuin haulikko valaisten likaisen puulattian, jolla on kuivuneita hyönteisten munia. Hänen saappaansa liikkuvat valon perässä.

"Hei! Kuka siellä on?"

16

Joe Amos kietoo aselaboratoriossa mustan Harley-Davidson-nahkapuseron kolmekymmentäviisikiloisen ammusgelatiini-möhkäleen ympärille ja sulkee vetoketjun. Ison möhkäleen päällä on pienempi yhdeksänkiloinen, jolle on pantu aurinkolasit ja musta rastarätti, jossa on pääkallon ja luiden kuvia.

Joe pysähtyy ihailemaan aikaansaannostaan. Hän on mielissään mutta myös väsynyt. Hän valvoi myöhään uusimman lempioppilaansa kanssa. Hän joi liikaa viiniä.

"Eikö ole hauska?" hän kysyy Jennyltä.

"Hauska mutta iljettävä. Älä vain kerro hänelle. Hän on kuulemma hankala tapaus", sanoo Jenny istuessaan pöydällä.

"Minä se hankala tapaus olen. Ajattelin laittaa punaista elintarvikeväriä. Se näyttäisi uskottavammin vereltä."

"Siistiä."

"Kun siihen sekoittaa hiukan ruskeaa, se näyttää pilaantuvalta vereltä. Keksisinpä miten sen saisi haisemaan."

"Sinä ja sinun helvettitilanteesi."

"Minä en lakkaa koskaan suunnittelemasta. Että on selkä kipeä", Joe sanoo ja ihailee vielä saavutustaan. "Minä satutin selkäni ja vien hänet käräjille."

Gelatiini on kimmoisaa, läpikuultavaa liivatetta, joka valmistetaan eläimen luista ja sidekudoksen kollageenista. Sitä ei ole helppo muotoilla. Hänen pukemansa möhkäleet oli tavattoman vaikea siirtää kylmälaukuista katetun ampumaradan takaseinän viereen. Laboratorion ovi on lukossa. Punainen valo palaa oven yllä ulkopuolella varoittamassa, että ampumarata on käytössä.

"Siisti kuin sika pienenä", hän sanoo vastenmieliselle möhkäleelle.

Samaa gelatiinia käytetään oikeaoppisesti liivatehydrolysaatiksi kutsuttuna sampoissa, hiustenhoitoaineissa, huulipunassa, proteiinijuomissa, reumaa lievittävissä lääkkeissä ja monissa muissa tuotteissa, joihin Joe ei enää suostu koskemaan kepilläkään. Hän ei edes suutele morsiantaan jos tällä on huulipunaa. Viimeksi hän sulki silmänsä painaessaan huulensa tämän huulille ja yhtäkkiä hänen mieleensä putkahti lehmä-, sika- ja kalapaska, joka kiehuu valtavassa sammiossa. Nykyisin Joe lukee etiketit tarkkaan. Jos aineksissa luetellaan hydrolysoitu eläinvalkuainen, valmiste menee suoraan roskiin tai kaupassa takaisin hyllylle.

Sopivasti käsitelty ammusgelatiini sopii ihmisen pehmytkudosten simulointiin. Se on lähes yhtä käyttökelpoista kuin sian kudos, jota Joe käyttäisi mieluummin. Hän on kuullut tuliaselaboratorioista, joissa ammutaan kuolleiden sikojen ruhoja testattaessa kuinka syvälle luodit menevät ja miten ne laajenevat erilaisissa tilanteissa. Hän haluaisi ampua karjua. Hän haluaisi pukea ison karjunruhon ihmisen näköiseksi ja antaa opiskelijoiden ampua sen seulaksi eri etäisyyksiltä ja erilaisilla aseilla ja patruunoilla. Siitä tulisi kunnollinen helvettitilanne. Vielä helvetillisempää olisi ampua elävä karju, mutta Scarpetta ei ikinä suostuisi siihen. Hän ei suostuisi edes siihen että opiskelijat ampuisivat kuollutta ruhoa.

"Häntä olisi turha viedä käräjille", sanoo Jenny. "Hänellä on myös juristin koulutus."

"Viis siitä."

"Itsehän sinä kerroit että sinä yritit sitä jo kerran ja epäonnistuit. Lucylla ne rahat sitä paitsi ovat. Olen kuullut että hän kuvittelee itsestään liikoja. En ole koskaan tavannut häntä. Kukaan meistä ei ole."

"Et ole jäänyt mistään paitsi. Jonain päivänä joku vielä ottaa häneltä turhat luulot pois."

"Sinäkö esimerkiksi?"

"Jospa minä olen jo aloittanut." Joe hymyilee. "Usko huviksesi etten minä lähde täältä tyhjin käsin. Minä olen ansainnut jotain siitä hyvästä mitä olen hänen takiaan joutunut kärsimään." Ja nyt hän ajattelee taas Scarpettaa. "Hän kohtelee minua paskamaisesti."

"Ehkä minä tapaan Lucyn ennen kuin valmistun", sanoo Jenny miettiliäästi istuessaan pöydällä. Hän katsoo Joeta ja gelatiiniukkoa, jonka tämä on pukeunut Marinon näköiseksi.

"He ovat kaikki syvältä", sanoo Joe. "Koko helvetin kolminaisuus. Minulla on heille yllätys."

"Millainen?"

"Aikanasi näet. Tai ehkä minä kerron sinulle."

"Kerro!"

"Sanotaan vaikka näin", vastaa Joe. "Minä en lähde täältä tyhjin käsin. Hän on aliarvioinut minut ja se on paha virhe. Se parhaiten nauraa joka viimeksi nauraa."

Joe on tehnyt sopimuksen, joka velvoittaa hänet avustamaan Scarpettaa piirikunnan ruumishuoneella, missä Scarpetta kohtelee häntä kuin renkiä, komentaa hänet ompelemaan ruumiit avauksen jälkeen ja laskemaan vainajien mukana tulleiden reseptilääkepullojen pillerit ja kirjaamaan ylös näiden tavarat kuin hän olisi mitätön apulainen eikä lääkäri. Scarpetta on määrännyt hänet punnitsemaan, mittaamaan, valokuvaamaan ja riisumaan ruumiit ja tutkimaan ruumispussin pohjalle jäävät iljettävät sotkut, varsinkin pilaantuneen, toukkia kuhisevan mönjän, jota on vedestä naaratuissa ruumiissa, tai eltaantuneen lihan, jota on jäljellä mädänneissä ruumiissa. Nöyryyttävintä on joutua sekoittamaan kymmenprosenttista ammusgelatiinia tutkijoiden ja opiskelijoiden käyttämiä gelatiinikimpaleita varten.

Miksikö? Antakaa minulle edes yksi hyvä syy, hän sanoi Scarpettalle kun tämä määräsi hänet tähän tehtävään viime kesänä.

Se kuuluu sinun koulutukseesi, Joe, vastasi Scarpetta tyypilliseen järkkymättömään tapaansa.

Minä haluan oikeuspatologiksi enkä laboratorioassistentiksi tai kokiksi, valitti Joe.

Minun tapanani on kouluttaa oikeuspatologeja tyvestä puuhun nousten, sanoi Scarpetta. Sinun ei sovi kieltäytyä mistään työstä.

Seuraavaksi te tietenkin kerrotte, että te itsekin teitte liivatemöykkyjä kun olitte uranne alussa, sanoi Joe.

Minä teen niitä vieläkin ja kerron sinulle kernaasti lempireseptini, näpäytti Scarpetta. Mieluiten käytän Vyseä mutta Kind & Knoxin 52A kelpaa mainiosti. Käytä aina kylmää vettä. Sen lämpötilan tulee olla seitsemästä kymmeneen astetta. Sekoita liivate veteen eikä päinvastoin. Jatka hämmentämistä mutta ei liian voimakkasti, koska seokseen tulee muuten ilmakuplia. Lisää kaksi pilkku viisi millilitraa vaahdonsyöjää kymmentä kiloa kohden ja tarkista, että muotti on putipuhdas. Pisteeksi i:n päälle lisää joukkoon nolla pilkku viisi millilitraa kaneliöljyä.

Joopa joo.

Kaneliöljy estää sienten kasvun, selitti Scarpetta.

Scarpetta kirjoitti paperille reseptinsä ja sitten välineluettelon, jossa oli mukana selkävaaka, mittalasi, maalilasta, kahdentoista kuutiosenttimetrin ruisku, propionihappoa, akvaarioletku, alumiinifoliota, iso lusikka ja niin edelleen, ja seuraavaksi hän järjesti Jimille laboratorion keittiössä havaintoesityksen kuin paraskin televisiokokki, ikään kuin se olisi riittänyt selittämään, miksi Jimin pitää kauhoa eläinten kimpaleita rummuista ja punnita ja nostella ja kantaa raskaita kattiloita ja laittaa niitä kylmälaukkuihin tai kylmähuoneeseen ja vastata sen jälkeen siitä, että opiskelijat ovat koolla sisä- tai ulkoampumaradalla ennen kuin möykyt alkavat hajota. Ne nimittäin sulavat kuin liivatehyytelö ja ovat parhaimmillaan kun ne tarjoillaan viimeistään kahdenkymmenen minuutin kuluessa siitä kun ne on otettu kylmästä, riippuen tietenkin ympäristön lämpötilasta.

Hän ottaa varastokomerosta ikkunaan asennettavan hyttysverkon ja asettaa sen nahkapuseroon pukemaansa gelatiinimöykkyä vasten. Sitten hän panee kuulosuojaimet korville ja suojalasit silmille. Hän kehottaa nyökkäämällä Jennyä tekemään samoin. Hän ottaa teräksenkiiltoisen Beretta 92:n, huippuluokan pistoolin, jossa on tritiumjyvä. Hän lataa lippaaseen 147 graanin Speer Gold Dot -patruunoita, joissa on onton kärjen kehällä kuusi pyällystä. Ne saavat luodin laajenemaan vielä senkin jälkeen kun se on läpäissyt jopa neljän denimkerroksen paksuisen kankaan tai nahkapuseron.

Tässä koelaukauksessa on erilaista kuvio, joka syntyy luodin lentäessä hyttysverkon läpi ennen kuin se puhkaisee nahkapuseron ja pureutuu herra Hyytelön rintakehän läpi. Joe kutsuu liivatenukkejaan herra Hyytelöiksi.

Hän virittää aseen ja ampuu viisitoista laukausta kuvitellen, että herra Hyytelö onkin Marino.

17

Palmut taipuvat ja suoristuvat tuulessa neuvotteluhuoneen ikkunoiden edessä. Pian sataa, ajattelee Scarpetta. Näyttää siltä että raju ukkosmyrsky on tulossa, ja Marino on taas myöhässä eikä ole vieläkään vastannut hänen soittopyyntöihinsä.

"Hyvää huomenta. Aloittakaamme heti", hän sanoo alaisilleen. "Meillä on paljon asioita ja kello on jo vartin yli neljä."

Hänestä on kurjaa myöhästyä. Hänestä on kurjaa kun hän myöhästyy jonkun toisen ihmisen takia, tällä kertaa Marinon. Jälleen kerran Marinon takia. Marino on sotkenut hänen ympyränsä. Marino sotkee kaiken.

"Tänä iltana pääsen toivottavasti koneeseen ja lentämään Bostoniin", hän sanoo. "Sikäli kuin paikkavaraustani ei ole taas selittämättömästi peruttu."

"Lentoyhtiöillä ei pysy enää homma hanskassa", sanoo Joe. "Ei ihme että niitä menee konkkaan vähän väliä."

"Meitä on pyydetty tutkimaan erästä Hollywoodissa sattunutta mahdollista itsemurhaa, johon liittyy järkyttivä asianhaaroja", aloittaa Scarpetta.

"Haluaisin ottaa ensin puheeksi yhden asian", sanoo ase-ekspertti Vince.

"Ole hyvä." Scarpetta vetää kuoresta 20 x 25 sentin valokuvia alkaa jakaa niitä läsnäolijoille.

"Joku ampui koelaukauksia sisäradalla noin tunti sitten." Hän katsoo merkitsevästi Joeta. "Ilman aikavarausta."

"Minun piti varata sisärata eilen illalla mutta unohdin", sanoo Joe. "Kukaan ei joutunut odottamaan minun takiani."

"Varaus on pakko tehdä. Vain siten pystymme seuraamaan..."

"Minä testasin uutta ballistisen gelatiinin erää. Kokeilin kylmän sijasta lämmintä vettä nähdäkseni, näkyikö ero kalibrointitestissä. Poikkeama oli yksi senttimetri. Hyvä uutinen siis. Menettely kelpaa."

"No hemmetti, jokaisessa sekoitetussa erässä on varmasti plus miinus sentin poikkeama", sanoo Vince ärtyneesti.

"Meillä ei ole lupa käyttää varmentamattomia eriä. Siksi minä tarkistan kalibrointia jatkuvasti ja yritän hioa sen täydelliseksi. Sen takia minä joudun käyttämään aselabraa usein. En minä sille mitään voi."

Joe katsoo Scarpettaa.

"Ammusgelatiini on minun vastuullani."

Joe katsoo häntä uudestaan.

"Toivottavasti muistit käyttää puskuriharkkoja ennen kuin rupesit paukuttamaan takaseinää", sanoo Vince. "Olen pyytänyt sitä sinulta ennenkin."

"Te tunnette säännöt, tohtori Amos", sanoo Scarpetta.

Scarpetta teitittelee häntä aina työtovereiden kuullen. Hän kohtelee häntä kunnioittavammin kuin hän on ansainnut.

"Kaikki pitää merkitä kirjaan", lisää Scarpetta. "Kaikki kokoelmasta lainatut aseet, jokainen patruuna, jokainen koelaukaus. Säännöistä on pidettävä kiinni."

"Ymmärrän."

"On otettava huomioon juridiset seuraukset. Suurin osa meidän tutkimistamme tapauksista käsitellään oikeudessa", lisää Scarpetta.

"Ymmärrän."

"No niin", sanoo Scarpetta ja kertoo heille Johnny Swiftistä.

Hän selittää, että marraskuun alussa Swift kävi ranneleikkauksessa ja että hän muutti pian sen jälkeen veljensä luokse Hollywoodiin. He olivat identtiset kaksoset. Kiitospäivän aattona Swiftin veli Laurel lähti ostoksille ja palasi kotiin puoli viiden maissa. Kun hän oli kantanut ruokaostokset keittiöön, hän löysi tohtori Swiftin kuolleena sohvalta. Hänen rintakehässään oli haulikon tekemä ampumahaava.

"Minä muistan tapauksen hämärästi", sanoo Vince. "Se oli uutisissa."

"Minä satun muistamaan tohtori Swiftin oikein hyvin", sanoo Joe. "Hän soitti silloin tällöin tohtori Selfille. Kerran kun olin Selfin ohjelmassa, Swift soitti ja rökitti Selfiä Touretten oireyhtymästä, ja minä olin kuin olinkin Selfin kanssa samaa mieltä, että oireyhtymää käytetään usein vain asiattoman käyttäytymisen verukkeena. Swift paasasi neurokemiallisista häiriöistä, aivojen poikkeavuudesta. Melkoinen asiantuntija", hän sanoo ivallisesti.

Joen esiintymiset tohtori Selfin ohjelmassa eivät kiinnosta ketään. Joen esiintymiset missään muussakaan ohjelmassa eivät kiinnosta ketään.

"Entä hylsy ja itse ase?" Vince kysyy Scarpettalta.

"Poliisipöytäkirjan mukaan Laurel Swift huomasi haulikon lattialla noin metrin päässä sohvan takana. Hylsyä ei löytynyt."

"Aika erikoinen tilanne. Mies ampuu itseään rintaan ja heittää sen jälkeen haulikon sohvan taakse?" Joe on taas äänessä.

"Näissä kuvissa ei näy haulikkoa."

"Veli väittää nähneensä haulikon sohvan takana lattialla. Tähdennän että hän *väittää* niin. Palaamme siihen ihan kohta", sanoo Scarpetta.

"Todettiinko hänessä ruudinjälkiä?"

"Vahinko ettei Marino ole täällä, onhan hän tämän tapauksen päätutkija, ja hän oli tiiviissä yhteistyössä Hollywoodin poliisin kanssa", vastaa Scarpetta pitäen tunteensa Joea kohtaan kurissa. "Tiedän vain ettei Laurelin vaatteista tutkittu ruudinjälkiä."

"Entä käsistä?"

"Löydös oli positiivinen. Mutta hän väittää koskeneensa veljensä, ravistaneensa häntä ja sotkeneensa itsensä vereen. Se voisi teoriassa selittää ruudin. Vielä muutama detalji. Hänellä oli ranteissaan lastat kun hän kuoli, veressä oli yksi promille alkoholia ja poliisipöytäkirjan mukaan keittiössä oli monta tyhjää viinipulloa."

"Olemmeko varmoja siitä että hän ryyppäsi yksin?"

"Me emme ole varmoja mistään."

"Hänen ei varmasti ollut helppo pidellä raskasta haulikkoa jos hän oli kerran vasta ollut leikkauksessa."

"Se on mahdollista", sanoo Scarpetta. "Ja jos kädet eivät tottele kunnolla, mikä eteen?"

"Jalat."

"Se onnistuu. Kokeilin omalla kahdentoista kaliiperin Remingtonillani. Tyhjänä", hän lisää hiukan huumoria.

Hän kokeili itse koska Marino ei tullut. Marino ei soittanut. Hän ei välittänyt.

"Minulla ei ole valokuvia kokeesta", sanoo Scarpetta mutta on niin diplomaattinen ettei kerro miksi hänellä ei ole kuvia; syynä oli se ettei Marino tullut. "Lyhyestä virsi kaunis: laukaus saattoi potkaista aseen taakse tai hänen jalkansa nytkähti ja potkaisi aseen sohvan selän yli lattialle. Olettaen että hän teki itsemurhan. Kummassakaan isossavarpaassa ei muuten ole hiertymiä."

"Entä kosketushaava?" kysyy Vince.

"Paidasta todetun noen tiheys, haavan rosoinen reuna, halkaisija ja muoto ja kehon sisään jääneen luodin repimä kuvio, jossa ei ole terälehtimäisyyttä, ovat yhdenmukaiset ampumahaavan kanssa. Asia kiikastaa kuitenkin yhdestä räikeästä poikkeavuudesta, joka minun nähdäkseni johtuu siitä, että kuolinsyyntutkija luotti etäisyysmittauksessa radiologiin."

"Kuka?"

"Tapaus on tohtori Bronsonin", vastaa Scarpetta ja muutama tutkija ähkäisee ääneen.

"Hänhän on yhtä vanha kuin paavi. Milloin ihmeessä hän jää eläkkeelle?"

"Paavi kuoli", vitsailee Joe.

"Kiitos, herra uutistoimittaja."

"Radiologi tuli siihen tulokseen, että haulikon repimä haava oli *etäinen*", jatkaa Scarpetta. "Vähintään metrin päästä syntynyt. Oho! Nyt tapauksesta tulikin henkirikos, koska on mahdotonta pidellä haulikon piipunsuuta metrin päässä omasta rintakehästä."

Hiiri napsuu monta kertaa ja digitaalinen röntgenkuva Johnny Swiftin tappaneesta, haulikon repimästä haavasta tulee terävänä näyttötaululle. Kylkiluiden aavemaissa muodoissa näkyvät haulit erottuvat selvästi kuin pienten valkoisten kuplien myrsky.

"Haulit ovat levinneet laajalle", huomauttaa Scarpetta. "Eikä radiologi täysin väärässä ollut, koska haulien leviämiskuvio rintakehässä tukee oletusta, että ase laukaistiin noin 90–120 sentin päästä. Minusta kuitenkin tuntuu, että tässä on kyseessä niin sanotun biljardipalloilmiön kouluesimerkki."

Hän poistaa röntgenkuvan näyttötaululta ja kerää kokoon erivärisiä piirtokyniä.

"Ensimmäisten haulien vauhti hidastui, kun ne tulivat kehoon, ja perässä seuranneet haulit osuivat niihin saaden törmäävät haulit kimpoamaan ja leviämään kuviona, joka muistutta etäältä ammuttua laukausta", selittää Scarpetta ja piirtää punaisia hauleja, jotka törmäävät sinisiin ja kimpoavat kuin biljardipallot. "Näin ne jäljittelevät kaukaa ampuen syntynyttä haavaa, vaikka kyse ei ollut siitä vaan kosketushaavasta."

"Eikö kukaan naapuri kuullut haulikon pamahdusta?"

"Ilmeisesti ei."

"Monet saattoivat olla rannalla tai matkoilla koska oli kiitospäivän pitkä viikonloppu."

"Mahdollista."

"Millainen haulikko se oli ja kenen?"

"Hauleista voi päätellä vain että se oli kaksitoistakaliiperinen", vastaa Scarpetta. "Haulikko näyttää kadonneen ennen poliisien tuloa."

18

Ev Christian on hereillä ja istuu patjalla joka on mustana jostakin jonka hän tässä vaiheessa otaksuu vanhaksi vereksi.

Katto on notkollaan ja tapeteissa on vesitahroja. Tämän likaisen huoneen likaisella lattialla on hujan hajan aikakauslehtiä. Hän näkee huonosti ilman laseja ja erottaa lehtien pornografiset kannet vain joten kuten. Myös lattialla lojuvat virvoitusjuomapullot ja pikaruokakääräpaperit hän näkee huonosti. Patjan ja lohkeilleen seinän välissä on pieni vaaleanpunainen tennistossu, lasten kokoa. Ev on ottanut sen lattialta lukemattomat kerrat ja pidellyt sitä miettien mitä se tarkoittaa ja kenen se oli, peläten että tyttö on jo kuollut. Joskus Ev piilottaa kengän taakseen kun mies tulee sisään, sillä hän pelkää että mies vie sen pois. Hänellä ei ole mitään muuta.

Hän nukkuu aina korkeintaan tunnin tai kaksi yhteen menoon eikä hänellä ole käsitystä siitä kuinka kauan aikaa on kulunut. Aika on lakannut olemasta. Hämärä täyttää huoneen vastakkaisella seinällä olevan ikkunan eikä hän näe aurinkoa. Hän haistaa sateen.

Hän ei tiedä mitä mies on tehnyt Kristinille ja pojille. Hän ei tiedä mitä hän on heille tehnyt. Hän muistaa hämärästi ensi tun-

nit, ne järkyttävän epätodelliset ensi tunnit, jolloin mies toi hä-
nelle syötävää ja vettä ja tuijotti häntä pimeästä, ja mies oli ai-
van yhtä musta kuin pimeys, musta kuin musta henki, norkoil-
lessaan oven suussa.

Miltä se tuntuu? mies kysyi häneltä hiljaisella, kylmällä
äänellään. Miltä tuntuu tietää kuolevansa pian?

Huoneessa on aina hämärää. Ja paljon hämärämpää kun
mies tulee sinne.

Minä en pelkää. Sinä et pysty kajoamaan minun sieluuni.

Pyydä anteeksi.

Ei ole myöhäistä katua. Jumala antaa anteeksi alhaisimmat-
kin synnit jos ihminen nöyrtyy ja katuu niitä.

Jumala on nainen. Minä olen hänen Kätensä. Pyydä an-
teeksi.

Jumalanpilkkaa! Saisit hävetä. Minulla ei ole mitään anteek-
sipyydettävää.

Minä näytän sinulle mitä häpeä on. Sinä pyydät vielä anteek-
si kuten hän.

Kristinkö?

Sitten mies lähti ja Ev kuuli puhetta jostain muualta talos-
ta. Hän ei saanut sanoista selvää mutta mies puhui Kristinil-
le, hänen täytyi puhua. Hän puhui naisen kanssa. Ev ei kuul-
lut mistä he puhuivat mutta hän kuuli heidän äänensä. Hän ei
erottanut sanoja mutta muistaa jalkojen töminän ja äänet sei-
nän takaa ja sitten hän kuuli Kristinin äänen, tiesi että nainen
oli Kristin. Kun Ev nyt muistelee sitä hän ei ole varma näkikö
hän unta.

Kristin! Kristin! Minä olen täällä! Minä olen täällä! Älä satu-
ta Kristiniä!

Hän kuulee päässään oman äänensä mutta ehkä hän näki
unta.

Kristin? Kristin! Vastaa minulle! Uskallapas satuttaa Kris-
tiniä!

Sitten hän kuuli taas puhetta, joten ehkä kaikki oli hyvin.
Mutta Ev ei ole varma. Ehkä hän näki unta. Ehkä hän näki unta
että hän kuuli miehen kävelevän eteiseen ja sulkevan ulko-oven
perässään. Kaikki on saattanut tapahtua muutamassa minuutis-
sa tai tunnissa. Ehkä hän kuuli autonmoottorin äänen. Tai sit-
ten se oli unta tai hourailua. Ev istui pimeässä sydän tykyttäen

ja kuunteli erottaisiko Kristinin ja poikien äänet mutta ei kuullut mitään. Hän huusi kunnes hänen kurkkuaan alkoi kirvellä eikä hän enää nähnyt juuri mitään eikä pystynyt kunnolla hengittämään.

Päivänvalo tuli ja meni ja miehen tumma hahmo kävi tuomassa paperimukeissa vettä ja syötävää, ja hahmo pysähtyi katsomaan häntä eikä hän nähnyt miehen kasvoja. Ev ei ole kertaakaan nähnyt hänen kasvojaan, ei edes ensimmäisellä kerralla, kun mies tuli taloon. Hän pitää mustaa huppua jossa on silmänreiät, huppua joka on kuin musta tyynyliina, pitkä ja hartioista väljä. Tämä huppupäinen hahmo sohii häntä mielellään haulikon piipulla kuin hän olisi eläintarhan elukka, kuin mies olisi utelias näkemään mitä hän tekee jos häntä sohii. Mies sohii häntä sopimattomiinkin paikkoihin ja katselee mitä hän silloin tekee.

Saisit hävetä, Ev sanoo kun mies sohii häntä. Sinä voit piinata minun lihaani mutta minun sieluuni sinä et pysty kajoamaan. Minun sieluni on Jumalan oma.

Hän ei ole täällä. Minä olen hänen Kätensä. Pyydä anteeksi.

Minun Jumalani on kiivas Jumala. Älä palvo muita jumalia.

Hän ei ole täällä, ja mies sohaisee häntä haulikon piipulla, sohaisee joskus niin kovaa että ihoon jää sinimustia ympyröitä.

Pyydä anteeksi, mies sanoo.

Ev istuu haisevalla patjalla. Sitä on käytetty ennenkin, käytetty järkyttävästi, se on jäykkä ja mustaksi likaantunut, ja hän istuu sillä haisevassa, ummehtuneessa huoneessa, jonka lattialla on roskia ja lehtiä, ja kuuntelee ja yrittää ajatella, kuuntelee ja rukoilee ja huutaa apua. Kukaan ei vastaa. Kukaan ei kuule häntä, ja hän miettii missä hän mahtaa olla. Missä hän on kun kukaan ei kuule hänen huutojaan?

Hän ei pääse karkaamaan koska mies on kiertänyt rautalankavaateripustimet hänen ranteisiinsa ja nilkkoihinsa ja pujottanut niihin paksut narut jotka hän on vienyt katossa olevan parrun yli kuin hän olisi irvokas sätkynukke, iho mustelmien ja hyönteistenpistojen ja puremien ja ihottuman peitossa, alaston iho joka kutiaa ja ruumis jota kivut repivät. Jos hän oikein ponnistaa hän pystyy nousemaan jaloilleen. Hän pystyy astumaan patjalta sivuun tyhjentämään rakkonsa ja suolensa. Silloin kipu on niin vihlova että hän on pyörtyä.

Mies tekee kaiken pimeässä. Hän näkee pimeässä. Ev kuulee hänen hengityksensä pimeässä. Hän on musta hahmo. Hän on Saatana.

"Auta minua, Jumala!" sanoo Ev särkyneelle ikkunalle, sen takana olevalle harmaalle taivaalle, Jumalalle joka on pilvien takana, jossain korkeuksissaan. "Jumala, auta minua!"

19

Scarpetta kuulee kaukaa moottoripyörän pärinän. Tässä pyörässä on hyvin äänekkäät putket.

Hän yrittää keskittyä kun pyörä lähestyy ja ajaa rakennuksen ohi opettajien pysäköintialueelle. Hän miettii Marinoa ja sitä, joutuuko hän antamaan tälle potkut. Hän ei ole varma pystyisikö hän siihen.

Hän selittää kuulijoille että Laurel Swiftin talossa oli kaksi puhelinlinjaa ja että kummankin johto oli irti seinästä, itse asiassa johdot olivat hävinneet jonnekin. Laurel oli jättänyt matkapuhelimensa autoon ja sanoo ettei hän löytänyt veljensä matkapuhelinta voidakseen soittaa apua. Laurel hätääntyi ja juoksi kadulle pysäyttämään ohikulkijan. Hän palasi taloon vasta poliisin jo tultua ja siinä vaiheessa haulikko oli kadonnut.

"Tämän tiedon minä sain tohtori Bronsonilta", sanoo Scarpetta. "Olen keskustellut hänen kanssaan useita kertoja ja pyydän anteeksi etten tunne yksityiskohtia tarkemmin."

"Puhelinjohdot. Onko niitä löydetty?"

"En tiedä", vastaa Scarpetta koska Marino ei ole kertonut hänelle.

"Johnny Swift saattoi ottaa ne pois, jotta kukaan ei voisi soittaa apua jos hän ei kuolisi heti, olettaen että hän teki itsemurhan", Joe sanoo esittäen taas yhden omaperäisen tulkintansa.

Scarpetta ei sano mitään koska hän ei tiedä puhelinjohdoista muuta kuin sen mitä tohtori Bronson kertoi omalla epämääräisellä ja hieman katkonaisella tavallaan.

"Puuttuuko talosta mitään muuta? Paitsi puhelinjohdot, haulikko ja vainajan kännykkä? Ikään kuin siinä ei olisi jo tarpeeksi."

"Sitä pitää kysyä Marinolta", sanoo Scarpetta.

"Minusta tuntuu että hän tuli juuri. Ellei jollain muullakin ole moottoripyörä, joka papattaa yhtä kovaa kuin avaruussukkula."

"Minua suoraan sanoen hämmästyttää ettei Laurel ole saanut murhasyytettä", sanoo Joe.

"Murhasyytettä ei voi esittää jos kuolinsyy on epäselvä", sanoo Scarpetta. "Kuolinsyy on vielä auki eikä ole riittäviä perusteita vaihtaa sitä itsemurhaksi tai tapoksi tai tapaturmaksi, vaikken kyllä käsitä miten se voisi olla tapaturma. Jos kuolinsyytä ei saada selville niin varmasti, että tohtori Bronson on tyytyväinen, hän luokittelee sen lopulta ratkaisemattomaksi."

Käytävän kokolattiamatolta kuuluu raskaita askelia.

"Mihin terve järki on unohtunut?" kysyy Joe.

"Kuolinsyytä ei selvitetä terveen järjen pohjalta", sanoo Scarpetta. Häntä harmittaa ettei Joe pysty pitämään suutaan kiinni vaan laukoo typeriä huomautuksiaan.

Neuvotteluhuoneen ovi avautuu ja Pete Marino astuu sisään kantaen salkkua ja laatikollista Krispy Kreme -donitseja. Hän on vakiovaatteissaan: mustissa farkuissa, mustissa nahkasaappaissa, mustissa nahkaliiveissä, joiden selässä on Harleyn logo. Hän ei katso Scarpettaan istuutuessaan tutulle paikalleen hänen viereensä. Hän sysää donitsilaatikon keskelle pöytää.

"Harmi että emme päässeet tutkimaan veljen vaatteista ruudinjälkiä. Olisi ollut hyvä saada tänne vaatteet jotka hänellä oli päällään sinä päivänä", sanoo Joe ja nojaa tuolinsa selkään samaan tapaan kuin aina esitelmöidessään, ja Marinon läsnä ollessa hänellä on tapana esitelmöidä tavallista enemmän. "Olisi voitu tutkia ne pientehoröngtenillä, Faxitronilla ja spektrometrillä."

Marino katsoo Joea kuin olisi valmis antamaan hänelle nyrkistä.

"On tietenkin mahdollista saada vaatteilleen ja iholleen hivenmääriä muista lähteistä kuin itse laukauksesta. Vesijohtomateriaaleista, akuista, autojen voiteluaineista, maaleista. Ihan kuten labraharjoituksissani viime kuussa", sanoo Joe ja ottaa laatikosta suklaakuorrutteisen donitsin. Se on lytyssä ja suurin osa kuorrutteesta on tarttunut laatikkoon. "Tiedätkö miten niiden kävi?"

Hän nuolaisee sormiaan ja katsoo pöydän yli Marinoon.

"Se oli aikamoinen harjoitus", sanoo Marino. "Mistähän mahdoit saada idean."

"Minä kysyin että tiedätkö sinä miten veljen vaatteiden kävi", sanoo Joe.

"Vaikuttaa siltä että sinä olet katsellut liikaa rikossarjoja", sanoo Marino ja katsoo Joea suoraan silmiin. "Liian monta Harry Potter -poliisisatua isosta taulutelevisiostasi. Sinä luulet olevasi oikeuspatologi, melkein ainakin, juristi, tiedemies, rikospaikkateknikko, poliisi, kapteeni Kirk ja pääsiäispupu samoissa kuorissa."

"Asiasta toiseen, eilinen helvettitilanne oli menestys vailla vertaa", sanoo Joe. "Vahinko että kukaan teistä ei ollut paikalla."

"Pete, miten niiden vaatteiden kanssa on?" kysyy tuliaseiden tutkija Vince. "Tiedämmekö me mitä hänellä oli päällään kun hän löysi veljensä ruumin?"

"Oman väittämänsä mukaan hänellä ei ollut päällään rihman kiertämää", vastaa Marino. "Hän väittää että hän tuli sisään keittiön ovesta, laski ostokset pöydälle ja meni suoraan makuuhuoneen vessaan kuselle. Niin hän väittää. Sitten hän kävi suihkussa koska hänen piti mennä illaksi ravintolaansa hommiin ja silloin hän sattui katsomaan ovesta ja näki haulikon matolla sohvan takana. Siinä vaiheessa hän väittää olleensa ilkosillaan."

"Kuulostaa paskapuheelta", sanoo Joe suu täynnä.

"Henkilökohtainen tulkintani on että se oli todennäköisesti ryöstö joka keskeytyi kun joku putkahti paikalle", sanoo Marino. "Jokin siellä ainakin keskeytyi. Rikas lääkäri joutui tekemisiin vääränlaisen ihmisen kanssa. Onko kukaan nähnyt minun nahkarotsiani? Se on musta ja siinä on toisessa olkapäässä pääkallo ja luut ja toisessa tähtilippu."

"Missä sinä pidit sitä pääläsi viimeksi?"

"Minä riisuin sen pari päivää sitten konehallissa kun lähdin Lucyn kanssa lennolle. Kun tulin takaisin se oli viety."

"En ole nähnyt."

"En minäkään."

"Se oli perkele kallis. Ja olkalaput minä teetin varta vasten. Jumatsukka! Jos joku pölli sen…"

"Ei täällä kukaan mitään pölli", sanoo Joe.

"Ei vai? Mites on ideoiden varastelun laita?" Marino katsoo häntä vihaisesti. "Siitä tulikin mieleeni", hän sanoo Scarpettalle, "helvettitilanteista puheen ollen…"

"Niistä ei ole juuri nyt puhe", sanoo Scarpetta.

"Minä tulin tänne tänä aamuna tarkoituksenani sanoa niistä pari sanaa."

"Joskus toiste."

"Minä listasin muutaman oikein hyvän ja jätin listan sinun pöydällesi", Marino sanoo Scarpettalle. "Niitä on mukava funtsia kun olet lomalla. Varsinkin kun joudut todennäköisesti lumen takia mottiin, joten me näemme sinut luultavasti seuraavan kerran keväällä."

Scarpetta hillitsee ärtymyksensä, yrittää pitää sen piilossa pienessä sopukassa jonne kukaan ei toivottavasti näe. Marino häiritsee tahallaan tätä henkilökunnan palaveria ja kohtelee Scarpettaa samalla tavalla kuin viitisentoista vuotta sitten kun tämä oli Virginian oikeuslääkärijärjestelmän tuore johtaja, nainen maailmassa jonne naiset eivät kuuluneet, nainen jolla oli noussut päähän, Marino ajatteli, koska hänellä oli sekä lääkärin että juristin tutkinto.

"Minusta Swiftin tapauksesta tulisi pirun hyvä helvettitilanne", sanoo Joe. "Ruutijäljet ja röngtenspektrometria ja muut löydökset kertovat kaksi erilaista tarinaa. Nähtäisiinpä pysyvätkö opiskelijat sen ratkomaan. En usko että he ovat koskaan edes kuulleet biljardipalloilmiöstä."

"Minä en kysynyt piippuhyllyn mielipidettä", sanoo Marino kovalla äänellä. "Kuuliko joku minun kysyvän piippuhyllyn mielipidettä?"

"Sinä tiedät jo valmiiksi mitä mieltä minä olen sinun luovista ideoistasi", sanoo Joe. "Se olisi suoraan sanoen vaarallista."

"Minua ei kiinnosta sinun näkemyksesi paskan vertaa."

"Olkaamme kiitolliset siitä ettei Akatemia ole konkurssissa. Siitä olisi tullut helkkarin kallis paukku oikeudessa", sanoo Joe kuin hänellä ei olisi edes käynyt mielessä että Marino saattaa vielä joku kaunis päivä täräyttää hänet seinälle. "Meillä kävi säkä ottaen huomioon millaisen tempun sinä teit."

Edellisenä kesänä eräs opiskelija oli saanut trauman Marinon rikospaikkalavastuksessa. Opiskelija erosi Akatemiasta ja uhkasi haastaa sen oikeuteen, mutta hänestä ei onneksi sen koommin kuultu. Scarpetta ja hänen alaisensa pelkäävät antaa Marinon osallistua koulutukseen – lavastettuihin tilanteisiin, ovat ne sitten helvetillisiä tai eivät, ja jopa luennoille.

"Usko pois että se tapaus on minulla mielessä kun minä suunnittelen uusia helvettitilanteita", jatkaa Joe.

"Miten niin suunnittelet?" kimpaantuu Marino. "Tarkoitat kai että varastat ne minulta."

"Happamia sanoi kettu. Ei minun tarvitse kenenkään ideoita varastaa, varsinkaan sinun."

"Ei vai? Luuletko sinä etten minä tunnista omia juttujani? Tohtori Viittä-Vaille-Oikeuspatologi, sinulla ei ole tarpeeksi kokemusta keksiä sellaisia juttuja kuin minä."

"Nyt saa riittää", sanoo Scarpetta kovalla äänellä.

"Minulla sattuu olemaan erittäin hyvä idea ruumiista joka ensi näkemältä vaikutti ohiajoampumisen uhrilta", sanoo Joe. "Mutta kun luoti löydettiin, siinä todettiin erikoinen vohveli- tai ristikkokuvio, joka johtui siitä että uhri olikin ammuttu ikkunan hyttysverkon läpi ja ruumis oli viety..."

"Minunhan se idea on!" Marino jymäyttää nyrkkinsä pöytään.

20

Seminoleintiaanilla on valkoinen, lommoinen pakettiauto, jonka avolava on kuormattu täyteen massintähkiä. Auto seisoo vähän matkan päässä bensapumpuista. Karju on katsellut miestä jo jonkin aikaa.

"Joku vei minulta perkele lompsan ja kännyn vissiin silloin kun minä olin saatana suihkussa", sanoo mies yleisöpuhelimeen seisten selkä Citgon huoltoasemarakennukseen päin. Pihalle ja pihalta takaisin maantielle jyrisee rekkoja.

Karju ei näytä huvittuneisuuttaan kun hän kuuntelee miehen kiukunpuuskaa, valitusta siitä että hän joutuu taas nukkumaan yön autonsa hytissä ja että häneltä on viety lompakko ja puhelin eikä hänellä ole rahaa motellihuoneeseen. Hänellä ei ole rahaa edes suihkuun ja sitä paitsi suihkun hinta on noussut viiteen dollariin ja se on kiskurihinta suihkusta kun siihen ei sisälly mitään muuta, ei edes saippua. Jotkut miehet säästävät käymällä suihkussa kahdestaan, pujahtavat maalaamattoman aidan taakse huoltoaseman elintarvikekioskin länsipäätyyn, pinoavat vaatteensa ja kenkänsä aidan viereen penkille ennen kuin astuvat ahtaalle betoniläntille jossa on vain yksi ainoa suihku ja keskellä lattiaa iso ruosteinen viemäriritilä.

Suihkutilassa on aina märkää. Suihkusta tippuu suljettunakin vettä ja hanat kirskuvat kun niitä kiertää. Miehet tuovat sinne oman saippuansa, sampoonsa, hammasharjansa ja -tahnansa, yleensä muovipussissa. He tuovat oman pyyhkeensäkin. Karju ei ole käynyt siellä suihkussa kertaakaan, mutta hän on katsellut miesten vaatteita ja miettinyt mitä taskuissa on. Rahaa. Matkapuhelimia. Joissakin huumeita. Naisilla on vastaavanlainen paikka huoltoasemarakennuksen itäpäässä. Naiset eivät mene sinne koskaan kahdestaan, vaikka sillä säästäisi rahaa, ja käyvät suihkussa hermostuneen kiireisesti, häveten alastomuuttaan ja peläten että joku yllättää heidät, joku mies, iso vahva mies joka pystyy tekemään mitä haluaa.

Karju soittaa 1-800-ilmaisnumeroon, joka on vihreässä kortissa. Hän pitää korttia kaksin kerroin taitettuna takataskussaan. Se on parikymmentä senttiä pitkä ja siinä on lovi ja reikä, josta sen voi ripustaa ovenkahvaan. Korttiin on painettu tietoa ja piirros. Se esittää havaijipaitaan pukeutunutta sitrushedelmää, jolla on aurinkolasit silmillä. Hän toteuttaa Jumalan tahtoa. Hän on Jumalan käsi ja tekee Jumalan työtä. Jumalan älykkyysosamäärä on sataviisikymmentä.

"Kiitos kun soititte sitrusruosteen ehkäisyohjelmaan", sanoo tuttu nauhoite.

Nauhoitettu naisääni selittää, että jos hän haluaa antaa ilmoituksen Palm Beachin, Daden tai Browardin piirikunnan alueella havaitusta vahingosta, hänen tulee soittaa siihen ja siihen numeroon. Hän katsoo kun seminole nousee avolavapakettiautoonsa, ja miehen punainen ruutupaita tuo mieleen metsurin, sen puusta veistetyn metsurin joka oli Christmas Shopin etuoven vieressä. Hän naputtelee numeron jonka sai nauhoitteesta.

"Maatalousvirasto", vastaa naisääni.

"Minulla on asiaa sitrustarkastajalle", hän sanoo tuijottaessaan seminolea ja ajatellessaan alligaattoripainia.

"Kuinka voin auttaa?"

"Oletteko te tarkastaja?" hän kysyy kun hän miettii alligaattoria jonka hän näki noin tunti sitten kapean kanavan rannalla maantien 27 vieressä.

Hän tulkitsi sen hyväksi enteeksi. Alligaattori oli ainakin puolitoistametrinen ja hyvin tumma ja kuiva eivätkä ohi jyrisevät tukkirekat kiinnostaneet sitä lainkaan. Hän olisi ajanut tien sivuun jos siihen olisi ollut mahdollisuus. Hän olisi katsellut alligaattoria, tarkkaillut miten pelottomasti se elämänsä kohtaa, hiljaisena ja tyynenä mutta valmiina pulahtamaan salamannopeasti veteen tai nappaamaan pahaa aavistamattoman saaliseläimen suuhunsa ja kiskomaan sen kanavan pohjaan hukkumaan ja mätänemään syötäväksi. Hän olisi katsellut alligaattoria pitkään, mutta pientareella ei ollut turvallista paikkaa pysähtyä ja sitä paitsi hänellä oli kiire.

"Onko teillä ilmoitusasia?" naisääni kysyy puhelimesta.

"Minä olen töissä puutarhapalvelussa ja satuin huomaamaan sitrusruostetta yhdellä pihalla suunnilleen korttelin päässä paikasta jossa minä leikkasin eilen nurmikon."

"Saisinko osoitteen?"

Hän antaa naiselle osoitteen, erään Coolidge Streetin sivukadun nimen West Lake Parkin alueelta Hollywoodista.

"Saisinko teidän nimenne?"

"Minä haluaisin tehdä tämän ilmoituksen nimettömänä. Pomon kanssa voi tulla hankaluuksia."

"Hyvä on. Minulla on muutama kysymys. Kävittekö te tällä pihalla jossa uskotte nähneenne ruostetta?"

"Piha on aidaton joten minä kävelin sille koska siellä on paljon todella kauniita puita ja pensasaitoja ja iso nurmikko joten minä ajattelin että voisin saada sieltä hommia jos talossa ei jo käy puutarhuria. Silloin huomasin ne epäilyttävän näköiset lehdet. Useiden puiden lehdissä oli pieniä halkeamia."

"Näkyikö halkeamien reunoilla märkää?"

"Minä sain vaikutelman, että puut ovat sairastuneet vasta

äskettäin. Siksi teidän tarkastajanne eivät kai ole niitä huomanneet. Minä olen huolissani kummastakin naapuritontista. Niissä on sitruspuita arvioisin vajaan kuudensadan metrin päässä niistä joissa näin ruostetta, toisin sanoen tauti on todennäköisesti levinnyt niihinkin, ja arvioisin että seuraavienkin pihojen puut ovat vajaan kuudensadan metrin päässä. Ja niin edelleen kautta koko korttelin. Ymmärrätte varmasti miksi olen huolissani."

"Mistä päättelette, että meidän tarkastajamme eivät ole tutkineet mainitsemianne kiinteistöjä?"

"Siellä ei ollut merkkejä siitä että siellä olisi käynyt tarkastaja. Minä olen ollut sitruspuiden kanssa tekemisissä jo pitkään, ja puutarhapalvelussa melkein koko ikäni. Minä olen nähnyt pahimpia mahdollisia vahinkoja, kokonaisen hedelmätarhan joka jouduttiin polttamaan ruosteen takia. Omistajat menettivät toimeentulonsa."

"Desinfioitteko itsenne lähdettyänne pihalta, jossa uskoitte nähneenne ruostetta?" kysyy nainen, eikä Karju pidä kysymyksen sävystä.

Hän ei pidä koko naisesta. Hän on tyhmä ja komenteleva.

"Totta kai minä desinfioin. Minä olen ollut nurmikkotöissä pitkän pitkän aikaa. Minä ruiskutan aina vaatteeni ja välineeni määräysten mukaisesti GX-1027:llä. Minä tiedän oikein hyvin mitä voi tapahtua. Olen nähnyt kun kokonaisia kauppahedelmätarhoja on hävitetty, poltettu maan tasalle ja hylätty. Omistajat ovat joutuneet puille paljaille."

"Anteeksi…"

"Ne ovat hyvin ikäviä asioita."

"Anteeksi…"

"Ruoste pitää ottaa vakavasti", sanoo Karju.

"Mikä on teidän autonne rekisterinumero, sen jolla liikutte töissä? Ilmeisesti teillä on keltamusta lupatarra tuulilasin vasemmassa nurkassa? Minä tarvitsen sen numeron."

"Minun numerollani ei ole väliä", sanoo Karju tarkastajalle, joka kuvittelee olevansa paljon häntä tärkeämpi ja mahtavampi. "Auton omistaa minun pomoni ja minä joudun kärsimään jos hän saa tietää että minä soitin teille. Jos asiakkaat kuulevat että meidän puutarhapalvelumme teki ilmoituksen sitrusruosteesta, jonka seurauksena todennäköisesti joka ainoa sen korttelin sitruspuu hävitetään, kuinkas meidän ruohonleikkuubisneksen käy? Mitä luulette?"

"Ymmärrän kyllä, mutta minun on saatava teidän lupanumeronne omaan tietoomme. Ja haluaisin todellakin myös teidän yhteystietonne varmuuden vuoksi."

"Ei käy", sanoo Karju. "Minä saisin potkut."

21

Citgon huoltoasemalla alkaa olla ruuhkaksi asti rekkakuskeja jotka pysäköivät puoliperävaunnsa elintarvikekioskin taakse ja Chickee Hutin ravintolan puoleiseen päätyyn tai parkkeeraavat ne riviin metsän laitaan ja nukkuvat niissä ja luultavasti myös huoraavat niissä.

Rekkakuskit syövät Chickee Hutissa, jonka nimessä on kirjoitusvirhe, koska siellä käyvät asiakkaat ovat liian sivistymättömiä tietämään oikean kirjoitusasun, *chikee*, ja tuskin edes tietävät mitä se tarkoittaa. Chikee on seminolen kieltä eivätkä seminolet itsekään osaa kirjoittaa sitä oikein.

Sivistymättömät rekkakuskit elävät tien päällä ja pysähtyvät tänne tankkaamaan dieseliä ja törsäämään rahojaan elintarvikekioskissa, jossa on olutta ja nakkisämpylöitä ja isoja sikareita ja vitriinissä erilaisia taskuveitsiä. He voivat pelata poolia Golden Teen pelisalissa ja korjauttaa rekkansa la-radiopuhelimen tai vaihdattaa renkaat. Citgo on täyden palvelun rekkapysäkki Jumalan selän takana, paikka jossa käydään ja jossa ei pistetä nokkaa toisten asioihin. Kukaan ei utele Karjulta mitään. Toiset tuskin edes vilkaisevat häneen päin, niin paljon väkeä tulee ja menee, juuri kukaan ei ole huomannut häntä kahdesti paitsi mies joka on töissä Chickee Hutin ravintolassa.

Se on verkkoaidan takana pysäköintialueen laidalla. Aitaan kiinnitetyissä kylteissä kerrotaan että kaupustelu on kielletty ja että alueelle saa tuoda vain poliisikoiria, ei mitään muita koiria, ja että sinne saa mennä vain omalla vastuulla. Öisin siellä käydäänkin paljon omalla vastuulla, mutta Karju ei tiedä siitä mitään, sillä hän ei tuhlaa rahojaan pelisalissa, ei pooliin eikä edes levyautomaattiin. Hän ei juo. Hän ei polta. Hän ei halua maata yhdenkään Citgossa olevan naisen kanssa.

He ovat iljettäviä lyhyissä sortseissaan ja piukoissa topeissaan, heidän kasvonsa ovat irvokkaita liiasta halvasta meikistä ja liiasta auringosta. He istuvat ulkoravintolassa tai baarissa. Se on pelkkä seinätön palmettonlehväkatos, jossa on naarmuinen puutiski ja kahdeksan baarijakkaraa. He syövät tarjouspäivällisiä, esimerkiksi grillikylkiä ja lihamureketta ja pihvejä, ja juovat. Ruoka on hyvää ja valmistetaan paikan päällä. Karju pitää rekkakuskin purilaisesta ja se maksaa vain kolme yhdeksänkymmentäviisi. Grillijuustoleipä on kolme kaksikymmentäviisi. Halpoja iljettäviä naisia, sellaisia joille sattuu ikäviä. He ovat sen ansainneet.

He haluavat sitä.

He kertovat kaikille.

"Grillijuustoleipä mukaan", sanoo Karju baaritiskin takana olevalle miehelle. "Ja rekkakuskin purilainen. Sen syön täällä."

Miehellä on möhömaha ja likainen valkoinen esiliina. Hän avaa kovalla kiireellä olutpullojen korkkeja. Hän pitää pullot jäissä isoissa sammioissa. Möhömaha on palvellut häntä ennenkin mutta ei näytä koskaan muistavan häntä.

"Laitetaanko grillijuusto samaan aikaan kuin purilainen?" hän kysyy työntäessään kaksi olutpulloa rekkakuskin ja tämän naisen eteen. Kumpikin on jo humalassa.

"Muista kääriä grillijuusto paperiin."

"Minä kysyin haluatko sinä ne samaan aikaan." Hän ei ole ärtynyt vaan lähes välinpitämätön.

"Se käy."

"Mitä juotavaa laitetaan?" möhömaha kysyy avatessaan taas yhden olutpullon.

"Tavallista vettä."

"Mitä helvettiä tavallinen vesi on?" kysyy päihtynyt rekkakuski kovalla äänellä kun hänen naisensa hihittää ja painaa rintojaan hänen paksua tatuoitua käsivarttaan vasten. "Onks olemassa epätavallistakin vettä?"

"Tavallista vettä", Karju toistaa möhömahalle.

"Meikä ei tykkää tavallisesta, eikö ole totta, hani?" sammaltaa juopuneen rekkakuskin juopunut naisseuralainen ja puristaa jakkaraa paksuilla ketaroillaan, ja hänen muhkeat rintansa pullistuvat topin isosta kaula-aukosta.

"Mihin päin sinä olet menossa?" juopunut nainen kysyy.

"Pohjoiseen", vastaa rekkakuski. "Jahka tästä ehdin."

"Muista olla varovainen kun ajelet täällä etelässä yksiksesi", nainen sopertaa. "Täällä on paljon hulluja."

22

"Onko meillä aavistustakaan missä hän on?" Scarpetta kysyy Roselta.

"Hän ei ole työpaikallaan eikä vastaa kännykkään. Kun keskustelin hänen kanssaan henkilökuntapalaverin jälkeen ja sanoin, että sinulla on asiaa, hän sanoi että hänen oli hoidettava joku juttu ja että hän tulisi heti takaisin", muistuttaa Rose. "Se oli puolitoista tuntia sitten."

"Mihin aikaan sinä sanoitkaan että meidän pitäisi lähteä kentälle?" Scarpetta katsoo ikkunasta tuulenpuuskassa huojuvia palmuja ja miettii taas antaako Marinolle potkut. "Pian tulee ukkosmyrsky, oikein raju. Pitihän se arvata! Minä en kuitenkaan jää odottamaan häntä tumput suorina. Minä lähden nyt."

"Sinun koneesi lähtee vasta puoli viideltä", huomauttaa Rose ojentaessaan Scarpettalle puhelinviestejä.

"Minä en tiedä miksi minä edes vaivaudun. Miksi minä vaivaudun puhumaan hänen kanssaan?" Scarpetta selaa lappuja.

Rose katsoo häntä tavalla jolla vain Rose osaa katsoa. Hän seisoo hiljaa ovella kuin mietteissään, valkoiset hiukset kammattuina niskaan nutturalle, päällään harmaa pellavapuku, joka ei ole enää muodissa mutta silti elegantti ja ryhdikäs. Hänen harmaat liskonnahka-avokkaansa näyttävät uusilta vaikka ovat kymmenen vuotta vanhat.

"Ensin sinä haluat puhua hänen kanssaan ja sitten et. Mikä hätänä?" kysyy Rose.

"Minun lienee parasta lähteä."

"Minä en kysynyt kumpi on hätänä vaan mikä on hätänä."

"Minä en tiedä mitä minä hänen kanssaan tekisin. Toisaalta haluaisin erottaa hänet mutta mieluummin eroaisin itse."

"Sinä voisit siirtyä laitoksen johtajan tehtäviin", muistuttaa Rose. "Tohtori Bronson painostettaisiin eroamaan jos sinä lupautuisit hänen tilalleen. Sinun sietäisi harkita sitä tosissaan."

Rose tietää mitä tekee. Hän osaa näyttää hyvin vilpittömältä, kun hän ehdottaa jotain mitä ei haluaisi Scarpettan tekevän, ja seuraukset ovat ennalta arvattavat.

"Ei kiitos", sanoo Scarpetta jyrkästi. "Se kuvion minä olen jo käynyt kerran läpi, ja jos olet sattunut unohtamaan, Marino on laitoksella etsivänä, joten minä en pääsisi hänestä eroon vaikka ottaisin lopputilin Akatemiasta ja menisin kuolinsyyntutkijan virastoon päätoimiseksi johtajaksi. Kuka on rouva Simister ja mitä kirkkoa hän edustaa?" hän kysyy ihmetellen yhtä puhelinviestiä.

"Minä en tiedä kuka hän on mutta kuulosti siltä kuin hän tuntisi sinut."

"En ole kuullutkaan hänestä."

"Hän soitti aivan hetki sitten ja sanoi että hän halusi jutella jostakin perheestä joka on kadonnut West Lake Parkin alueelta. Hän ei jättänyt numeroa mutta sanoi soittavansa uudestaan."

"Mistä ihmeen kadonneesta perheestä? Täällä Hollywoodissako?"

"Niin hän sanoi. Katsotaanpas. Sinun koneesi lähtee valitettavasti Miamista. Maailman kehnoimmalta lentoasemalta. Minä sanoisin että riittää kun me lähdemme... sinä tiedät millaiset ruuhkat siellä on. Meidän kannattaisi ehkä lähteä jo kahdelta. Mutta ensin minä tarkistan sinun paikkavarauksesi."

"Onhan se varmasti ensimmäisessä luokassa? Eikä sitä ole peruttu?"

"Minulla on varaustiedot paperille tulostettuina, mutta sinun pitää mennä ensin lähtöselvitykseen koska lippu on ostettu näin lähellä lähtöä."

"Eikö ole paksua? Ensin minun varaukseni perutaan ja sitten minut pakotetaan lähtöselvitykseen, koska olen muka ostanut lipun viime hetkessä!"

"Kaikki on valmista."

"Ei millään pahalla, Rose, mutta sinä sanoit samaa viime kuussa. Eikä minun nimeäni ollut tietokoneella ja minä jouduin lentämään lahnaluokassa. Los Angelesiin asti. Ja ajattele nyt miten eilen kävi!"

"Minä varmistin varauksen heti aamulla. Ja minä teen sen uudestaan."

"Luuletko sinä että syynä ovat Marinon helvettitilanteet? Ehkä hän on niiden takia poissa tolaltaan."

"Minä luulen että hän katsoo sinun karttaneen häntä sen jälkeen, ajattelee että sinä et enää luottanut häneen etkä kunnioittanut häntä."

"Miten minä voisin luottaa hänen arviointikykyynsä?"

"Minä en ole vieläkään varma mitä Marino teki", sanoo Rose. "Minä naputtelin sen helvettitilanteen itse koneeseen ja editoin sen samalla lailla kuin kaikki hänen tekstinsä ja kuten jo sanoin, hänen käsikirjoituksessaan ei ollut neulaa sen lihavan kuolleen ukon taskussa."

"Hän lavasti tilanteen. Hän valvoi sitä henkilökohtaisesti."

"Hän väittää että joku muu laittoi neulan taskun. Se nainen varmasti. Saadakseen rahaa, joka jäi häneltä onneksi saamatta. Minä ymmärrän hyvin miltä Marinosta tuntuu. Helvettitilanteet olivat hänen keksintönsä ja nyt tohtori Amos järjestää niitä ja saa opiskelijoilta osakseen paljon huomiota, kun taas Marinoa kohdellaan kuin..."

"Hän ei ole ystävällinen opiskelijoille. Ei ole koskaan ollut."

"Nyt tilanne on vielä pahempi. He eivät tunne häntä ja luulevat että hän on äkäpussi dinosaurus, äksy fossiili. Ja minä tiedän millaista se on, kun toiset pitävät ihmistä äksynä vanhana fossiilina, tai mikä vielä pahempaa, kun tuntee itsensä sellaiseksi."

"Sinä olet kaikkea muuta kuin äksy ja kaikkea muuta kuin fossiili."

"Olet ainakin yhtä mieltä siitä että minä olen vanha", sanoo Rose astuessaan ovelta pois. Mennessään hän lisää: "Minä yritän uudestaan saada hänet kiinni."

Joe istuu motelli Last Standin huoneessa 112 halvan kirjoituspöydän ääressä halpaa sänkyä vastapäätä ja tarkistaa tietokoneesta Scarpettan paikkavarauksen. Hän kirjoittaa lennon numeron ja muut tiedot muistiin. Hän soittaa lentoyhtiölle.

Kuunneltuaan musiikkia viisi minuuttia hän saa langan päähän ilmielävän ihmisen.

"Haluan muuttaa varauksen", hän sanoo.

Hän antaa tiedot ja vaihtaa sitten paikan turistiluokkaan niin lähelle koneen perää kuin vapaita paikkoja löytyy, mieluiten keskimmäiselle kolmesta istuimesta, koska hänen pomonsa ei halua käytävä- eikä ikkunapaikkaa. Juuri samalla tavalla kuin hän teki viimeksi Scarpettan lentäessä Los Angelesiin. Hän voisi perua tämänkin varauksen, mutta tämä on hauskempaa.

"Asia on hoidettu."

"Entä sähköinen lippu?"

"Sitä ei saa näin lähellä ennen lähtöä. Matkustajan on mentävä kentällä lähtöselvitykseen."

Joe lopettaa puhelun. Hän on innoissaan kuvitellessaan, että kaikkivaltias Scarpetta joutuu istumaan kolme tuntia kahden ventovieraan välissä, toivottavasti kahden lihavan ja hienhajuisen välissä. Hän hymyilee yhdistäessään digitallentimen superhybridiluuriinsa. Ikkunan alle asennettu ilmastointilaite pitää kovaa melua mutta ei jäähdytä huonetta riittävästi. Hänellä alkaa olla epämiellyttävän tukala olo ja hän huomaa heikon mädänhajun joka tulee äskettäin helvettitilanteessa käytetystä lihasta. Siihen otettiin mukaan porsaanlihaa, naudanmaksaa ja kanannahkaa. Ne käärittiin mattoon ja kätkettiin komeron lattian alle.

Juuri ennen tätä harjoitusta hän vei Akatemian laskuun opiskelijat lounaalle, jolla tarjoiltiin grillikylkiä ja riisiä, ja moni opiskelija yökkäili kun haiseva, nestettä valuva ja toukkia kuhiseva nyytti löydettiin. A-joukkueella oli sellainen kiire löytää nämä ihmisruumista edustavat lihakimpaleet ja häipyä paikalta, että se ei huomannut lattian alla ollutta sormenkynnestä lohjennutta palaa, joka oli hukkunut haisevan sotkun sekaan. Tämä pieni hitunen oli kuitenkin ainoa todiste, josta murhaaja olisi pystytty tunnistamaan.

Joe sytyttää sikarin, kun hän muistelee myhäillen kyseisen helvettitilanteen onnistumista. Kaiken kruunasi Marinon kiukunpuuska, se kun Marino intti Joen jälleen varastaneen idean häneltä. Se kytänköriläs ei ole vielä tajunnut, että Lucyn valitsema viestinnänvalvontajärjestelmä, joka on kytketty yhteen Akatemian puhelinvaihteen kanssa, tarjoaa salasanan haltijalle mahdollisuuden urkkia kenen tahansa käyttäjän lähes kaikkia viestejä ja tiedostoja.

Lucy oli varomaton. Peloton superagentti Lucy oli unohtanut erääseen helikopteriin Treonsa, huippunykyaikaisen kämmentietokoneen, jossa on samoissa kuorissa kaikki mahdollinen matkapuhelimesta sähköpostipäätteeseen ja kameraan. Se sattui hieman vajaa vuosi sitten. Joe oli tuskin päässyt stipendivuotensa alkuun kun hänellä kävi aivan uskomaton tuuri. Hän oli käymässä helikopterihallissa erään opiskelijan – oikein nätin – kanssa näyttämässä tälle Lucyn helikoptereita. Silloin hän sattumalta huomasi Bell 407:n ohjaamossa Palm Pilotin.

Lucyn Treon.

Langaton yhteys oli vielä auki. Joe ei tarvinnut salasanaa vaan pääsi käyttämään kaikkia tietoja suoraan. Hän otti kämmentietokoneen mukaansa niin pitkäksi aikaa, että ehti ladata kaikki tiedostot ennen kuin vei sen takaisin helikopteriin. Hän laittoi sen lattialle osin penkin alle, mistä Lucy löysi sen myöhemmin samana päivänä tietämättä mitään siitä mitä sille oli tapahtunut. Eikä hän tiedä vieläkään.

Joella on nyt salasanat, kymmeniä salasanoja, myös Lucyn järjestelmänhallinnoijan salasana, jolla hän ja nyt myös Joe pääsee muuttamaan tietokone- ja teleliikenneasetuksia yrityksen Etelä-Floridan päämajassa, valtakunnallisessa keskuksessa Knoxvillessa sekä satelliittitoimistoissa New Yorkissa ja Los Angelesissa ja urkkimaan Benton Wesleyn huippusalaisen Peto-tutkimuksen tietoja ja Wesleyn ja Scarpettan välisiä viestejä. Joe pystyy ohjaamaan tiedostoja ja sähköposteja, saamaan selville kaikkien Akatemian kanssa jossain vaiheessa yhteydessä olleiden salaiset puhelinnumerot ja tekemään tihutöitä. Hänen stipendivuotensa päättyy kuukauden päästä, ja kun hän lähtee, hän lähtee komeasti, saaden kenties koko Akatemian kaatumaan kasaan ja kaikki sen työntekijät tukkanuottasille keskenään, varsinkin Marinon, sen typerän koviksen, ja ylimielisen Scarpettan.

On helppo salakuunnella Marinon työpuhelinta, aktivoida hänen kaiutinpuhelimensa salaa niin että se toimii mikrofonina. Marino sanelee kaiken, myös helvettitilanteiden käsikirjoitukset, ja Rose naputtelee ne koneella, koska Marino ei hallitse oikeinkirjoitus- ja kielioppisääntöjä, mies kun ei juuri koskaan lue mitään vaan on käytännöllisesti katsoen luku- ja kirjoitustaidoton.

Joe tuntee sisällään innostuksen kohahduksen, kun hän karistaa sikarintuhkaa Coke-tölkkiin ja ottaa yhteyden Akatemian puhelinvaihteeseen. Hän valitsee Marinon työnumeron ja aktivoi kaiutinpuhelimen kuullakseen onko Marino paikalla ja mitä tällä on mielessä.

23

Scarpetta oli kaikkea muuta kuin innoissaan lupautuessaan toimimaan Peto-tutkimuksessa konsultoivana oikeuspatologina.

Hän varoitti Bentonia, yritti suostutella hänet luopumaan ajatuksesta, muistutti häntä moneen kertaan siitä että koehenkilöt viis veisaavat siitä, ovatko he tekemisissä lääkärin, psykologin tai Harvardin professorin kanssa.

He vääntävät sinulta niskat nurin tai kumauttavat sinun pääsi seinään kuin kenen tahansa muunkin, sanoi Scarpetta. Tutkija ei nauti koskemattomuuden suojaa.

Minä olen ollut tällaisten ihmisten kanssa tekemisissä melkein koko ikäni, sanoi Benton. Se on minun työtäni, Kay.

Sinä et ole vielä koskaan tehnyt sitä tällaisessa tilanteessa. Arvostetun yliopiston kanssa yhteistyössä toimivassa psykiatrisessa sairaalassa, jossa ei ole koskaan ennen hoidettu vankeuteen tuomittuja murhaajia. Sinä kurkistat hornaan, Benton, ja jopa asennat sinne valot ja hissin.

Hän kuulee Rosen puhuvan seinän takana.

"Missä ihmeessä sinä olet ollut?" kysyy Rose.

"Milloin sinä oikein lähdet sussuksi kyytiin?" kysyy Marino kovalla äänellä.

"Minä olen jo sanonut etten minä nouse sen rakkineen satulaan. Minusta tuntuu että sinun puhelimessasi on vikaa."

"Minä olen aina haaveillut että näkisin sinut mustissa nahkavaatteissa."

"Minä kävin etsimässä sinua etkä sinä ollut työpaikalla. Tai et ainakaan vastannut kun koputin oveen…"

"Minä olin poissa koko aamupäivän."

"Mutta linjasi on varattu. Valo palaa."

"Eikä pala."

"Paloipas vielä muutama minuutti sitten."

"Taasko sinä nuuskit minun menemisiäni? Sinä taidat olla pihkassa minuun, Rose."

Marino jatkaa kuuluvalla äänellään kun Scarpetta lukee sähköpostia, jonka hän sai juuri Bentonilta. Siinä on taas yksi värväysilmoitus, joka on julkaistu *Boston Globessa* ja Internetissä.

TERVEITÄ AIKUISIA HAETAAN MAGNEETTIKUVAUS-
TUTKIMUKSEEN
McLeanin sairaalan aivokuvantamiskeskuksessa Belmontissa Massachusettsissa tutkitaan parhaillaan aivojen rakennetta ja toimintaa terveillä aikuisilla yhteistyössä Harvardin lääketieteellisen tiedekunnan kanssa.

"Menehän jo siitä. Tohtori Scarpetta odottaa sinua ja sinä olet taas myöhässä", hän kuulee Rosen nuhtelevan Marinoa napakasti mutta hyväntahtoisesti. "Sinä et saa enää tehdä näitä katoamistemppuja."

Saatat sopia koehenkilöksi jos:
- *olet 17–45-vuotias mies*
- *voit käydä McLeanin sairaalassa viisi kertaa*
- *sinulla ei ole ollut päähän saatuja vammoja etkä käytä tai ole käyttänyt huumeita*
- *sinulla ei ole todettu skitsofreniaa eikä kaksisuuntaista mielialahäiriötä*

Scarpetta vyöryttää ilmoituksen ohi sähköpostin loppuun, missä on sokerina pohjalla Bentonin jälkikirjoitus.

Et ikinä usko miten moni pitää itseään normaalina. Saisivat lumisateet jo lakata. Minä rakastan sinua.

Marinon iso ruho täyttää oviaukon.

"Mitä nyt?" hän kysyy.

"Sulje ovi", sano Scarpetta ja tarttuu luuriin.

Marino vetää oven kiinni ja istuutuu, mutta ei suoraan Scarpettaa vastapäätä vaan vinosti, jottei joudu katsomaan häntä silmiin hänen istuessaan ison kirjoituspöytänsä takana isolla nahkatuolillaan. Scarpetta tuntee hänen temppunsa. Marinon läpinäkyvä manipulointi on hänelle tuttua. Marino ei mielellään keskustele hänen kanssaan ison pöydän yli vaan haluaisi heidän istuvan vierekkäin kuin vertaiset. Scarpetta tuntee työpaikkapsykologian, tietää siitä paljon enemmän kuin Marino.

"Maltahan hetki", sanoo Scarpetta.

BONG-BONG-BONG-BONG-BONG-BONG, metelöi radiotaajuussysäysten nopea syke, kun sysäykset poikkeuttavat magneettikentässä olevia vety-ytimiä.

Magneettikuvauslaboratoriossa kuvannetaan jälleen yksiä niin sanottuja normaaleja aivoja.

"Miten kurja ilma siellä oikein on?" kysyy Scarpetta puhelimessa.

Tohtori Lane painaa mikrofoninappia. "Onko kaikki hyvin?" hän kysyy Peto-tutkimuksen uusimmalta verrokilta.

Mies väittää olevansa normaali. Mutta tuskin on. Hän ei tiedä että tutkimuksen tarkoituksena on verrata hänen aivojaan murhaajan aivoihin.

"En osaa sanoa", vastaa herra Normaalin hermostunut ääni.

"Ei hassumpi", Benton sanoo puhelimessa Scarpettalle. "Ellet joudu taas vaihtamaan konetta. Mutta huomenillalla tulee kuulemma kunnon myrsky..."

PIIP... PIIP... PIIP... PIIP...

"Minä en kuule mitään!" Benton sanoo kiukuissaan.

Yhteys on huono. Hänen matkapuhelimensa ei toimi kuvantamossa joskus lainkaan, ja hän on pettynyt ja väsynyt. Skannaus ei ole mennyt hyvin. Tänään mikään ei ole mennyt hyvin. Tohtori Lane on lannistunut. Josh istuu näyttönsä edessä pitkästyneenä.

"En ole toiveikas", tohtori Lane sanoo Bentonille luovuttava ilme kasvoillaan. "Vaikka hänellä olisi kuulokkeet korvilla."

Tänään kaksi normaalia verrokkia on kieltäytynyt kuvantamisesta, koska he ovat klaustrofobisia, minkä he unohtivat mainita kun heidät seulottiin tutkimukseen. Nyt tämä verrokki valittaa melusta, sanoo että se kuulostaa sähkökitaralta jota rämpytetään hornan tuutissa. Ainakin hänellä on mielikuvitusta.

"Minä soitan ennen koneen lähtöä", sanoo Scarpetta puhelimeen. "Ilmoitus näyttää hyvältä, niin hyvältä kuin odottaa voi."

"Kiitos pursuilevasta innostuksesta. Meidän on saatava paljon hakijoita. Kaatuneiden määrä kasvaa kovaa vauhtia. Ilmassa täytyy olla jotain mikä aiheuttaa fobioita. Kaiken lisäksi noin joka kolmas normaali koehenkilö on jotain muuta kuin normaali."

"Minä en ole enää varma siitä mikä on normaalia."

Benton painaa käden toiselle korvalle, kävelee sinne tänne yrittäen kuulla, yrittäen saada vahvemman signaalin. "Kay, minulle on valitettavasti tullut eteen iso juttu. Se vie paljon aikaa."

"Miten siellä pärjäillään?" kysyy tohtori Lane mikrofonin kautta.

"Ei hyvin", vastaa koehenkilön ääni kaiuttimesta.

"Niin käy aina kun me suunnittelemme tapaamista", sanoo Scarpetta ja taustalla kuuluva melu tuo nyt mieleen vasaran nopean kolinan puuta vasten. "Minä autan parhaani mukaan."

"Minä en kohta kestä enää", sanoo normaali koehenkilö.

"Ei tästä tule mitään." Benton katsoo pleksilasi-ikkunan läpi magneetin sisällä olevaa herra Normaalia.

Hän käntelee paikoilleen teipattua päätään.

"Susan?" Benton katsoo häneen.

"Minä tiedän", sanoo tohtori Lane. "Minun on sidottava hänet uudestaan."

"Lykkyä tykö. Minusta hän näyttää kypsältä."

"Hän pilasi referenssin", sanoo Josh nostettuaan katseensa näytöstä.

"Okei", sanoo tohtori Lane normaalille koehenkilölle. "Me lopetamme nyt. Minä tulen auttamaan teidät ulos."

"Olen pahoillani. Minä en kestä tätä", sanoo koehenkilö ahdistuneesti.

"Taas yksi luopui leikistä", Benton sanoo Scarpettalle puhelimeen ja katsoo kun tohtori Lane avaa magneettihuoneen oven mennessään vapauttamaan tuoreinta luovuttajaa. "Me olemme tutkineet tätä jäpinkäistä kaksi tuntia ja hän sanoo yhtäkkiä *hasta la vista*. Josh?" Benton sanoo. "Käske jonkun soittaa hänelle taksi."

Musta nahka natisee kun Marino ottaa mukavan asennon Harley-tamineissaan. Hän yrittää parhaansa mukaan näyttää rennolta. Hän istuu velttona tuolin selkään nojaten jalat harallaan.

"Mikä ilmoitus?" hän kysyy Scarpettan lopetettua puhelun.

"Hänellä on meneillään taas joku tutkimus."

"Millainen?" kysyy Marino kuin epäilisi jotain.

"Neuropsykologinen. Miten erilaiset ihmiset prosessoivat erilaista tietoa. Jotain sinne päin."

"Olipa siinä pajunköyttä. Varmaankin samaa köyttä jota he syöttävät sinne soittaville toimittajille. Vastaus joka ei paljasta mitään. Mitä asiaa sinulla oli minulle?"

"Saitko sinä minun soittopyyntöni? Olen jättänyt sunnuntai-illasta lähtien neljä."

"Sainhan minä."

"Olisi ollut mukava jos olisit vastannut niihin."

"Et sanonut että se oli yksi-yksi-kaksi."

Se on ollut vuosikaudet heidän salainen tunnuksensa piippariviesteissä, oli jo silloin kun matkapuhelimet olivat vielä harvinaisia, ja myöhemmin he käyttivät sitä koska matkapuhelimia voi salakuunnella. Nyt Lucylla on häirintä- ja ties mitkä laitteet yksityisyytensä suojana, ja puhepostin jättäminen on turvallista.

"Minä en jätä vastaajaan yksi-yksi-kahta", sanoo Scarpetta.

"Miten se muka toimisi? Sanonko minä piippauksen jälkeen yksi-yksi-kaksi?"

"Minä tarkoitin että se ei ollut hätätilanne. Mitä sinä olit vailla?"

"Sinä et tullut sovittuun tapaamiseen. Meidän piti käydä Swiftin tapaus läpi. Muistatko?"

Ja Scarpetta laittoi hänelle ruokaakin, mutta sen hän jättää mainitsematta.

"On ollut kiireitä. Muita menoja."

"Suvaitsisitko kertoa millaisia menoja ja missä?"

"Ajelin uudella prätkällä."

"Kaksi päivää yhteen menoon? Etkö pysähtynyt tankkaamaan tai käymään vessassa? Etkö ehtinyt soittaa yhtä vaivaista puhelua?"

Scarpetta nojaa ison tuolinsa selkään ison pöytänsä takana ja tuntee itsensä pieneksi katsoessaan häntä. "Sinä olet vastahankainen. Siitä tässä on kyse."

"Miksi minun pitäisi tehdä sinulle tiliä menemisistäni?"

"Jos ei muusta syystä niin siksi että minä olen oikeustieteen ja lääketieteen osastojen johtaja."

"Ja minä olen etsiväntoimen johtaja ja siten koulutuksen ja erikoisoperaatioiden osastojen alainen. Eli todellisuudessa Lucy on minun esimieheni etkä sinä."

"Ei Lucy sinun esimiehesi ole."

"Siitä sinun on parempi puhua hänen kanssaan."

"Etsiväntoimi kuuluu itse asiassa oikeustieteen ja lääketieteen alaisuuteen. Sinä et ole varsinaisesti erikoisoperaatioissa, Marino. Minun osastoni maksaa sinun palkkasi. Usko pois." Scarpetta on valmis panemaan Marinon matalaksi vaikka tietää ettei se ole oikein.

Marino kääntää häneen ison, kovan naamansa ja rummuttaa käsinojaa isoilla, paksuilla sormillaan. Hän panee jalat ristiin ja alkaa heiluttaa isoa Harley-saapasta.

"Sinun tehtäväsi on avustaa minua tutkimuksissa", sanoo Scarpetta. "Minä lasken ennen kaikkea sinun varaasi."

"Siitäkin sinun kannattaa jutella Lucyn kanssa."

Marino rummuttaa hitaasti käsinojaa ja heiluttaa toista jalkaansa katsoen tuikehtivilla silmillään Scarpettan ohi.

"Minun pitäisi kertoa sinulle kaikki etkä sinä kerro minulle hevon peetä", sanoo Marino. "Sinä teet ihan mitä lystäät etkä ole mielestäsi minulle edes selitystä velkaa. Minä istun tässä näin ja kuuntelen kun sinä valehtelet ikään kuin minä olisin niin tyhmä etten minä huomaa sinun valehtelevan. Sinä et kerro minulle mitään ellei se sovi sinun omiin suunnitelmiisi."

"Minä en ole sinun alaisesi, Marino." Scarpetta ei pysty hillitsemään itseään vaan sanoo sen ääneen. "Tilanne on näet päinvastainen."

"On vai?"

Marino kumartuu lähemmäksi Scarpettan isoa pöytää ja hänen kasvonsa alkavat punoittaa.

"Kysy Lucylta", sanoo Marino. "Hänhän tämän lafkan omistaa. Hän maksaa kaikkien palkat. Kysy häneltä."

"Sinä olit poissa useimmista palavereista joissa me keskustelimme Swiftin tapauksesta", sanoo Scarpetta yrittäen välttää avoimen sodan.

"Miksi olisin tullut? Minullahan ne tiedot ovat."

"Me toivoimme että sinä paljastaisit ne meillekin. Yhteispeliähän tämä on."

"Älä muuta sano. Kaikilla on sormensa pelissä. Jopa minun yksityisasioissani. Kaikki käyttävät minun vanhoja tapauksiani ja helvettitilanteitani kuin omiaan. Sinä jakelet niitä miten haluat vähät välittäen siitä miltä minusta tuntuu."

"Ei ole totta! Rauhoitu nyt. Sinulta katkeaa kohta verisuoni päästä."

"Kuulitko eilisestä helvettitilanteesta? Arvaa mistä sen idea oli lähtöisin? Hän on päässyt käsiksi meidän tiedostoihimme."

"Se on mahdotonta. Paperitulosteet ovat lukkojen takana. Eikä tiedostoihin pääse käsiksi millään. Ja mitä eiliseen helvettitilanteeseen tulee, olen samaa mieltä siitä että se muistutti kovasti..."

"Muistutti! Paskan marjat, sehän oli täsmälleen samanlainen."

"Marino, siitä kerrottiin myös uutisissa. Itse asiassa se löytyy vielä Internetistä. Minä tsekkasin."

Marino katsoo häntä isoilla, punoittavilla kasvoillaan. Ne ovat niin epäystävälliset että Scarpettasta ne näyttävät lähes vierailta.

"Voimmeko me edes hetken aikaa puhua Johnny Swifista?" kysyy Scarpetta.

"Kysy mitä vain haluat", sanoo Marino synkkänä.

"Minä olen ymmälläni siitä, saattoiko motiivina olla ryöstö. Tehtiinkö siellä ryöstö vai ei?"

"Talosta ei puuttunut mitään arvokasta mutta me emme ole keksineet selitystä sille luottokorttisotkulle."

"Mille luottokorttisotkulle?"

"Viikko hänen kuolemansa jälkeen joku nosti kortilla käteistä kaksi ja puoli tonnia. Viidensadan taalan erissä viidestä eri pankkiautomaatista Hollywoodin alueella."

"Joko ne on selvitetty?"

Marino kohauttaa olkapäitään ja sanoo: "Jo. Automaatit olivat pysäköintipaikoilla ja nostot tehtiin eri päivinä eri aikoihin, rahasumma oli ainoa yhteinen tekijä. Aina maksiminosto eli viisisataa taalaa. Nostot lakkasivat jo siinä vaiheessa kun luotto-korttiyhtiö yritti ilmoittaa Johnny Swiftille – joka oli silloin jo kuollut – että korttia oli käytetty epäilyttävästi tavalla josta pää-tellen se oli mahdollisesti varastettu."

"Entä kamerat? Onko mahdollista että nostajasta on video-kuvaa?"

"Yhdessäkään automaatissa, josta rahaa nostettiin, ei ollut kameraa. Nostaja osasi peittää jälkensä. Hän ei luultavasti ollut asialla ensimmäistä kertaa."

"Tiesiko Laurel tunnusluvun?"

"Johnny ei pystynyt vielä ajamaan autoa leikkauksen takia. Siksi Laurelin oli hoidettava kaikki, myös käteisnostot."

"Oliko tunnusluku kenenkään muun tiedossa?"

"Ei tiettävästi."

"Ei näytä hyvältä Laurelin kannalta", sanoo Scarpetta.

"En usko että hän tappoi kaksoisveljensä pankkikortin takia."

"On ihmisiä paljon vähemmästäkin tapettu."

"Minusta tuntuu että syyllinen on joku muu, ehkä joku jonka kanssa Johnny Swift oli tavalla tai toisella tekemisissä. Ehkä tä-mä henkilö oli juuri tappanut hänet ja kuuli kun Laurel ajoi pi-haan. Ja meni piiloon, mikä selittäisi sen miksi haulikko oli vie-lä lattialla. Kun Laurel sitten juoksi ulos, murhaaja otti haulikon ja livisti tiehensä."

"Miksi haulikko oli alun perinkään lattialla?"

"Ehkä syyllinen lavasti murhaa itsemurhaksi mutta joutui keskeyttämään kun Laurel putkahti paikalle."

"Sinulla ei toisin sanoen ole epäilystäkään siitä että se oli murha?"

"Sinullako on?"

"Kunhan kyselen."

Marinon katse harhailee Scarpettan työhuoneessa, pyyhkii pöytää, jolla on pinoittain papereita ja kansioita. Hän katsoo Scarpettaa kovilla silmillä jotka voisivat tuntua Scarpettasta pe-lottavilta ellei hän olisi niin usein menneisyydessä nähnyt niis-sä epävarmuutta ja kärsimystä. Ehkä Marino näyttää erilaiselta ja etäiseltä vain siksi että hän nykyisin ajaa kaljuuntuneen pään-sä sileäksi ja käyttää timanttikorvarengasta. Hän käy kuntosalil-la lakkaamatta eikä ole Scarpettan mielestä koskaan ollut niin li-haksikas kuin nyt.

"Olisi mukava jos kävisit minun helvettitilanteeni läpi", sanoo Marino. "Joka ainoa keksimäni on sillä levyllä. Toivoisin että katsoisit niitä prujuja tarkkaan. Koska joudut istumaan koneessa missä ei ole parempaakaan tekemistä."

"Minulla saattaa olla parempaa tekemistä." Scarpetta yrittää hiukan härnätä, saada Marinon piristymään. Se ei onnistu.

"Rose laittoi ne kaikki levylle alkaen viime vuoden alusta. Ne ovat tuossa kansiossa suljetussa kuoressa" – hän osoittaa pöydällä olevia kansioita. "Jos vaikka viitsit laittaa sen sylikoneeseesi ja vilkaista vähän. Mukana on myös se luoti, jossa on hyttysverkosta jäänyt ristikkokuvio. Se saatana valehtelee! Minä vannon että minä keksin sen ennen häntä."

"Minä voin taata, että jos teet nettihaun keskimatkan ampumisista, löydät rikoksia ja tuliasekokeita, joissa on ammuttu luoteja hyttysverkon läpi", sanoo Scarpetta. "Nykyisin ei valitettavasti ole enää juuri mitään uutta tai yksityistä."

"Hän on pelkkä labrarotta, joka vielä vuosi sitten eli mikroskooppinsa sisällä. Hän ei voi tietää kaikkea sitä mistä hän kirjoittaa. Se on mahdotonta. Syynä on se mitä Ruumistarhassa sattui. Olisit voinut olla rehellinen edes siinä asiassa."

"Olet oikeassa", Scarpetta myöntää. "Minä lakkasin sen jälkeen lukemasta sinun helvettitilanteidesi käsikirjoituksia. Me kaikki lakkasimme. Minun olisi kuulunut pitää sinulle puhuttelu ja selittää, mutta sinä olit niin vihainen ja riidanhaluinen ettei kukaan meistä välittänyt kovistella sinua."

"Sinäkin voisit olla vihainen ja riidanhaluinen jos sinulle olisi viritetty ansa."

"Joe ei ollut Ruumistarhassa eikä edes Knoxvillessa kun se tapahtui", Scarpetta muistuttaa. "Joten ole ystävällinen ja selitä miten hän pystyi pujauttamaan salaa ruiskeneulan kuolleen miehen takintaskuun."

"Sen kenttäharjoituksen tarkoitus oli näyttää opiskelijoille oikea, mätänevä ruumis siellä Ruumistarhassa ja selvittää, pääsisivätkö he yrjökertoimen yli ja pystyisivätkö he keräämään arvokkaita todisteita. Likainen neula ei kuulunut niiden joukkoon. Hän laittoi sen sinne jotta minä joutuisin pulaan."

"Eivät kaikki sinua vainoa."

"Jos hän ei lavastanut minua syylliseksi, miksi se tyttö ei vetänyt meitä käräjille kuten uhkasi? Siksi että juttu oli huijausta.

Ei siinä neulassa mitään aidsia ollut. Ei sitä ollut koskaan edes käytetty. Se mulkku teki siinä virheen."

Scarpetta nousee tuoliltaan.

"Isompi kysymys on, mitä minä teen sinun kanssasi", hän sanoo ja lukitsee salkkunsa.

"Toisella meistä on salaisuuksia, mutta ei minulla", sanoo Marino häntä katsoen.

"Sinulla on kuule vaikka millä mitalla salaisuuksia. Minä en useinkaan tiedä missä sinä olet ja mitä sinä puuhaat."

Scarpetta ottaa jakkunsa oven takaa. Marino katsoo häntä suoraan piinkovilla silmillään. Hänen sormensa lakkaavat rummuttamasta käsinojaa. Nahka natisee kun hän nousee.

"Benton tuntee itsensä varmasti tärkeäksi touhutessaan Harvardin porukan kanssa", hän sanoo, eikä tämä ole ensimmäinen kerta. "Kaikkien niiden neropattien joilla on vaikka mitä salaisuuksia."

Scarpetta katsoo häntä käsi ovenkahvalla. Ehkä hänkin alkaa olla vainoharhainen.

"Totta. Hänen työnsä täytyy olla kiehtovaa. Mutta jos olisit kysynyt minun mielipidettäni, olisin auliisti neuvonut sinua olemaan haaskaamatta aikaa."

Hän ei voi mitenkään viitata Peto-tutkimukseen.

"Saati rahaa. Rahaa jolle taatusti löytyy parempaakin käyttöä. Minä en kestä ajatellakaan että niin paljon rahaa ja huomiota omistetaan sellaiselle pohjasakalle."

Peto-tutkimuksen piti olla salainen. Vain tutkijaryhmä, sairaalan johtaja, sisäinen valvontalautakunta ja eräät tärkeät vankilavirkamiehet tietävät siitä. Edes tutkimukseen osallistuneet normaalit verrokit eivät tiedä tutkimuksen nimeä tai aihetta. Marino ei voi tietää ellei ole salaa lukenut hänen sähköpostejaan tai printtejä joita hän pitää lukituissa arkistokaapeissa. Scarpettan mielessä käy ensimmäisen kerran, että Marino saattaisi olla se joku, jonka epäillään murtautuneen tietoverkkoon.

"Mistä sinä puhut?" hän kysyy hiljaa.

"Sinun kannattaa olla varovaisempi kun panet sähköposteja eteenpäin. Katsoisit ensin ettei niiden mukana ole liitteitä", sanoo Marino.

"Mitä sähköposteja?"

"Niitä jotka sinä naputtelit kun sinulla oli ensimmäinen tapaaminen Daven kanssa siitä lapsenravistelujutusta, jota hän haluaa kaikkien luulevan tapaturmaksi."

"En minä lähettänyt sinulle siitä sähköpostia."

"Kyllä varmana lähetit. Viime perjantaina. Satuin avaamaan sen vasta kun olimme tavanneet sunnuntaina. Muistiinpanoissa oli vahingossa liitteenä sähköposti, jonka sinä olit saanut Bentonilta. Sähköposti jota ei takuulla ollut tarkoitettu minun nähtäväkseni."

"Minä en lähettänyt sellaista", inttää Scarpetta huolestuneesti. "Minä en lähettänyt sinulle mitään."

"Et ehkä tarkoituksellisesti. Kumma juttu miten valehtelu lopulta aina kostautuu", sanoo Marino ja samassa oveen koputetaan kevyesti.

"Siksikö sinä et sunnuntai-iltana tullut minun luokseni? Etkä eilen aamulla palaveriin Daven kanssa?"

"Anteeksi", sanoo Rose kun hän avaa itse oven. "Jommankumman teistä pitäisi varmaankin hoitaa tämä."

"Sinä olisit voinut sanoa jotain, antaa minulle tilaisuuden puolustautua", Scarpetta sanoo Marinolle. "Minä en aina kerro sinulle kaikkea mutta en minä kyllä valehtelekaan."

"Kertomatta jättäminenkin on omanlaistaan valehtelua."

"Anteeksi", Rose yrittää uudestaan.

"Peto-tutkimus", Marino sanoo Scarpettalle. "Kuulostaako se valheelta?"

"Rouva Simister", keskeyttää Rose kovalla äänellä. "Se nainen sieltä kirkosta, se joka soitti jo kerran. Olen pahoillani mutta asia vaikuttaa aika kiireiseltä."

Marino ei liikahdakaan puhelimen suuntaan kuin muistuttaakseen Scarpettaa siitä ettei ole tämän alainen, että Scarpetta vastatkoon puhelimeen itse.

"No hemmetti sentään", sanoo Scarpetta ja kävelee takaisin pöytänsä ääreen. "Yhdistä tähän puhelimeen."

24

Marino työntää kätensä syvälle farkkujen taskuihin ja nojaa ovenkarmiin katsellen kun Scarpetta keskustelee tuiki tuntemattoman rouva Simisterin kanssa.

Joskus ennen Marinosta oli hauska istua Scarpettan työhuoneessa tuntikaudet, kuunnella häntä ja samalla tupakoida ja juoda kahvia. Hän ei ollut liian ylpeä pyytääkseen Scarpettaa selittämään asiat joita hän ei ymmärtänyt, eikä hän pannut pahakseen kun Scarpetta joutui keskeyttämään keskustelun jonkin muun asian takia, mitä tapahtuikin usein. Hän ei pannut pahakseen sitäkään jos Scarpetta oli myöhässä.

Nyt asiat ovat toisin ja se on hänen vikansa. Marino ei välitä enää jäädä odottamaan. Hän ei halua pyytää Scarpettaa selittämään mitään ja on mieluummin ymmällään kuin esittää hänelle lääketieteellisen kysymyksen, koskee se sitten työasioita tai omaa terveyttä, olkoon vaikka hänen oma henkensä kyseessä, mutta ennen hän kysyi Scarpettalta kaikkea mitä halusi. Sitten Scarpetta petti hänet. Scarpetta nöyryytti häntä, nöyryytti tahallaan, ja taaskin hän nöyryyttää häntä, taaskin tahallaan, sanokoon mitä sanoo. Scarpetta on aina selitellyt asiat oman mielensä mukaan, loukannut toisia rationaalisen ajattelun ja tieteellisen täsmällisyyden nimissä ikään kuin pitäisi Marinoa niin tyhmänä ettei hän näe mistä todella on kyse.

Dorisin kanssa kävi aivan samalla lailla. Hän tuli yhtenä päivänä kotiin eikä Marino tiennyt oliko hän vihainen vai surullinen, mutta sen hän tiesi että Doris oli poissa tolaltaan, kenties enemmän kuin koskaan Marinon nähden.

Mikä hätänä? Pitääkö hänen vetää sinulta hammas? kysyi Marino juodessaan olutta lempituolissaan uutisia katsellen.

Doris istahti sohvalle itkemään.

Helkkari. Mikä nyt, beibi?

Doris peitti kasvonsa ja itki kuin olisi kuullut jonkun olevan kuolemaisillaan, joten Marino istuutui hänen viereensä ja kietoi kätensä hänen harteilleen. Hän piteli Dorista vähän aikaa, mutta kun mitään ei kuulunut, hän käski Dorisin kertoa mikä ihme häntä vaivasi.

Hän kajosi minuun, sanoi Doris pillittäen. Minä tiesin ettei kaikki ollut kohdallaan ja minä kysyin häneltä monta kertaa miksi, mutta hän käski minun ottaa rennosti, hän oli lääkäri, ja tavallaan minä tiesin mitä hän teki mutta minä pelkäsin. Olisihan minun pitänyt osata varoa, sanoa ei, mutta minä en tiennyt mitä tehdä, ja sitten Doris selitti että se hammaslääkäri tai juurikanavaspesialisti tai mikä se mies olikin, oli sanonut että Dorisilla saattoi olla juuren halkeamasta johtuva systeeminen tulehdus ja että hänen oli tutkittava rauhaset. Sitä sanaa hän Dorisin mukaan käytti.

Rauhaset.

"Odottakaa", sanoo Scarpetta rouva Simisterille. "Minä laitan kaiutinpuhelimen päälle. Minulla on täällä työhuoneessani etsivä."

Hän katsoo Marinoa merkitsevästi osoittaen, että hän on huolissaan kuulemastaan, ja Marino yrittää hätistää Dorisin mielestään. Hän ajattelee Dorisia vieläkin usein, ja hänestä tuntuu että mitä vanhemmaksi hän tulee sitä enemmän hän muistaa heidän väleistään ja siitä miltä hänestä tuntui kun hän kuuli hammaslääkärin kajonneen Dorisiin ja miltä hänestä tuntui kun Doris jätti hänet ja löi hynttyyt yhteen sen autokauppiaan kanssa, sen saatanan luuserin kanssa. Kaikki jättävät hänet. Kaikki pettävät hänet. Kaikki haluavat kähmiä häneltä kaiken. Kaikki pitävät häntä niin tyhmänä ettei hän hoksaa heidän juoniaan ja keplotteluaan. Viime viikot ovat menneet lähes yli sietokyvyn.

Ja nyt tämä. Scarpetta valehtelee siitä Bostonin tutkimuksesta. Sulkee hänet pois. Nöyryyttää häntä. Ottaa mitä haluaa silloin kun se hänelle sopii ja kohtelee häntä kuin halpaa makkaraa.

"Kunpa minulla olisi enemmän tietoa." Rouva Simisterin ääni kuuluu kaiuttimesta. Hän kuulostaa vähintään Metusalemin ikäiseltä. "Toivoisin, ettei ole sattunut mitään ikävää, mutta minä pelkään että on. On kamalaa kun poliisi ei välitä."

Marinolla ei ole hajuakaan siitä mistä rouva Simester puhuu tai kuka hän on tai miksi hän soittaa Akatemiaan, eikä hän pysty manaamaan Dorista mielestään. Häntä harmittaa että hän vain uhkaili sitä kirottua hammaslääkäriä tai juurikanavaspesialistia tai mikä hän olikin miehiään. Hänen olisi pitänyt repiä sille paskiaiselle uusi persreikä ja katkaista saman tien muutama sormi.

"Selittäkää etsivä Marinolle mitä tarkoitatte sanoessanne että poliisi ei välitä", Scarpetta sanoo kaiutinpuhelimeen.

"Näin siellä viimeksi elonmerkkejä viime torstai-iltana, ja kun tajusin että kaikki olivat kadonneet jäljettömiin, minä soitin heti hätänumeroon ja talolle lähetettiin poliisi ja hän soitti etsivälle. Se nainen ei näköjään piittaa asiasta."

"Puhutte siis Hollywoodin poliisista", sanoo Scarpetta katsoen Marinoon.

"Kyllä. Naisetsivän nimi oli Wagner."

Marino muljauttaa silmiään. Jo on paksua! Hänellä on ollut viime aikoina jo muutenkin niin huono säkä, että tämä menee jo liiallisuuksiin.

Marino kysyy ovelta: "Tarkoitatteko Reba Wagneria?"

"Mitä?" kysyy kärttyisä ääni.

Marino astuu lähemmäksi pöydällä olevaa puhelinta ja toistaa kysymyksen.

"Minä tiedän vain että hänen kortissaan on nimikirjaimet R. T. Hän voisi siis olla Reba."

Marino muljauttaa taas silmiään ja naputtaa päätään merkiksi siitä että etsivä R. T. Wagner on tyhmä kuin saapas.

"Hän katseli pihaa ja taloa ja sanoi ettei siellä ollut epäilyttäviä merkkejä. Hän uskoi heidän lähteneen tiehensä omasta tahdostaan, eikä poliisi voi sille mitään."

"Tunnetteko te nämä ihmiset?" kysyy Marino.

"Minä asun heitä vastapäätä kanavan toisella rannalla. Ja me käymme samassa kirkossa. Minä olen varma että jotain kamalaa on sattunut."

"Hyvä on", sanoo Scarpetta. "Mitä te siis pyydätte meitä tekemään, rouva Simister?"

"Edes vilkaisemaan sitä taloa. Se on nähkääs kirkon vuokraama ja se on pidetty lukossa siitä saakka kun he katosivat. Mutta heidän vuokrasopimuksensa raukeaa kolmen kuukauden päästä ja vuokranantaja on sanonut että hän päästää kirkon vapaaksi sopimuksesta ilman lisämaksua koska hänellä on uusi vuokralainen valmiina. Muutamat seurakunnan naiset aikovat mennä sinne aamulla pakkaamaan. Kuinkas johtolankojen silloin käy?"

"Hyvä on", sanoo Scarpetta uudestaan. "Minäpä kerron mitä tehdään. Me soitamme etsivä Wagnerille. Me emme saa mennä taloon ilman poliisin lupaa. Meillä ei ole toimintavaltuuksia ellei poliisi pyydä meitä avuksi."

"Ymmärrän. Kiitoksia oikein paljon. Olkaa hyvä ja tehkää jotain."

"Hyvä on, rouva Simister. Me palaamme asiaan. Me tarvitsemme teidän puhelinnumeronne."

"Varmaan joku sekopää", sanoo Marino kun Scarpetta on lopettanut puhelun.

"Mitä jos sinä soitat etsivä Wagnerille, koska näytät tuntevan hänet?" kysyy Scarpetta.

"Tyttö oli ennen moottoripyöräpoliisina. Täysi saviaivo mutta hallitsi Road Kingin aika upeasti. On uskomatonta että hänet on ylennetty etsiväksi."

Marino ottaa Treonsa esiin. Häntä pelottaa kuulla Reban ääni ja hän toivoo että hän saisi Dorisin pois mielestään. Hän jättää Hollywoodin poliisikeskukseen pyynnön, että etsivä Wagner soittaisi hänelle viipymättä. Hän lopettaa puhelun ja katselee Scarpettan työhuonetta, katsoo kaikkialle paitsi Scarpettaan ajatellessaan Dorisia ja hammaslääkäriä ja autokauppiasta. Hän ajattelee miten hyvää olisi tehnyt hakata se hammaslääkäri tajuttomaksi sen sijaan että hän joi itsensä känniin ja hoippuroi miehen vastaanotolle vaatimaan häntä astumaan esiin toimenpidehuoneesta odotushuoneeseen joka oli täynnä potilaita, ja kysyi sitten miksi hammaslääkäri katsoi tarpeelliseksi tutkia hänen vaimonsa tissejä ja käski hänen selittää mitä tekemistä niillä oli juurikanavahoidon kanssa.

"Marino?"

On arvoitus, miksi tämä tapaus kaivelee häntä vielä vuosien päästä. Hän ei ymmärrä, miksi yksi jos toinenkin vanha asia on alkanut kaivella häntä uudestaan. Muutama viime viikko on ollut täyttä helvettiä.

"Marino?"

Hän tokenee ja katsoo Scarpettaa samalla silmänräpäyksellä kun huomaa puhelimensa surisevan.

"No?" hän vastaa.

"Etsivä Wagner täällä."

"Pete Marino", hän sanoo kuin ei tuntisi Wagneria.

"Mitä tarvitsette, herra Marino?" Wagnerkin kuulostaa siltä kuin ei tuntisi Marinoa.

"Ymmärtääkseni teille on tullut vastaan perhe, joka on kadonnut West Laken alueelta? Ilmeisesti viime torstai-iltana."

"Mistä te kuulitte asiasta?"

"Näyttää siltä että tapauksessa on joidenkin mielestä hämärää. Huhutaan että te ette ollut kovin suureksi avuksi."

"Me tutkisimme sitä kuin karvattomat apinat jos se olisi mielestämme aiheellista. Mistä te olette tällaista tietoa saanut?"

"Eräältä seurakuntalaiselta samasta kirkosta. Onko teillä kadonneiden nimet?"

"Odottakaas vähän. Heillä oli aika oudot nimet. Eva Christian ja Crystal tai Christine Christian. Jotain sinne päin. Poikien nimiä en muista."

Scarpetta ja Marino katsovat toisiaan.

"Mahdatteko tarkoittaa Christian Christiania?"

"Jotain hyvin samankaltaista. Minulla ei ole muistiinpanoja tässä käsillä. Jos haluatte tutkia asiaa, siitä vaan. Meidän laitoksemme ei uhraa kovin paljon resursseja juttuun jossa ei ole minkäänlaisia todisteita..."

"Sen litanian minä tajusin jo", sanoo Marino töykeästi. "Kirkon väki alkaa kuulemma pakata talosta tavaroita huomenna, ja jos me käymme siellä katsomassa niin nyt on yhdestoista hetki."

"Heidän lähdöstään on vajaa viikko ja jo nyt heidän tavaroitaan kerätään pois? Minusta kuulostaa siltä että seurakuntalaiset tietävät heidän lähteneen livohkaan. Miltä se teistä kuulostaa?"

"Siltä että meidän pitää ottaa asiasta selvä", vastaa Marino.

Tiskin takana oleva mies on vanhempi ja arvokkaamman oloinen kuin Lucy odotti. Hän odotti ikälopun lainelautailijan näköistä miestä, jonka parkkiintunut iho olisi tatuointien peitossa. Sellaisen miehen olettaisi olevan töissä kaupassa nimeltä Beach Bums.

Hän laskee kameralaukun lattialle ja alkaa selata isoja, räikeitä paitoja, joissa on hain kuvia, kukkia, palmuja ja muita tropiikin aiheita. Hän tutkii olkihattupinoja ja varvassandaalilaareja ja aurinkolaseja ja aurinkovoiteita. Hänen ei tee mieli ostaa mitään mutta hän toivoo että hänen tekisi. Hän katselee tavaroita hetken aikaa odottaen, kunnes kaksi muuta asiakasta lähtee.

Hän miettii millaista olisi olla kuten kaikki muut, välittää matkamuistoista ja tuliaisista ja räikeistä vaatteista ja aurinkoisista päivistä, olla tyytyväinen siihen miltä hän näyttäisi puolialastomana uimapuvussa.

"Onko teillä sitä töhnää missä on sinkkioksidia?" toinen asiakas kysyy Larrylta, joka istuu tiskin takana.

Hänellä on tuuhea vaalea tukka ja siististi leikattu parta, hän on kuusikymmentäkaksivuotias, syntynyt Alaskassa, ajaa jeepillä, ei ole koskaan omistanut omakotitaloa, ei ole opiskellut yliopistossa, ja pidätettiin vuonna 1957 julkisella paikalla rähinöimisestä. Larry on pyörittänyt Beach Bumsia noin kaksi vuotta.

"Se ei enää kelpaa kenellekään", hän sanoo asiakkaalle.

"Minulle kelpaa. Minä en saa siitä näppylöitä kuten kaikista muista voiteista. Minä taidan olla allerginen aaloelle."

"Näissä aurinkovoiteissa ei ole aaloeta."

"Onko teillä Maui Jimejä?"

"Ne ovat liian kalliita. Meillä ei ole muita aurinkolaseja kuin ne siinä niin."

Tämä jatkuu vähän aikaa ja kumpikin asiakas ostaa jotain pientä ja lähtee sitten. Lucy kävelee tiskille.

"Voinko auttaa?" kysyy Larry ja tutkailee Lucyn vaatteita. "Mistäs sitä tullaan, *Vaarallinen tehtävä* -leffastako?"

"Minä tulin prätkällä."

"Sinä olet harvinaisen fiksu. Katso nyt ikkunasta. Kaikilla on sortsit ja t-paita. Ei kypärää. Jotkut ajavat varvassandaaleissa."

"Sinun täytyy olla Larry."

Hän näyttää yllättyneeltä ja sanoo: "Oletko käynyt ennenkin? En muista sinua vaikka minulla on aika hyvä kasvomuisti."

"Haluaisin jutella Florrie ja Helen Quincystä", sanoo Lucy. "Mutta sinun pitää panna ovi lukkoon."

Harley-Davidson Screamin' Eagle Deuce, jossa on siniselle pohjalle maalattuja liekkejä, seisoo tiedekunnan pysäköintialueen peränurkassa ja sitä lähestyessään Marinon askeleet nopeutuvat.

"No voi perkeleen perkele!" Hän alkaa juosta.

Hän kiroilee niin kovalla äänellä että kukkapenkistä rikkaruohoja kitkevä talonmies Link keskeyttää työnsä ja hypähtää pystyyn: "Mikä hätänä?"

"Voi vittu ja vitun ikenet!" huutaa Marino.

Hänen uuden pyöränsä eturengas on puhki. Rengas on aivan litteänä ja kiiltävä kromivanne on painunut maahan. Marino kyyristyy tutkimaan rengasta. Hän on vihainen ja poissa tolaltaan, etsii naulaa tai ruuvia, jotain terävää esinettä joka olisi tarttunut renkaaseen hänen ajaessaan aamulla töihin. Hän työntää pyörää eteen ja taakse ja löytää reiän. Se on noin kolmen millimetrin viilto, joka näyttää siltä että se on tehty veitsellä tai muulla teräaseella.

Esimerkiksi teräksisellä leikkausveitsellä. Hän katsoo ympärilleen etsien Joe Amosia.

"Joo, minäkin huomasin sen", sanoo talonmies Link kävellessään Marinoa kohti. Hän pyyhkii likaisia käsiään sinisiin haalareihinsa.

"Kiva kun kerroit", sanoo Marino äreästi penkoessaan satulalaukusta paikkaustarvikkeita ja ajatellen katkerana Joe Amosia. Hänen sappensa kiehuu joka ajatuksen myötä kuumemmin.

"Ajoit varmaan naulaan", ounastelee Link ja kyyristyy hänkin tutkimaan lähempää. "Pahalta näyttää."

"Oletko nähnyt kenenkään käyvän katselemassa tätä pyörää? Missä helvetissä minun paikkausvälineet ovat?"

"Olen ollut tässä koko päivän enkä ole nähnyt ketään sinun pyöräsi lähellä. Komea rassi. Millainen kone siinä on? Suunnilleen tuhatneljäsataakuutioinen? Itselläni oli Springer kunnes yksi taliaivo ajoi eteen ja minä lensin konepellin yli. Minä rupesin kitkemään kymmenen kieppeissä. Rengas oli puhki jo silloin."

Marino muistelee. Hän tuli sinne varttia yli yhdeksän ja puoli kymmenen välillä.

"Noin ison reiän tultua rengas olisi tyhjentynyt niin äkkiä, etten minä olisi ehtinyt tänne parkkipaikalle, eikä siinä ollut mitään vikaa ainakaan silloin kun minä pysähdyin ostamaan donitseja", hän sanoo. "Sen on täytynyt sattua sen jälkeen kun minä jätin pyörän tähän."

"Ei kuulosta hyvältä."

Marino katsoo ympärilleen ajatellen Joe Amosia. Hän haluaa tappaa Amosin. Jos Amos puhkaisi renkaan, hän on mennyttä miestä.

"Sikamaista", sanoo Link. "Kysyy pokkaa käydä täällä parkkipaikalla keskellä kirkasta päivää tekemässä tuollainen temppu. Jos se nyt on tihutyö."

"Missä helvetissä se on?" kysyy Marino haroessaan satulalaukkua. "Onko sinulla mitään millä reiän voisi tukkia? Perseen suti! Olkoon" – hän lakkaa haromasta – "tuskin sillä mitään virkaa kuitenkaan on, reikä on perkele sen verran iso."

Hänen on vaihdettava rengas. Helikopterihallissa on vararenkaita.

"Entä Joe Amos? Oletko nähnyt häntä? Oletko nähnyt hänen rumaa pärstäänsä peninkulman säteellä?"

"En."

"Etkä opiskelijoita?"

Opiskelijat vihaavat häntä. Joka ainoa.

"En", vastaa Link. "Olisin huomannut jos joku olisi käynyt täällä ja ruvennut roplaamaan sinun pyörää tai autoja."

"Ei ristin sielua?" Marino ei hellitä ja alkaa sitten epäillä että Linkillä oli sormensa pelissä.

Akatemiassa ei liene ketään joka pitäisi Marinosta. Varmasti puoli maailmaa kadehtii hänen koreaa harrikkaansa. Ainakin sitä pällistellään valtavasti, sen perässä ajetaan huoltoasemille ja levähdyspaikoille katsomaan sitä lähempää.

"Sinun pitää työntää se tuonne hallin viereen korjaamoon", sanoo Link. "Paitsi jos siirretään se peräkärryllä, sellaisella jolla Lucy kuskaa niitä V-Rodejaan."

Marino miettii Akatemian tontin etu- ja takaporttia. Alueelle ei pääse ilman sähkölukon tunnuslukua. Tihutyön tekijän täytyy olla sisäpuolelta. Hän ajattelee taas Joe Amosia ja oivaltaan jotain tärkeää. Joe oli henkilökunnan palaverissa. Hän istui siellä jo soittamassa poskeaan kun Marino ehti sinne.

25

Oranssinvärinen talo, jossa on valkoinen betonikatto, on rakennettu samalla vuosikymmenellä jolla Scarpetta on syntynyt, viisikymmentäluvulla. Hän kuvittelee mielessään millaisia ihmisiä talossa asui ja tuntee heidän poissaolonsa astellessaan takapihalla.

Hän ei saa mielestään miestä joka sanoi nimekseen Karju, hänen arvoituksellista viittaustaan Johnny Swiftiin ja Christian Christianiin, kuten Marino nimen tulkitsi. Scarpetta on varma että Karju sanoi itse asiassa Kristin Christian. Johnny on kuollut. Kristin on kadonnut. Scarpettan mielessä liikkuu, että Etelä-Floridassa on paljon paikkoja joihin kätkeä ruumis, paljon kosteikkoja, kanavia, järviä ja valtavia mäntymetsiä. Liha mätänee subtropiikissa nopeasti, ja hyönteiset ahmivat sitä kuin pitopöydässä ja nisäkkäät nakertavat luita ja vievät niitä sinne tänne hajalleen. Pehmytkudokset eivät säily vedessä pitkään, ja meriveden suola syövyttää luurangosta mineraalit hajottaen luun täysin.

Talon takana olevan kanavan vesi on pilaantuneen veren väristä. Ruskeassa seisahtuneessa vedessä kelluu kuolleita lehtiä kuin räjähdyksen heittämiä roskia. Vihreät ja ruskeat kookospähkinät kelluvat siinä kuin mestatut päät. Aurinko pujahtelee esiin ja takaisin piiloon synkkenevien myrskypilvien takaa, lämmin ilma on kosteaa ja raskasta, tuuli puuskittaista.

Etsivä Wagner haluaa että häntä sinutellaan ja kutsutaan Rebaksi. Hän on viehättävä ja varsin seksikäs nainen liioitellulla, auringon ahavoittamalla tavalla, hän on värjäyttänyt tukkansa platinablondiksi, hänen silmänsä ovat kirkkaansiniset. Hän ei suinkaan ole tyhmä kuin saapas, mutta silti hän antaa itsestään kuvan, että hän on narttu jolla on kymmenpuolaiset kromivanteet, kuten Marino sanoi, Marino joka on kutsunut Rebaa myös huilunsoittajaksi, joskaan Scarpetta ei tiedä mitä hän sillä tarkoitti. Varmaa on ainakin se, että Reba on kokematon, mutta hän näyttää yrittävän kovasti. Scarpetta miettii kertoako hänelle nimettömästä puhelusta jossa mainittiin Kristin Christian.

"He ovat asuneet täällä jo jonkin aikaa mutta eivät ole amerikkalaisia", sanoo Reba puhuen kahdesta sisaresta, jotka asuvat tässä talossa kahden kasvattipojan kanssa. "He ovat kotoisin Etelä-Afrikasta. Pojat myös, mikä lienee syynä siihen että he ottivat heidät hoteihinsa. Minä veikkaan että he ovat kaikki neljä palanneet sinne."

"Ja he päättivät noin vain kadota ja paeta Etelä-Afrikkaan, mistä syystä?" kysyy Scarpetta katsoen tumman ja kapean kanavan yli kosteuden painaessa häntä lämpimällä, nihkeällä kädellä.

"Minun käsittääkseni he halusivat adoptoida pojat. Eikä se olisi tässä maassa todennäköisesti onnistunut."

"Miksei?"

"Poikien sukulaiset haluavat heidät takaisin Etelä-Afrikkaan, mutta eivät pystyneet heti ottamaan heitä vastaan. Heidän oli ensin saatava isompi talo. Ja sisarukset ovat hihhuleita, mikä saattoi kallistaa vaakaa heitä vastaan."

Scarpetta on huomannut kanavan vastarannan talot, vihreät nurmilaikut ja pienet vaaleansiniset uima-altaat. Hän ei ole varma mikä on rouva Simisterin talo ja miettii joko Marino haastattelee Simisteriä.

"Pojat ovat kuinka vanhoja?" hän kysyy.

"Seitsemän ja kaksitoista."

Scarpetta vilkaisee lehtiöönsä ja selaa sitä taaksepäin. "Eva ja Kristin Christian. Minulle on epäselvää miksi he hoitavat poikia."

Hän puhuu kadonneista tarkoituksellisesti preesensissä.

"Ei, hänen nimensä ei ole Eva. Sinä ei ole a:ta", korjaa Reba.

"Ev vai Eve?"

"Ev kuten Evelyn mutta hänen nimensä on vain Ev. Ilman e: tä ja a:ta."

Scarpetta kirjoittaa mustaan lehtiöönsä *Ev* ja ajattelee, että onpa siinä nimi. Hän katsoo taas kanavaa, joka on auringonpaisteessa muuttunut vahvan teen väriseksi. Ev ja Kristin Christian. Siinäpä oivat nimet kahdelle hartaasti uskonnolliselle naiselle jotka ovat kadonneet kuin haamut. Sitten aurinko pujahtaa pilvien taakse ja vesi tummuu.

"Ovatko Ev ja Kristin heidän oikeat nimensä?" kysyy Scarpetta. "Onko varmaa etteivät ne ole keksittyjä? Onko varmaa et-

tä he eivät vaihtaneet nimiään jossain vaiheessa esimerkiksi us-
konnollisista syistä?" hän kysyy ja katsoo kanavan vastarannan
taloja, jotka näyttävät siltä kuin ne olisi piirretty pastelliliiduilla.

Hän seuraa kun tummiin housuihin ja valkoiseen paitaan
pukeutunut mies kävelee yhdelle takapihalle, mahdollisesti rou-
va Simisterin takapihalle.

"Meidän tietääksemme ne ovat heidän oikeat nimensä", vas-
taa Reba ja katsoo samaan suuntaan kuin Scarpetta. "Noita hem-
metin ruosteentarkastajia on joka paikassa. Politiikkaa! Koko
homman taka-ajatuksena on estää ihmisiä kasvattamasta omia
hedelmiä, jotta he joutuvat ostamaan ne kaupasta."

"No ei sentään. Sitrusruoste on erittäin tuhoisa tauti. Jos se
pääsee leviämään, kukaan ei pysty kasvattamaan sitrushedel-
miä pihallaan."

"Salaliitto se on. Minä olen kuunnellut mitä siitä on sanottu
radiossa. Kuunteletteko koskaan tohtori Selfin ohjelmaa? Kuuli-
sittepa mitä mieltä hän on asiasta."

Scarpetta ei koskaan kuuntele tohtori Selfiä jos vain pystyy
välttämään. Hän katsoo kun vastarannalle ilmestynyt mies kyy-
kistyy nurmelle ja penkoo jonkinlaista mustaa pussia. Hän ottaa
siitä jotain.

"Ev Christian on pappina jonkin pienen lahkon kirkossa...
Okei, minun pitää lukea tämä teille, ei näin pitkä nimi pysy
päässä", sanoo Reba selatessaan lehtiötään. "Se on nimeltään Ju-
malan sinetin aidot tyttäret."

"En ole kuullut sellaisesta lahkosta", sanoo Scarpetta var-
sin ironisesti kirjoittaessaan nimen muistiin. "Entä Kristin? Mitä
hän tekee työkseen?"

Tarkastaja nousee seisomaan, ruuvaa yhteen jonkinlaisen va-
van, kurkottaa korkealle oksalle ja nykäisee greippiä joka pu-
toaa nurmikolle.

"Myös Kristin on töissä samassa kirkossa. Hän avustaa ju-
malanpalveluksissa lukemalla ja johtamalla mietiskelyä. Poikien
vanhemmat kuolivat skootterikolarissa suunnilleen vuosi taka-
perin. Tiedätte varmaan Vespat?"

"Missä?"

"Etelä-Afrikassa."

"Ja tämä tieto on peräisin keneltä?" Scarpetta kysyy.

"Joltakin seurakuntalaiselta."

"Onko teillä kolarista poliisipöytäkirjaa?"

"Kuten sanoin se sattui Etelä-Afrikassa", vastaa etsivä Wagner. "Me yritämme saada sen sieltä."

Scarpetta miettii vieläkin kertoako Wagnerille Karjun huolestuttavasta soitosta.

"Mitkä ovat poikien nimet?" kysyy Scarpetta.

"David ja Tony Luck. Aika hassu nimi tilanteen huomioon ottaen. Luck eli onni."

"Eivätkä Etelä-Afrikan tasavallan viranomaiset ole yhteistyöhaluisia? Missä päin Etelä-Afrikkaa?"

"Kapkaupungissa."

"Mistä myös sisarukset ovat kotoisin?"

"Niin minulle sanottiin. Vanhempien kuoltua sisarukset ottivat pojat huostaan. Heidän kirkkonsa on suunnilleen parinkymmenen minuutin päässä täältä Davie Boulevardilla yhden tällaisen epätavallisen lemmikkieläinkaupan vieressä, kuinka ollakaan."

"Oletteko ollut yhteydessä Kapkaupungin oikeuslääkärin virastoon?"

"En vielä."

"Minä voin tulla siinä asiassa avuksi."

"Se olisi hienoa. Eikö se tavallaan sovi yhteen? Hämähäkkejä, skorpioneja, myrkkysammakoita, valtavasti valkoisia rotanpentuja joita syötetään käärmeille", sanoo Reba. "Kuulostaa siltä että siellä on varsinainen kulttikylä."

"Minä en ole koskaan antanut kenenkään kuvata omaa kauppaani paitsi aidossa poliisiasiassa. Kauppaani tehtiin kerran ryöstö. Siitä on jo aikaa", Larry selittää tiskin takana jakkaralla istuessaan.

Ikkunasta näkyy A1A:n loputon liikenteen vilinä ja sen takana Atlantti. On alkanut sataa tihuttaa, myrsky on tulossa ja matkalla etelään. Lucy muistelee mitä Marino hetki sitten kertoi talosta ja kadonneista asukkaista ja tietenkin renkaan puhkeamisesta, joka oli hänen suurin valituksen aiheensa. Hän miettii mitä hänen tätinsä paraikaa tekee, miettii lähestyvää myrskyä.

"Olen tietenkin kuullut siitä paljon." Larry palaa Florrie ja Helen Quincyyn esitelmöityään pitkään siitä miten kovasti Etelä-Florida on muuttunut, miten vakavasti hän on harkinnut muuttoa takaisin Alaskaan. "Siinä on käynyt kuten aina. Pikkuasioita paisutellaan ajan mittaan. En silti halua että rupeat videoimaan täällä", hän sanoo.

"Tämä on poliisiasia", toistaa Lucy. "Minua on pyydetty selvittämään tätä tapausta yksityisesti."

"Mistä minä tiedän ettet sinä ole vaikka toimittaja?"

"Minä olin ennen FBI:n ja ATT:n palveluksessa. Oletko kuullut Rikostutkimusakatemiasta?"

"Siitä isosta koulutusleiristä Evergladesissa?"

"Ei se varsinaisesti Evergladesissa ole. Meillä on yksityiset labrat ja asiantuntijoita ja sopimukset useimpien Floridan poliisilaitosten kanssa. Me autamme niitä tarpeen mukaan."

"Kuulostaa kalliilta. Annahan kun arvaan: minä ja muut veronmaksajat."

"Välillisesti. Määrärahoja, vastapalveluksia. Poliisi auttaa meitä, me koulutamme poliiseja. Kaikkea mahdollista."

Hän vie kätensä takataskulle ja hivuttaa sieltä esiin mustan lompakon. Hän ojentaa sen Larrylle, joka tutkii hänen väärennettyä henkilökorttiaan ja messinkistä yksityisetsivän laattaa joka ei ole minkään arvoinen koska sekin on väärennetty.

"Tässä ei ole kuvaa", Larry huomauttaa.

"Se ei ole ajokortti."

Larry lukee hänen sepitetyn nimensä ääneen, lukee että hän on mukana erikoisoperaatioissa.

"Niin juuri."

"Pakkohan sinua on uskoa." Larry ojentaa lompakon takaisin.

"Kerro mitä olet kuullut", Lucy pyytää ja asettaa videokameran tiskille.

Lucy katsoo lukittua etuovea, niukoissa uimapuvuissa liikkuvaa nuortaparia joka yrittää saada sen auki.

He kurkistavat näyteikkunaan ja Larry pudistaa päätään. Kauppa on kiinni.

"Minä menetän asiakkaita", Larry sanoo Lucylle mutta ei näytä liiemmin välittävän. "Kun sain tilaisuuden vuokrata nämä tilat, minulle kerrottiin Quincyjen katoamisesta enemmän kuin halusin kuulla. Minun kuulemani version mukaan rouva tuli tänne aina puoli kahdeksalta aamulla jotta hän ehti laittaa sähköjunat liikkeelle ja sytyttää kuusenkynttilät, panna joululaulut soimaan ja hoitaa muut valmistelut. Sinä päivänä hän ei ilmeisesti kuitenkaan avannut liikettä. Suljettu-kyltti oli vielä ikkunassa kun hänen poikansa lopulta huolestui ja tuli etsimään häntä ja tytärtä."

Lucy työntää toisen käden housuntaskuun ja vetää esiin mustan kuulakynän pienen kätketyn nauhurin pidikkeestä. Hän ottaa esiin myös muistilehtiön.

"Sopiiko jos teen muistiinpanoja?" hän kysyy.

"Älä ota kaikkia minun puheitani täydestä. Minä en ollut täällä tapahtumahetkellä. Minä vain kerron mitä olen itse kuullut."

"Minun tietääkseni rouva Quincy tilasi syötävää", sanoo Lucy. "Lehdessä oli siitä jotain."

"Floridianista, siitä vanhasta kuppilasta kääntösillan toiselta puolelta. Aika siisti paikka, jos et ole koskaan käynyt siellä. Minun käsittääkseni hän ei tilannut puhelimitse, hänen ei katsos tarvinnut. Siellä laitettiin hänelle aina valmiiksi sama sapuska. Tonnikalalautanen."

"Entä tyttärelle? Helenille?"

"Sitä en muista."

"Hakiko rouva Quincy ruoan yleensä itse?"

"Muutoin paitsi silloin kun hänen poikansa oli näillä tienoin. Juuri pojan takia minä tiedän edes jotain siitä mitä täällä tapahtui."

"Haluaisin jutella hänen kanssaan."

"En ole nähnyt häntä vuoteen. Aluksi näin häntä silloin tällöin. Hän piipahti täällä juttelemassa. Voisi kai sanoa että hän ei heidän katoamisensa jälkeen muuta ajatellutkaan noin vuoteen. Sen jälkeen hän ei enää kestänyt ajatella sitä, siltä minusta ainakin tuntuu. Hän asuu tosi hienossa talossa Hollywoodissa."

Lucy katselee ympärilleen kaupassa.

"Minä en myy joulukoristeita", sanoo Larry siltä varalta että Lucy ajattelee niitä.

Lucy ei kysy mitään rouva Quincyn pojasta Fredistä. Hän tietää jo HIT-tietokannasta, että Fred Anderson Quincy on kaksikymmentäkuusivuotias. Hän tietää Fredin osoitteen ja että Fred on itsellinen tietokonegraafikko ja nettisivujen suunnittelija. Larry jatkaa että rouva Quincyn ja Helenin katoamispäivänä Fred yritti monta kertaa soittaa kauppaan ja ajoi lopulta sinne ja huomasi että se oli kiinni ja että hänen äitinsä Audi oli vielä kaupan takana.

"Onko varmaa että he olivat edes avanneet kaupan sinä aamuna?" kysyy Lucy. "Onko mahdollista että heille sattui jotain heidän noustuaan autosta?"

"Kai kaikki mahdollista on."

"Olivatko rouva Quincyn käsilaukku ja auton avaimet kaupassa? Oliko hän keittänyt kahvia, soittanut puheluita, tehnyt mitään mikä osoittaisi hänen olleen täällä Helenin kanssa? Oliko esimerkiksi kuusenkynttilät sytytetty tai olivatko sähköjunat liikkeellä? Soivatko joululaulut kaiuttimista? Oliko kaupan valot sytytetty?"

"Kuulin ettei hänen käsilaukkuaan ja avaimiaan löydetty koskaan. Olen kuullut erilaisia tarinoita siitä, mitä kaupassa oli päällä ja mitä ei. Toisten mukaan kaikki oli päällä, toisten mukaan mikään ei ollut."

Lucyn katse siirtyi myymälän takaovelle. Hän miettii sitä mitä Basil Jenrette kertoi Bentonille. Hän ei ymmärrä miten Basil olisi voinut raiskata ja murhata ketään kaupan perällä varastossa. On vaikea uskoa että hän olisi pystynyt siivoamaan jäljet ja viemään ruumiin kaupasta autoon ja ajamaan pois kenenkään näkemättä. Oli päivä. Paikalla liikkuu paljon väkeä jopa hiljaisena kautena heinäkuussa, eikä sellainen skenaario sitä paitsi selittäisi miten tyttären kävi ellei Basil sitten siepannut häntä mukaansa ja tappanut häntä jossain muualla kuten muut uhrinsa. Karmea ajatus. Kuusitoistavuotias tyttö.

"Miten kaupan kävi heidän kadottuaan?" Lucy kysyy. "Avattiinko se uudestaan?"

"Ei. Joulukoristeet eivät sitä paitsi menneet kovin hyvin kaupaksi. Minusta tuntuu että kauppa oli enemmänkin hänen harrastuksensa kuin mitään muuta. Kauppaa ei avattu uudestaan ja poika vei tavarat pois kuukauden tai pari heidän katoamisensa jälkeen. Beach Bums avattiin saman vuoden syyskuussa ja minä pääsin tänne hommiin."

"Haluaisin vilkaista perälle", sanoo Lucy. "Sitten jätän sinut rauhaan."

Karju nykäisee alas vielä kaksi appelsiinia ja hapuilee sitten greippejä pitkän varren päässä olevalla kouramaisella korilla. Hän katsoo kanavan yli kun Scarpetta ja etsivä Wagner kiertävät uima-allasta.

Etsivä elehtii kovasti. Scarpetta kirjoittaa lehtiöönsä ja katsoo kaikkea tarkkaan. Karju nauttii suuresti tämän esityksen seuraamisesta. Typerykset. Kukaan heistä ei ole niin fiksu kuin luulee olevansa. Hän pystyy puijaamaan heitä kaikkia. Hän hymyilee ajatellessaan, että Marino myöhästyi renkaan puhjettua, vaikka olisi voinut korjata tilanteen helposti ja nopeasti ajamalla tänne jollain Akatemian autolla. Mutta ei Marino! Hän ei kestänyt sitä, hänen oli pakko korjata rengas heti. Typerä punaniska. Karju kyykistyy nurmikolle, purkaa poimuria avaamalla alumiinikierteet ja laittaa osat takaisin mustaan nailonpussiin. Pussi on raskas ja hän nostaa sen olalleen kuin metsuri kirveen, kuin Christmas Shopin metsuri.

Hän kävelee rauhassa pihan poikki kohti valkoista, rapattua naapuritaloa. Hän näkee naisen keinutuolissa aurinkokuistilla. Nainen katselee kiikarilla kanavan vastarannalla olevaa vaalean oranssin väristä taloa. Hän on katsellut taloa jo monta päivää. On siinäkin viihdettä. Karju on käynyt oranssinvärisessä talossa jo kolmesti kenenkään huomaamatta. Hän on käynyt siellä muistelemassa mitä sattui, elämässä sen uudelleen, viivyttelemässä siellä niin kauan kuin haluaa. Kukaan ei häntä näe. Hän osaa olla näkymätön.

Hän astuu rouva Simisterin pihalle ja ryhtyy tutkimaan lähintä limettipuuta. Rouva Simister kääntää kiikarinsa häneen. Hetken päästä hän avaa lasisen liukuoven mutta ei astu pihalle. Karju ei ole nähnyt häntä kertaakaan pihalla. Ruohonleikkaaja käy siellä mutta rouva ei koskaan astu ulos juttelemaan hänen kanssaan. Hänelle tuodaan kaupasta ruoat, ne tuo joka kerta sama mies. Hän saattaa olla sukulainen tai vaikka naisen poika. Hän vain kantaa kassit sisään. Hän ei jää koskaan pitkäksi aikaa. Kukaan ei piittaa naisesta. Hän saisi olla kiitollinen Karjulle. Pian hän saa osakseen paljon huomiota. Suuri yleisö kuulee hänestä kun hän pääsee tohtori Selfin ohjelmaan.

"Jättäkää minun puuni rauhaan!" rouva Simister sanoo kovalla äänellä ja vahvasti murtaen. "Teikäläiset ovat jo käyneet täällä kahdesti tällä viikolla. Se on häirintää!"

"Olen pahoillani. Minulta menee vain hetki", sanoo Karju kohteliaasti ja nykäisee limettipuusta lehden ja tutkii sitä.

"Häipykää minun tontiltani tai minä soitan poliisille!" Rouva Simisterin ääni muuttuu kimeämmäksi.

Häntä pelottaa. Hän on vihainen koska hän pelkää menettävänsä rakkaat puunsa, ja menettäähän hän, mutta siinä vaiheessa sillä ei ole enää väliä. Hänen puissaan on tauti. Ne ovat vanhoja, ainakin kaksikymmentävuotiaita, ja ne ovat pilalla. Se oli helppoa. Kaikkialla, missä käydään isoilla oranssinvärisillä kuorma-autoilla kaatamassa ruosteisia puita ja silppuamassa ne, kadulle jää lehtiä. Hän noukkii niitä, repii ne, panee veteen ja näkee omin silmin miten bakteerit nousevat pintaan kuin ilmakuplat. Hän täyttää niillä ruiskun, sen jonka sai Jumalalta.

Karju avaa mustan kassinsa vetoketjun ja vetää esiin purkin jossa on punaista spray-maalia. Hän suihkuttaa limettipuun rungon ympäri punaisen raidan. Kuin veriviirun oven ylle, kuin merkiksi kuolemanenkelille. Karju kuulee saarnaajan äänen jossain mielensä pimeässä nurkassa, jonkinlaisessa lokerossa joka on hänen päänsä sisällä piilossa.

Väärästä todistuksesta rangaistaan.

Minä en kerro kenellekään.

Valehtelijoita rangaistaan.

En minä kertonut kenellekään.

Minun rangaistukseni ulottuu maan ääriin.

En kertonut! En!

"Mitä te oikein meinaatte? Jättäkää minun puuni rauhaan, ettekö te kuule?"

"Minä selitän mielelläni rouvalle", sanoo Karju kohteliaasti, myötätuntoisesti.

Rouva Simister pudistaa päätään. Hän sulkee lasisen liukuoven vihaisena ja lukitsee sen.

26

On ollut vuodenaikaan nähden poikkeuksellisen lämmintä ja sateista ja nurmikko tuntuu Scarpettan kenkien alla pehmeältä, ja kun aurinko tulee taas esiin tummien pilvien takaa, sen paiste kuumottaa hänen päätään ja hartioitaan hänen astellessaan takapihalla.

Hän katselee tumman- ja vaaleanpunaisia kiinanruusuja ja palmuja ja huomaa että muutaman sitruspuun runkoon on maalattu punainen raita, ja hän katsoo kanavan yli missä tarkastaja sulkee pussinsa vetoketjua sen jälkeen kun vanha nainen on huutanut hänelle. Hän miettii onko nainen rouva Simister ja otaksuu ettei Marino ole vielä ehtinyt hänen talolleen. Marino on aina myöhässä. Hän ei koskaan pidä kiirettä hoitaessaan Scarpettan pyytämiä asioita sikäli kuin hoitaa niitä lainkaan. Scarpetta kävelee lähemmäksi betonivallia, joka viettää äkkijyrkästi kanavaan. Tässä kanavassa ei liene alligaattoreita, mutta ei täällä ole aitaakaan, joten lapsi tai koira voisi helposti pudota veteen ja hukkua.

Ev ja Kristin ottivat hoidettavakseen kaksi lasta mutta eivät viitsineet laitattaa takapihalle aitaa. Scarpetta kuvittelee millaista tontilla on pimeällä ja miten helppo olisi unohtaa missä kohden takapiha loppuu ja kanava alkaa. Kanava on itä-länsisuuntainen ja talon takana kapea, mutta levenee etäämpänä. Kaukana näkyy komeita purje- ja moottoriveneitä paljon hulppeampien talojen edessä kuin se jossa Ev, Kristin, David ja Tony asuivat.

Reban mukaan sisarukset ja pojat nähtiin viimeksi torstai-iltana kymmenes helmikuuta. Varhain seuraavana aamuna Marino sai soiton mieheltä joka sanoi nimekseen Karju. Siinä vaiheessa naiset ja pojat olivat jo kadonneet.

"Oliko uutisissa mitään heidän katoamisestaan?" Scarpetta kysyy Rebalta ja miettii oliko nimetön soittaja saanut Kristinin nimen tietoonsa sitä kautta.

"Ei tietääkseni."

"Ja sinä täytit poliisipöytäkirjalomakkeen?"

"Ei sellaista laiteta lehdistökoriin. Täällä päin ihmisiä katoaa valitettavasti jatkuvasti, tohtori Scarpetta. Tervetuloa Etelä-Floridaan."

"Kerro mitä muuta sinä tiedät torstai-illasta, jolloin heidät viimeksi nähtiin."

Reba selittää että Ev saarnasi kirkossa ja Kristin luki seurakunnalle epistolan. Kun naiset eivät tulleet seuraavana päivänä kirkkoon rukoustilaisuuteen, eräs seurakunnan nainen yritti soittaa heille mutta he eivät vastanneet. Sitten tämä nainen ajoi heidän talolleen. Hänellä oli avain ja hän meni sisään. Hän ei huomannut mitään erikoista paitsi että Ev, Kristin ja pojat olivat poissa ja että liedellä oli tyhjä paistinpannu hiljaisella tulella. Liettä koskeva tieto on tärkeä ja Scarpetta aikoo pureutua siihen päästyään taloon, mutta hän ei ole vielä valmis, vaan hän tutkii paikkaa samaan tapaan kuin petoeläin lähestyy saalista, ulkoa sisään, säästäen pahimman viimeiseksi.

Lucy kysyy Larrylta onko varastoon tehty muutoksia sen jälkeen kun hän ryhtyi pitämään kauppaa noin kaksi vuotta sitten.

"En ole tehnyt yhtikäs mitään", Larry vastaa.

Lucy näkee katosta riippuvan yksinäisen paljaan hehkulampun valossa isoja pahvilaatikoita ja hyllyittäin t-paitoja, aurinkovoiteita, rantapyyhkeitä, aurinkolaseja, siivousvälineitä ja muuta tavaraa.

"On ihan sama miltä täällä perällä näyttää", sanoo Larry. "Mitä sinä varsinaisesti etsit?"

Lucy astuu vessaan, ahtaaseen ikkunattomaan koppiin, jossa on pönttö ja pesuallas. Seinät ovat kevyttiiltä jonka päälle on sivelty ohuelti vaaleanvihreää maalia. Lattia on päällystetty ruskeilla bitumilaatoilla. Täälläkin on katossa paljas hehkulamppu.

"Et ole maalannut seinää etkä vaihtanut laattoja?" Lucy kysyy.

"Juuri tässä kunnossa tämä oli kun minä tulin. Et kai epäile että täällä olisi sattunut jotain?"

"Haluaisin tulla uudestaan ja tuoda mukanani yhden toisen ihmisen", sanoo Lucy.

Rouva Simister katselee kanavan toiselta puolelta.

Hän keinuu lasitetulla aurinkokuistillaan, keinuttaa itseään edestakaisin tohvelit vain lattiaa hipaisten ja hiljaa suhahtaen kun hän polkaisee vauhtia. Hän etsii vaaleatukkaista naista jolla oli tumma puku ja joka käveli oranssinvärisen talon pihalla. Hän etsii tarkastajaa, joka tunkeutui luvatta hänen tontilleen, julkesi taas kajota hänen puihinsa, julkesi suihkuttaa niihin punaista maalia. Hän on jo lähtenyt. Vaaleaverikkökin on lähtenyt.

Aluksi rouva Simister luuli vaaleaverikköä hihhuliksi. Niitä on käynyt tuossa vaalean oranssissa talossa riittämiin. Sitten hän katsoi kiikariin eikä ollut enää varma. Vaaleaverikkö teki muistiinpanoja ja hänellä oli olallaan musta kassi. Hän on joko pankki-ihminen tai juristi. Rouva Simister oli jo vähällä päätyä jommankumman tulkinnan kannalle kun se toinen nainen ilmestyi paikalle, ruskettunut ja valkotukkainen, khakihousut jalassa ja ase olkakotelossa. Ehkä hän on se sama nainen joka kävi talolla jo aiemmin. Perjantaina. Hän oli ruskettunut ja vaaleatukkainen. Rouva Simister ei ole varma.

Naiset juttelivat ja kävelivät sitten pois näkyvistä talon vierelle kohti etupihaa. He saattavat tulla takaisin. Rouva Simister etsii tarkastajaa, samaa miestä joka oli ensimmäisellä käynnillään oikein miellyttävä, kyseli hänen puistaan, milloin ne oli istutettu ja miten tärkeitä ne hänelle olivat. Sitten hän tuli takaisin maalaamaan niihin raidat. Se sai hänet ajattelemaan asettaan ensimmäisen kerran moneen vuoteen. Kun hän sai sen pojaltaan, hän sanoi että joku paha ihminen saisi sen käsiinsä ja käyttäisi sitä häntä vastaan. Hän pitää asetta sängyn alla piilossa.

Hän ei olisi ampunut tarkastajaa. Mutta hän olisi mielellään säikäyttänyt miehen. Peijakkaan sitrustarkastajat nostavat palkkaa siitä että kaatavat puita joita ihmiset ovat kasvattaneet pihallaan puolen ikäänsä. Hän on kuullut siitä radiosta. Hänen puunsa kaadetaan varmaankin seuraavaksi. Hän on kiintynyt niihin. Puutarhuri hoitaa niitä, kerää hedelmät ja jättää ne kuistille koriin. Jake istutti hänelle pihan täydeltä puita ostettuaan tämän talon melkein heti heidän mentyään naimisiin. Hän muistelee vielä menneitä kun puhelin soi.

"Halojaa?" hän sanoo.

"Rouva Simister?"

"Kuka kysyy?"

"Etsivä Pete Marino. Me keskustelimme aiemmin."

"Niinkö? Ja te olette kuka?"

"Te soititte Rikostutkimusakatemiaan muutama tunti sitten."

"En taatusti soittanut! Kaupitteletteko te jotain?"

"En. Haluaisin käydä juttelemassa kanssanne jos sopii."

"Ei sovi", sanoo rouva Simister ja katkaisee puhelun.

Hän puristaa viileitä metallisia käsinojia niin kovasti että hänen isot rystysensä vaalenevat ryppyisen, täplikkään ihon alla noissa kelvottomissa vanhoissa käsissä. Hän saa soittoja vähän väliä ihmisiltä, jotka eivät edes tiedä kuka hän on. Koneetkin soittavat, eikä hän ymmärrä miksi ihmiset viitsivät kuunnella nauhalta, kun joku rahanhimoinen asianajaja paasaa. Puhelin soi taas mutta hän ei vastaa vaan ottaa kiikarin urkkiakseen mitä on tekeillä oranssinvärisessä talossa jossa ne kaksi naista asuvat kahden pikku hunsvotin kanssa.

Hän suuntaa kiikarin kanavan yli ja tutkii vastarannan tonttia. Piha ja uima-allas näyttävät yhtäkkiä isoilta ja kirkkaanvihreiltä ja -sinisiltä. Ne erottuvat terävinä mutta tummapukuista vaaleaverikköä ja aseistautunutta ruskettunutta naista ei näy missään. Mitä he etsivät? Keitä ne kaksi talossa asuvaa naista ovat? Missä hunsvotit ovat? Nykyään kaikki lapset ovat hunsvotteja.

Ovikello soi ja hän lakkaa keinumasta, mutta hänen sydämensä alkaa takoa nopeasti. Mitä vanhemmaksi hän tulee, sitä herkemmin hän säikähtää äkkiliikkeitä ja äkillisiä ääniä, sitä enemmän hän pelkää kuolemaa ja sen merkitystä, sikäli kun sillä jokin merkitys on. Kuluu useita minuutteja ja kello soi taas ja hän istuu liikkumatta ja odottaa. Se soi jälleen ja joku koputtaa kovaa. Lopulta hän nousee.

"Tullaan, tullaan!" hän mumisee ärtyneenä ja peloissaan. "Teille tulee tupen rapinat jos olette kaupustelija."

Hän kävelee olohuoneeseen hitaat jalat mattoa hipoen. Jalat eivät enää tottele kuten ennen. Hän pystyy vaivoin kävelemään.

"Minä tulen minkä ehdin", hän sanoo kärsimättömästi kun kello soi taas.

Ovella saattaa olla kuriiri. Joskus hänen poikansa tilaa hänelle tavaraa Internetistä. Hän kurkistaa ovisilmästä. Kuistilla seisova mies ei ainakaan ole ruskeassa tai sinisessä univormussa eikä hänellä ole kuriiri- tai postipakettia. Siellä on taas se sama mies.

"Mitä tällä kertaa on hätänä?" hän kysyy vihaisesti silmä ovisilmään painettuna.

"Rouva Simister? Teidän pitäisi täyttää nämä lomakkeet."

27

Portista pääsee etupihalle missä Scarpetta huomaa tuuheiden kiinanruusujen barrikadin. Se eristää tontin North Lake Drivesta ja jalkakäytävästä, joka päättyy kanavan kohdalla umpikujaan.

Maassa ei näy katkenneita oksia eikä mitään muutakaan mikä osoittaisi jonkun tunkeutuneen tontille pensasaidan läpi puskemalla. Scarpetta pistää kätensä nailoniseen olkalaukkuun, joka hänellä on aina mukana rikospaikoilla. Hän ottaa esiin valkoiset puuvillakäsineet katsellen samalla lohkeilleella betonisella pysäköintipaikalla talon vieressä seisovaa autoa, vanhaa harmaata farmaria, joka on pysäköity huolimattomasti. Yksi rengas on nurmikolla, johon on jäänyt syvä ura. Hän ujuttaa kädet käsineisiin ja miettii miksi Ev tai Kristin jätti auton vinoon, sikäli kuin jommallakummalla edes oli ajokortti.

Hän katsoo ikkunoista auton harmaita, kolmenistuttavia muovipenkkejä, ja tuulilasin sisäpintaan liimattua SunPass-lähetintä. Hän tekee taas muistiinpanoja. Jo nyt alkaa hahmottua tietty kaava. Takapiha ja uima-allas ovat moitteettomassa kunnossa. Verkolla suojattu patio ja puutarhakalusteet ovat samoin moitteettomassa kunnossa. Hän ei näe autossa roskia eikä rihkamaa, ainoastaan mustan sateenvarjon takalattialla. Mutta auto on ajettu pihaan huolimattomasti, välinpitämättömästi, kuin ajajalla olisi ollut kiire tai hän ei olisi nähnyt kunnolla. Hän kumartuu katsomaan lähempää renkaiden kulutuspinnan uriin tarttunutta hiekkaa ja kasviroskia. Hän näkee paksun pölykerroksen joka on värjännyt auton pohjan harmaaksi kuin vanhat luut.

"Tällä on näköjään ajettu hiekkatiellä", sanoo Scarpetta, nousee ylös ja tutkii vielä renkaita kävellen vuoroin jokaisen kohdalle.

Reba seuraa häntä auton ympäri ja katselee utelias ilme ryppyisillä, ruskeilla kasvoillaan.

"Minä päättelen renkaiden kulutuspinnan hiekasta että autolla on ajettu kosteassa tai märässä maassa", sanoo Scarpetta. "Onko kirkon pysäköintipaikka asfaltoitu?"

"Tuosta nuo ruohonkorret ovat tarttuneet", sanoo Reba ja

katsoo toisen takarenkaan takana olevaa metrin mittaista uraa.

"Se ei vielä riitä selitykseksi. Kaikissa neljässä renkaassa on paljon kuraa."

"Kirkko on kauppakeskuksessa jolla on iso pysäköintialue. Minä en huomannut siellä asfaltoimattomia paikkoja."

"Oliko auto tässä kun se kirkon nainen tuli etsimään Kristiniä ja Eviä?"

Reba kiertää autoa. Hän on kiinnostunut kuraisista renkaista.

"Niin he sanoivat ja voin itse vahvistaa ainakin että se oli täällä kun minä tulin käymään silloin iltapäivällä."

"Ei olisi pahitteeksi tarkistaa tuo SunPass ja selvittää, minkä tiemaksuasemien kautta autolla on ajettu ja milloin. Oletko avannut ovet?"

"Olen. Ne eivät olleet lukossa. En nähnyt mitään merkittävää."

"Autosta ei siis ole etsitty sormenjälkiä."

"Minä en voi pyytää tekniikkaa tutkimaan autoa koska ei ole todisteita siitä että olisi tapahtunut rikos."

"Ymmärrän ongelman."

Reba seuraa sivusta kun Scarpetta kurkistaa taas ikkunoista. Niiden pinnalla on ohut pölykerros. Scarpetta astuu askeleen taemmaksi ja kiertää farmarin ympäri tutkien jokaisen vaaksan katseellaan.

"Kenen auto on?" Scarpetta kysyy.

"Kirkon."

"Kenen talo on?"

"Kirkon sekin."

"Minä kuulin että kirkko on vuokrannut talon."

"Ei, kirkko omistaa sen. Olen varma."

"Tunnetko ketään Simisteriä?" kysyy Scarpetta, kun hänelle alkaa tulla outo tunne, sellainen joka alkaa mahasta ja nousee nieluun, samanlainen kuin hänellä oli Reban mainitessa Marinolle nimen Christian Christian.

"Ketä?" Reban otsa menee ryppyyn ja samassa kanavan vastarannalta kuuluu vaimea pamahdus.

Reban ja Scarpettan keskustelu lakkaa heti. He astuvat lähemmäksi porttia katsomaan vastarannan taloja. Pihoilla ei näy ketään.

"Auton pakoputki", sanoo Reba. "Moni täällä päin ajaa vanhalla rämällä. Suurin osa ei saisi edes ajaa enää. Vanhoja kuin viikatemies ja melkein sokeita."

Scarpetta toistaa nimen Simister.

"Hänestä en ole kuullut", vastaa Reba.

"Hän sanoi jutelleensa sinun kanssasi useamman kerran. Muistaakseni tasan kolme kertaa."

"Minä en ole kuullutkaan hänestä eikä hän ole soittanut minulle. Hän taitaa olla se joka morkkasi minua ja väitti ennen minä välitä tästä tapauksesta."

"Anteeksi hetki", Scarpetta sanoo ja yrittää tavoittaa Marinon matkapuhelimesta, mutta saa vain vastaajan.

Hän käskee tämän soittaa heti.

"Minä haluan kuulla kuka se rouva Simister on", sanoo Reba, "kunhan saatte sen selville. Tässä koko jutussa on jotain outoa. Voisi olla hyvä etsiä sormenjäljet ainakin auton sisältä. Jos ei muuten niin poissulkemista varten."

"Poikien jälkiä autosta ei valitettavasti enää saa", sanoo Scarpetta. "Neljä päivää on liian pitkä aika. Ette todennäköisesti saa niitä talostakaan. Ette ainakaan nuoremman jälkiä, sen seitsemänvuotiaan."

"Minä en tajua miksi te niin sanotte."

"Alle murrosikäisten lasten sormenjäljet eivät säily pitkään. Vain muutaman tunnin tai korkeintaan muutaman päivän. Ei tiedetä varmasti miksi, mutta todennäköisesti syynä ovat rasvat, joita ihosta erittyy murrosiästä alkaen. Davidhan oli kaksitoista? Hänen jälkensä saattavat vielä löytyä. Tähdennän sanaa *saattavat*."

"No enpä ole ennen kuullutkaan."

"Suosittelen viemään tämän farmarin laboratorioon höyrytettäväksi mitä pikimmin. Käskekää höyryttää se sisältä liimalla ja etsiä sormenjäljet ja hiukkastodisteet. Me voimme tehdä sen Akatemiassa jos haluatte. Meillä on tilat autojen prosessointiin ja voimme hoitaa asian."

"Se ei taida olla hullumpi ajatus", sanoo Reba.

"Evin ja Kristinin jäljet pitäisi löytyä talosta. Ja dna, myös poikien dna. Hammasharjoista, hiusharjoista, kengistä, vaatteista." Ja sitten hän kertoo Reballe nimettömästä soittajasta joka mainitsi Kristin Christianin nimeltä.

Rouva Simister asuu yksin pienessä valkoisessa yksikerroksisessa omakotitalossa joka on Etelä-Floridan mittapuulla purkukypsä.

Hänellä on alumiininen autokatos jossa ei ole autoa, mikä ei tarkoita että hän olisi poissa kotoa, sillä hänellä ei ole enää autoa eikä ajokorttia. Marino huomaa myös että etuoven oikealla puolella ikkunat on peitetty verhoilla ja että jalkakäytävällä ei ole sanomalehteä. Rouva Simisterille tulee *Miami Herald* joka päivä, mistä päätellen hänen näkönsä riittää lukemiseen kunhan hän käyttää laseja.

Rouva Simisterin puhelin on pirissyt viimeiset puoli tuntia. Marino sammuttaa moottoripyöränsä ja nousee satulasta kun kadulla ajaa ohi valkoinen Chevy Blazer, jossa on tummennetut lasit. Katu on hiljainen. Todennäköisesti monet kadun asukkaat ovat iäkkäitä ja ovat asuneet täällä jo pitkään eikä heillä ole enää varaa kiinteistöveroihin. Häntä suututtaa ajatella, että asuttuaan samassa paikassa kaksikymmentä tai kolmekymmentä vuotta ja maksettuaan asuntolainansa loppuun tavallinen ihminen joutuu yhtäkkiä huomaamaan, että rahat eivät riitä veroihin rikkaiden takia, jotka haluavat päästä asumaan kanavan varteen. Rouva Simisterin purkukelpoisen röttelön verotusarvoksi on arvioitu lähes 750 000 dollaria, ja hänen on myytävä se, myytävä todennäköisesti pian, ellei hän sitä ennen joudu palvelutaloon. Hänellä on pankissa vain kolmentuhannen dollarin säästöt.

Marino sai varsin paljon tietoa Dagmara Shudrich Simisteristä. Keskusteltuaan Scarpettan työhuoneessa kaiutinpuhelimen kautta naisen kanssa, jonka hän nyt uskoo esiintyneen Simisterinä, Marino teki HIT-haun. Rouva Simisterin etunimi on yleensä lyhennetty muotoon Daggie. Hän on kahdeksankymmentä-viisivuotias. Hän on juutalainen ja kuuluu paikalliseen synagogaan, jossa hän ei tosin ole käynyt vuosiin. Hän ei toisin sanoen ole koskaan kuulunut samaan kirkkoon kuin kanavan vastarannalta kadonneet asukkaat, joten hän valehteli puhelimessa sikäli kuin soittaja oli hän, eikä Marino usko että oli.

Rouva Simister on syntynyt Puolan Lublinissa ja selvinnyt hengissä Hitlerin juutalaisvainoista. Hän asui Puolassa lähes kolmekymmentävuotiaaksi, mikä selittää voimakkaan vieraan korostuksen, jonka Marino huomasi yrittäessään soittaa rouvalle muutama minuutti sitten. Naisella, jonka kanssa hän puhui kaiutinpuhelimen kautta, ei ollut hänen mielestään minkäänlaista vierasta korostusta. Hän kuulosti ainoastaan vanhalta. Rouva Simisterin ainoa lapsi, poika, asuu Fort Lauderdalessa ja on kymmenen viime vuoden aikana jäänyt kahdesti kiinni rattijuopumuksesta ja kolmesti muusta liikennerikkomuksesta. On sattuman satoa, että hän on grynderi, juuri sellainen ihminen jonka tähden hänen äitinsä kiinteistöverot nousevat jatkuvasti.

Rouva Simister käy neljällä lääkärillä, sillä hänellä on reumatismi, sydän- ja jalkavaivoja ja huono näkö. Hän ei matkustele, ainakaan lentäen. Vaikuttaa siltä että hän on enimmäkseen kotonaan ja mahdollisesti tietää mitä naapurustossa tapahtuu. Usein tällaisissa kortteleissa monet kotona pysyttelevät asukkaat ovat urkkijoita, ja Marino toivoo että rouva Simister kuuluu tähän joukkoon. Hän toivoo että rouva on huomannut kaiken mitä kanavan vastarannalla vaalean oranssin värisessä talossa on tapahtunut. Hän toivoo että hänellä olisi jonkinlainen aavistus siitä kuka soitti Scarpettan työpaikalle esiintyen rouva Simisterinä, sikäli kuin kyse oli huijauksesta.

Marino soittaa rouva Simisterin ovikelloa lompakko valmiina, jotta hän voi näyttää virkamerkkinsä, mikä ei ole tarkkaan ottaen rehellistä, koska hän ei ole enää poliisin palveluksessa eikä ole koskaan ollutkaan poliisina Floridassa, ja sitä paitsi hänen olisi kuulunut palauttaa laattansa ja aseensa kun hän jätti viimeisen poliisilaitoksen, jossa oli töissä, pienen Richmondin poliisilaitoksen Virginiassa, missä hän tunsi itsensä alusta loppuun sivulliseksi, jota ei arvostettu ja jota aliarvioitiin aina. Hän soittaa kelloa uudestaan ja yrittää saada rouva Simisterin kiinni puhelimella.

Linja on vieläkin varattu.

"Poliisi! Onko kukaan kotona?" hän huutaa kovaa koputtaessaan oveen.

28

Scarpettalla on kuuma tummassa puvussa mutta hän ei aio tehdä asialle mitään. Jos hän riisuu takkinsa, hän joutuu ripustamaan tai muuten laittamaan sen jonnekin eikä hän tee koskaan oloaan kotoisaksi rikospaikoilla, edes niillä joita poliisi ei usko rikospaikoiksi.

Nyt kun hän on talossa sisällä hän on tulossa siihen johtopäätökseen, että jommallakummalla sisaruksella on pakkoneuroosi. Ikkunat, laattalattiat ja huonekalut ovat putipuhtaat ja säntillisessä ojennuksessa. Matto on symmetrisesti keskellä lattiaa ja sen hapsureuna on niin siisti että näyttää kammatulta. Hän katsoo seinätermostaattia ja kirjoittaa lehtiöönsä, että ilmastointi on päällä ja olohuoneen lämpötila on säädetty kahteenkymmeneenkahteen asteeseen.

"Onko termostaattiin koskettu?" hän kysyy. "Oliko se tässä lukemassa?"

"Mitään ei ole muutettu", vastaa Reba keittiöstä, missä hän on Akatemian teknikon Lexin kanssa. "Paitsi hellaan. Se on sammutettu. Se nainen joka kävi täällä etsimässä Eviä ja Kristiniä kun heitä ei kuulunut kirkkoon. Hän sen sammutti."

Scarpetta panee merkille ettei talossa ole murtohälytintä.

Reba avaa jääkaapin. "Minä ottaisin jäljet myös kaappien ovista", hän sanoo Lexille. "Kannattaa saman tien ottaa jäljet kaikkialta. Eipä ole hääppöisesti sapuskaa kahdelle kasvavalle pojalle." Tämän hän sanoo Scarpettalle. "Eikä muutenkaan. Taitavat olla kasvissyöjiä."

Hän sulkee jääkaapin oven.

"Jauhe pilaa ruoat", huomauttaa Lex.

"Tee kuten haluat."

"Tietääkö kukaan mihin aikaan he tulivat kirkosta kotiin viime torstai-iltana? Tai milloin heidän väitetään tulleen kotiin?" kysyy Scarpetta.

"Jumalanpalvelus päättyi seitsemältä, ja Ev ja Kristin jäivät sen jälkeen hetkeksi juttelemaan seurakuntalaisten kanssa. Sitten he menivät Evin työhuoneeseen ja pitivät kokouksen. Huone on pieni. Ja niin on kirkkokin. Saliin mahtuu sanoisin korkeintaan viisikymmentä ihmistä."

Reba kävelee keittiöstä olohuoneeseen.

"Kokouksen kenen kanssa, ja missä pojat silloin olivat?" Scarpetta kysyy nostaessaan tyynyn kukkakuvioiselta sohvalta.

"Joidenkin seurakunnan naisten kanssa. En minä tiedä miksi heitä kutsutaan. He hoitavat seurakunnan asioita, ja minun tietääkseni pojat eivät olleet kokouksessa vaan missä lie pelehtimässä. Sitten he lähtivät Evin ja Kristinin kanssa kahdeksan maissa."

"Pitivätkö he aina torstai-iltaisin jumalanpalveluksen jälkeen kokouksen?"

"Luullakseni. Pääjumalanpalvelus on perjantai-iltana, joten he kokoontuvat edellisiltana. Kuulin jotain että pitkäperjantaina Jumala kuoli meidän syntiemme tähden. He eivät puhu Jeesuksesta vaan Jumalasta ja heille synnit ja helvettiin joutuminen ovat kovasti tapetilla. He ovat aika omalaatuista poppoota. Kultilta se minusta vaikuttaa. Varmaankin touhuavat käärmeiden kanssa sun muuta."

Lex karistaa hiukan Silk Black -oksidijauhetta paperiliuskalle. Keittiön tiskipöydän valkoinen pinta on lohkeillut mutta siisti, eikä sillä ole ainuttakaan esinettä. Lex painelee lasikuituista harjaa paperille karistamaansa jauheeseen ja alkaa sivellä harjalla varovasti ikilevyä, joka muuttuu noenmustaksi kaikkialta, missä jauhe tarttuu rasvaan tai muihin latentteihin epäpuhtauksiin.

"Minä en löytänyt lompakkoa, käsilaukkua enkä mitään vastaavaa", Reba selittää Scarpettalle. "Mikä vahvistaa epäilyäni että he lähtivät omille teilleen."

"Siepatut saattavat joskus ottaa mukaan käsilaukun", Scarpetta sanoo. "Siepatuilla on joskus mukanaan lompakko, avaimet, auto, jopa lapset. Olin muutama vuosi sitten mukana sieppausmurhassa, jossa uhrin annettiin pakata matkalaukku."

"Minäkin tiedän tapauksista joissa koko juttu on lavastettu rikokseksi, vaikka porukka vain otti ja lähti. Jospa se pimeä puhelu, josta te kerroitte, tulikin joltain seurakuntalaiselta joka vain yritti harhauttaa."

Scarpetta astuu keittiöön katsomaan liettä. Takalevyllä on kannellinen kuparikattila jonka metalli on tummanharmaata ja viiruista.

"Tämäkö levy oli päällä?" hän kysyy nostaessaan kannen.
Kattilan terässisus on värjääntynyt tummanharmaaksi.
Lex repäisee nostoteipin pätkän. Se napsahtaa kovasti.
"Kun se nainen sieltä kirkosta tuli tänne, tuo vasen takalevy oli pienellä lämmöllä ja kattila oli helvetin kuuma ja tyhjä", sanoo Reba. "Niin minulle sanottiin."
Scarpetta huomaa kattilassa hienoa vaaleanharmaata tuhkaa.
"Kattilassa saattoi olla jotain. Esimerkiksi öljyä. Ei kuitenkaan ruokaa. Tiskipöydällä ei siis ollut elintarvikkeita?" hän kysyy.
"Keittiö näytti juuri tällaiselta kun minä tulin. Ja se kirkon nainen sanoi ettei hän nähnyt missään ruokaa joka olisi pitänyt laittaa pois."
"Hiukan harjannedetaljia mutta enimmäkseen tahroja", sanoo Lex ja kiskaisee teipinpätkän irti tiskipöydästä. "Minä en viitsi tutkia kaapinovia. Puu ei ole kehuttava pinta. Ei kannata pilata sitä turhan päiten."
Scarpetta vetää jääkaapin oven auki ja kylmä ilma hulmahtaa hänen kasvoilleen kun hän alkaa tutkia hyllyjä yksitellen. Kalkkunan rintapalan tähteet sotivat sitä vastaan että naiset ja pojat olivat vegetaristeja. Kaapissa on lehtisalaattia, parsakaalia, pinaattia, selleriä ja porkkanoita, paljon porkkanoita, yhdeksäntoista pussillista valmiiksi kuorittuja pieniä paloja, vaivaton ja vähäkalorinen välipala.

Rouva Simisterin kuistin lasisen liukuoven lukko on auki ja Marino odottaa sen edessä nurmikolla ympärilleen vilkuillen.
Hän katsoo kanavan yli oranssinväristä taloa ja miettii löytääkö Scarpetta sieltä mitään. Hän on saattanut jo lähteä. Marino on myöhässä. Meni aikaa saada moottoripyörä peräkärrylle ja sitten helikopterihalliin ja vaihtaa siellä rengas. Sitten häneltä meni lisää aikaa siihen kun hän jutteli muiden mekaanikkojen ja muutaman lähistöllä olleen opiskelijan kanssa ja myös opettajien kanssa joiden autot olivat samalla pysäköintialueella. Hän toivoi että joku olisi nähnyt jotain. Kukaan ei ollut nähnyt. Ainakaan kukaan ei myöntänyt nähneensä.
Hän raottaa rouva Simisterin liukuovea ja kutsuu häntä.
Kukaan ei vastaa ja hän koputtaa lasiin.
"Onko siellä ketään?" hän huutaa. "Huhuu!"

Hän kokeilee rouva Simisterin numeroa mutta se on vieläkin varattu. Hän huomaa että Scarpetta yritti soittaa hänelle hetki sitten, varmaankin hänen ollessaan pyörän selässä matkalla tänne. Hän soittaa Scarpettalle.

"Miten siellä menee?" hän kysyy esittäytymättä.

"Reba sanoi ettei hän ole kuullutkaan rouva Simisteristä."

"Joku kusettaa meitä", Marino sanoo. "Rouva Simister ei edes kuulu siihen kirkkoon. Niiden kadonneiden kirkkoon. Eikä hän avaa ovea. Minä menen sisään."

Hän katsoo kanavan yli oranssinväriselle talolle. Sitten hän kääntyy, avaa lasisen liukuoven ja astuu aurinkokuistille.

"Rouva Simister?" hän huutaa. "Onko kukaan kotona? Poliisi!"

Sisemmänkin liukuoven lukko on auki ja hän astuu olohuoneeseen, pysähtyy ja huutaa taas. Jossain peremmällä pauhaa televisio. Hän lähtee astumaan ääntä kohti ja ilmoittaa kovalla äänellä olevansa tulossa, ja nyt hän on vetänyt aseensa esiin. Hän kävelee käytävää pitkin ja kuulee että televisiosta tulee talkshow, jossa nauretaan paljon.

"Rouva Simister? Onko täällä ketään?"

Televisio on perähuoneessa, joka on luultavasti makuuhuone, ja sen ovi on kiinni. Hän empii ja huutaa taas. Hän koputtaa, ryskyttää sitten ovea nyrkillä, astuu sisään ja näkee verta, pienen ruumiin sängyllä ja sen vähän mitä ruumiin päästä on jäljellä.

29

Pöytälaatikossa on lyijykyniä, kuulakyniä ja tusseja. Kahta lyijykynää ja yhtä kuulakynää on pureskeltu, ja Scarpetta tutki hampaiden puuhun ja muoviin jättämiä jälkiä miettien kumpi poika pureskelee hermostuksissaan.

Hän laittaa lyijy- ja kuulakynät ja tussit eri pusseihin. Hän sulkee pöytälaatikon, vilkaisee ympärilleen ja miettii näiden eteläafrikkalaisten orpopoikien elämää. Huoneessa ei ole leluja, seinillä ei ole julisteita, mikään ei viittaa siihen että veljekset olisivat kiinnostuneita tytöistä, autoista, elokuvista, musiikista tai urheilusta tai että heillä olisi sankareita tai että he ylipäänsä osaisivat pitää hauskaa.

Heidän kylpyhuoneensa on vieressä, vanhanaikainen kylpyhuone, jossa on rumat vihreät laatat ja valkoinen wc-istuin ja amme. Scarpettan kasvot ilmestyvät lääkekaapin peiliin ja hän avaa oven. Hän silmäilee kapeita metallihyllyjä, joilla on hammaslankaa, Aspirinia ja pieniä saippuoita käärepapereissaan, sellaisia joita on motellien kylpyhuoneissa. Hän tarttuu oranssinvärisen reseptilääkepullon valkoiseen korkkiin, katsoo etikettiä ja lukee yllätyksekseen lääkärin nimen olevan Marilyn Self.

Julkkispsykiatri tohtori Self on määrännyt David Luckille Ritalin-hydrokloridia. Lääkemääräyksen mukaan Davidin tulee nauttia sitä kymmenen milligrammaa kolmesti päivässä, ja hänelle ostettiin sadan tabletin pakkaus viime kuussa, päivälleen kolme viikkoa sitten. Scarpetta avaa korkin ja kaataa kouraansa vihreät tabletit joissa on keskellä ura. Hän laskee neljäkymmentäyhdeksän. Kolme viikkoa lääkärin ohjeiden mukaan, ja tabletteja pitäisi olla jäljellä kolmekymmentäseitsemän, hän laskee. Poika katosi tiettävästi torstai-iltana. Siis viisi päivää sitten, viisitoista tablettia sitten. Viisitoista plus kolmekymmentäseitsemän on viisikymmentäkaksi. Täsmää kutakuinkin. Jos Davidin katoaminen oli vapaaehtoista, miksi hän jätti lääkkeen kotiin? Miksi liesi jätettiin päälle?

Hän kaataa tabletit takaisin pulloon ja panee pullon muovipussiin. Hän astuu käytävään, jonka päässä on talon toinen makuuhuone, se jossa sisarukset selvästikin nukkuivat. Siellä on kaksi sänkyä, kummassakin smaragdinvihreä päiväpeite. Tapetti ja mattokin ovat vihreät. Huonekalut on maalattu vihreiksi. Lampunvarjostimet ja kattotuuletin ovat vihreät ja ikkunoiden eteen on vedetty vihreät verhot, jotka eivät päästä sisään lainkaan auringonpaistetta. Yöpöydän himmeä lamppu palaa, ja huoneeseen tulee valoa vain siitä ja eteisestä.

Huoneessa ei ole peiliä, seinillä ei ole tauluja tai muita kuvia paitsi kaksi kehystettyä valokuvaa lipaston päällä, toinen esittää kahta poikaa auringonlaskun aikaan merenrannalla uimahousuissa, kummallakin naama hymyssä, kaksi pellavapäätä.

He näyttävät todellakin eri-ikäisiltä veljeksiltä. Toinen kuva esittää kahta naista, joilla on kävelykepit. He siristävät silmiään auringossa sinisen taivaan alla. Heidän takanaan taivaanrannassa kohoaa iso vuori. Sen huippua verhoaa erikoinen pilvikerros, joka nousee pilvistä kuin paksu valkoinen höyry. Toinen nainen on lyhyt ja pyöreähkö. Hänellä on pitkä harmaantuva tukka niskaan kammattuna, toinen on pitempi ja hoikempi ja hänellä on hyvin pitkä, kihara musta tukka, jota hän vetää tuulen vuoksi kasvoiltaan.

Scarpetta ottaa suurennuslasin olkalaukustaan ja tutkii valokuvia tarkemmin. Hän katsoo erityisesti poikien paljasta ihoa ja kasvoja. Hän tutkii naisten kasvoja ja heidänkin paljasta ihoaan etsien arpia, tatuointeja, syntymämerkkejä, koruja. Hän siirtää suurennuslasin hoikemman, pitkätukkaisen naisen kohdalle ja huomaa että hänen ihonsa ei näytä terveeltä. Voi johtua valaistuksesta tai itseruskettavasta aineesta, että hänen ihonsa hieman kellertää, mutta hän näyttää lähes keltatautiselta.

Hän avaa vaatekomeron. Siellä on halpoja arkivaatteita ja kenkiä, ja myös hienompia pukuja. Niiden koot ovat kahdeksan ja kaksitoista. Scarpetta ottaa esiin kaikki valkoiset tai lähes valkoiset vaatteet ja etsii kankaasta kellertäviä hikijälkiä, löytää niitä muutaman puseron kainaloista. Nämä puserot ovat kokoa kahdeksan. Hän keskittää taas huomionsa valokuvan tummatukkaiseen naiseen jolla on keltatautiselta vaikuttava iho ja miettii jääkaapin porkkanoita. Hänen mieleensä tulee tohtori Marilyn Self.

Makuuhuoneessa on vain yksi kirja, ruskeaan nahkaan sidottu Raamattu yöpöydällä. Se on vanha ja avattu apokryfisten kirjojen kohdalta. Yöpöydän valo lankeaa lehdille, jotka ovat vuosien saatossa rusehtuneet ja kuivuneet hauraiksi. Hän laittaa lukulasit nenälle ja kumartuu lähemmäksi. Hän kirjoittaa lehtiöönsä, että Raamattu on avattu Viisauden kirjan kahdennentoista luvun kahdennenkymmenennenviidennen säkeen kohdalta, joka on merkitty kolmella rastilla.

Siitä syystä sinä lähetit heille, niin kuin ymmärtämättömille lapsille, rangaistuksen, teit heidät pilkan alaisiksi.

Hän yrittää saada Marinon kiinni matkapuhelimesta, mutta soitto menee vastaajaan. Samalla kun hän yrittää uudestaan hän avaa verhot nähdäkseen onko lasiset liukuovet lukittu. Hän jättää toisen kiireisen viestin. On alkanut sataa ja pisarat rokotta-vat uima-allasta ja kanavaa. Taivaalle kasaantuneet ukkospilvet näyttävät hänestä alasimilta. Palmut tutisevat puuskittain, ja ik-kunan edessä olevan pensasaidan tumman- ja vaaleanpunaiset kiinanruusut värisevät tuulessa. Hän huomaa lasissa kaksi tah-raa. Hän tunnistaa niiden erikoisen muodon. Hän etsii käsiinsä Reban ja Lexin jotka ovat kodinhoitohuoneessa tutkimassa löy-tyykö pesukoneesta ja kuivausrummusta mitään.

"Isossa makuuhuoneessa on Raamattu", Scarpetta sanoo. "Se on avattu apokryfikirjojen kohdalta ja lamppu palaa, yöpöydän lamppu."

Reba ei näytä ymmärtävän.

"Kysyn sitä, oliko makuuhuone juuri tuossa tilassa, kun se kirkon nainen kävi talossa. Oliko makuuhuone täsmälleen tuos-sa tilassa kun sinä näit sen ensimmäisen kerran?"

"Kun minä kävin makuuhuoneessa en nähnyt merkkejä et-tä siellä olisi käyty. Muistan että verhot olivat kiinni. Minä en nähnyt Raamattua enkä muista että lamppu olisi palanut", sa-noo Reba.

"Siellä on valokuva joka esittää kahta naista. Ovatko he Ev ja Kristin?"

"Niin se kirkon nainen sanoi."

"Ja toisessa kuvassa ovat Tony ja David?"

"Niin hän sanoi."

"Onko jommallakummalla naisella jokin syömishäiriö? Onko hän sairas? Onko tietoa, onko jompikumpi jatkuvassa lääkärin valvonnassa? Ja onko tietoa, kumpi kuvan nainen on kumpi?"

Reballa ei ole vastauksia. Tätä ennen vastaukset eivät tuntu-neet kovin ratkaisevilta. Kukaan ei arvannut että heräisi sellaisia kysymyksiä joita Scarpetta nyt esittää.

"Avasitko sinä, tai avasiko joku muu heidän makuuhuoneen-sa, sen vihreän huoneen, lasisia liukuovia?"

"En avannut eikä avannut kukaan muukaan."

"Ne eivät ole lukossa ja minä huomasin lasin ulkopinnassa jälkiä. Korvanjälkiä. Haluaisin tietää olivatko ne siellä kun sinä tutkit tonttia perjantaina."

"Korvanjälkiä?"

"Kaksi, molemmat oikean korvan jälkiä", Scarpetta selittää kun puhelin soi.

30

Sataa kaatamalla kun hän pysäyttää autonsa rouva Simisterin talon lähelle. Talon edessä on kolme poliisiautoa ja ambulanssi. Scarpetta nousee autosta mutta ei välitä ottaa sateenvarjoa mukaan. Hän lopettelee puhelua Browardin piirikunnan oikeuslääkärin viraston kanssa. Kaikki Palm Beachin ja Miamin välissä sattuvat äkilliset ja väkivaltaiset kuolemantapaukset kuuluvat viraston vastuualueeseen. Hän tutkii ruumiin paikan päällä, koska hän on jo siellä, hän sanoo, ja hän tarvitsee mahdollisimman pian auton siirtämään vainajan ruumishuoneelle. Hän suosittelee, että ruumiinavaus tehtäisiin välittömästi.

"Eikö se voi odottaa aamuun? Ymmärrän että se saattoi olla itsemurha, että hänellä on ollut masennusta", virkailija huomauttaa varovasti, koska hän ei halua kuulostaa siltä että hän epäilee Scarpettan ohjeiden mielekkyyttä.

Virkailija ei halua sanoa suoraan, että hänen mielestään tapaus ei välttämättä ole kiireellinen. Niin varovasti kuin hän sanansa valitseekin, Scarpetta tietää mitä hän ajattelee.

"Marino sanoi ettei paikalla ollut asetta", Scarpetta selittää nousten kiireesti portaat etukuistille ja kastuen silti.

"Selvä. Sitä en tiennyt."

"Minun tietääkseni kukaan ei ole uskonut sitä itsemurhaksi."

Hänen mieleensä tulee oletettu auton pakoputken pamahdus jonka hän ja Reba kuulivat aiemmin. Hän yrittää muistaa milloin.

"Sinä siis tulet?"

"Totta kai", vastaa Scarpetta. "Kutsu tohtori Amos paikalle ja käske laittaa kaikki valmiiksi."

Marino odottaa häntä kun hän pääsee ovelle, ja hän astuu sisään sukaisten märän tukkansa silmiltä.

"Missä Wagner on?" kysyy Marino. "Minä oletan että hän tulee. Valitettavasti. Tässä ei kyllä kaivata hänenlaistaan latvarosoa."

"Hän lähti vähän minun jälkeeni. En tiedä missä hän on."

"Todennäköisesti eksyksissä. En tiedä ketään jolla olisi niin surkea suuntavaisto."

Scarpetta kertoo hänelle Raamatusta joka oli Evin ja Kristinin makuuhuoneessa, ja säkeestä joka oli merkitty lyijykynällä kolmella rastilla.

"Soittaja siteerasi minulle samaa säettä", huudahtaa Marino. "Hevon pallit! Mistä helvetistä tässä on kyse? Perkeleen luupää", hän sanoo ja tarkoittaa taas Rebaa. "Minun on sivuutettava hänet ja hankittava tilalle kunnon etsivä jottei poliisi mählää tätä juttua."

Scarpetta on kuullut Marinon halveerauksia kyllikseen. "Jos saan pyytää, niin auta häntä parhaasi mukaan ja piilota kaunasi jonnekin mistä se ei näy. Kerropas nyt mitä tiedät."

Scarpetta katsoo Marinon ohi raollaan olevasta ulko-ovesta. Kaksi ensihoitajaa tulee vastaan kantaen välineitään takaisin ambulanssiin. He ovat suorittaneet ajanhukaksi osoittautuneen työnsä loppuun.

"Haulikkohaava suusta sisään, pamautti aivokopan ulos", sanoo Marino väistäen toista ensihoitajaa kun tämä kävelee ovesta. "Hän on sängyssään talon perällä täysissä pukeissa, ja televisio on päällä. Ei merkkejä murrosta, ryöstöstä eikä raiskauksesta. Kylpyhuoneen pesualtaasta löytyi lateksikäsineet. Toisessa on verta."

"Mistä kylpyhuoneesta?"

"Siitä johon pääsee hänen makuuhuoneestaan."

"Oliko muita merkkejä että murhaaja siivosi jälkiään?"

"Ei. Vain pesualtaan käsineet. Ei verisiä pyyhkeitä, ei veristä vettä."

"Minun täytyy käydä katsomassa. Onko naisen henkilöys varma?"

"Varmaa on vain kenen tämä talo on. Daggie Simisterin. En voi olla varma kuka tuolla sängyssä makaa."

Scarpetta kaivaa laukustaan käsineet ja astuu eteiseen. Hän pysähtyy katsomaan ympärilleen, kun hänen mieleensä tulevat kanavan vastarannalla olevan talon ison makuuhuoneen lukitsemattomat liukuovet. Hän katsoo laattalattiaa, vaaleansinisiä seiniä, pientä olohuonetta. Se on täynnä huonekaluja, valokuvia ja posliinilintuja ja muita pienoisveistoksia toiselta, menneeltä ajalta. Kaikki näyttää olevan paikoillaan. Marino ohjaa hänet olohuoneen läpi ja keittiön ohi talon toiseen päähän, missä ruumis on kanavan puolella olevassa makuuhuoneessa.

Naisella on vaaleanpunainen verryttelypuku ja vaaleanpunaiset tohvelit ja hän makaa selällään sängyllä. Hänen suunsa on ammollaan, hänen sammuneet silmänsä tuijottavat, ja niiden yllä on massiivinen haava, joka on avannut hänen pääkallonsa kuin munakuppiin laitetun kananmunan. Aivot ovat lentäneet ulos, niitä on luunsiruihin sekoittuneina paakkuina tyynyllä, joka on verestä tummanpunainen. Veri alkaa juuri hyytyä. Vuoteen päätylevylle ja seinälle roiskuneessa veressä on myös aivojen ja ihon hitusia.

Scarpetta ujuttaa kätensä lämpimän ja verisen verryttelypuseron sisään ja tunnustelee rintakehää ja vatsaa. Sitten hän tunnustelee käsiä. Ruumis on lämmin eikä kuolonkankeus ole vielä alkanut. Hän avaa puseron vetoketjun ja pistää oikeaan kainaloon kemiallisen lämpömittarin. Lukemaa odottaessaan hän etsii muita vammoja pään ammottavan haavan lisäksi.

"Mitä luulet, kuinka kauan sitten hän kuoli?" kysyy Marino.

"Ruumis on hyvin lämmin. Kankeutta ei ole vielä."

Scarpetta miettii pamahdusta, jonka hän ja Reba olettivat tulleen auton pakoputkesta, ja hän päättelee että siitä on noin tunti. Hän astuu katsomaan seinällä olevaa lämpömittaria. Ilmastointi on päällä. Makuuhuoneessa on viileää, kaksikymmentä astetta. Hän kirjoittaa lämpötilan muistiin ja katsoo rauhassa ympärilleen. Tässä pienessä makuuhuoneessa on laattalattia, josta lähes puolet peittää tummansininen matto. Se ulottuu vuoteen jalkopäästä ikkunaan, josta näkee kanavalle. Kaihtimet ovat tosin kiinni. Yöpöydällä on lasi, jossa on ilmeisesti vettä, Dan Brownin erään romaanin isotekstinen painos ja silmälasit. Ensi näkemältä hän ei havaitse kamppailun merkkejä.

"Jospa hänet ammuttiin juuri ennen kuin minä ehdin tänne?" sanoo Marino, ja hän on kiihdyksissään, joskin yrittää salata sen. "Se saattoi tapahtua vain muutamaa minuuttia ennen kuin minä ajoin tänne pyörällä. Minä olin myöhässä. Minulta oli puhkaistu eturengas."

"Ilkivalloin?" kysyy Scarpetta ihmetellen yhteensattumaa.

Jos Marino olisi ehtinyt tänne aikaisemmin, vanhus voisi olla vielä elossa, ja nyt Scarpetta kertoo Marinolle pamahduksesta, jonka hän olettaa tulleen aseesta, ja juuri silloin kylpyhuoneesta astuu virkapukuinen poliisi kädet täynnä reseptilääkepulloja, jotka hän laskee lipaston päälle.

"Ilkivaltaa se oli", sanoo Marino.

"On selvää että nainen kuoli vasta äsken. Mihin aikaan sinä hänet löysit?"

"Olin ollut täällä ehkä varttitunnin siinä vaiheessa kun soitin sinulle. Minä halusin varmistaa että talo oli tyhjä ennen kuin tein mitään. Ettei murhaaja ollut piilossa komerossa tai jossain muualla."

"Eivätkö naapurit kuulleet mitään?"

Marino selittää ettei tämän talon kummallakaan puolella olla kotona. Yksi virkapukuinen poliisi kävi jo selvittämässä asian. Marino hikoilee kovasti, hänen kasvonsa punoittavat, hänen silmänsä ovat suuret, hätääntyneet.

"Minä en käsitä mitä on tekeillä", hän valittaa taas kun sade rummuttaa kattoa. "Minusta tuntuu siltä kuin meidät olisi jollain lailla houkuteltu ansaan. Sinä olit Wagnerin kanssa vastarannalla. Minä olin myöhässä koska pyörän rengas oli puhki."

"Täällä kävi tarkastaja", Scarpetta sanoo. "Joku tutki tontin sitruspuita." Ja hän kertoo Marinolle poimurista jonka mies purki osiin ja laittoi isoon mustaan pussiin. "Minä ottaisin hänestä selvän ensi töikseni."

Scarpetta ottaa lämpömittarin vainajan kainalosta ja kirjoittaa muistiin lämpötilan, kolmekymmentäkuusi pilkku kaksi astetta. Hän astuu kylpyhuoneeseen ja kurkistaa suihkuun. Hän katsoo wc-pönttöön ja roskakoriin. Pesuallas on kuiva eikä siinä näy verta eikä muitakaan epäpuhtauksia, mikä on epäilyttävää. Hän katsoo Marinoon.

"Olivatko käsineet tässä pesualtaassa?" hän kysyy.

"Olivat."

"Jos murhaaja riisui ne ammuttuaan naisen ja heitti ne tänne, niistä olisi jäänyt verta. Siitä verisestä käsineestä."

"Paitsi jos veri oli jo kuivunut."

"Ei sen olisi pitänyt kuivua", sanoo Scarpetta, avaa lääkekaapin ja löytää tuttuja alkemian rohtoja kipuihin ja särkyihin ja suolistovaivoihin. "Ellei murhaaja pitänyt niitä kädessä niin kauan että veri kuivui."

"Ei se kovin kauan kestä."

"Ei välttämättä. Missä ne käsineet ovat?"

He astuvat kylpyhuoneesta ja Marino ottaa laukusta ison ruskean kirjekuoren. Hän avaa sen niin että Scarpetta voi kurkistaa sisään koskematta käsineisiin. Toinen on puhdas, toinen osin nurin käännetty ja verinen. Veri on kuivunut tummanruskeaksi. Käsineissä ei ole talkkia sisäpinnalla ja puhdas käsine näyttää siltä kuin sitä ei olisi käytetty.

"Tutkitaan myös sisäpinnasta dna. Ja sormenjäljet", Scarpetta sanoo.

"Hän ei taida tietää että lateksikäsineiden sisäpintaankin jää jäljet", Marino sanoo.

"Siinä tapauksessa hän ei katso televisiota", sanoo eräs poliisi.

"Älä puhu siitä televisiosta tulevasta paskasta. Se pilaa minun elämäni", sanoo toinen poliisi joka on mahallaan puoliksi sängyn alla. Sitten: "Kas, kas."

Hän suoristautuu kädessään taskulamppu ja pieni teräsrevolveri, jossa on ruusupuukahva. Hän avaa rullan koskien metalliin mahdollisimman vähän.

"Tyhjä. Eipä ollut tästä naiselle paljon apua. Näyttää siltä ettei tällä ole ammuttu sen jälkeen kun tämä on viimeksi puhdistettu, jos on ammuttu koskaan", hän sanoo.

"Tutkitaan siitä silti sormenjäljet", sanoo Marino. "On siinäkin paikka piilottaa ase. Kuinka syvällä sängyn alla se oli?"

"Niin syvällä ettei siihen olisi ylettynyt käymättä lattialle mahalleen kuten minä äsken. Kaksikymmentäkaksikaliiperinen. Mikä hitto Black Widow on?"

"Ihanko totta?" Marino sanoo ja katsoo asetta. "North American Armsin kertalaukeava. Tavallaan sopivan alkeellinen ase mummulle jolla on reumaiset näpit."

"Hän on varmasti saanut sen joltakulta puolustusaseeksi eikä ole koskaan käyttänyt sitä."

"Onko missään näkynyt patruunalaatikkoa?"

"Ei ainakaan vielä."

Poliisi pudottaa revolverin näytepussiin, jonka hän asettaa lipaston päälle. Toinen poliisi käy läpi lipastolle nostamiaan lääkkeitä.

"Accuretic, Diurese ja Enduron", hän lukee etiketeistä. "Ei hajuakaan."

"Angiotensiinikonvertaasin estäjä ja diureetteja. Verenpaineeseen", Scarpetta sanoo.

"Verapamil, vanhentunut. Heinäkuulta."

"Verenpaineeseen, rasitusrintakipuun ja rytmihäiriöihin."

"Apresoline ja Loniten. Yli vuoden vanhoja."

"Verisuonia laajentavia aineita. Verenpainelääkkeitä nekin."

"Hän saattoi kuolla aivohalvaukseen. Vicodin. Sen minä tunnen. Ja Ultramin. Nämä ovat tuoreempia reseptejä."

"Särkylääkkeitä. Mahdollisesti niveltulehdukseen."

"Ja Zithromax. Sehän on antibiootti vai mitä? Päivätty joulukuulle."

"Eikö muuta?" Scarpetta kysyy.

"Ei."

"Kuka sanoi oikeuslääketieteen virastolle että hänellä oli masennusta?" Scarpetta kysyy katsoen Marinoon.

Aluksi kukaan ei vastaa.

Sitten Marino sanoo: "En ainakaan minä."

"Kuka soitti virastoon?" Scarpetta tivaa.

Poliisit ja Marino katsovat toisiaan.

"Helvetti!" Marino tuhahtaa.

"Maltahan", Scarpetta sanoo ja soittaa virastoon. Hän saa hallintopäällikön puhelimeen. "Kuka ilmoitti teille tästä haulikkokuolemasta?"

"Hollywoodin poliisi."

"Mutta kuka siellä?"

"Etsivä Wagner."

"Etsivä Wagner?" Scarpetta ihmettelee. "Mikä aika listaan on merkitty?"

"Öh, katsotaanpa. Neljätoista viisikymmentäseitsemän."

Scarpetta katsoo taas Marinoon ja kysyy: "Tiedätkö tarkkaan mihin aikaan sinä soitit minulle?"

Marino katsoo matkapuhelimestaan ja vastaa: "Neljätoista kaksikymmentäyksi."

Scarpetta vilkaisee kelloaan. Se on lähes kolme.

"Onko kaikki hyvin?" hallintopäällikkö kysyy puhelimesta.

"Näkyikö soittajan numero kun muka saitte soiton etsivä Wagnerilta?"

"Muka?"

"Ja soittaja oli nainen?"

"Oli."

"Kuulostiko hän erikoiselta?"

"Ei suinkaan", mies vastaa ja lisää hetken päästä: "Hän kuulosti uskottavalta."

"Äänsikö hän moitteettomasti?"

"Kay, mistä on kyse?"

"Ei mistään hyvästä ainakaan", vastaa Scarpetta.

"Minäpä vyörytän listaa. Tässä näin, neljätoista viisikymmentäseitsemän. Tuntematon numero."

"Niinpä tietenkin", Scarpetta sanoo. "Nähdään noin tunnin päästä."

Scarpetta kumartuu vuoteen ylle ja tutkii tarkkaan käsiä, kääntelee niitä hellästi. Hän on aina hellä, vaikka potilas ei enää tunnekaan mitään. Hän ei löydä naarmuja, haavoja eikä mustelmia, jotka voisivat viitata sitomiseen tai itsepuolustusvammoihin. Hän tarkistaa uudelleen suurennuslasin kanssa ja löytää kummastakin kämmenestä kuituja ja likaa.

"Hän saattoi olla jossain vaiheessa lattialla", Scarpetta sanoo kun Reba astuu huoneeseen kalpeana ja märkänä sateesta, ja silminnähden järkyttyneenä.

"Nämä kadut ovat kuin labyrintti", sanoo Reba.

"Kuule", sanoo Marino hänelle, "moneltako sinä soitit kuolinsyyntutkijalle?"

"Mistä asiasta?"

"Siitä mikä on munien kilohinta Kiinassa."

"Mitä?" Reba kysyy tuijottaen veristä sänkyä.

"Tästä tapauksesta", Marino sanoo äreästi. "Mitä helvettiä muutakaan minä voisin tarkoittaa? Ja mikset sinä hommaa autoon gps:ää?"

"En minä kuolinsyyntutkijalle soittanut. Miksi minä olisin soittanut kun hän seisoi minun vieressäni?" Reba vastaa katsoen Scarpettaa.

"Laitetaan käsiin ja jalkoihin pussit", Scarpetta sanoo. "Ja käärikää hänet tuohon päiväpeittoon ja puhtaaseen muoviin. Vuodevaatteet pitää ottaa myös mukaan."

Scarpetta astuu ikkunan luo josta näkee takapihalle ja kanavalle. Hän katsoo sateen piiskaamia sitruspuita ja miettii aiemmin näkemäänsä tarkastajaa. Mies oli tällä pihalla, hän on melko varma, ja hän yrittää muistaa tarkan ajan jolloin hän miehen näki. Hän tietää että sen jälkeen ei mennyt kauan kun hän kuuli pamauksen jota hän nyt epäilee laukaukseksi. Hän katselee vie-

lä hetken aikaa makuuhuonetta ja huomaa kaksi tummaa tah-
raa matossa kanavalle ja sitruspuille päin antavan ikkunan lä-
hellä.

Tahrat tuskin erottuvat tummansinisestä matosta, ja hän ot-
taa laukustaan verinäytepakkauksen, kemikaaleja ja pipettejä.
Matossa on kaksi tahraa ainakin kymmenen sentin päässä toi-
sistaan. Kumpikin on isohkon kolikon kokoinen ja soikea ja hän
painelee toista vanupuikolla, tiputtaa vanupuikkoon isopropa-
nolia, sitten fenoliftaleiinia ja sitten vetyperoksidia, ja se muut-
tuu kirkkaanpunaiseksi. Se ei vielä tarkoita että tahra olisi ihmi-
sen verta, mutta on hyvin mahdollista että se on.

"Jos se on naisen verta, miksi sitä on tuolla?" Scarpetta kysyy
itseltään.

"Ehkä se on takaroisketta", Reba ehdottaa.

"Se ei ole mahdollista."

"Pisarat eivät ole pyöreitä", sanoo Marino. "Näyttää siltä että
verenvuotaja oli melkein pystyssä."

Hän etsii näkyykö tahroja lisää.

"Aika erikoista että ne ovat siinä ja että niitä ei ole muualla.
Luulisi tippoja olevan enemmän, jos henkilö vuoti verta", Mari-
no sanoo sitten kuin Reba ei olisi huoneessa.

"Niitä ei tahdo erottaa näin tummasta ja karheasta pinnasta",
Scarpetta sanoo. "En kuitenkaan näe muita."

"Pitäisiköhän käydä hakemassa Luminol." Marino puhuu
edelleen Rebasta piittaamatta, ja kiukku alkaa näkyä Reban kas-
voilla.

"Meidän pitää saada näyte näistä mattokuiduista kun tekni-
kot tulevat", Scarpetta sanoo kaikille.

"Imuroikaa matto ja etsikää hivenet", Marino lisää välttäen
Reban tuijotuksen.

"Minun pitää saada sinulta lausunto ennen kuin lähdet, sinä-
hän hänet löysit", Reba sanoo Marinolle. "Minä en ymmärrä ke-
nen luvalla sinä marssit noin vain hänen taloonsa."

Marino ei vastaa. Rebaa ei ole olemassa.

"Mitäs jos astutaan kahdestaan hetkeksi ulos jotta minä saan
kuulla mitä sanottavaa sinulla on?" Reba ehdottaa Marinolle.
"Mark?" hän sanoo eräälle poliisille. "Viitsitkö tutkia onko etsi-
vä Marinon käsissä ruudinjälkiä?"

"Painu vittuun", sanoo Marino.

Scarpetta tunnistaa hänen äänensä uhkaavan möreyden. Yleensä se enteilee isoa purkausta.

"Pelkkä muodollisuus", Reba selittää. "Tiedän ettet sinä halua kenenkään syyttävän sinua mistään."

"Öh, Reba", sanoo poliisi nimeltä Mark. "Meillä ei ole ruutipuikkoja mukana. Teknikkojen pitää hoitaa se."

"Missä pirussa he viipyvät?" kysyy Reba ärtyneenä ja häpeissään, hän on vielä kovin uusi tässä työssä.

"Marino", Scarpetta sanoo. "Mitä jos ottaisit selvää siitä muuttofirmasta? Kysy missä vaiheessa he tulevat."

"En malta olla kysymättä", sanoo Marino astuen niin lähelle Rebaa että tämän on pakko perääntyä askel. "Monessako murhassa sinä olet ollut mukana ainoana etsivänä?"

"Sinun on poistuttava", sanoo Reba. "Sinun ja tohtori Scarpettan. Jotta me voimme aloittaa sormenjälkien ja hiukkastodisteiden etsinnän."

"Vastaus on nolla", Marino jatkaa. "Et ole ollut mukana yhdessäkään." Hän korottaa ääntään. "Jos plaraat muistiinpanoja, jotka teit Etsiväntyötä idiooteille -kurssilla, saatat huomata että ruumis kuuluu oikeuslääkärin vastuulle eli juuri tällä istumalla tohtori Scarpetta on ruorissa etkä sinä. Ja koska minä satun kuin satunkin olemaan kaikkien lukuisien hienojen tittelieni ohessa myös virallinen kuolinpaikantutkija ja avustan tohtori Scarpettaa tarpeen mukaan, sinä et voi komennella minuakaan."

Virkapukuiset poliisit yrittävät hillitä nauruaan.

"Mikä kaikki voidaan tiivistää yhteen hyvin tärkeään tosiasiaan", jatkaa Marino. "Minä ja tohtori olemme tällä hetkellä vastuulliset henkilöt täällä etkä sinä tiedä mistään hevon persettä ja olet vain tiellä."

"Sinä et voi puhua minulle noin!" Reba huudahtaa kyynelten partaalla.

"Voisiko joku teistä kutsua paikalle oikean etsivän?" Marino kysyy virkapukuisilta poliiseilta. "Minä en nimittäin lähde mihinkään ennen kuin kutsutte."

31

Benton istuu työhuoneessaan kuvantamislaboratorion ensimmäisessä kerroksessa. Laboratorio on yhdessä harvoista nykyaikaisista rakennuksista noin sadan hehtaarin laajuisella kampuksella, jossa on satavuotiaista tiili- ja kivitaloja, hedelmäpuita ja lampia. Bentonin huone eroaa useimmista muista McLeanin työhuoneista siinä, että sieltä ei ole kaunista näkymää; suoraan ikkunan edessä on invapysäköintipaikka, sen takana tie ja sitten kanadanhanhien suosima nurmikko.

Hänen huoneensa on pieni ja täynnä paperipinoja ja kirjoja. Huone on H-kirjaimen muotoisen laboratorion keskellä. Laboratorion kussakin nurkassa on magneettikuvauslaite, joiden magneettien yhteenlaskettu voima riittäisi vetämään junan kiskoilta. Hän on ainoa oikeuspsykologi, jolla on työhuone laboratoriossa. Hänen on Peto-tutkimuksen vuoksi oltava nopeasti neurologian tutkijoiden käytettävissä.

Hän ottaa puhelimella yhteyden tutkimuskoordinaattoriinsa.

"Joko meidän tuorein normaalitapauksemme on ilmoittautunut?" Benton katsoo ikkunasta kahta hanhea jotka astelevat vaappuen tien viertä. "Kenny Jumper?"

"Hetkinen, joku soittaa juuri. Se saattaa olla Jumper." Sitten: "Tohtori Wesley? Hän on linjalla."

"Hyvää iltapäivää, Kenny", Benton tervehtii. "Tohtori Wesley täällä. Mitä kuuluu?"

"Ei ihmeempiä."

"Kuulostat flunssaiselta."

"Saattaa olla allergiaa. Minä silitin yhtä kissaa."

"Kenny, minulla olisi lisää kysymyksiä", Benton sanoo ja katsoo puhelinseulontalomaketta.

"Johan te kysyitte vaikka mitä."

"Nämä ovat eri kysymyksiä. Rutiinikysymyksiä. Me esitämme samat kaikille tutkimukseemme osallistuville."

"Selvä."

"Ensinnäkin: mistä sinä soitat?" kysyy Benton.

"Puhelinkopista. Tänne ei voi soittaa. Minun pitää soittaa teille."

"Eikö sinulla ole kotona puhelinta?"

"Kuten jo sanoin, minä olen yhden kaverin luona täällä Walthamissa eikä hänellä ole puhelinta."

"Hyvä on, Kenny. Minä haluan varmistaa pari asiaa jotka sinä kerroit minulle eilen. Sinä olet naimaton."

"Joo."

"Kaksikymmentäneljävuotias."

"Joo."

"Valkoinen."

"Joo."

"Kenny, oletko sinä vasen- vai oikeakätinen?"

"Oikeakätinen. Minulla ei ole ajokorttia, jos tarvitsette henkkarin."

"Ei haittaa", Benton sanoo. "Se ei ole tarpeen."

Siinä ei vielä ollut koko totuus. On potilaiden yksityissyyden suojan loukkaamista pyytää henkilötodistusta, valokuvata potilaita tai tavalla tai toisella yrittää varmistaa heidän henkilöllisyytensä. Benton käy lomakkeen kysymykset läpi tiedustellen Kennyltä mahdollisista tekohampaista ja hammasraudoista, istutteista, proteeseista, metallilevyistä tai -nastoista. Hän kysyy mistä hän saa toimeentulonsa. Hän kysyy onko Kennyllä muitakin allergioita kuin kissaherkkyys, hengitysvaikeuksia, kroonisia sairauksia ja lääkitystä, ja onko hän koskaan saanut päähän vammaa tai ajatellut itsemurhaa tai väkivaltaa toisia kohtaan, tai onko hän tällä hetkellä terapiassa tai ehdonalaisessa. Tyypillisesti vastaukset ovat kielteisiä. Yli kolmannes normaaleiksi verrokeiksi tarjoutuvista vapaaehtoisista on karsittava tutkimuksesta, koska he ovat kaikkea muuta kuin normaaleja. Toistaiseksi Kenny kuitenkin vaikuttaa lupaavalta.

"Millaiset juomatavat sinulla on ollut viime kuukauden kuluessa?" Benton jatkaa listan läpikäymistä vihaten jokaista hetkeä.

Puhelinseulonta on pitkäpiimäistä ja konemaista. Mutta jos hän ei tee sitä itse, hän joutuu joka tapauksessa tarttumaan puhelimeen, sillä hän ei luota tutkimusassistenttien ja muun kouluttamattoman työvoiman keräämiin tietoihin. Ei ole mitään järkeä poimia kadulta potentiaalista koehenkilöä ja huomata lukemattomien seulontaan, haastatteluihin, neurokognitiivisiin kokeisiin, aivojen kuvantamiseen ja laboratoriotutkimuksiin käytettyjen tuntien jälkeen, että hän on sopimaton tai labiili, tai jopa vaarallinen.

"No ehkä pari kaljaa silloin tällöin", selittää Kenny. "Minä en pahemmin juo. Enkä polta. Milloin voin aloittaa? Ilmoituksessa sanottiin että palkkio on kahdeksansataa ja että te maksatte taksin. Minulla ei ole autoa. Eli minulla ei ole kyytiä, ja nappula kyllä kelpaisi."

"Tulisitko perjantaina? Kahdelta. Sopisiko aika sinulle?"

"Siihen magneettihommaan?"

"Siihen juuri. Skannaukseen."

"Ei käy. Torstaina viideltä. Voinko minä tulla torstaina viideltä?"

"Hyvä on sitten. Torstaina viideltä." Benton kirjoittaa ajan muistiin.

"Te voitte lähettää taksin."

Benton lupaa lähettää taksin ja pyytää osoitteen. Kennyn vastaus saa hänet ymmälleen. Kenny käskee Bentonin lähettää taksin Alpha & Omegan hautaustoimistoon Everettiin. Benton ei ole kuullutkaan tällaisesta hautaustoimistosta, mutta Everett on kaikkea muuta kuin hyvämaineinen lähiö hieman Bostonin ulkopuolella.

"Miksi hautaustoimistoon?" kysyy Benton ja naputtaa kynällä lomaketta.

"Se on tässä lähellä. Siellä on puhelinkoppi."

"Kenny, soita minulle huomenna jotta voimme vahvistaa että tulet ylihuomenna torstaina viideltä. Jooko?"

"Selvä. Minä soitan tästä samasta kopista."

Wesley lopettaa puhelun ja soittaa numerotiedusteluun kysyäkseen, onko Everettissä hautaustoimistoa nimeltä Alpha & Omega. Onhan siellä. Hän soittaa sinne ja hänet pannaan pitoon kuuntelemaan Hooberstankin kappaletta nimeltä Syy.

Minkä syy? hän ajattelee kärsimättömästi. Kuolemanko?

"Benton?"

Hän nostaa katseensa pöydästä ja näkee ovella tohtori Susan Lanen jolla on papereita kädessä.

"Hei", sanoo Benton ja katkaisee puhelun.

"Minulla on kerrottavaa kaveristasi Basil Jenrettesta", sanoo Lane katsoen häntä tarkkaan. "Sinä näytät stressatulta."

"Milloin en näyttäisi? Joko analyysi on valmis?"

"Benton, kannattaisikohan sinun mennä kotiin? Sinä näytät väsyneeltä."

"Päässä pyörii yhtä ja toista. Olen valvonut liikaa. Kerrohan miten meidän kelpo Basilimme aivot raksuttavat. Maltan tuskin odottaa", sanoo Benton.

Lane ojentaa hänelle jäljennöksen aivojen rakenne- ja toimintatutkimuksesta ja alkaa selittää: "Mantelitumakkeen toiminta vilkastui affektiivisten ärsykkeiden vaikutuksesta. Varsinkin kasvojen, sekä näkyvien että peitettyjen, joiden ilme oli pelokas tai joissa oli negatiivista sisältöä."

"Se piirre on edelleenkin mielenkiintoinen", sanoo Benton. "Se saattaa joskus vielä kertoa meille, miten he valitsevat uhrinsa. Ilme, jonka me tulkitsemme yllättyneeksi tai uteliaaksi, saattaa heistä vaikuttaa vihaiselta tai pelokkaalta. Ja se näyttää toimivan laukaisevana tekijänä."

"Aika huolestuttava ajatus."

"Minun on paneuduttava siihen syvemmin kun jututan heitä. Aloittaen hänestä."

Hän avaa vetolaatikon ja ottaa esiin Aspirin-purkin.

"Katsotaanpa. Stroopin interferenssitehtävässä", Lane sanoo silmäillen lomaketta, "hänellä ilmeni aktiviteetin laskua pihtipoimussa isoaivojen mediaalipinnalla ja siihen liittyen vähentynyttä dorsolateraalista prefrontaaliaktiviteettia."

"Tiivistä, Susan. Päätäni särkee."

Benton karistaa kämmeneensä kolme tablettia ja nielaisee ne ilman vettä.

"Miten ihmeessä sinä pystyt tuohon?"

"Harjoitus tekee mestarin."

"Niin." Lane keskittää huomionsa Basilin aivojen analyysiin. "Kaiken kaikkiaan löydökset kuvastavat poikkeavaa yhteyttä frontaali- ja limbisten rakenteiden välillä, mikä viittaa poikkeavaan reaktioinhibointiin, joka saattaa johtua eräiden otsalohkon välittämien prosessien vajavuuksista."

"Toisin sanoen hänen kykynsä tarkkailla ja ehkäistä käyttäytymistä olisi puutteellinen", sanoo Benton. "Sitä ilmenee monilla Butlerista tulevilla viehättävillä vieraillamme. Sopiiko se yhteen kaksisuuntaisen mielialahäiriön kanssa?"

"Ilman muuta. Sen ja muiden psykiatristen sairauksien."

"Odotatko hetken?" Benton kysyy tarttuessaan luuriin. Hän valitsee tutkimuskoordinaattorinsa alanumeron.

"Voitko katsoa tulevien puheluiden luettelostasi mistä numerosta Kenny Jumper soitti?" hän pyytää.

"Soittajan numero tuntematon."

"Hmmm", sanoo Benton. "Minun tietääkseni puhelinkoppien numeron näyttöä ei ole estetty."

"Minä olin juuri yhteydessä Butleriin", koordinaattori sanoo. "Basililla on kuulemma vaikeaa. Hän haluaisi sinun käyvän siellä."

Kellon on puoli kuusi illalla ja Browardin piirikunnan oikeuslääkärin laboratorion ja viraston pysäköintialue on lähes autio. Työntekijät, varsinkaan hallinnolliset, eivät juuri koskaan jää ruumishuoneelle virallisen työajan päätyttyä.

Virasto on 31. Avenuella verraten harvaan rakennetulla alueella, missä kasvaa paljon palmuja, tammia ja mäntyjä ja missä on siellä täällä muutama parakkimainen valmistalo. Yksikerroksinen virasto on tyypillinen eteläfloridalaisen arkkitehtuurin edustaja, stukkoa ja chatahooci -kiveä. Sen takana on kapea murtovesikanava, jossa kuhisee hyttysiä ja vierailee ajoittain alligaattoreita, vaikkei niillä ole sinne mitään asiaa. Ruumishuoneen vieressä on piirikunnan palokunta ja pelastuspalvelu, jonka ensihoitajat saavat naapurista jatkuvan muistutuksen siitä, mihin heidän vähemmän onnekkaat potilaansa joutuvat.

Sade on melkein lakannut, ja lätäköitä saa jatkuvasti väistellä, kun Scarpetta ja Joe kävelevät hopeanvärisen Hummer H2:n luo. Se ei ollut Scarpettan ensisijainen valinta mutta sillä pääsee vaikeassakin maastossa murhapaikoille ja siinä on tilaa varusteille. Hummerit ovat Lucyn mieleen. Scarpetta on aina huolissaan siitä mihin niin leveän maasturin saa pysäköidyksi.

"Minun päähäni ei mahdu miten joku onnistui kävelemään taloon haulikon kanssa keskellä päivää", sanoo Joe, kuten on sanonut moneen kertaan jo puolentoista tunnin ajan. "Jostain pystyy varmasti päättelemään, oliko se katkaistu."

"Jos piipunsuuta ei ollut hiottu sahaamisen jälkeen, tulpassa voi olla työstöjälkiä", sanoo Scarpetta.

"Mutta jälkien puuttuminen ei tarkoita, etteikö piippua ollut katkaistu."

"Juuri niin."

"Koska hän on saattanut hioa katkaistun piipun. Siinä tapauksessa me emme pystyisi mitenkään päättelemään suuntaan tai toiseen löytämättä asetta. Kaksitoistakaliiperinen se on. Se ainakin tiedetään."

Sen he tietävät muovisesta Remington Power Piston -tulpasta, jonka Scarpetta irrotti Daggie Simisterin räjähtäneestä päästä. Sen lisäksi on vain muutama muu asia, joista Scarpetta on aivan varma, esimerkiksi se, miten rouva Simisterin kimppuun käytiin. Ruumiinavauksessa ilmeni, että se oli tapahtunut eri tavalla kuin kaikki luulivat. Rouva Simister olisi saattanut kuolla pian joka tapauksessa, vaikkei häntä olisi ammuttu. Scarpetta on melko varma, että rouva Simister oli tajuton, kun murhaaja pisti haulikon piipun hänen suuhunsa ja puristi liipaisinta. Sitä ei ollut helppo päätellä.

Isot päänvammat voivat kätkeä haavoja, joita uhri on saanut ennen lopullista, silpovaa vammaa. Oikeuspatologiassa joudutaan joskus käyttämään plastiikkakirurgiaa, ja Scarpetta teki ruumishuoneella voitavansa korjatakseen rouva Simisterin pään sovittamalla yhteen luun ja hiuspohjan paloja ja ajamalla sitten pään kaljuksi. Näin hän löysi takaraivosta haavan ja kallosta murtuman. Osumakohta kävi yksiin kovakalvonalaisen verenpurkauman kanssa. Se oli aivoissa tällä kohden ja oli jäänyt verraten ehjäksi haulikon laukauksesta huolimatta.

Jos ilmenee, että rouva Simisterin makuuhuoneen ikkunan luona olleen maton tahrat ovat hänen omaa vertaan, on todennäköistä, että hänen kimppuunsa käytiin juuri siinä. Se selittäisi myös hänen kämmentensä sinertävät kuidut ja mullan. Häntä iskettiin takaapäin tylpällä esineellä ja hän lyyhistyi matolle. Sitten hyökkääjä nosti hänet lattialta, kaikki hänen nelisenkymmentä kiloaan, ja nosti hänet vuoteelle.

"Sahattu haulikkohan mahtuu kevyesti reppuun", sanoo Joe.

Scarpetta osoittaa kaukoavaimella Hummeria, avaa ovilukot ja sanoo väsyneesti: "Ei välttämättä."

Joe saa hänet väsymään. Hän käy hermoille päivä päivältä enemmän.

"Vaikka piipusta sahaisi puoli metriä ja tukista viisitoista senttiä", Scarpetta huomauttaa, "haulikko on vielä ainakin noin puolen metrin mittainen. Jos siis puhutaan automaattihaulikosta."

Hän ajattelee sitrustarkastajan isoa mustaa pussia.

"Jos taas puhutaan pumppuhaulikosta, se on todennäköisesti vielä pitempi", hän lisää. "Kumpikaan ei mahdu reppuun, korkeintaan rinkkaan."

"Sitten hänellä täytyi olla kantokassi."

Scarpetta ajattelee sitrustarkastajaa ja pitkää poimuria, jonka hän purki osiin ja pakkasi mustaan pussiin. Hän on nähnyt sitrustarkastajia ennenkin eikä muista heidän käyttäneen poimuria. Yleensä he tutkivat käden ulottuvilla olevia hedelmiä ja lehtiä.

"Hänellä oli varmasti kantokassi", sanoo Joe.

"Minulla ei ole aavistustakaan." Scarpettan tekisi mieli ärähtää hänelle.

Joe hölötti ja esitelmöi koko ruumiinavauksen ajan, kunnes Scarpetta oli haljeta kiukusta. Joe katsoi tarpeelliseksi sanoa ääneen kaiken mitä teki, kaiken mitä kirjoitti kaavakkeeseen. Hän piti aiheellisena kertoa hänelle jokaisen elimen painon ja päätellä rouva Simisterin mahalaukussa olevan osittain sulaneen lihan ja kasvisten perusteella, milloin tämä oli syönyt viimeksi. Joe piti huolen siitä, että Scarpetta kuuli kalkkikasautumien rusahduksen, kun hän avasi ahtautuneita sepelvaltimoita leikkausveitsellä ja ilmoitti, että rouva Simister oli saattanut kuolla valtimonkovetustautiin.

Hah hah.

Eikä rouva Simisterillä ollut Joen mielestä hääppöiset ajat edessä muutenkaan. Hänellä oli heikko sydän. Keuhkoissa oli kiinnikkeitä luultavasti vanhasta keuhkokuumeesta ja aivot olivat hieman kutistuneet joten hänellä oli luultavasti Alzheimerin tauti.

Murhatulle ei ole mitään haittaa huonosta terveydestä, sanoi Joe.

"Minä veikkaan että mies kumautti häntä haulikon tukilla takaraivoon", hän sanoo nyt. "Tällä lailla."

Hän heilauttaa kuvitteellisen haulikon perän kuvitteelliseen päähän.

"Nainen oli korkeintaan noin sataviisikymmentäsenttinen", Joe jatkaa kuvitelmaansa. "Joten miehen täytyi olla kohtalaisen vahva ja häntä pitempi, jotta hän pystyi kopauttamaan häntä päähän aseella, joka painaa sanotaan kolme tai kolme ja puoli kiloa."

"Ei meillä ole perusteita sellaiseen päätelmään", sanoo Scarpetta ajaessaan pysäköintialueelta pois. "Paljon riippuu siitä, missä mies oli häneen nähden. Ja monista muista tekijöistä. Emmekä me edes tiedä että naista isketiin haulikolla. Me emme tiedä oliko murhaaja mies. Ole varovainen, Joe."

"Mitä minun pitää varoa?"

"Sinä olet niin tohkeissasi, kun yrität ennallistaa miten ja miksi rouva Simister kuoli, että saatat sekoittaa teorian ja totuuden ja sepittää faktoista fiktiota. Nyt ei olla helvettitilanteessa. Nyt puhutaan oikeasta ihmisestä joka on oikeasti kuollut."

"Ei luovassa ajattelussa mitään pahaa ole", sanoo Joe tuijottaen eteensä suu kireänä ja leuka koholla kuten aina ottaessaan nokkiinsa.

"Luova ajattelu on hyväksi avuksi", sanoo Scarpetta. "Sen avulla voi keksiä, mistä etsiä ja mitä, mutta sen avulla ei ole viisasta sepittää sellaisia ennallistuksia kuin elokuvissa ja televisiossa."

32

Pieni vierasmaja on espanjalaisilla koristekaakeleilla päällystetyn uima-altaan takana hedelmäpuiden ja kukkapensaiden keskellä. Se on erikoinen paikka ottaa vastaan potilaita, ei varmastikaan paras mahdollinen paikka keskustella heidän kanssaan, mutta se on runollinen ja täynnä symboliikkaa. Sateella tohtori Marilyn Self tuntee itsensä luovaksi kuin lämmin, märkä maa.

Yleensä hän tulkitsee sään ilmentävän sitä, mitä tapahtuu potilaan astuessa ovesta sisään. Torjutut tunteet pääsevät valloilleen hänen turvallisessa terapiaympäristössään. Sään oikkuja näkyy kaikkialla hänen ympärillään ja ne on tarkoitettu hänen tulkittavakseen. Ne ovat täynnä merkitystä ja osviittoja.

Tervetuloa minun myrskyyni. Puhutaanpa nyt sinun myrskystäsi.

Se on hyvä aloitus ja hän käyttää sitä usein vastaanotollaan ja radio-ohjelmassaan, ja nyt myös televisio-ohjelmassaan. Ihmisen tunne-elämä on kuin hänen oma sisäinen ilmastonsa, hän selittää potilailleen ja lukuisille kuulijoilleen. Jokaiseen matalapaineen alueeseen on jokin syy. Mikään ei synny itsestään. Säästä puhuminen ei ole joutavaa eikä latteaa.

"Minä näen sinun ilmeesi", hän sanoo nahkatuolista, jossa hän istuu kodikkaaseen olohuonetyyliin sisustetulla vastaanotollaan. "Sinulle tuli taas tuo ilme kun sade lakkasi."

"Enkö minä ole jo sanonut ettei minulla mitään ilmettä ole?"

"On mielenkiintoista, että sinulle tulee tuo ilme kun sade lakkaa. Sinulla ei ole sitä kun alkaa sataa eikä edes silloin kun sataa kaatamalla, vaan ainoastaan sateen yhtäkkiä lakattua, kuten juuri nyt", hän sanoo.

"Ei minulla mitään ilmettä ole."

"Hetki sitten sade lakkasi ja sinulla on kasvoillasi tuo ilme", sanoo tohtori Self taas. "Sinulle tulee sama ilme kun aika loppuu."

"Eikä tule."

"Usko minua."

"Minä en halua maksaa kolmeasataa tunnilta säästä puhumisesta. Ei minulla mitään ilmettä ole."

"Pete, minä kerron mitä minä näen omin silmin."

"Ei minulla mitään ilmettä ole", sanoo Pete Marino nojatuolista tohtori Selfiä vastapäätä. "Se on paskapuhetta. Miksi minä jostain kaatosateesta välittäisin? Olenhan minä nähnyt niitä koko ikäni. En minä ole aavikolla syntynyt."

Tohtori Self tutkii hänen kasvojaan. Marino on varsin komea hyvin karkean maskuliinisella tavalla. Hän luotaa Marinon harmaita silmiä jotka ovat metallisankalasien takana. Marinon kaljuuntuva pää tuo hänelle mieleen pikkulapsen pepun, se on kalpea ja alaston huoneen himmeässä lampunvalossa. Marinon paljas pyöreä päälaki on herkkä takapuoli, joka odottaa vitsaa.

"Minusta tuntuu että meillä on luottamuspula", sanoo tohtori Self.

Marino katsoo häntä vihaisena tuoliltaan.

"Kerropa minulle, Pete, miksi sinä välität kaatosateista ja niiden loppumisesta. Minä nimittäin uskon että sinä välität. Ja sinulla on taas se ilme kasvoillasi juuri nytkin. Usko pois. Sinulla on se vieläkin", tohtori Self sanoo.

Marino koskettaa kasvojaan kuin naamaria, kuin kasvot eivät olisi hänen omansa.

"Minun ilmeeni on normaali. Ei siihen tarvitse puuttua."

Hän naputtaa jämerää leukaansa. Hän naputtaa isoa otsaansa.

"Jos minulla olisi jokin ilme, tietäisin kyllä. Ei minulla ole."

He ovat olleet viime minuutit vaiti ajaessaan takaisin Hollywoodin poliisilaitoksen pysäköintialueelle, jossa Joe voi siirtyä punaiseen Corvetteensa ja jättää Scarpettan rauhaan lopuksi päivää.

Sitten Joe sanoo yhtäkkiä: "Joko minä kerroin että sain sukelluslupakirjan?"

"Onnittelut", sanoo Scarpetta viitsimättä teeskennellä välittävänsä.

"Aion ostaa osakkeen Caymansaarilta. No en ihan. Me ostamme sen tyttökaverin kanssa yhdessä. Hän tienaa paremmin", Joe kertoo. "Eikö ole ihme? Minä olen lääkäri ja hän on juristin assistentti, ei edes kunnon juristi, ja silti hän vetää parempaa palkkaa."

"En ole koskaan ajatellut että olisit ryhtynyt oikeuspatologin ammattiin rikastuaksesi."

"En rikastuakseni mutta en myöskään pysyäkseni köyhänä."

"Siinä tapauksessa sinun kannattaa harkita uranvaihtoa."

"Te ette näytä elävän puutteessa."

Joe kääntyy häneen päin kun Scarpetta pysähtyy punaisiin valoihin. Hän tuntee Joen tuijotuksen.

"Ei taida olla pahitteeksi jos siskontyttö on rikas kuin Bill Gates", Joe lisää. "Ja mieskaveri on jotain rikasta sukua Uudesta-Englannista."

"Mitä sinä oikein vihjailet?" kysyy Scarpetta ja ajattelee Marinoa.

Hän ajattelee Marinon helvettitilanteita.

"Että on helppoa olla piittaamatta rahasta jos sitä on rutkasti. Ja että te ette ole itse tienannut sitä."

"Minun raha-asiani eivät kuulu sinulle, mutta jos tässä ammatissa jatkaa niin kauan kuin minä ja toimii fiksusti, tulee ihan hyvin toimeen."

"Riippuu siitä mitä toimeentulemisella tarkoitetaan."

Scarpetta miettii miten vakuuttavalta Joe kuulosti paperilla. Kun hän haki Akatemiasta stipendiä, Scarpettasta tuntui että hän saattaisi olla lupaavin stipendiaatti jonka hän on koskaan kohdannut. Hän ei ymmärrä miten hän saattoi erehtyä niin pahasti.

"Kaikki joita minä olen Akatemiassa seurannut tulevat toimeen enemmän kuin hyvin", sanoo Joe ja hänen äänensävynsä muuttuu ilkeämmäksi. "Jopa Marino nettoaa paremmin kuin minä."

"Mistä sinä tiedät mitä hän tienaa?"

Hollywoodin poliisilaitos on edessä vasemmalla, kolmikerroksinen elementtitalo niin lähellä yleistä golfkenttää että harhalyönnit lentävät joskus aidan yli ja pallot kopsahtelevat poliisiautoihin. Hän näkee Joen rakkaan, punaisen Corvetten kaukana aidasta ja lentelevistä golfpalloista.

"Kaikilla on jonkinlainen haarukka siihen mitä toiset tienaavat", sanoo Joe. "Palkat ovat julkisia."

"Eivätkä ole."

"Ei näin pienessä puljussa mikään salassa pysy."

"Ei Akatemia nyt niin pieni ole, ja on paljon asioita, joiden kuuluu pysyä luottamuksellisina. Palkat ovat yksi esimerkki."

"Minun pitäisi saada parempaa palkkaa. Marino ei ole edes lääkäri. Hän selvisi nipin napin lukiosta ja tienaa silti paremmin kuin minä. Ja Lucy vain poukkoilee siellä täällä Ferrareillaan, helikoptereilla, suihkukoneilla ja moottoripyörillä leikkimässä salaista agenttia. Minä haluan kuulla, mitä ihmettä hän tekee ansaitakseen ne kaikki. Iso kiho, supernainen, mielettömän ylimielinen, mielettömän täynnä itseään. Ei ihme että opiskelijat inhoavat häntä."

Scarpetta pysäyttää autonsa Joen Corvetten taakse ja kääntyy häneen päin kasvot totisempina kuin Joe on koskaan nähnyt.

"Joe?" hän sanoo. "Sinulla on kuukausi jäljellä. Yritetään selvitä siitä."

Tohtori Selfin asiantuntijamielipide on, että Marinon tämänhetkisen elämäntilanteen suurimpien ongelmien syynä on ilme, joka hänen kasvoillaan paraikaa on.

Marinon elämää hankaloittaa kuitenkin varsinaisesti tämän

negatiivisen ilmeen kätkeminen eikä itse ilme. Hänen elämänsä on toki jo muutenkin tarpeeksi hankalaa. Kunpa hän vain ei yrittäisi kätkeä salaisia pelkojaan, inhojaan, hylätyksi jäämisen arpiaan, seksuaalista epävarmuuttaan, rasistisia taipumuksiaan ja muita torjuttuja negatiivisia tunteitaan. Tohtori Self tunnistaa hänen suunsa ja silmiensä kireyden, mutta muut ihmiset eivät välttämättä tulkitse niitä oikein, ainakaan tietoisella tasolla. Alitajuisesti he sen sijaan huomaavat ne ja reagoivat niihin.

Marino joutuu usein haukkumisen, töykeyden, vilpillisyyden, torjunnan ja luottamuksen pettämisen uhriksi. Hänelle tulee välillä käsikähmää toisten kanssa. Hän väittää tappaneensa useita ihmisiä vaativalla ja vaarallisella urallaan. On selvää, että kaikki ne, jotka harkitsemattomuuttaan käyvät hänen kimppuunsa, kokevat karvaan yllätyksen. Mutta Marino ei itse näe asiaa niin. Hänen mielestään ihmiset näykkivät häntä ilman hyvää syytä. Osa vihamielisyydestä liittyy hänen työhönsä, hän väittää. Suurin osa hänen ongelmistaan juontuu syrjinnästä, sillä hän on kotoisin köyhistä oloista New Jerseystä. Usein hän sanoo ettei hän voi ymmärtää miksi ihmiset ovat kohdelleet häntä paskamaisesti hänen koko ikänsä.

Viime viikkoina hänellä on ollut tavallista vaikeampaa. Tänä iltapäivänä aivan erityisesti.

"Puhutaanpa New Jerseystä nämä viime minuutit jotka meillä on jäljellä." Tohtori Self muistuttaa häntä tahallaan siitä että aika loppuu pian. "Viime viikolla mainitsit New Jerseyn useita kertoja. Mitä mieltä olet, miksi New Jerseyllä on vielä merkitystä?"

"Jos olisit kasvanut New Jerseyssä tietäisit miksi", sanoo Marino, ja hänen ilmeensä voimistuu.

"Pete, ei tuo käy vastauksesta."

"Isäukko oli juoppo. Me asuttiin köyhässä korttelissa. Minua katsotaan vieläkin sillä silmällä että minä olen New Jerseystä. Siitä se alkaa."

"Jospa se johtuu sinun ilmeestäsi, Pete, eikä heistä", yrittää tohtori Self taas. "Ehkä se alkaa sinusta."

Puhelinvastaaja naksahtaa tohtori Selfin nahkatuolin viereisellä pöydällä ja Marinon kasvoille leviää tuttu ilme, nyt hyvin voimakkaana. Hän ei pidä siitä että puhelin keskeyttää heidän istuntonsa, vaikkei tohtori edes vastaisi. Marino ei käsitä miksi tohtori vielä käyttää vanhaa tekniikkaa eikä äänetöntä puhepostia, joka ei naksahda kun siihen jätetään viesti eikä ole ärsyttävä ja tungetteleva. Hän huomauttaa tästä usein tohtori Selfille. Tohtori vilkaisee vaivihkaa kelloaan, isoa kultakelloa jonka roomalaiset numerot hän näkee ilman lukulaseja.

Aika loppuu kahdentoista minuutin päästä. Pete Marinolla on ongelmia loppujen kanssa, päätösten kanssa, kaiken joka on ohi, finito, mennyttä tai kuollutta. Ei ole sattuma että tohtori Self sopii Marinon ajat iltapäivän lopulle, mieluiten viiden paikkeille jolloin alkaa hämärtää tai iltapäivän ukkossateet lakkaavat. Marino on mielenkiintoinen tapaus. Tohtori Self ei ottaisi häntä vastaan ellei hän olisi. On vain ajan kysymys kun tohtori suostuttelee hänet vierailevaksi potilaaksi koko maassa lähetettävään radio-ohjelmaansa tai jopa uuteen televisio-ohjelmaansa. Marino tekisi vaikutuksen kameran edessä. Hän olisi paljon parempi kuin se hiirulaisen näköinen ja typerä tohtori Amos.

Tohtori Selfillä ei ole vielä ollut ohjelmassa poliisia. Kun hän oli vierailevana luennoijana Rikostutkimusakatemian kesälukukaudella ja istui eräänä iltana hänen kunniakseen järjestetyllä päivällisellä Marinon vieressä, hänen mielessään kävi että Marino olisi kiehtova radiovieras, mahdollisesti useammankin lähetyksen veroinen. Oli selvää, että Marino tarvitsi terapiaa. Hän joi liikaa. Hän juopotteli jopa tohtori Selfin nähden, tilasi neljä bourbonia. Hän oli tupakoija. Tohtori Self haistoi sen hänestä. Hän oli mässäilijä, ahmi kolme jälkiruokaa. Kun he tapasivat, Marino pursui itsetuhoa ja itseinhoa.

Minä voin auttaa sinua, tohtori Self sanoi hänelle sinä iltana.

Missä asiassa? Marino reagoi kuin tohtori olisi kahmaissut häntä pöydän alta.

Myrskyjesi kanssa, Pete. Sinun sisäisten myrskyjesi. Kerro niistä! Minä sanon sinulle saman kuin olen sanonut kaikille näille fiksuille nuorille opiskelijoille. Sinä pystyt taltuttamaan myrskysi. Sinä pystyt tekemään itsellesi sellaisen sään kuin haluat. Sinä voit valita myrskyn tai auringonpaisteen. Sinä voit kyyristyä piiloon tai kävellä selkä suorana kaikkien nähden.

Minun työssäni ei parane kävellä selkä suorana kaikkien nähden, sanoi Marino.

Pete, en minä sinulle kuolemaa toivo. Sinä olet iso, fiksu, komea mies. Sinun kuuluu elää pitkään.

Ethän sinä edes tunne minua.

Minä tunnen sinut paremmin kuin arvaatkaan.

Marino rupesi käymään hänen vastaanotollaan. Ei mennyt kuukauttakaan kun hän vähensi juopottelua ja tupakointia ja laihtui viisi kiloa.

"Ei minulla ole sitä ilmettä juuri nyt. Minä en tajua mistä sinä puhut", sanoo Marino tunnustellessaan kasvojaan sormenpäillä kuin sokea.

"On sinulla. Heti kun sade lakkasi se levisi kasvoillesi. Pete, sinun tunteesi paistavat sinun kasvoistasi", sanoo tohtori Self painokkaasti. "Minä mietin voisiko tuo ilme juontua New Jerseystä saakka. Mitä itse tuumit?"

"Minusta tämä on soopaa. Minä rupesin alun alkaen käymään vastaanotolla koska en pystynyt tekemään tupakkalakkoa ja join ja söin hiukan liikaa. Minä en tullut sen takia, että minun naamallani on typerä ilme. Kukaan ei ole tätä ennen valittanut minun ilmeestäni. Eukkoni Doris urputti että minä olin läski ja poltin ja ryyppäsin vähän liikaa. Mutta hän ei koskaan valittanut minun pärstästäni. Ei hän minua sen takia jättänyt. Eikä jättänyt kukaan muukaan nainen."

"Entä tohtori Scarpetta?"

Marino jännittyy. Jokin hänessä pääntyy aina kun Scarpetta tulee puheeksi. Ei ole sattuma, että tohtori Self on odottanut lähes loppuun asti ennen kuin ottaa puheeksi Scarpettan.

"Minun pitäisi jo olla ruumishuoneella", sanoo Marino.

"Toivottavasti ei kuitenkaan kylmähuoneessa", sanoo tohtori Self kepeästi.

"Minä en ole tänään naurupäällä. Minä olin mukana yhdessä tutkimuksessa ja sitten minut pantiin jäähylle. Sitä sattuu nykyään yhtä mittaa."

"Scarpettako sinut pois sulki?"

"Hän ei saanut tilaisuutta. Minä en halunnut eturistiriitaa joten minä jäin ruumiinavauksesta pois ettei kukaan rupeaisi syyttämään minua mistään. Sitä paitsi on jo selvää mihin se nainen kuoli."

"Syyttämään sinua mistä?"

"Minua syytetään aina jostain."

"Ensi viikolla puhutaan sinun vainoharhastasi. Sekin palautuu kasvojenilmeeseesi. Usko pois. Luuletko sinä ettei Scarpetta ole koskaan huomannut sinun ilmettäsi? Minä lyön vetoa että on. Kysy ihmeessä häneltä itseltään."

"Tämä on yhtä perkeleen paskanjauhamista koko homma."

"Muista mitä me puhuimme kiroilusta. Muista meidän sopimuksemme. Kiroilu on ilmikäyttäytymistä. Älä esitä tunteitasi vaan kerro minulle niistä."

"Minusta *tuntuu* että tämä on paskan jauhamista."

Tohtori Self hymyilee hänelle kuin tuhmalle pojalle joka tarvitsee sapiskaa.

"Minä en tullut vastaanotolle jonkun ilmeen takia jota minulle ei edes ole vaikka sinä luulet niin."

"Mitä jos kysyisit siitä Scarpettalta?"

"Minusta *tuntuu* että minut valtaa tunne sanoa *en helvetissä* kysy."

"Puhutaan tunteista, ei esitetä niitä."

Hän saa mielihyvää näiden sanojen lausumisesta. Hän miettii ohimennen radio-ohjelmiensa mainoksia.

Puhutaan tunteista tohtori Selfin kanssa.

"Mitä tänään oikein sattui?" hän kysyy Marinolta.

"Ai että mitä sattui? Minä löysin yhden vanhan eukon jolta oli ammuttu pää mäsäksi. Ja arvaa kuka etsivä sitä tapausta tutkii?"

"Ilmeisesti sinä, Pete."

"Minä en kelvannut nokkamieheksi", hän sanoo. "Ennen vanhaan olisin piru vie kelvannut. Johan minä sanoin. Minä saan tutkia tapausta ja auttaa tohtoria. Mutta minä en kelpaa johtamaan kokonaisuutta ellei poliisilaitos, jonka vastuualueeseen se kuuluu, luovuta johtoa minulle, eikä Reba suostu siihen kirveelläkään. Hänellä on jotain hampaankolossa minua vastaan. Etsivänä hän on syvältä ja poikittain."

"Muistaakseni sinulla oli jotain hampaankolossa häntä vastaan, kunnes hän alkoi kohdella sinua epäkunnioittavasti, yritti lyödä sinua lyttyyn, sikäli kuin ymmärsin sinua oikein."

"Hän ei kelpaa etsiväksi", Marino huudahtaa ja hänen kasvonsa punehtuvat.

"Kerro siitä."

"En minä voi työstäni puhua. Edes sinun kanssa."

"En minä utele tapausten tai tutkimusten yksityiskohtia, vaikka sinä voit kyllä kertoa ihan mitä haluat. Kaikki mitä täällä puhutaan pysyy näiden neljän seinän sisällä."

"Paitsi jos sinä olet radiossa tai siinä uudessa televisio-ohjelmassa."

"Me emme ole radiossa emmekä televisiossa", tohtori Self sanoo hymyillen taas. "Jos haluat mukaan jompaankumpaan, asia järjestyy. Sinä olisit paljon mielenkiintoisempi kuin tohtori Amos."

"Hän nuolee starojen persettä. Ja on itsekin perseestä."

"Pete?" tohtori Self varoittaa, lempeästi tietenkin. "Minä tiedän hyvin ettet sinä pidä hänestäkään, että sinulla on hänestäkin vainoharhaisia ajatuksia. Tässä huoneessa ei ole juuri nyt mikrofonia eikä kameraa vaan ainoastaan me kaksi."

Marino katsoo ympärilleen kuin ei olisi varma uskoako häntä. Sitten: "En pitänyt siitä että hän jutteli hänen kanssaan minun nenäni edessä."

"Hän ja hän. Että Scarpetta puhui Bentonille?"

"Scarpetta komensi minut palaveriin ja soitti sitten Bentonille kun minä istuin hänen edessään."

"Sinulla oli siis likimain samoja tunteita kun silloin kun minun puhelinvastaajani naksahtaa."

"Scarpetta olisi voinut soittaa hänelle joskus toiste kun minä en ollut paikalla. Hän teki sen tahallaan."

"Hänellä on sellainen tapa, eikö vain?" sanoo tohtori Self. "Hän sekoittaa rakastajansa soppaan sinun nenäsi edessä vaikka hänen täytyy tietää millaisia tunteita se sinussa herättää, täytyy tietää sinun mustasukkaisuudestasi."

"Minkä helvetin takia minä mustasukkainen olisin? Sen mitättömän porhon joka oli joskus FBI:llä profiloijana?"

"Älähän nyt. Hän on oikeuspsykologina Harvardin yliopistossa ja kuuluu vanhaan arvostettuun uusienglantilaiseen sukuun. Minusta hän kuulostaa vaikuttavalta mieheltä."

Tohtori Self ei ole tavannut Bentonia. Hän haluaisi tavata, haluaisi hänet ohjelmaansa.

"Hänen parhaat päivänsä ovat ohi. Sellaiset rupeavat opettajiksi."

"Minun käsittääkseni hän tekee paljon muutakin."

"Siitä äijästä on vain kuoret jäljellä."

"Vaikuttaa siltä että suuri osa sinun tuttavistasi on sellaisia. Scarpetta mukaan lukien. Olet sanonut hänestä samaa."

"Mitä sitä turhia kaunistelemaan."

"Mahtaako sinustakin tuntua että parhaat päiväsi ovat ohi?"

"Minustako? Miten niin? Minä jaksan nykyään penkkipunnertaa yli kaksi kertaa oman painoni ja joku päivä sitten hölkkäsin juoksumatolla. Ensimmäistä kertaa kahteenkymmeneen vuoteen."

"Aika on melkein loppu", muistuttaa tohtori Self taas. "Puhutaanpa vihan tunteista, joita sinulla on tohtori Scarpettaa kohtaan. Eikö ole vain niin että kyse on luottamuksen puutteesta?"

"Kunnioituksen puutteesta siinä kyse on. Siitä että hän kohtelee minua paskamaisesti ja valehtelee."

"Sinusta tuntuu ettei hän enää luota sinuun sen takia, mitä viime kesänä sattui Knoxvillessa. Siellä missä tehdään ruumiilla kaikenlaisia kokeita. Mikä se paikka taas olikaan?"

"Ruumistarha."

"Aivan niin."

Siinä vasta olisi mielenkiintoinen keskustelunaihe radioon. Ruumistarha ei tarjoa taimia kotipuutarhaan. Mitä kuolema meille merkitsee? Puhutaan asiat halki tohtori Selfin kanssa.

Hänellä on jo mainoskonsepti valmiina!

Marino katsoo kelloaan, nostaa paksua käsivarttaan liioitellusti katsoakseen sitä, ikään kuin häntä ei häiritsisi että aika loppuu pian, ikään kuin hän toivoisi sen loppuvan pian.

Tohtori Self ei mene lankaan.

"Pelko", tohtori Self aloittaa yhteenvetonsa. "Eksistentiaalinen pelko siitä, ettei ole tärkeä, että on merkityksetön, että jää täysin yksin. Kun päivä päättyy, kun myrsky päättyy. Kun yksi tai toinen asia loppuu. Eikö asioiden loppuminen olekin pelottavaa? Rahat loppuvat. Terveyden voi menettää. Rakkaus sammuu. Ehkä sinun suhteesi tohtori Scarpettaan päättyy? Ehkä hän lopultakin hylkää sinut?"

"Ei tässä mikään pääty. Töitä riittää loputtomiin koska ihmiset ovat paskoja ja tappavat toisiaan vielä kauan sen jälkeen kun minä olen saanut enkelinsiivet. Minä en tule enää takaisin kuuntelemaan tätä sontaa. Sinä et osaa muusta puhuakaan kuin tohtorista. Minusta on täysin selvää ettei minulla ole hänen suhteensa ongelmia."

"Nyt meidän pitää todellakin lopettaa."

Tohtori Self nousee tuoliltaan ja hymyilee hänelle.

"Minä lakkasin ottamasta sitä lääkettä jota sinä määräsit. Pari viikkoa sitten. Unohdin kertoa."

Marino nousee ja näyttää täyttävän huoneen, niin iso mies hän on.

"Sillä ei ollut mitään vaikutusta joten miksi ottaisin sitä?"

Tohtori Self hämmästyy aina sitä, millainen jättiläinen Marino on, kun hän nousee seisomaan. Hänen ruskettuneet kätensä tuovat tohtori Selfin mieleen baseball-räpylät tai uunikinkut. Hän osaa kuvitella miten Marino murskaisi toisen ihmisen kallon tai kaulan, rusentaisi toisen ihmisen luita kuin perunalastuja.

"Puhutaan Effexorista ensi viikolla. Tavataan..." Hän ottaa pöydältään päivyrin. "Tiistaina viideltä."

Marino tuijottaa avoimesta ovesta, katsoo pientä aurinkokuistia jolla on yksi pöytä ja kaksi tuolia ja ruukkukasveja, monet lähes kattoon ulottuvia palmuja. Muita potilaita ei ole odottamassa. Ei ole koskaan tähän aikaan päivästä.

"Hyvä että pidettiin kiirettä ja lopetettiin ajoissa", hän sanoo. "Olisi kurjaa jos seuraava potilas joutuisi odottamaan."

"Haluatko hoitaa maksun seuraavalla tapaamisella?"

Tämä on tohtori Selfin tapa muistuttaa että Marino on velkaa kolmesataa dollaria.

"Joo, joo. Unohdin sekkivihkon", hän vastaa.

Tietenkin hän unohti. Hän haluaa jäädä tohtorille velkaa. Hän haluaa tulla uudestaan.

33

Benton pysäköi Porschensa vierailijan paikalle korkean metalliaidan taakse. Aita kaartuu kuin murtuva aalto ja sen päällä on spiraalina partaveitsilankaa. Synkän näköiset vartiotornit kohovat kohti kylmää, pilvistä taivasta alueen kaikista nurkista. Erillisellä pysäköintialueella on valkoisia, ikkunattomia pakettiautoja, joissa on teräksiset häkit – liikkuvia sellejä, joilla Basilin kaltaisia vankeja kuljetetaan paikasta toiseen.

Butlerin sairaala on kahdeksan kerrosta betonielementtejä ja teräsverkolla peitettyjä ikkunoita yhdeksän hehtaarin metsätontilla vajaan tunnin ajomatkan päässä Bostonista lounaaseen. Butleriin lähetetään rikollisia, jotka on todettu mielisairaiksi, ja sitä pidetään valistuneisuuden ja humaaniuden malliesimerkkinä, jossa osastoja kutsutaan mökeiksi ja kussakin asuu eritasoista valvontaa ja huomiota vaativia potilaita. D-mökki on erillään hallintorakennuksen lähellä ja siellä asuu noin sata petomaisen vaarallista hoidokkia.

Heidät pidetään erillään sairaalan muista potilaista ja he viettävät asemastaan riippuen suurimman osan päivästään eristysselleissä. Niissä on oma suihku, jota voi käyttää kymmenen minuuttia päivässä. Wc:n voi huuhdella kahdesti tunnissa. D-mökistä vastaa joukko oikeuspsykologeja, ja siellä käy usein muita terveys- ja oikeusalan ammattilaisia, esimerkiksi Benton. Butleria mainostetaan humaaniksi ja rakentavaksi paikaksi, jossa potilaat paranevat. Bentonin mielestä se on vain tavallista hienompi vankila ihmisille, joita ei pystytä koskaan parantamaan. Hänellä ei ole ruusuisia kuvitelmia. Basilin kaltaisilla ihmisillä ei ole elämää eikä ole koskaan ollutkaan. He ovat pilanneet monen muun ihmisen elämän, ja tulevat aina pilaamaan jos saavat tilaisuuden.

Benton lähestyy beigenvärisessä aulassa luoti-ikkunaa ja puhuu mikrofoniin.

"Miten menee, George?"

"Ei sen paremmin kun viimeksi kysyitte."

"Ikävä kuulla", sanoo Benton, kun kova metallinen kalahdus päästää hänet ensimmäisistä ilmalukko-ovista. "Tarkoittaako se, ettet ole vielä saanut aikaiseksi käydä lääkärillä?"

Ovi sulkeutuu hänen perässään ja hän nostaa salkkunsa pienelle metallipöydälle. George on yli kuusikymppinen ja hänellä on jatkuvasti huono olo. Hän vihaa työtään. Hän vihaa vaimoaan. Hän vihaa ilmoja. Hän vihaa poliitikkoja ja ottaa aina tilaisuuden tullen kuvernöörin valokuvan aulan seinältä alas. Viimeisen vuoden ajan hänellä on ollut riippanaan voimakasta väsymystä, mahavaivoja ja kipuilua. Hän vihaa myös lääkäreitä.

"Minä en syö lääkkeitä, joten miksi kävisin? Lääkärit eivät nykyään muuta osaakaan kuin määrätä pillereitä", sanoo George tutkiessaan Bentonin salkun. Hän ojentaa sen takaisin. "Teidän kamunne on tutulla paikalla. Pitäkää hauskaa."

Uusi naksahdus ja Benton astuu toisesta teräsovesta, ja tumman- ja vaaleanruskeaan univormuun pukeutunut vartija nimeltä Geoff ohjaa hänet käytävän vahattua lattiaa pitkin toisista ilmalukko-ovista tarkoin vartioidulle osastolle, jossa asianajajat ja mielenterveysalan työntekijät tapaavat hoidokkeja kevyttiilistä rakennetuissa pienissä, ikkunattomissa huoneissa.

"Basil valittaa ettei hän saa postejaan", sanoo Benton.

"Hän valittaa yhtä sun toista", sanoo Geoff hymyilemättä. "Suuvärkkinsä käy jatkuvasti."

Hän avaa harmaan teräsoven ja pitää sitä auki.

"Kiitos", sanoo Benton.

"Minä odottelen oven takana." Geoff vilkaisee Basilia tuimasti ja sulkee oven.

Basil istuu pienen puupöydän ääressä eikä nouse tuoliltaan. Hän ei ole kahleissa ja hänellä on päällään tutut vankilavaatteet, siniset housut ja valkoinen t-paita, ja jalassa sukat ja varvassandaalit. Hänen silmänsä verestävät ja pälyilevät sinne tänne, ja hän haisee.

"Mitä kuuluu, Basil?" kysyy Benton istuutuessaan häntä vastapäätä.

"Minulla oli vaikea päivä."

"Niin kuulin. Kerro pois."

"Minua ahdistaa."

"Miten olet nukkunut?"

"Valvoin melkein koko yön. Minä mietin meidän keskusteluamme."

"Sinä vaikutat levottomalta", sanoo Benton.

"Minä en pysty istumaan paikoillani. Sen takia mitä minä kerroin teille. Minun pitää saada jotain, tohtori Wesley. Ativania tai jotain. Joko te olette katsonut niitä kuvia?"

"Mitä kuvia?"

"Minun aivojeni kuvia. Tietenkin olette. Tiedän että te olette utelias. Kaikkihan siellä uteliaita ovat", hän sanoo hermostuneesti hymyillen.

"Sen takiako sinä minut tänne pyysit?"

"No oikeastaan. Ja minä haluan postini. Sitä ei ole enää annettu minulle enkä minä saa nukutuksi enkä pysty syömään, minä olen niin sekaisin ja ahdistunut. Ativan voisi auttaa. Toivottavasti olette ajatellut sitä."

"Ajatellut mitä?"

"Sitä mitä minä kerroin siitä tapetusta naisesta."

"Joka piti joulukoristekauppaa."

"10–4."

"Olen. Olen ajatellut paljonkin sitä mitä kerroit, Basil", vastaa Benton kuin uskoisi Basilin puheet todeksi.

Hän ei voi koskaan paljastaa, että uskoo potilaan valehtelevan. Tässä tapauksessa hän ei ole edes varma että Basil valehtelee, ei ollenkaan varma.

"Palataanpa siihen heinäkuun päivään kaksi vuotta taaksepäin", sanoo Benton.

Marinoa vaivaa, että tohtori Self sulki oven hänen takanaan ja työnsi salvan lukkoon aikailematta ikään kuin estääkseen häntä pääsemästä takaisin sisään.

Ele on Marinosta loukkaava. Se loukkaa aina häntä. Tohtori Self ei välitä hänestä tosissaan. Hän on vain yksi monien potilaiden joukossa. Tohtori Self on mielissään päästessään hänestä eroon; nainen ei joudu sietämään hänen seuraansa kokonaiseen viikkoon, ja silloinkin vain viidenkymmenen minuutin ajan, ei sekuntiakaan pitempään, vaikka Marino olisi lakannut ottamasta lääkettä.

Lääke oli paskaa. Hän ei pystynyt naimaan. Mitä järkeä on masennuslääkkeessä joka vie seksihalut? Jos haluaa masentua, kannattaa ottaa masennuslääkettä joka vie libidon.

Hän seisoo lukitun oven edessä tohtori Selfin aurinkokuistilla ja tuijottaa seisovin silmin kahta tuolia, joilla on vaaleanvihreät tyynyt, ja vihreää lasipöytää, jolla on pinossa aikakauslehtiä. Hän on lukenut ne kaikki, koska hän tulee aina vastaanotolle etuajassa. Sekin kaivelee häntä. Hän haluaisi tulla myöhässä, lompsia sisään kuin hänellä olisi tähdellisempääkin tekemistä kuin käydä kallonkutistajalla, mutta jos hän myöhästyy, hän menettää arvokkaita minuutteja eikä hänellä ole varaa siihen, edes yhden minuutin menetykseen, sillä jokainen minuutti on tärkeä ja varsinkin kallis.

Kuusi dollaria minuutti, jos tarkkoja ollaan. Viisikymmentä minuuttia eikä minuuttiakaan enempää, ei sekuntiakaan enempää. Tohtori Self ei heitä päälle paria minuuttia kaupantekiäisiksi tai hyvän hyvyyttään tai mistään muustakaan syystä. Vaikka Marino uhkaisi tappaa itsensä, tohtori vilkaisisi kelloaan ja sanoisi että aika on loppu. Hän voisi kertoa tohtorille toisen ihmisen tappamisesta, ja vaikka tarina olisi kesken, vaikka hän olisi vetäisemässä liipaisimesta, tohtori sanoisi että aika on loppu.

Etkö sinä ole utelias? hän on kysynyt tohtori Selfiltä muutaman kerran. Miten sinä pystyt lopettamaan yhtäkkiä vaikken minä ole vielä päässyt mehukkaimpaan kohtaan?

Sinä kerrot tarinasi loppuun ensi kerralla, Pete. Tohtori Self hymyilee aina näin sanoessaan.

Jospa minä en kerrokaan? Olisit kiitollinen siitä että minä kerron. Moni maksaisi kuullakseen koko jutun. Minä en liioittele.

Ensi kerralla.

Älä luulekaan. Minä en tule takaisin.

Tohtori Self ei kinaa hänen kanssaan kun tulee lopettamisen aika. Vaikka Marino yrittäisi millaista temppua varastaakseen ylimääräisen minuutin, tohtori Self nousee tuoliltaan, avaa oven ja odottaa kunnes Marino on astunut ulos voidakseen lukita oven hänen perässään. Ajan suhteen ei ole tinkimisvaraa. Kuusi dollaria minuutilta mistä hyvästä? Siitä että tohtori loukkaa häntä. Marino ei ymmärrä miksi hän tulee aina vain uudestaan.

Hän tuijottaa pientä munuaisen muotoista lammikkoa jossa on espanjalaisista laatoista tehty värikäs reunus. Hän tuijottaa appelsiini- ja greippipuita, joissa on paljon hedelmiä, tuijottaa niiden runkoihin maalattuja punaisia raitoja.

Tuhatkaksisataa dollaria kuukaudessa. Miksi hän jatkaa sitä? Hän voisi ostaa Dodge-avolavan, jossa on sama V-10-moottori kuin Viperissä. Tuhannellakahdellasadalla kuukaudessa saisi yhtä ja toista.

Hän kuulee tohtori Selfin äänen oven takaa. Tohtori on puhelimessa. Marino teeskentelee selaavansa lehteä ja kuuntelee.

"Anteeksi, kuka te olette?" sanoo tohtori Self.

Tohtorilla on kuuluva ääni, radioääni, ääni joka kantaa ja jossa on yhtä paljon auktoriteettia kuin revolverissa tai poliisin virkamerkissä. Hänen äänensä puhuttelee Marinoa. Marino pitää tohtorin äänestä, ja se vaikuttaa häneen voimakkaasti. Tohtori Self on hyvännäköinen, todella hyvännäköinen, niin hyvännäköinen että on vaikea istua häntä vastapäätä ja ajatella että samalla tuolilla käy istumassa muitakin miehiä näkemässä kaiken sen minkä hänkin. Hänen tumman tukkansa ja sirot piirteensä, kirkkaat silmänsä ja täydelliset, valkoiset hampaansa. Hän ei ole mielissään siitä että tohtori Self on aloittanut televisioesiintymiset, hän ei halua muiden miesten näkevän miltä tämä näyttää, miten seksikäs tämä on.

"Kuka te olette ja mistä te saitte tämän numeron?" tohtori Self kysyy lukitun oven takana. "Ei, hän ei ole paikalla eikä hän ota vastaan sellaisia soittoja. Kuka te olette?"

Marino kuuntelee huolestuneena tohtori Selfin lukitun oven edessä aurinkokuistilla. Hänen tulee kuuma. Alkuilta on hiostava ja puista tippuu vesipisaroita nurmikolle. Tohtori Self ei kuulosta tyytyväiseltä. Vaikuttaa siltä että hän keskustelee ventovieraan henkilön kanssa.

"Ymmärrän teidän huolenne yksityisyydestänne, ja tekin varmasti puolestanne ymmärrätte, että teidän väitteenne todenperäisyyttä on mahdotonta varmistaa ellette suostu kertomaan nimeänne. Tällaisista asioista on otettava selvää ja ne on varmennettava. Muussa tapauksessa tohtori Self ei voi olla niiden kanssa missään tekemisisissä. No, se on lempinimi eikä oikea nimi. On vai, jaha. Hyvä on sitten."

Marino oivaltaa, että tohtori Self esittää olevansa joku muu. Hän ei tunne soittajaa ja on ahdistunut.

"Kyllä, hyvä on", sanoo henkilö jota tohtori Self esittää. "Voitte tehdä sen. Voitte toki keskustella tuottajan kanssa. Täytyy myöntää että asia on mielenkiintoinen jos se on totta, mutta teidän on soitettava tuottajalle. Suosittelen soittamaan hänelle viipymättä, koska torstain lähetyksessä käsitellään juuri sitä aihetta. Ei, ei radiossa. Uudessa televisio-ohjelmassa", hän sanoo samalla napakalla äänellä, joka kantaa vaivatta puuoven läpi aurinkokuistille.

Tohtori Self puhuu puhelimessa paljon kovemmalla äänellä kuin vastaanotolla. Se on hyvä. Olisi paha juttu jos joku toinen potilas aurinkokuistilla istuessaan kuulisi kaiken mitä tohtori Self sanoo Marinolle heidän lyhyiden mutta kalliiden yhteisten viidenkymmenen minuuttinsa aikana. Tohtori ei puhu näin kovaa kun he ovat yhdessä tuon lukitun oven takana. Aurinkokuistilla ei tosin ole koskaan kukaan odottamassa kun Marino on vastaanotolla. Hän on aina viimeinen, joten hänelle jos

171

kelle tohtori Selfin tulisi heittää kaupantekijäisiksi pari ylimääräistä minuuttia. Ne eivät olisi pois keltään koska kukaan ei ole odottamassa. Ei ole koskaan Marinon jälkeen. Jonain päivänä hän vielä sanoo jotain niin liikuttavaa ja tärkeää, että tohtori Selfiltä heruu muutama ylimääräinen minuutti. Se saattaisi olla ensimmäinen kerta tohtori Selfin elämässä, ja tämä kunnia osuisi Marinon kohdalle. Tohtori Self varmasti haluaa tehdä sen. Mutta ehkä osat vaihtuvat eikä Marinolla ole sillä kertaa ylimääräistä aikaa.

Minun pitää lähteä, hän kuvittelee sanovansa.

Kerro se loppuun. Minä haluan kuulla miten siinä kävi.

En ehdi. Minulla on tapaaminen. Hän nousee tuoliltaan. Ensi kerralla. Minä lupaan kertoa sinulle loput kun... katsotaanpas... ensi viikolla tai milloin lie. Muistutathan minua?

Marino huomaa, että tohtori Self on lopettanut puhelun. Hän hiipii aurinkokuistin poikki hiljaa kuin varjo ja astuu ulos lasiovesta. Hän sulkee sen äänettömästi ja kävelee laattoja pitkin uima-altaan ympäri ja sitten läpi puutarhan, jonka hedelmäpuiden rungoissa on punainen raita, ja pienen valkoisen rapatun talon vierestä, talon jossa tohtori Self asuu mutta jossa hän ei saisi asua, jossa hänen ei ole mitään järkeä asua. Etuovelle voi kävellä kadulta kuka vain. Ja kuka vain voi kävellä palmujen varjostaman uima-altaan viereltä takakautta tohtorin vastaanotolle. Talo ei ole turvallinen. Miljoonat kuuntelevat häntä joka viikko, ja hän asuu näin turvattomasti. Marinon pitäisi mennä takaisin, koputtaa oveen ja sanoa tohtorille asiasta.

Hänen kustomoitu Screamin' Eagle Deucensa on kadun reunassa, ja hän kiertää kerran sen ympäri varmistaakseen, ettei sille ole tehty vahinkoa hänen ollessaan terapiassa. Hän miettii renkaan puhkaisemista. Hän miettii kostavansa sille vandaalille. Siniselle pohjalle maalattujen liekkien ja kromin pinnassa on ohut pölykerros. Se ärsyttää häntä enemmän kuin hiukan. Hän puunasi pyörän aamulla, kiillotti joka ainoan kromiosan ja muun detaljin, ja sitten pyörästä puhkaistiin rengas, ja nyt se on pölyssä. Tohtori Selfillä saisi olla pysäköintikatos. Hänellä saisi olla autotalli. Hänen hieno valkoinen avomersunsa on pihalla eikä sinne mahdu toista autoa, joten potilaat pysäköivät kadulle. Se ei ole turvallista.

Hän avaa moottoripyörän etuhaarukan ja virtalukon ja heilauttaa jalkansa satulan yli miettien miten mielissään hän on siitä, ettei hänen tarvitse enää elää sitä köyhän kaupunkipoliisin elämää, jota hän eli melkein koko ikänsä. Hän saa Akatemialta käyttöön mustan Hummer H2:n, jossa on 250 hevosvoiman V8-turbodieselmoottori ja nelinopeuksinen vaihdelaatikko, jossa on ylivaihde, taakkateline, vinssi ja maastoajoon tarkoitettu seikkailuvarustus. Hän osti Deucen omilla rahoillaan ja varustelee sitä sydämensä kyllyydestä, ja hänellä on varaa käydä psykiatrilla. Se on jotakin se.

Hän kytkee pyörän vapaalle ja painaa starttinappia katsoessaan kaunista valkoista taloa jossa tohtori Self asuu vaikkei saisi asua. Hän vetää kytkinvipua ja kaasuttaa niin että Thunder Head -putkista mylvähtää tavaton meteli samalla kun salamat välähtelevät kaukana ja synkkä peräätyvien ukkospilvien armeija haaskaa tykinammuksiaan merellä.

34

Basil hymyilee taas.

"Minä en löytänyt murhasta mitään tietoa", sanoo Benton, "mutta kaksi ja puoli vuotta sitten eräs nainen katosi tyttärensä kanssa kaupasta nimeltä Christmas Shop."

"Enkö minä sanonut?" Basil kysyy hymyillen.

"Sinä et maininnut mitään katoamisesta etkä tyttärestä."

"Minä en saa postiani."

"Minä selvitän asiaa, Basil."

"Sinä lupasit selvittää sen jo viikko sitten. Minä haluan postini. Minä haluan sen tänään. En ole saanut sitä enää sen jälkeen kun tuli se erimielisyys."

"Kun suutuit Geoffille ja sanoit häntä setä Tuomoksi."

"Ja sen tähden minä en saa postiani. Minä luulen että hän sylkee minun ruokiini. Minä haluan kaikki, kaikki vanhatkin postit jotka ovat seisseet jossain kuukauden ajan. Sitten voit siirtää minut toiseen selliin."

"Sitä minä en pysty tekemään, Basil. Tämä on sinun parhaaksesi."

"Sinä et kai sitten välitä kuulla", sanoo Basil.

"Mitä jos minä lupaan järjestää sinulle postin vielä tänä päivänä?"

"Katsokin että minä saan sen tai muuten emme enää rupattele Christmas Shopista. Minä olen kyllästynyt siihen sinun pikku tutkimukseesi."

"Minä löysin vain yhden Christmas Shopin. Se oli Las Olasissa rannan vierellä", sanoo Benton. "Neljästoista heinäkuuta Florrie Quincy ja hänen kuusitoistavuotias tyttärensä katosivat. Sanooko se sinulle mitään, Basil?"

"Nimet eivät jää minulle mieleen."

"Kerro mitä muistat Christmas Shopista, Basil."

"Joulukuusia joissa oli kynttilöitä, pikku junia ja valtavasti joulukoristeita", sanoo Basil eikä enää hymyile. "Johan minä kerroin. Sano mitä minun aivoistani löytyi. Joko sinä olet nähnyt niiden kuvat?" Hän osoittaa päätään. "Niistä pitäisi näkyä kaikki mitä sinä haluat tietää. Nyt sinä haaskaat minun aikaani. Minä haluan postini!"

"Minä lupasin jo."

"Ja perällä oli arkku, sellainen iso lukittava laatikko. Se oli ihan älytön. Minä käskin hänen avata sen, ja siinä oli Saksassa tehtyjä joulukoristeita maalatuissa puurasioissa. Hannuja ja Kerttuja ja Ressuja ja Punahilkkoja. Hän piti ne lukon takana koska ne olivat kalliita, ja minä kysyin että minkä vitun takia. Varashan voi viedä koko arkun. Luuletko sinä että lukko estää varastamisen?"

Hän vaikenee ja tuijottaa kevyttiiliseinää.

"Mistä muusta te juttelitte ennen kuin sinä tapoit hänet?"

"Minä sanoin: 'Sinä narttu kuolet kohta.'"

"Missä vaiheessa te puhuitte kaupan perällä olevasta arkusta?"

"Ei missään."

"Minä luulin että sinä sanoit..."

"En minä sanonut että me juttelimme siitä", Basil keskeyttää kärsimättömästi. "Minä haluan jotain lääkettä. Mikset sinä anna jotain? Minä en pysty nukkumaan. Minä en pysty istumaan aloillani. Minun tekee mieli nussia kaikkea, ja sitten minuun iskee masennus enkä minä jaksa nousta sängystä. Minä haluan postini."

"Montako kertaa päivässä sinä masturboit?" kysyy Benton.

"Kuusi tai seitsemän. Ehkä kymmenen."

"Tavallista enemmän."

"Sitten sinä ja minä juteltiin eilen illalla ja sen jälkeen minä olen maannut sängyssä koko päivän. Minä nousin vain kuselle, en ole syönyt juuri mitään enkä jaksanut edes käydä suihkussa. Minä tiedän missä hän on", hän sanoo. "Hommaa minulle se posti!"

"Ai rouva Quincy?"

"Minä olen katsos täällä." Basil nojaa tuolin selkään. "Mitä menetettävää minulla on? Mikä voisi motivoida minut tekemään oikein? Vastapalvelukset, erikoiskohtelu, yhteistyö. Minä haluan jumalauta postini."

Benton nousee ja avaa oven. Hän käskee Geoffin käydä postihuoneessa ottamassa selvää Basilin postista. Benton näkee vartijan reaktiosta, että tämä tietää Basilin postista kaiken, eikä haluaisi tehdä mitään, mikä lisää Basilin viihtyvyyttä. Eli se on todennäköisesti totta. Basilille ei ole annettu postia.

"Tämä on tärkeää", Benton sanoo Geoffille katsoen häntä silmiin. "Toimi."

Geoff nyökkää ja lähtee. Benton sulkee taas oven ja istuutuu uudelleen pöydän ääreen.

Varttitunnin päästä Benton ja Basil lopettelevat keskusteluaan, joka on ollut sotkuinen perättömyyksien ja koukeroisten metkujen vyyhti. Benton on ärtynyt. Hän ei näytä sitä ja on huojentunut nähdessään Geoffin.

"Postisi odottaa sinua sängyllä", sanoo Geoff ovelta katsoen Basilia kylmillä silmillä.

"Varokin jos olet pöllinyt minun lehdet."

"Kukaan täällä ei välitä hevon vittua sinun kalastuslehdistä. Anteeksi, tohtori Wesley." Ja Basilille: "Niitä on neljä sinun sängyllä."

Basil heilauttaa kuvitteellista perhovapaa. "Se joka pääsi karkuun", hän sanoo. "Se on aina isoin. Isä vei minut kalaan, kun olin pikkupoika. Silloin kun hän ei hakannut äitiä."

"Kuulehan nyt", sanoo Geoff. "Kuulehan nyt tohtori Wesleyn kuullen, Jenrette. Jos sinä vielä urputat minulle, sinulle tulee isompia ongelmia kuin posti ja kalastuslehdet."

"Tätä minä juuri tarkoitan", sanoo Basil sanoo Bentonille. "Tällaista kohtelua minä täällä saan."

35

Scarpetta avaa varastossa tutkimuslaukun jonka hän kantoi sisään Hummerista. Hän ottaa esiin pieniä lasipulloja, joissa on natriumperboraattia, natriumkarbonaattia ja luminolia, sekoittaa ne tislattuun veteen eri astiassa, ravistaa ja kaataa seoksen mustaan suihkepulloon.

"Et tainnut suunnitella ihan tällaista viikonloppua", sanoo Lucy kiinnittäessään kinofilmikameraa jalustaan.

"Mikä vetäisi vertoja siskontytön seuralle", sanoo Scarpetta. "Päästiinpähän ainakin tapaamaan toisemme."

Kummallakin on kertakäyttöiset valkoiset suojavaatteet, kenkäsuojukset, turvalasit, naamari ja hiussuojus, ja varaston ovi on kiinni. Kello lähestyy kahdeksaa illalla ja Beach Bums on jälleen suljettu tavallista aikaisemmin.

"Odota ihan hetki, että saan pari yleiskuvaa", sanoo Lucy ruuvatessaan lankalaukaisinta kameran virtakytkimeen. "Muistatko ne ajat kun jouduit käyttämään sukkaa?"

Suihkepullo ei saa näkyä kuvassa, ja se taas onnistuu vain jos pullo ja suutin ovat mustat tai peitetty mustalla kankaalla tai muulla vastaavalla. Musta sukka ajaa asian, jos mitään muuta ei ole käytettävissä.

"Eikö ole mukavaa kun budjetti on vähän väljempi?" lisää Lucy, ja suljin avautuu hänen painaessaan lankalaukaisimen nuppia. "Me emme ole tehneet tällaista yhdessä pitkään aikaan. Tarkoitan vain, että rahahuolet ovat kurjia."

Hän kuvaa hyllyt ja betonilattian jalustalta.

"Mitenkähän lie", sanoo Scarpetta. "Me tulimme aina toimeen. Monella tapaa tilanne oli parempi, koska puolustusasianajajilla ei ollut loputtomasti ei-kysymyksiä: Käytittekö mini-tutkainta? Käytittekö supertikkuja? Käytittekö lasermittausta? Käytittekö ampulleihin pakattua steriloitua vettä? Mitä? Te käytitte pullotettua tislattua vettä ja ostitte sen mistä? Minimarketista? Ostitteko te todisteiden keräämiseen tarvikkeita kioskista?"

Lucy ottaa taas kuvan.

"Tutkitteko te pihalla puiden, lintujen ja oravien dna:n?" Scarpetta jatkaa ja vetää mustan kumikäsineen vasempaan käteensä puuvillakäsineen päälle. "Entä imuroitteko koko korttelin hiukkastodisteiden etsimiseksi?"

"Minusta tuntuu että sinä olet todella pahalla päällä."

"Minusta tuntuu että minä olen väsynyt siihen että sinä kartat minua. Sinä otat yhteyttä vain tällaisina hetkinä."

"Sinä olet paras."

"Enkö minä sinulle muuta ole? Yksi alainen muiden joukossa?"

"Miten sinä voit edes kysyä tuollaista? Joko minä voin sammuttaa valot?"

"Jo."

Lucy kiskaisee narusta sammuttaen katosta riippuvan hehkulampun. Tulee säkkipimeä. Scarpetta alkaa suihkuttaa luminolia verrokkinäytteeseen, jossa on yksi ainoa veripisara pahvineliöllä. Se hohtaa hetken aikaa sinivihreänä ja häipyy sitten näkyvistä. Hän alkaa suihkuttaa heiluttaen kättä edestakaisin, hän sumuttaa lattiaa, joka alkaa hohtaa kirkkaana kuin se palaisi sinivihreässä neontulessa.

"Johan nyt!" hämmästelee Lucy, ja suljin loksahtaa taas, ja Scarpetta jatkaa sumuttamista. "Tuollaista en ole nähnyt koskaan."

Sinivihreä hohde näkyy ensin kirkkaana ja himmenee sitten hitaasti sitä mukaa kuin Scarpetta suihkuttaa, ja kun hän lopettaa, hohde katoaa pimeään ja Lucy sytyttää valon. Hän katsoo Scarpettan kanssa betonilattiaa tarkkaan.

"Minä näen vain likaa", sanoo Lucy.

"Lakaistaan se ennen kuin astumme sille tämän enempää."

Lucy lakaisee puhtaalla maalisiveltimellä lattialta pölyä ja muuta likaa muovipussiin ja siirtää sitten jalustalla olevan kameran uuteen paikkaan. Hän ottaa lisää yleiskuvia. Näissä näkyvät seinällä olevat puuhyllyt. Hän sammuttaa valot ja tällä kertaa luminol reagoi eri tavalla. Näkyviin tulee sähkönsinisiä laikkuja, jotka tanssivat kuin nuotiosta nousevat kipinät, ja suljin napsahtelee ja Scarpetta suihkuttaa ja sininen sykkii nopeasti, kirkastuu ja häipyy paljon nopeammin kuin yleensä verta ja useimpia muita kemoluminesenssiin reagoivia aineita tutkittaessa.

"Klooria", sanoo Lucy, sillä eräät aineet tuottavat vääriä positiivisia havaintoja, ja kloori on yksi yleinen tällainen aine, ja sen värikin on helppo erottaa.

"Jotain jolla on erilainen spektri. Kieltämättä se muistuttaa klooria", Scarpetta sanoo. "Saattaa olla melkein mitä vain klooripitoista puhdistusainetta. Cloroxia, Dranoa, Fantasticia, Worksia, Babo Cleanseria, niitähän riittää. Minusta ei olisi mikään ihme että täällä on käytetty sellaista."

"Onko valmista?"

"Seuraava."

Valo syttyy ja he siristävät silmiään hehkulampun räikeydelle.

"Basil kertoi Bentonille siivonneensa kloorilla", sanoo Lucy. "Mutta ei kai luminol reagoi kaksi ja puoli vuotta vanhaan klooriin."

"Saattaa reagoida jos kloori on imeytynyt puuhun eikä sitä ole pesty pois. Sanon 'saattaa' koska en tiedä suuntaan enkä toiseen. En tiedä onko sitä koskaan tutkittu." Scarpetta ottaa kassistaan suurennuslasin jossa on lamppu.

Hän tutkii sillä vanerihyllyjen reunoja. Hyllyillä on snorklausvälineitä ja t-paitoja.

"Jos katsot tarkkaan", hän sanoo, "puussa erottuu siellä täällä nipin napin vaaleampia kohtia. Ne saattavat olla roiskekuviosta."

Lucy astuu hänen viereensä ja ottaa suurennuslasin.

"Taidan erottaa ne", hän sanoo.

Tänään mies on mennyt ja tullut eikä ole piitannut hänestä paitsi sen verran että kävi tuomassa grillijuustovoileivän ja lisää vettä. Mies ei asu täällä. Hän ei ole täällä koskaan öisin, ja jos onkin, hän on hiljaa kuin vainaja.

On myöhä, mutta hän ei tiedä kuinka myöhä, ja kuu on jäänyt pilvien taakse särkyneen ikkunan toisella puolelle. Hän kuulee kun mies liikkuu talossa. Hänen sykkeensä kiihtyy kun miehen askeleet tulevat häntä kohti, ja hän painaa pienen pinkin tennistossun selkänsä taakse koska mies ottaa sen pois jos se näyttää hänelle tärkeältä, ja sitten mies näkyy mustana siluettina joka pitelee pitkää valosormea. Hänellä on hämähäkki mukanaan. Se on miehen käden kokoinen. Hän ei ole koskaan nähnyt niin isoa hämähäkkiä.

Hän kuulostelee Kristinin ja poikien ääniä kun valo tutkii hänen verestäviä, turvonneita nilkkojaan ja ranteitaan. Mies tutkii likaista patjaa ja likaista kirkkaanvihreää aamutakkia joka peittää hänen säärensä. Hän vetää polvet koukkuun ja nostaa käsivarret ylös yrittäen peittää alastomuutensa kun valo koskettaa hänen sukupuolielimiään. Hän säpsähtää kun hän tuntee miehen tuijottavan. Hän ei näe miehen kasvoja. Hän ei tiedä miltä mies näyttää. Mies on aina mustissa vaatteissa. Päivällä hän peittää kasvonsa hupulla ja käyttää mustia vaatteita, kaikki on mustaa, eikä hän yöllä näe miestä lainkaan, paitsi ääriviivat. Mies otti häneltä silmälasit pois.

Sen hän teki ensimmäiseksi taloon tunkeuduttuaan.

Anna ne lasit tänne, mies sanoi. Heti!

Hän seisoi keittiössä lamaantuneena. Hänen kauhunsa ja järkytyksensä olivat halvaannuttavat. Hän ei pystynyt ajattelemaan, hänestä tuntui kuin hänessä ei olisi ollut enää verta lainkaan, ja sitten liedellä kattilassa kuumentuva oliiviöljy alkoi savuta ja pojat rupesivat huutamaan ja mies käänsi haulikon heihin päin. Hän osoitti sillä Kristiniä. Hänellä oli huppu päässä, hän oli mustissa vaatteissa kun Tony avasi takaoven, ja samassa hän oli jo sisällä ja kaikki tapahtui äkkiä.

Anna silmälasit.

Anna ne hänelle, Kristin sanoi. Älä satuta meitä. Ota mukaan mitä haluat.

Turpa kiinni tai minä tapan teidät kaikki heti.

Hän komensi pojat mahalleen olohuoneen lattialle ja iski heitä takaraivoon pyssyn perällä jotta he eivät yrittäisi karata. Hän sammutti kaikki valot ja käski Kristinin ja Evin kantaa ja kiskoa poikien hervottomat ruumiit käytävää pitkin isoon makuuhuoneeseen ja lasiovista ulos, ja lattialle tippui verta ja siitä jäi viiruja, ja hän ihmettelee ettei kukaan huomannut verta. Tässä vaiheessa joku on varmasti jo käynyt talossa selvittämässä mitä heille on sattunut, ja veri olisi pitänyt huomata. Missä poliisit viipyvät?

Pojat eivät liikkuneet nurmikolla uima-altaan vierellä ja mies sitoi heidät puhelinjohdoilla ja tukki heidän suunsa astiapyyhkeillä vaikka he eivät liikkuneet eivätkä pitäneet minkäänlaista ääntä, ja hän käski Kristinin ja Evin kävellä pimeässä farmariautolle.

Ev ajoi.

Kristin istui etupenkillä ja mies oli takapenkillä ja osoitti pyssyllä häntä päähän.

Mies saneli kylmällä, hiljaisella äänellä Eville minne ajaa.

Minä vien teidät jonnekin ja haen sitten heidät, hän sanoi kylmällä, hiljaisella äänellään Evin ajaessa.

Soittakaa jollekulle, pyysi Kristin. Heidät pitää saada sairaalaan. Älkää jättäkö heitä sinne kuolemaan. He ovat lapsia.

Minähän sanoin että minä haen heidät.

He tarvitsevat apua. He ovat vielä pikkupoikia. Orpoja. Heidän vanhempansa ovat kuolleet.

Hyvä. Kukaan ei siis kaipaa heitä.

Hänen äänensä oli kylmä ja väritön ja epäinhimillinen, ääni jossa ei ollut tunteita eikä persoonallisuutta.

Hän muistaa nähneensä Naplesin viittoja. He ajoivat länteen Evergladesin suuntaan.

Minä en näe ajaa ilman laseja, sanoi Ev, ja hänen sydämensä jyskytti niin kovasti että hän luuli kylkiluiden murtuvan. Hän ei pystynyt hengittämään kunnolla. Kun hän ajoi vahingossa pientareelle, mies antoi hänelle lasit takaisin ja otti ne taas pois heidän tultuaan tähän hämärään tuonelaan, missä he ovat olleet siitä lähtien.

Scarpetta sumuttaa kylpyhuoneen kevyttiiliseiniä, ja ne alkavat hohtaa edestakaisten pyyhkäisyjen ja roiskeen kuvioina, jotka eivät näy lampun palaessa.

"Täällä on siivottu", sanoo Lucy pimeässä.

"Minä lopetan tähän. En halua ottaa sitä riskiä että veri menee pilalle, jos tuo nyt verta on. Saitko kuvat?"

"Sain." Lucy sytyttää lampun.

Scarpetta ottaa esiin verivälineet ja painelee vanupuikolla seinää kohdista, joissa näki luminolin reagoivan. Hän ujuttaa pumpulikärkeä huokoiseen betoniin, jossa saattaa olla verta jopa pesun jälkeen. Hän tiputtaa pipetillä kemikaaliseostaan vanupuikolle, joka värjääntyy vaaleanpunaiseksi vahvistaen, että seinällä saattaa todellakin olla verta, mahdollisesti ihmisen verta. Varma vastaus saadaan laboratoriosta.

Jos se on verta, hän ei hämmästyisi jos se olisi vanhaa, kaksi ja puoli vuotta vanhaa. Luminol reagoi punasolujen hemoglobiinin kanssa, ja mitä vanhempaa veri on, sitä hapettuneempaa se on ja sitä voimakkaampi on reaktio. Hän painelee seinää vanupuikoilla, jotka hän on kastanut steriloidussa vedessä, kerää näytteitä ja sulkee puikot rasioihin, joihin hän kirjoittaa päivämäärän ja muut tiedot, ja nimikirjaimensa ennen kuin teippaa ne kiinni.

Hän on jatkanut tätä jo tunnin. Hän ja Lucy hikoilevat suojavaatteissaan. He kuulevat Larryn pitämät äänet oven takaa, kun hän liikkuu kaupassa. Hänen puhelimensa on soinut monta kertaa.

He palaavat varaston puolelle ja Lucy avaa tukevan mustan laukun ja ottaa siitä Mini-Crime-valonlähteen, laatikkomaisen, kannettavan metallilaitteen, jossa on kirkas halidilamppu ja taipuisa varsi. Se näyttää kiiltävältä teräsletkulta, johon kuuluvan ohjaimen avulla hän pystyy vaihtamaan aallonpituutta. Hän yhdistää laiteen verkkojohdon pistorasiaan ja kytkee virran, jolloin tuuletin alkaa hurista. Hän säätää kirkkausnuppia asettaen aallonpituudeksi 455 nanometriä. He laittavat silmilleen oranssinväriset lasit, jotka parantavat kontrastia ja suojaavat silmiä.

Lucy sammuttaa kattovalon ja Scarpetta nostaa laitteen kädensijasta ja pyyhkii sinisellä valolla hitaasti seiniä, lattiaa ja hyllyjä. Veri ja muut luminoliin reagoivat aineet eivät välttämättä reagoi tällaisen valonlähteen valoon, ja aiemmin hohtaneet alueet näkyvätkin nyt hyvin tummina. Lattialta kuitenkin nousee esiin kirkkaanpunaisina useita pieniä tahroja. Lucy sytyttää kattovalon ja siirtää jalustaa. Hän kiinnittää kameran objektiivin eteen oranssin suodattimen. Hän sammuttaa kattovalon ja valokuvaa fluoresoivat punaiset tahrat. Kun hän sytyttää kattovalon, tahroja on vaikea erottaa. Ne ovat vain likaisia kohtia jo muutenkin likaisella lattialla, mutta suurennuslasilla Scarpetta havaitsee niissä hyvin heikkoa punaista. Aine, mitä se sitten onkin, ei liukene tislattuun veteen, eikä hän halua käyttää liuotetta, koska silloin on olemassa vaara, että aine tuhoutuu.

"Meidän on saatava näyte." Scarpetta katsoo mietteliäästi betonilattiaa.

"Minä tulen heti takaisin."

Lucy avaa oven ja kutsuu Larrya. Hän on taas tiskin takana puhelimessa, ja kun hän katsoo Lucyyn ja näkee hänet valkoisen paperin peitossa päästä jalkoihin, hän hätkähtää silminnähden.

"Onko sinusta tullut Mirin kosmonautti?" hän kysyy.

"Onko sinulla työkaluja tässä lafkassa jottei minun tarvitse hakea autosta?"

"Perällä on pieni työkalupakki. Seinähyllyllä." Hän viittaa millä seinällä. "Punainen loota."

"Saatan joutua sotkemaan lattiaa. Ihan pikkuisen."

Larry aikoo sanoa jotain, mutta muuttaa sitten mielensä ja kohauttaa olkapäitään, ja Lucy sulkee oven. Hän ottaa pakista vasaran ja ruuvitaltan ja lohkaisee muutamalla iskulla pieniä näytteitä likaisenpunaisista tahroista. Hän laittaa sirpaleet pusseihin ja puristaa niiden suut kiinni.

Lucy ja Scarpetta riisuvat valkoiset vaatteensa ja laittavat ne roskakoriin. He pakkaavat välineensä ja lähtevät.

"Miksi sinä teet tämän?" Ev kysyy samaa kuin aina miehen tullessa, kysyy käheästi kun mies osoittaa lampulla joka vihloo hänen silmiään kuin puukko. "Älä näytä sillä silmiin."

"Minä en ole ikinä nähnyt toista noin rumaa, lihavaa sikaa", mies sanoo. "Ei ihme ettei kukaan pidä sinusta."

"Sanat eivät satuta minua. Sinä et pysty satuttamaan minua. Minä olen Jumalan oma."

"Katso nyt itseäsi! Kenelle sinä kelpaisit? Etkö vain olekin kiitollinen kun saat minulta huomiota osaksesi?"

"Missä toiset ovat?"

"Pyydä anteeksi. Sinä tiedät mitä sinä teit. Synneistä rangaistaan."

"Mitä sinä olet tehnyt heille?" Ev kysyy samaa kuin aina. "Päästä minut menemään. Jumala antaa sinulle anteeksi."

"Pyydä kuule itse anteeksi."

Mies tökkäisee häntä saappaankärjellä nilkkoihin ja kipu on järjetön.

"Rakas Jumala, anna hänelle anteeksi", Ev rukoilee ääneen. "Ei ole hyvä joutua helvettiin", hän sanoo miehelle. "Vielä ei ole myöhäistä."

36

On hyvin pimeää, kuu on epämääräinen sirppi kuin röntgen-kuvassa, erottuu hämärästi pilvien takaa. Katulyhtyjen valossa parveilee pieniä hyönteisiä. A1A:n autovilinä ei herkeä koskaan, ja ilta on täynnä autojen pitämää kohinaa.

"Mikä sinua vaivaa?" Scarpetta kysyy ratissa istuvalta Lucyl-ta. "Me olemme nyt ensimmäistä kertaa kahdestaan ties miten pitkään aikaan. Kerro nyt minulle mikä sinun on."

"Olisin voinut soittaa Lexille. En olisi saanut vaivata sinua."

"Ja minä olisin voinut sanoa, että soita Lexille ja jätä minut rauhaan. Ei minulla ollut mitään hinkua ryhtyä tänä iltana sinun rikostoveriksesi."

Kumpikin on väsynyt ja kadottanut huumorintajunsa.

"Tässä sitä ollaan", sanoo Lucy. "Ehkä minä käytin tätä ka-veeraamistilaisuutena. Olisin voinut soittaa Lexille", hän sanoo taas ja tuijottaa suoraan eteensä.

"Minä en ole varma pilkkaatko sinä minua."

"En pilkkaa." Lucy katsoo häneen hymyilemättä. "Olen pa-hoillani kaikesta."

"Sinun on syytäkin olla."

"Ei sinun tarvitse nälviä. Sinä et aina tiedä millaista minun elämäni on."

"Vika on siinä että minä haluan tietää. Sinä suljet minulta jat-kuvasti oven."

"Kay-täti, usko pois että on parempi kun et tiedä läheskään kaikkea. Oletko koskaan ajatellut että ehkä minä yritän säästellä sinua? Että sinun kannattaisi iloita minusta sellaisena kuin sinä minut tunnet, ja unohtaa loput?"

"Mitkä loput?"

"Minä en ole samanlainen kuin sinä."

"Tärkeimmiltä osin sinä olet, Lucy. Me olemme kumpikin älykkäitä, ahkeria ja kunnollisia naisia. Me yritämme saada jotain aikaan. Me otamme riskejä. Me olemme rehellisiä. Me yritämme, tosissamme."

"Minä en ole niin kunnollinen kuin sinä luulet. Minä satutan toisia ihmisiä jatkuvasti. Minä olen hyvä siinä ja kehityn koko ajan paremmaksi. Ja kerta kerralta minä piittaan siitä vähemmän. Minusta saattaa olla tulossa uusi Basil Jenrette. Bentonin voisi kannattaa ottaa minut siihen tutkimukseensa siellä pohjoisessa. Minun aivoni varmasti näyttävät samanlaisilta kuin Basilin ja kaikkien muiden psykopaattien."

"Minä en ymmärrä mikä sinuun on mennyt", sanoo Scarpetta hiljaa.

"Minä luulen että se on verta." Jälleen kerran Lucy vaihtaa puheenaihetta niin nopeasti että se tuntuu hätkähdyttävältä. "Minusta tuntuu että Basil puhuu totta. Minä uskon että hän tappoi naisen kaupan perällä. Minulla on aavistus, että se osoittautuu vereksi, se mitä me sieltä löysimme."

"Odotetaan nyt mitä labra sanoo."

"Koko lattia hohti. Se oli outoa."

"Miksi Basil kertoi siitä? Miksi nyt? Miksi Bentonille?" Scarpetta kysyy. "Se vaivaa minua. Huolestuttaa, oikeammin."

"Sellaisilla ihmisillä on aina syynsä. He manipuloivat toisia."

"Se minua juuri huolestuttaakin."

"Hän kertoo koska hän haluaa jotain, tai koska hän saa siitä mielihyvää. Miten hän olisi voinut keksiä sen omasta päästään?"

"Hän saattoi tietää että Christmas Shopista oli kadonnut kaksi ihmistä. Siitä oli lehdessä ja hän oli poliisina Miamissa. Hän on saattanut kuulla siitä toisilta poliiseilta", Scarpetta sanoo.

Mitä enemmän he asiasta puhuvat, sitä kovemmin hän pelkää, että Basililla todellakin oli jotain tekemistä Florrie ja Helen Quincyn katoamisen kanssa. Mutta hän ei keksi miten Basil olisi voinut raiskata ja murhata Florrien kaupan takaosassa. Miten hän sai naisen verisen ruumiin – tai kaksi veristä ruumista sikäli kuin hän tappoi myös Helenin – siirretyksi kaupasta.

"Ymmärrän", Lucy sanoo. "En minäkään keksi miten. Ja jos hän tappoi heidät, miksei hän jättänyt ruumiita kauppaan? Paitsi jos hän halusi salata, että heidät oli tapettu, jos hän halusi että heidän oletettiin kadonneen, lähteneen omasta tahdostaan matkoihinsa."

"Se viittaa minusta motiiviin", Scarpetta sanoo, "eikä kompulsiiviseen seksuaalimurhaan."

"Minä unohdin kysyä", Lucy sanoo. "Ilmeisesti haluat kyydin kotiin?"

"Tähän aikaan päivästä kyllä."

"Mitä aiot tehdä Bostonin suhteen?"

"Meidän on tutkittava Simisterin talo loppuun enkä jaksa tehdä sitä nyt heti. Minulle riittää tältä illalta. Reba on todennäköisesti myös poikki."

"Hän ilmeisesti antoi meille luvan mennä taloon."

"Kunhan hän on itse mukana. Hoidetaan se aamulla. Minä olen ajatellut etten lähtisi Bostoniin ollenkaan, mutta se ei ole reilua Bentonia kohtaan. Ei meitä kumpaakaan kohtaan", hän sanoo kykenemättä peittämään äänestään pettymystä ja turhautumista. "Tämä on tietenkin tuttu tarina. Minulla on yhtäkkiä työkiireitä. Hänellä on yhtäkkiä työkiireitä. Meidän elämässämme ei ole muuta kuin työtä."

"Mitä kiireitä hänellä on?"

"Naisen alaston ruumis löytyi Walden Pondin läheltä. Ihossa on outoja valetatuointeja, jotka minä epäilen tehdyn vasta murhan jälkeen. Punaisia kämmenenjälkiä."

Lucy puristaa ohjauspyörää kovemmin.

"Miten niin valetatuointeja?"

"Maalattuja. Ihotaidetta, sanoo Benton. Huppu päässä, haulikon hylsy peräaukossa, asetettu nöyryyttävään asentoon ja niin päin pois. Minä en tiedä vielä kovin paljon, mutta pian varmasti tiedän."

"Onko ruumis tunnistettu?"

"Ei, ja paljon muutakin on auki."

"Onko seudulla sattunut muita samankaltaisia murhia? Joissa olisi niitä kämmenenjälkiä?"

"Lucy, sinä voit yrittää viedä keskustelua vaikka mille hakoteille, mutta se ei auta. Sinä et ole oma itsesi. Sinä olet lihonut, ja se jos mikä on merkki siitä, että jotain on vinossa, pahasti vinossa. En tarkoita että olisit kamalan näköinen, ei sinne päinkään, mutta minä tiedän millainen sinä olet. Sinä olet usein väsynyt etkä vaikuta terveeltä. Olen kuullut kaikenlaista. En ole sanonut mitään, mutta minä tiedän että jokin on vinossa. Olen tiennyt jo jonkin aikaa. Kerrotko sinä vai et?"

"Minun on saatava lisää tietoa niistä kämmenenjäljistä."

"Minä kerroin kaiken mitä tiedän. Kuinka niin?" Scarpetta katsoo Lucyn jännittyneitä kasvoja. "Mikä sinun on?"

Lucy tuijottaa suoraan eteenpäin ja näyttää suunnittelevan sopivaa vastausta. Hän on taitava siinä, älykäs, nopea, kykenevä järjestelemään tietoja uudelleen, kunnes hänen selostuksensa ovat uskottavampia kuin totuus. Yleensä kukaan ei osaa epäillä niitä. Hänet pelastaa se, ettei hän itse usko valheisiinsa ja manipulointiinsa, ettei hän hetkeksikään unohda tosiasioita ja syöksy päistikkaa omiin ansoihinsa. Lucylla on aina järkiperusteet kaikelle mitä hän tekee, joskus jopa hyvät.

"Sinulla täytyy olla nälkä", sanoo Scarpetta sitten, sanoo hiljaa, lempeästi, siten kuin hän puhui kun Lucy oli mahdoton lapsi, joka purki lakkaamatta tunteitaan, koska häneen sattui kovasti.

"Sinä rupeat aina syöttämään minua kun et keksi mitä muuta tehdä minulle", sanoo Lucy hyvin vaisulla äänellä.

"Ennen se auttoi. Kun olit pikkutyttö, minä sain sinut tekemään ihan mitä vain jos lupasin laittaa sinulle pizzaa."

Lucy on vaiti. Hänen ilmeensä on tuima ja vieras liikennevalon punaisessa hohteessa.

"Lucy? Suostutko sinä hymyilemään tai katsomaan minuun edes kerran tänä iltana?"

"Minä olen tehnyt typeriä juttuja. Yhden yön suhteita. Minä satutan toisia. Vähän aikaa sitten Ptownissa minä tein sen taas. Minä en halua olla läheisissä väleissä kenenkään kanssa. Minä haluan olla omissa oloissani. Minusta tuntuu etten minä voi sille mitään. Tällä kertaa taisin tehdä tosi ison virheen. Minä en ole näet ollut valppaana. Ehkä siksi etten minä välitä enää."

"En edes tiennyt että sinä kävit Ptownissa", Scarpetta sanoo, mutta ei tuomitsevasti.

Lucyn lesbous ei vaivaa häntä.

"Ennen sinä olit varovainen", Scarpetta sanoo. "Varovaisempi kuin kukaan tuntemani ihminen."

"Kay-täti. Minä olen sairas."

37

Musta hämähäkki peittää miehen kämmenselän, leijuu häntä kohti, kulkee valonsäteen läpi muutaman sentin päähän hänen kasvoistaan. Mies ei ole ennen tuonut hämähäkkiä näin lähelle hänen kasvojaan. Hän on laittanut patjalle sakset ja suuntaa valon hetkeksi niihin.

"Pyydä anteeksi", hän sanoo. "Tämä on kaikki sinun syytäsi."

"Luovu syntisestä elämästäsi ennen kuin se on myöhäistä", sanoo Ev, ja sakset ovat käden ulottuvilla.

Mies saattaa houkutella häntä käyttämään niitä. Hän näkee ne valossakin vain hämärästi. Hän kuulostelee Kristinin ja poikien ääniä, ja hämähäkki näkyy sameana hänen silmissään.

"Kaikki tämä olisi jäänyt tapahtumatta. Sinä olet itse saanut tämän aikaan. Nyt on rangaistuksen aika."

"Tämän voi perua", Ev sanoo.

"Rangaistuksen aika. Pyydä anteeksi."

Evin sydän hakkaa, hänen pelkonsa on niin kova että hän voisi oksentaa. Hän ei pyydä anteeksi. Hän ei ole tehnyt syntiä. Jos hän pyytää anteeksi, mies tappaa hänet. Jotenkin hän vain tietää sen.

"Pyydä anteeksi!" mies sanoo.

Nainen ei suostu.

Mies käskee hänen pyytää anteeksi ja hän kieltäytyy. Hän saarnaa. Hän saarnaa typerää, älytöntä roskaa voimattomasta jumalastaan. Jos hänen jumalallaan olisi voimaa, hän ei olisi patjalla.

"Me voimme leikkiä, ettei sitä tapahtunutkaan", nainen sanoo käheällä, anovalla äänellään.

Mies aistii naisen pelon. Hän käskee naisen pyytää anteeksi. Vaikka nainen kuinka hänelle saarnaa, hän pelkää. Hämähäkki saa hänet vapisemaan, hänen jalkansa tutisemaan patjalla.

"Sinun syntisi annetaan anteeksi, jos teet katumuksen ja päästät meidät vapaaksi. Minä en kerro poliisille."

"Et todellakaan kerro. Et koskaan. Kavaltajia rangaistaan, heitä rangaistaan tavoilla joita et osaa edes kuvitella. Sen myrkkyhampaat uppoavat sormeen, jopa kynnen läpi", hän puhuu hämähäkistä. "Jotkut tarantelit purevat monta kertaa peräkkäin."

Hämähäkki melkein koskee Evin kasvoja. Hän vetäisee päätään taakse, huohottaa.

"Se puree ja puree yhä uudestaan. Se lopettaa vasta kun sen repii ihosta irti. Ihminen kuolee jos se puree isoon valtimoon. Ne pystyvät lennättämään karvojaan ihmisen silmiin. Siitä tulee sokeaksi. Se myös sattuu valtavasti. Pyydä anteeksi."

Karju käski hänen pyytää anteeksi ja hän näkee miten ovi menee kiinni, vanha puuovi jonka maali hilseilee, näkee lattialla patjan. Sitten hän kuulee lapion äänen, lapion jolla kaivetaan, koska Karju kielsi häntä kertomasta sen jälkeen kun hän teki ruman tempun ja sanoi että Jumala rankaisee kantelijoita, rankaisee käsittämättömillä tavoilla kunnes he ottavat opikseen.

"Pyydä syntejäsi anteeksi. Jumala suo sinulle armon."

"Pyydä itse anteeksi!" mies näyttää lampulla hänen silmiinsä ja hän puristaa ne kiinni ja kääntää äkkiä kasvonsa sivuun, mutta mies löytää ne lampulla uudestaan.

Ev ei suostu itkemään.

Kun Karju teki sen ruman tempun, nainen itki. Mies sanoi että hän itkisi jos kantelisi. Ja lopulta hän kanteli. Hän kanteli ja Karjun ainoa vaihtoehto oli tunnustaa, koska se oli totta, hän teki sen ruman tempun, eikä Karjun äiti uskonut siitä sanaakaan, sanoi ettei Karju sitä tehnyt, ei olisi mitenkään voinut tehdä, että hän oli selvästikin sairas ja houraili omiaan.

Oli kylmää ja satoi lunta. Hän ei tiennyt että sellaista säätä onkaan, oli nähnyt lunta televisiossa ja elokuvissa mutta ei tuntenut sitä omasta kokemuksesta. Hän muistaa vanhat tiilitalot, muistaa nähneensä ne auton ikkunasta kun häntä vietiin sinne, muistaa eteisen jossa hän istui äidin kanssa ennen kuin lääkäri tuli, valoisan aulan jossa joku mies istui tuolilla, liikutti suutaan, muljautteli silmiään ja keskusteli jonkun kanssa joka ei ollut paikalla.

Äiti meni juttelemaan lääkärin kanssa ja jätti hänet yksin eteiseen. Äiti kertoi lääkärille mitä pahaa Karju oli sanonut tehneensä, sanoi ettei se ollut totta ja että Karju oli vakavasti sairas, että se oli yksityisasia ja että hänelle oli merkitystä vain sillä että Karju tulisi terveeksi, ettei hän enää puhuisi sellaisia, pilaisi perheen mainetta valheillaan.

Äiti ei uskonut että hän oli tehnyt sitä rumaa temppua.

Äiti selitti etukäteen mitä aikoi sanoa lääkärille. Sinä et ole terve, hän sanoi. Se ei ole sinun vikasi. Sinä kuvittelet kaikenlaista ja valehtelet ja olet herkkä vaikutteille. Minä rukoilen sinun puolestasi. Sinun on parasta rukoilla itsekin omasta puolestasi, pyytää Jumalalta armoa, sanoa että sinä kadut sitä että olet satuttanut ihmisiä jotka ovat tahtoneet sinulle pelkkää hyvää. Minä tiedän että sinä olet sairas, mutta sinä saisit hävetä.

"Minä laitan sen sinun päällesi", sanoo Karju ja kääntää valoa lähemmäksi. "Jos sinä satutat sitä kuten hän" – hän tökkäisee Evin otsaa haulikon piipulla – "sinä saat tietää, mitä rangaistus voi pahimmillaan olla."

"Saisit hävetä."

"Minä kielsin sinua sanomasta niin."

Hän tökkäisee kovemmin, piippu osuu luuhun, ja nainen kirkaisee. Hän painaa nappia sytyttääkseen valon, osoittaa sillä naisen rumaa, turvonnutta, likaista naamaa. Hänestä tulee verta. Veri valuu hänen kasvojaan alas. Kun se toinen löi hämähäkin lattialle sen takaruumis repesi ja siitä vuoti keltaista verta. Karjun täytyi liimata se kokoon.

"Pyydä anteeksi. Hänkin pyysi. Arvaa montako kertaa?"

Hän kuvittelee miltä naisesta tuntuu kun hämähäkin karvaiset jalat kutittavat hänen paljasta oikeaa olkapäätään, kuvittelee miten nainen tuntee sen liikkuvan ihollaan ja pysähtyvän ja tarttuvan häneen kevyesti. Nainen istuu seinää vasten, vapisee rajusti ja vilkaisee patjalla olevia saksia.

"Bostoniin saakka. Se oli pitkä matka ja auton perässä oli kylmä. Hän oli siellä alasti ja sidottuna. Autossa ei ole takapenkkiä, pelkkä kylmä peltilattia. Hän paleli. Minä annoin niille siellä pohjoisessa vähän funtsittavaa."

Hän muistaa vanhat tiilitalot, joissa oli siniharmaat kivikatot. Hän muistaa kun äiti vei hänet sinne autolla sen jälkeen kun hän oli tehnyt sen ruman tempun, ja myös kun hän vuosia myöhemmin meni sinne yksin ja asui vanhojen tiilitalojen ympäröimänä, eikä kestänyt pitkään. Sen ruman tempun takia. Siksi hän ei kestänyt pitkään.

"Mitä sinä teit pojille?" Nainen yrittää kuulostaa vahvalta, salata pelkonsa. "Päästä heidät menemään."

Hän sohaisee naista jalkojen välistä ja tämä hypähtää, ja hän nauraa ja haukkuu häntä rumaksi ja tyhmäksi, sanoo ettei hän kelpaisi kenellekään, samaa kuin sanoi silloin kun teki sen ruman tempun.

"Ei ihme", hän jatkaa katsoen hänen riippuvia rintojaan, hänen lihavaa, ihrapoimuista vartaloaan. "Olisit kiitollinen että minä teen sinulle tämän. Kukaan muu ei suostuisi. Sinä olet liian iljettävä ja tyhmä."

"Minä en kerro kenellekään. Päästä minut menemään. Missä Kristin ja pojat ovat?"

"Minä kävin hakemassa ne orvot rääpäleet. Kuten lupasin. Minä vein jopa teidän autonne takaisin. Minä olen puhdassydäminen enkä sellainen syntinen kuin sinä. Ei hätää. Minä hain heidät tänne kuten lupasin."

"Minä en kuule heidän ääniään."

"Pyydä anteeksi."

"Veitkö sinä heidätkin Bostoniin?"

"En."

"Et kai sinä oikeasti vienyt Kristiniä…"

"Minä annoin niille siellä pohjoisessa hiukan mietittävää. Se teki takuulla vaikutuksen siihen mieheen. Toivottavasti hän tietää. Ainakin hän pian tietää, tavalla tai toisella. Aikaa ei ole enää paljon jäljellä."

"Kuka? Sinä voit kertoa minulle, en minä sinua vihaa." Ja nyt nainen kuulostaa myötätuntoiselta.

Hän tietää mitä nainen yrittää. Nainen kuvittelee että heistä tulee ystävät. Jos nainen puhuu tarpeeksi ja salaa pelkonsa ja jopa esittää pitävänsä hänestä, heistä tulee ystävät eikä hän rankaise naista.

"Ei se onnistu", Karju sanoo. "He yrittivät kaikki sitä eikä se onnistunut. Se oli aikamoinen kuriirilähetys. Mies varmasti nosti hattua jos tiesi. Minä olen pistänyt siihen porukkaan vipinää. Aikaa ei ole paljon jäljellä. Sinun kannattaa käyttää se viisaasti. Pyydä anteeksi!"

"Minä en tajua mistä sinä puhut", nainen sanoo samalla epäaidolla äänellä.

Hämähäkki virkoaa hänen olkapäällään ja mies ojentaa pimeässä kätensä ja hämähäkki ryömii takaisin kämmenselälle. Mies kävelee huoneen poikki ja jättää sakset patjalle.

"Leikkaa likainen tukkasi", hän sanoo. "Kyni se lyhyeksi. Jos et ole leikannut sitä siihen mennessä kun minä tulen takaisin, sinun käy huonosti. Älä yritäkään katkaista köysiä. Täältä ei pysty karkaamaan mihinkään."

38

Hanki loistaa kuutamossa Bentonin omakotitalon yläkerrassa olevan työhuoneen ikkunasta. Hän on sammuttanut valot. Hän istuu tietokoneen edessä selaten näytössä valokuvia, kunnes löytää haluamansa.

Kuvia on satayhdeksänkymmentäseitsemän, järkyttäviä, irvokkaita kuvia, ja on ollut kova työ etsiä ne, sillä hänen keskittymistään on häirinnyt se, mitä hänellä on edessä. Hän on levoton. Hänestä tuntuu että on tapahtunut ja tapahtuu edelleen jotain, mikä ei ole suoraviivaisen selvää, ja tapaus on saanut hänet henkilökohtaisesti huolestumaan, mitä on vaikea kuvitella hänen pitkän työkokemuksensa tässä vaiheessa. Hän oli ajatuksissaan ja jätti merkitsemättä sarjanumerot muistiin, ja häneltä meni lähemmäs puoli tuntia etsiä kyseiset valokuvat numero 62 ja 74. Komisario Thrush ja Massachusettsin osavaltion poliisi ovat tehneet häneen vaikutuksen. Murhassa, varsinkaan tällaisessa murhassa, ei voi koskaan olla liian perusteellinen.

Väkivaltaisissa kuolemissa aika tekee tuhojaan. Rikospaikka katoaa tai sinne kulkeutuu kaikenlaisia vierasesineitä, eikä ajassa voi palata taaksepäin. Ruumis muuttuu kuoleman jälkeen, varsinkin ruumiinavauksen jälkeen, eikä paluuta ole, ei todellisuudessa. Osavaltion poliisit panivat kuitenkin parastaan ja käyttivät kameroitaan aggressiivisesti, ja nyt Bentonilla on tolkuttomasti valokuvia ja videotallenteita, ja hän on tutkinut niitä siitä saakka kun tuli kotiin Basil Jenrettea tapaamasta. Benton oli

FBI:n palveluksessa kaksikymmentäyksi vuotta ja luuli jo näh-
neensä kaiken. Oikeuspsykologina hän oli nähnyt kutakuinkin
kaikki omalaatuisuuden muunnelmat. Mutta hän ei ollut kos-
kaan nähnyt mitään tällaista.

Valokuvat 62 ja 74 eivät ole yhtä paljastavia kuin useimmat
muut, koska ne eivät esitä tuntemattoman naisen pään jäänteitä.
Ne eivät esitä häntä kaikessa kasvottomassa, verisessä järkyttä-
vyydessään. Nainen tuo hänen mieleensä lusikan, kaulan pääs-
sä olevan ontoksi koverretun kuoren, ja hänen mustassa, epäta-
saiseksi leikatussa tukassaan on aivojen ja muiden kudosten pa-
lasia ja kuivunutta verta. Valokuvat 62 ja 74 ovat lähikuvia ruu-
miista kaulasta polviin, ja hänessä herää niitä katsellessa tunne,
jota hän ei kykene kuvailemaan, sama tunne joka valtaa hänet
kun jokin asia tuo mieleen jonkin toisen, järkyttävän asian, jo-
ta hän ei muista tarkkaan. Kuvat yrittävät kertoa hänelle jotain,
minkä hän jo tietää, mutta mitä hän ei tavoita. Mitä? Mitä ne
kertovat?

Kuvassa 62 ruumis on selällään ruumiinavauspöydällä. Ku-
vassa 74 se on mahallaan, ja hän napsauttelee kuvasta toiseen
edestakaisin, tutkii alastonta vartaloa, yrittää saada otteen kirk-
kaanpunaisista kämmenenjäljistä ja lapaluiden välisestä vihai-
sesta, hiertyneestä ihosta, noin viidentoista sentin levyisestä ja
parikymmentä senttiä korkeasta alueesta, jossa iho on hankau-
tunut puhki ja jossa näyttää olevan "puulta vaikuttavia tikkuja
ja multaa", kuten ruumiinavauspöytäkirjassa todetaan.

Hän on miettinyt mahdollisuutta, että punaiset kämmenjäljet
oli maalattu ennen kuin nainen kuoli, ettei niillä ole mitään te-
kemistä murhan kanssa. Nainen oli saattanut maalauttaa ihon-
sa syystä tai toisesta jo ennen kuin kohtasi murhaajansa. Ben-
tonin on otettava se mahdollisuus huomioon, mutta hän ei us-
ko siihen. On todennäköisempää, että murhaaja teki ruumiista
taideteoksen, halventavan taideteoksen, joka vihjaa seksuaali-
seen väkivaltaan, siihen että kädet ovat tarttuneet hänen rintoi-
hinsa ja pakottaneet hänet levittämään jalkansa. Nämä symbolit
murhaaja maalasi pitäessään uhria vankinaan tai mahdollisesti
tämän kuoltua. Benton ei tiedä. Hän ei pysty päättelemään ku-
vista. Häntä harmittaa ettei Scarpetta ole tapauksen tutkija, ettei
hän käynyt rikospaikalla ja tehnyt ruumiinavausta. Häntä har-
mittaa ettei Scarpetta ole Bostonissa.

Hän käy läpi muita valokuvia ja raportteja. Uhrin oletetaan olleen noin neljäkymmentävuotias, jonkin verran alle tai yli, ja ruumiinavauspöytäkirjassa kerrotaan sama minkä tohtori Lonsdale sanoi jo ruumishuoneella: nainen oli ollut kuolleena vasta varsin lyhyen aikaa kun ruumis löydettiin Walden Woodsin läpi johtavalta yleiseltä kulkuväylältä, Walden Pondin läheltä, varakkaiden asuttamasta Lincolnin pikkukaupungista. Fyysisten todisteiden näytteissä ei ilmennyt siemennestettä, ja Bentonin alustava arvio on, että murhaajalla, joka laittoi ruumiin metsään tietynlaiseen asentoon, oli sadistisia fantasioita, sellaisia seksuaalisia fantasioita joissa uhri esineistyy.

Uhri ei merkinnyt murhaajalle mitään. Murhattu nainen ei ollut ihminen vaan symboli, esine jolle murhaaja saattoi tehdä mitä halusi eli jota hän saattoi halventaa, terrorisoida ja rangaista, jolle hän saattoi aiheuttaa kärsimystä, jonka hän saattoi pakottaa kohtaamaan edessä olevan väkivaltaisen ja nöyryyttävän kuolemansa, maistamaan haulikon piipunpään suussaan ja katsomaan kun mies veti liipaisimesta. Murhaaja kenties tunsi uhrinsa tai he saattoivat olla toisilleen ventovieraat. Murhaaja saattoi varjostaa naista ja siepata hänet. Massachusettsin poliisin tiedossa ei ole koko Uudesta-Englannista katoamisilmoitusta kenestäkään, johon naisen tuntomerkit sopisivat. Eikä muualtakaan maasta.

Uima-altaan takana on rantavalli. Se on niin pitkä että sen viereen mahtuisi kaksikymmentämetrinen pursi, jota Scarpettalla ei tosin ole. Hänen ei ole koskaan tehnyt mieli minkäänlaista venettä, ei pientä eikä suurta.

Hän katselee veneitä etenkin iltaisin keula- ja perävalojen lipuessa kuin lentokoneet pimeällä kanavalla, moottorin matalaa murinaa lukuun ottamatta äänettömästi. Jos hytin valot palavat, hän katselee kun matkustajat kävelevät tai istuvat tai nostavat lasejaan, nauravat tai ovat totisia, eikä hän haluaisi olla kukaan heistä, eikä heidän kaltaisensa, eikä heidän seurassaan.

Hän ei ole koskaan ollut heidän kaltaisensa. Hän ei ole koskaan halunnut olla heidän kanssaan missään tekemisissä. Lapsena köyhyydessä ja eristyksissä eläessään hän ei ollut heidän kaltaisensa eikä voinut olla heidän kanssaan, ja se oli heidän valintansa. Nyt hän saa itse valita. Hän tietää mitä tietää, hän on ulkona ja katsoo sisään, katsoo elämiä, jotka ovat merkityksettömiä, masentavia, tyhjiä ja pelottavia. Hän on aina pelännyt että hänen sisarentyttärelleen sattuisi jotain traagista. On luonnollista, että hänellä on synkkiä ajatuksia kaikista rakkaista ihmisistä, mutta Lucyn kohdalla taipumus on aina ollut jyrkempi. Scarpetta on aina pelännyt, että Lucy kuolisi väkivaltaisen kuoleman. Hänellä ei ole edes käynyt mielessä, että Lucy voisi sairastua, että biologia voisi kääntyä häntä vastaan, ei siksi että se olisi henkilökohtaista vaan siksi, että se ei ole.

"Minulle alkoi tulla oireita, joissa ei ollut mitään järkeä", Lucy sanoo hämärässä kahden puupilarin välissä, missä he istuvat tiikkituoleilla.

Pöydällä on juotavaa ja juustoa ja suolakeksejä. He eivät ole koskeneetkaan juustoon ja suolakekseihin. Laseissa sen sijaan on jo toinen kierros.

"Joskus toivon että olisin ruvennut polttamaan", Lucy jatkaa ja tarttuu tequilaansa.

"Kaikkea sinäkin puhut."

"Et sinä pitänyt sitä outona kun vielä poltit. Sinun tekee vieläkin mieli."

"On sama mitä minun tekee mieli."

"Juuri noin sinä puhut, kuin olisit vapaa tunteista, joita toisilla ihmisillä on", sanoo Lucy hämärässä katsoen kanavalle. "Ei se sama ole. Totta kai sillä on väliä mitä sinä haluat. Varsinkin jos et voi saada sitä."

"Haluatko sinä sen naisen?" kysyy Scarpetta.

"Kenen heistä?"

"Sen jonka kanssa olit viimeksi", Scarpetta muistuttaa. "Siellä Ptwonissa. Uusimman valloituksesi."

"En minä heitä valloituksina pidä. Minä pidän heitä tilapäisenä todellisuuspakona. Kuin marin polttamista. Se taitaa olla suurin pettymyksen aihe. Se että se on merkityksetöntä. Tällä kertaa sillä tosin voi olla merkitystä. Sellainen merkitys jota minä en ymmärrä. Olen saattanut sattumalta löytää jotakin. Olen ollut todella sokea ja tyhmä."

Hän kertoo Scarpettalle Steviestä, hänen tatuoinneistaan, punaisista kämmenenjäljistä. Hänen on vaikea puhua niistä mutta hän yrittää kuulostaa etäiseltä kuin puhuisi jonkun muun tekemisistä tai tutkittavasta rikoksesta.

Scarpetta on hiljaa. Hän ottaa lasinsa ja yrittää miettiä mitä Lucy juuri kertoi.

"Tai ehkä sillä ei ole mitään merkitystä", Lucy jatkaa. "Jos se oli yhteensattuma. Monet harrastavat omituista ihotaidetta, maalaavat ihoonsa kaikenlaista outoa akryyli- ja lateksiväreillä."

"Minä alan väsyä yhteensattumiin. Niitä on viime aikoina ollut liian paljon", sanoo Scarpetta.

"Tämä on aika hyvää tequilaa. Nyt tekisi mieli ruohoa."

"Yritätkö sinä järkyttää minua?"

"Ruoho ei ole niin vahingollista kuin sinä luulet."

"Sinusta on siis tullut lääkäri."

"Ihan totta."

"Lucy, miksi sinä vihaat itseäsi noin kovasti?"

"Arvaa mitä, Kay-täti?" Lucy kääntyy häneen päin. Hänen kasvonsa erottuvat terävinä rantavalojen kajeessa. "Sinulla ei ole aavistustakaan siitä mitä minä olen tehnyt ja teen. Joten älä teeskentele ymmärtäväsi."

"Tuo kuulostaa jonkinlaiselta syytökseltä. Suurin osa siitä, mitä sinä olet tänä iltana sanonut, kuulostaa syytökseltä. Olen pahoillani jos olen jollain tavalla pettänyt sinut. Et osaa kuvitellakaan miten minä kadun sitä."

"Minä en ole sinä."

"Et tietenkään. Ja sinä hoet sitä jatkuvasti."

"Minä en etsi pysyvää suhdetta, ihmistä jolla on todella merkitystä, ihmistä jota ilman minä en kestä elää. Minä en halua elämääni omaa Bentonia. Minä haluan ihmisiä, jotka minä pystyn unohtamaan. Yhden yön suhteita. Haluatko kuulla paljonko minulla on niitä ollut? Minä en tiedä itsekään."

"Sinä et ole viimeisen vuoden aikana ollut käytännöllisesti katsoen missään tekemisissä minun kanssani. Siitäkö se johtuu?"

"Se on helpompaa."

"Pelkäätkö sinä että minä tuomitsen sinut?"

"Sinun voisi kuulua tuomita."

"Ei minua se häiritse, kenen kanssa sinä makaat. Vaan kaikki muu. Sinä eristäydyit toisista Akatemiassa, et ole mukana opiskelijoiden kanssa, et ole edes paikalla juuri koskaan tai jos olet, rääkkäät itseäsi kuntosalilla tai pärisyttelet helikopterilla tai paukuttelet ampumaradalla tai testaat jotain vekotinta, mieluiten vaarallista vekotinta."

"Jospa minä tulenkin toimeen vain vekottimien kanssa."

"Lucy, elämässä mikään ei kestä laiminlyöntiä pitkään. Muista se."

"Ei edes minun ruumiini."

"Entä sinun sielusi ja sydämesi? Aloitetaan niistä."

"Se oli kylmästi sanottu. Viis minun terveydestäni."

"Minä suhtaudun siihen kaikkea muuta kuin kylmästi. Sinun terveytesi on minulle tärkeämpi asia kuin oma terveyteni."

"Minusta tuntuu että hän viritti minulle ansan, tiesi että olin siellä baarissa, että minulla oli jotain mielessä."

Taas hän palaa siihen naiseen, siihen jonka iholla oli samanlaisia kämmenenjälkiä kuin Bentonin tutkimalla murhatulla.

"Sinun pitää kertoa Steviestä Bentonille. Mikä hänen sukunimensä on? Mitä sinä tiedät hänestä?" Scarpetta kysyy.

"Minä tiedän hänestä hyvin vähän. Sillä ei varmasti ole mitään tekemistä minkään kanssa, mutta outoa se on, eikö vain. Hän oli siellä samaan aikaan kun se nainen murhattiin ja ruumis jätettiin metsään. Samalla seudulla ainakin."

Scarpetta on vaiti.

"Sillä seudulla voi olla menossa jonkinlainen kulttijuttu", sanoo Lucy seuraavaksi. "Voihan olla että monet siellä maalaavat ihoonsa punaisia käsiä ilmasiveltimellä. Älä tuomitse minua. Minä tiedän jo miten typerä ja harkitsematon minä olen."

Scarpetta katsoo häntä ja on hiljaa.

Lucy pyyhkii silmiään.

"En minä tuomitse. Minä yritän ymmärtää miksi sinä olet kääntänyt selkäsi kaikelle, mikä on ollut sinulle tärkeää. Sinä omistat Akatemian. Se on sinun toteutunut unelmasi. Sinä vihasit organisoitua poliisitoimintaa, varsinkin FBI:tä. Siksi sinä perustit omat poliisivoimat, oman possen. Nyt sinun hevosesi kiertää paraatikenttää ilman ratsastajaa. Missä sinä olet? Meistä muista tuntuu että meidät on jätetty heitteille – kaikista meistä jotka sinä kokosit yhteen palvelemaan sinun asettamaasi tavoitetta. Suurin osa viime vuoden opiskelijoista ei koskaan päässyt tapaamaan sinua, kaikki opettajatkaan eivät tunne sinua edes näöltä."

Lucy katsoo kun purjevene puksuttaa ohitse pimeässä purjeet koottuina. Hän pyyhkii taas silmiään.

"Minulla on kasvain", hän sanoo. "Aivoissa."

39

Benton suurentaa seuraavaa kuvaa. Se on otettu löytöpaikalta. Ruumis on kuin väkivaltapornografian järkyttävä uhri. Hän on selällään, jalat ja kädet harallaan, hänen lantionsa ympäri on kiedottu veriset valkoiset pitkä housut kuin vaippa, ulosteen tahrimat ja hieman veriset pikkuhousut peittävät hänen hajonneen päänsä kuin naamari, johon on puhkaistu kaksi silmäaukkoa.

Hän nojaa tuolin selkään ja miettii. Olisi liian yksioikoista olettaa, että uhri oli laitettu Walden Woodsiin tähän asentoon pelkästään löytäjien järkyttämiseksi. Tässä on jotain muutakin.

Tapaus muistuttaa häntä jostakin.

Hän miettii housuja jotka on kääritty vaipaksi. Ne ovat nurin päin, mikä viittaa useisiin tulkintamahdollisuuksiin: jossain vaiheessa nainen saattoi riisua ne pakon alla ja panna sitten takaisin jalkaan. Murhaaja saattoi riisua ne tapettuaan naisen. Ne ovat pellavaa. Moni ei tähän aikaan vuodesta pukeudu pellavahousuihin Uudessa-Englannissa. Valokuvassa, jossa housut on levitetty paperilla peitetylle ruumiinavauspöydälle, näkyy veritahrojen muodostama kuvio, ja se on paljastava. Housut ovat etupuolelta polvista ylöspäin tummanruskeasta verestä kankeat. Polvien alapuolella on vain muutama tahra, ei sen enempää. Benton ajattelee että nainen oli polvillaan, kun hänet ammuttiin. Hän kokeilee Scarpettan numeroa. Hän ei vastaa.

Nöyryytystä. Hallintaa. Täydellistä halventamista, uhrin alistamista täysin voimattomaksi, yhtä voimattomaksi kuin imeväinen. Huppu päässä, kenties kuin kyse olisi mestauksesta. Huppu päässä kuin sotavangilla, kenties tarkoituksena kiduttaa, terrorisoida. Murhaaja todennäköisesti toistaa jotain oman elämänsä tapahtumaa. Luultavimmin lapsuudestaan. Todennäköisesti seksuaalista ahdistelua. Sadismia kenties. Se on usein syynä. Tehkää toisille kuten he ovat tehneet teille. Hän yrittää uudestaan Scarpettan numeroa mutta hän ei vastaa.

Basil putkahtaa hänen mieleensä. Basil esillepani osan uhreistaan, laittoi heidät nojaamaan, yhden seinää vasten moottoritien levähdyspaikan naisten vessassa. Benton palauttaa mieleen tilanteen ja valokuvat Basilin uhreista, niistä jotka tunnetaan, ja näkee vainajien veriset, silmättömät kasvot. Siinä saattaa olla hänen tapailemansa yhtäläisyys. Alushousujen reiät tuovat mieleen Basilin silmättömät uhrit.

Toisaalta se voi johtua hupusta. Jostain syystä se tuntuu todennäköisemmältä. Laittamalla hupun uhrin päähän murhaaja nöyryyttää hänet täysin, eliminoi kaikki pakenemisen ja vastaanpyristelyn mahdollisuudet, kiduttaa, pelästyttää, rankaisee. Basilin uhreilla ei ollut huppua ainakaan tiettävästi, mutta sadistisissa murhissa on aina paljon sellaista, mitä kukaan ei tiedä. Uhrit eivät pysty kertomaan mitä tapahtui.

Benton on huolissaan siitä että hän miettii kenties liikaa Basilin ajatuksia.

Hän yrittää taas Scarpettan numeroa.

"Minä täällä", hän sanoo kun Scarpetta vastaa.

"Ajattelin juuri soittaa sinulle", Scarpetta sanoo kylmällä, epävakaalla äänellä.

"Sinä kuulostat hätääntyneeltä."

"Aloita sinä, Benton", Scarpetta sanoo edelleen samalla äänellä, joka ei ole hänelle tyypillinen.

"Oletko sinä itkenyt?" Benton ei ymmärrä mikä Scarpettalla on hätänä. "Halusin jutella yhdestä tapauksesta jota tutkin täällä", hän sanoo.

Scarpetta on ainoa ihminen maailmassa, joka saa hänessä aikaan tämän tunteen. Pelon.

"Olisin halunnut keskustella siitä. Tutkin aineistoa parhaillaan", hän sanoo.

"Mukavaa että haluat keskustella kanssani edes jostain."

"Mikä on hätänä, Kay?"

"Lucy", vastaa Scarpetta. "Sinä olet tiennyt siitä jo vuoden. Miten sinä olet saattanut kohdella minua näin?"

"Vai on hän kertonut", Benton sanoo hieroen leukaansa.

"Hänet kuvannettiin sinun omassa sairaalassasi etkä sinä kertonut minulle! Mutta arvaa mitä? Hän on minun siskontyttöni eikä sinun. Sinulla ei ole oikeutta..."

"Hän vaati minua lupaamaan."

"Hänellä ei ollut oikeutta."

"Oli toki. Hän kielsi kaikkia kertomasta sinulle ilman hänen lupaansa. Jopa lääkäreitä."

"Mutta hän kertoi sinulle."

"Erittäin hyvästä syystä..."

"Tämä on vakava asia. Meidän on tehtävä jotain. En ole varma voinko minä enää luottaa sinuun."

Benton huokaisee. Hänen vatsansa on kireä kuin nyrkki. He riitelevät harvoin. Ja kun he riitelevät, se tuntuu hirveältä.

"Minä lopetan nyt", Scarpetta sanoo. "Meidän on tehtävä jotain", hän sanoo uudestaan.

Hän katkaisee puhelun sanomatta kuulemiin, ja Benton istuu tuolillaan pystymättä heti liikkumaan. Hän tuijottaa silmät seisten näytöllä olevaa järkyttävää kuvaa, alkaa jälleen napsautella tiedostoja auki, lukea raportteja, Thrushin hänelle kirjoittamaa katsausta, yrittäen ohjata ajatuksensa pois äskeisestä puhelusta.

Hangella oli jälkiä, joista päätellen ruumis oli vedetty pysäköintialueelta löytöpaikalle. Hangella ei ollut uhrin jalanjälkiä vaan ainoastaan murhaajan jälkiä. Kengännumero noin yhdeksän, kenties kymmenen, karkea pohjakuvio jonkinlaisista vaelluskengistä.

Scarpetta teki epäreilusti syyttäessään häntä. Hänellä ei ollut muuta vaihtoehtoa. Lucy vaati häntä lupaamaan ettei hän kertoisi, sanoi ettei antaisi koskaan anteeksi jos hän kertoisi kenellekään, varsinkaan tädilleen, varsinkaan Marinolle.

Murhaajan jättämissä jäljissä ei ollut veripisaroita eikä veritahroja, mistä päätellen hän oli käärinyt ruumiin esimerkiksi kankaaseen ja kiskonut sen löytöpaikalle. Poliisit löysivät hangen urista kuituja. Scarpetta projisoi, syyttää häntä koska ei voi syyttää Lucya. Hän ei voi syyttää Lucyn kasvainta. Hän ei voi suuttua sairaalle ihmiselle.

Ruumiin hiukkastodisteissa on kuituja ja mikroskooppisia epäpuhtauksia sormenkynsien alla sekä vereen, hiuksiin, ihokarvoihin ja hiertyneeseen ihoon tarttuneena. Alustava laboratoriotutkimus osoittaa suurimman osan hiukkasista olevan matto- ja puuvillakuituja, ja mukana on mineraaleja, hyönteisten ja kasvien hiukkasia ja siitepölyä, joita on yleensä maassa.

Kun puhelin soi Bentonin kirjoituspöydällä, näytössä lukee että soittajan numero on tuntematon, ja hän otaksuu että soitto tulee Scarpettalta. Hän nostaa luurin korvalle.

"Niin?" hän sanoo.

"Täällä on McLeanin sairaalan puhelunvälittäjä."

Benton empii, hän on pettynyt ja loukkaantunut. Scarpetta olisi voinut soittaa hänelle. Hän ei muista milloin Scarpetta olisi viimeksi lyönyt luurin hänen korvaansa.

"Yritän tavoittaa tohtori Wesleytä", sanoo välittäjä.

Tuntuu vieläkin oudolta kun häntä puhutellaan tohtoriksi. Hän suoritti tutkintonsa jo vuosia sitten, jo FBI:n palveluksessa ollessaan, mutta ei koskaan vaatinut eikä edes halunnut että häntä tituleerattiin tohtoriksi.

"Puhelimessa", hän sanoo.

Lucy istuu vuoteellaan tätinsä vierashuoneessa. Valot on sammutettu. Hän oli juonut liian monta tequilaa ajaakseen kotiin. Hän katsoo Treonsa taustavalaistua näyttöä, kämmykkää jonka suuntanumero on 617. Häntä huimaa hiukan, hän on pienessä sievässä.

Hän miettii Stevietä, muistaa miten järkyttyneeltä ja epävarmalta tämä vaikutti, kun hän lähti kiireesti mökistä. Hän miettii miten Stevie seurasi häntä pysäköintipaikalle, minne hän oli jättänyt Hummerin, ja miten Stevie silloin käyttäytyi kuin se viettelevä, salamyhkäinen ja itsevarma nainen jonka Lucy oli tavannut Lorrainella, ja hän miettii heidän ensitapaamistaan Lorrainella, kokee samoja tunteita kuin silloin. Hän ei halua tuntea mitään mutta tuntee kuitenkin, ja se vaivaa häntä.

Stevie vaivaa häntä. Stevie saattaa tietää jotain. Hän oli Uudessa-Englannissa samoihin aikoihin kuin se nainen murhattiin ja ruumis jätettiin Walden Pondin lähelle, ja kummankin ihossa oli punaisia käsiä. Stevie väitti ettei hän maalannut niitä itse, vaan että joku muu maalasi.

Kuka?

Lucy painaa soittonäppäintä silmät hieman tihrussa, mieli hieman pelokkaana. Hänen olisi pitänyt jäljittää se 617-alkuinen numero jonka hän sai Stevieltä, selvittää kenen se on, onko se todella Stevien numero, ja onko hänen nimensä edes Stevie.

"Haloo?"

"Stevie?" Eli se on hänen numeronsa. "Muistatko minut?"

"Miten minä voisin unohtaa? Se on mahdotonta."

Stevie kuulostaa viettelevältä. Hänen äänensä on rauhoittava ja täyteläinen ja Lucylle tulee samanlainen olo kuin silloin Lorrainella. Hän palauttaa mieleen miksi hän soittaa.

Kämmenenjälkien takia. Mistä Stevie ne sai? Keneltä?

"Minä olin varma etten kuulisi sinusta enää koskaan", sanoo Stevien houkutteleva ääni.

"No nyt kuulit", sanoo Lucy.

"Miksi sinä puhut noin hiljaa?"

"En ole kotona."

"Minun olisi kai parempi olla kysymättä mitä se tarkoittaa. Mutta minä teen paljon asioita, joita minun olisi parempi olla tekemättä. Kenen luona sinä olet?"

"En kenenkään", sanoo Lucy. "Oletko vielä Ptownissa?"

"Lähdin heti sinun jälkeesi. Ajoin suoraa päätä kotiin. Siellä minä olen."

"Gainesvillessa?"

"Missä sinä olet?"

"Sinä et kertonut minulle sukunimeäsi", sanoo Lucy.

"Kenen talossa sinä olet jos et kerran ole omassasi? Oletan että sinä asut omakotitalossa. Et tainnut mainita."

"Käytkö sinä koskaan etelässä?"

"Minä käyn missä haluan. Etelässä mihin nähden? Oletko sinä Bostonissa?"

"Minä olen Floridassa", vastaa Lucy. "Haluaisin tavata. Meidän pitää jutella. Kertoisitko sukunimesi? Emme vaikuttaisi niin vierailta toisillemme."

"Mistä sinä haluat jutella?"

Hän ei paljasta Lucylle sukunimeään. Sitä on turha kysyä uudestaan. Hän ei varmaankaan paljasta Lucylle mitään muutakaan, ainakaan puhelimessa.

"Jutellaan kasvotusten", Lucy ehdottaa.

"Parempi niin."

Lucy ehdottaa tapaamista huomenillalla kymmeneltä South Beachissa.

"Oletko kuullut mestasta nimeltä Deuce?" Lucy kysyy.

"Se on aika kuuluisa", sanoo Stevien viettelevä ääni. "Tunnen sen hyvin."

40

Pyöreä messinkikärki kiiltää näytöllä kirkkaana kuin kuu.

He ovat Massachusettsin osavaltion poliisin aselaboratoriossa. Tuliaseiden tutkija Tom istuu tietokoneiden ja vertailumikroskooppien keskellä hämärässä huoneessa, jossa valtakunnallinen ballistisen informaation verkko, lyhyesti NIBIN, on viimeinkin vastannut hänen kyselyynsä.

Hän katsoo suurennettua kuvaa. Siinä näkyy uria ja naarmuja, jotka ovat siirtyneet haulikon metalliosista kahden hylsyn messinkipäähän. Hän on kohdistanut kuvat siten että puolikkaat kohtaavat keskellä, mikroskooppiprofiilit, kuten Tom niitä nimittää.

"Virallisesti minä tietenkin sanon tätä *mahdolliseksi* natsaukseksi kunnes pystyn varmentamaan sen vertailumikroskoopissa", hän selittää puhelimessa tohtori Wesleylle, legendaariselle Benton Wesleylle.

Tämä on siistiä, Tom ajattelee.

"Toisin sanoen Browardin piirikunnan tutkijan pitää lähettää minulle todisteensa, ja onneksi se ei ole esteenä", Tom jatkaa. "Sanoisin alustavasti että en usko tulevan epäselvyyttä siitä, etteikö tämä olisi oikea tietokantaosuma. Minun mielestäni, jälleen alustavasti, patruunat laukaistiin samalla haulikolla."

Hän odottaa reaktiota ja huomaa miten sähköistynyt hän on, miten innostunut, vauhdissa kuin olisi juonut kaksi whisky souria. Tietokantaosumasta kertominen on kuin ilmoittaisi että rikostutkija on voittanut lotossa.

"Mitä tiedät siitä Hollywoodin tapauksesta?" kysyy tohtori Wesley ilman pienintäkään kiitollisuuden merkkiä.

"Ensinnäkin että se on selvitetty", vastaa Tom loukkaantuneena.

"En taida ymmärtää", sanoo tohtori Wesley samalla kiittämättömällä äänellä.

Hän on kiittämätön ja ylimielinen, olisihan se pitänyt arvata. Tom ei ole tavannut häntä koskaan, ei ole koskaan ennen puhunut hänen kanssaan, eikä tiennyt mitä odottaa. Mutta hän on kuullut Wesleystä, kuullut hänen menneestä urastaan FBI:llä, ja kaikki tietävät että FBI käyttää valtaansa hyväksi, riistää paikallisen poliisin etsiviä ja kohtelee heitä silti vähempiarvoisina ja ottaa sitten kaiken kunnian itselleen. Wesley on paskantärkeä, kuinkas muuten. Ei ihme että Thrush käski hänen soittaa suoraan legendaariselle tohtori Benton Wesleylle. Thrush ei halua olla tekemisissä hänen kanssaan eikä kenenkään, joka on tai on ollut FBI:n palveluksessa.

"Kaksi vuotta sitten", Tom sanoo, ei enää ystävällisesti.

Hän kuulostaa tyhmältä, yksinkertaiselta. Niin vaimo sanoo kun Tomin itsetunto on saanut kolauksen ja hän täysin perustellusti reagoi siihen. Hänellä on oikeus reagoida, mutta hän ei halua vaikuttaa tyhmältä ja yksinkertaiselta, puulla päähän lyödyltä, kuten vaimo sanoo.

"Hollywoodissa tehtiin ryöstö yhdessä elintarvikekioskissa", hän sanoo yrittäen olla kuulostamatta tyhmältä ja yksinkertaiselta. "Tyyppi astuu ovesta kuminaamari kasvoilla ja haulikko ojossa. Hän ampuu lattiaa lakaisevan pojan ja sitten yövuorossa oleva myyjä ampuu häntä päähän pistoolilla jota hän pitää tiskin alla."

"Ja haulikon hylsyä etsittiin NIBIN:istä?"

"Ilmeisesti jotta nähtiin oliko sama naamioitunut tyyppi ollut mukana muissa selvittämättömissä rikoksissa."

"Minä en ymmärrä", sanoo tohtori Wesley jälleen kärsimättömästi. "Miten haulikon kävi sen jälkeen kun se naamioitunut mies ammuttiin? Poliisinhan olisi pitänyt ottaa se haltuun. Ja nyt sitä on taas käytetty murhassa täällä Massachusettsissa?"

"Minä kysyin samaa Browardin piirikunnan tutkijalta", Tom vastaa ponnistellen kaikin voimin jottei kuulostaisi tyhmältä ja yksinkertaiselta. "Hän sanoi että ammuttuaan haulikolla koelaukaukset hän palautti sen Hollywoodin poliisilaitokselle."

"Siellä se ei ainakaan ole", sanoo tohtori Wesley kuin Tom olisi hidasjärkinen.

Tom pureskelee kynsinauhaansa, kunnes siitä tulee verta, vanha tapa joka ärsyttää hänen vaimoaan suunnattomasti.

"Kiitos", sanoo tohtori Wesley ja lopettaa puhelun tylysti.

Tomin katse siirtyy NIBIN-mikroskooppiin, johon hän on laittanut puheena olleen haulikon hylsyn tutkittavaksi, punaisen muovihylsyn, kaksitoistakaliiperisen, jonka messinkipäässä on iskurista jäänyt erikoinen naarmu. Hän jätti muut työt sikseen tutkiakseen tämän hylsyn. Hän on istunut aloillaan koko päivän ja nyt iltaan asti käyttäen kehävaloa ja sivuvaloa ja asianmukaisia neljänkymmenenviiden ja yhdeksänkymmenen asteen asentoja ja tallentanut kaikki kuvatiedostot, tehnyt sen pesämerkintöjen, iskurin jättämän naarmun ja hylsynpoistimen jäljen osalta ennen kuin etsi NIBIN-tietokannasta.

Sitten hän joutui odottamaan tulosta neljä tuntia sillä aikaa kun hänen vaimonsa meni lasten kanssa elokuviin ilman häntä. Sitten Thrush oli päivällisellä ja soitti hänelle käski hänen soittaa tohtori Wesleylle, mutta unohti antaa suoran numeron, ja Tom joutui soittamaan McLeanin sairaalan keskukseen, jossa häntä kohdeltiin kuin potilasta. Pieni kiitollisuus olisi paikallaan, hän ajattelee. Tohtori Wesley ei viitsinyt edes kiittää tai kehua että Tom oli tehnyt hyvää työtä, tai ihmetellä miten nopeasti hän oli löytänyt yhteyden tai että hän oli ylipäänsä löytänyt sen. Onko tohtori Wesleyllä mitään tajua siitä miten iso vaiva on etsiä haulikon hylsyä NIBIN:istä? Suuri osa teknikoista ei edes yrittäisi.

Hän tuijottaa hylsyä. Hän ei ole ennen käsitellyt hylsyä joka on löydetty vainajan peräsuolesta.

Hän vilkaisee kelloaan ja soittaa Thrushille kotiin.

"Kerrohan yksi juttu", hän aloittaa kun Thrush vastaa. "Miksi sinä käskit minun soittaa tohtori Fuck-B-I:lle. Ja yksi kiitoksen sana olisi mukava kuulla."

"Puhutko sinä Bentonista?"

"En vaan Bondista. James Bondista."

"Hän on mukava heppu. Minä en ymmärrä mistä sinä puhut paitsi että sinä kannat FBI:lle sellaista kaunaa että sinä olet minun mielestäni rasisti. Ja arvaa mitä muuta, Tom?" jatkaa Thrush ja kuulostaa hieman juopuneelta. "Avaa korvasi viisaamman miehen neuvolle. NIBIN:in omistaa FBI, joten FBI omistaa myös sinut. Mistä hitosta sinä luulet niiden hienojen laitteidesi tulleen ja kaiken sen koulutuksen jota olet saanut voidaksesi istua siellä huoneessasi ja tehdä kaiket päivät sitä mitä teet? Arvaa mistä ne ovat tulleet? FBI:ltä."

"Minä en halua kuunnella tällaista juuri nyt", sanoo Tom luuri leuan alla ja naputtelee, sulkee tiedostoja, valmistautuu lähtemään kotiin autioon taloon, josta vaimo ja lapset ovat lähteneet elokuviin ilman häntä.

"Sitä paitsi Benton erosi FBI:stä ajat sitten. Hänellä ei ole sen kanssa enää mitään tekemistä, jottas tiedät."

"Hän olisi voinut olla kiitollinen. En minä muuta. Tämä on ensimmäinen kerta kun me olemme löytäneet NIBIN:istä natsaavan haulikon hylsyn."

"Kiitollinen? Mitä perkelettä sinä pelleilet? Kiitollinen mistä? Siitäkö että sen kuolleen naisen perseessä ollut hylsy natsaa kuolleen miehen haulikon kanssa, vaikka sen perkeleen haulikon pitäisi olla Hollywoodin poliisilaitoksella lukkojen takana tai myyty romumetalliksi?" kysyy Thrush kovalla äänellä, ja juovuspäissään hän yleensä viljelee perkeleitä. "Usko huviksesi, ettei se mies ole kiitollinen. Hänen tekee todennäköisesti juuri nyt mieli samaa kuin minun eli juoda itsensä perkele sikakänniin."

41

Ränsistyneessä talossa on kuuma ja ilma on tunkkaista eikä liiku. Se haisee homeelta ja eltaantuneelta ruoalta ja käymälältä.

Karju liikkuu pimeässä itsevarmasti huoneesta toiseen. Hän tietää tunnustelemalla ja hajujen perusteella tarkasti missä hän milloinkin on. Hän osaa kulkea ketterästi nurkasta toiseen, ja kun on kirkas kuutamo kuten tänä yönä, hänen silmänsä vangitsevat kuun valon ja hän näkee selvästi kuin keskellä päivää. Hän näkee varjoihin, niin kauas niiden taakse että on kuin niitä ei olisikaan. Hän näkee naisen kaulan ja kasvojen punaiset arvet, näkee hänen likaisella, kalpealla iholloon kiiltävän hien, näkee pelon hänen silmissään, näkee hänen leikkaamansa hiukset patjalla ja lattialla, mutta nainen ei näe häntä.

Hän kävelee naista kohti, kävelee kohti haisevaa likaista patjaa laholla puulattialla, patjaa jolla nainen istuu seinään nojaten kiiltävät, vihreään kääritty jalkansa suorina. Hänen tukkansa jäänteet törröttävät pystyssä kuin hän olisi työntänyt sormensa pistorasiaan, kuin hän olisi nähnyt kummituksen. Hänellä oli sen verran järkeä että hän jätti sakset patjalle. Mies ottaa ne ja korjailee saappaankärjellä kirkkaanvihreän kaavun asentoa, kuulee naisen hengityksen, tuntee hänen katseensa, joka on kuin kaksi kosteaa täplää.

Mies otti sohvan päältä kauniin vihreän kaavun. Nainen oli juuri tuonut sen autosta sisälle, tuonut kirkosta jossa hän oli pitänyt sitä päällään muutama tunti aiemmin. Mies otti kaavun koska hän piti siitä. Nyt se on ryppyinen ja nuhruinen ja tuo hänelle mieleen surmatun lohikäärmeen, joka on lysähtänyt maahan. Hän tuon lohikäärmeen sieppasi. Se on hänen, ja pettymys siitä, millainen siitä on tullut, tekee hänen olonsa kireäksi ja väkivaltaiseksi. Lohikäärme on pettänyt hänet. Se ei täyttänyt odotuksia. Kun kirkkaanvihreä lohikäärme liikkui vapaana ja kauniina ilmassa ja ihmiset kuuntelivat sitä eivätkä malttaneet irrottaa katsettaan siitä, hänen teki sitä mieli. Hän halusi sen. Hän melkein rakasti sitä. Mutta nyt se on tuollainen!

Hän siirtyy hitaasti lähemmäksi naista ja potkaisee hänen rautalangalla yhteen sidottuja, vihreän kaavun peittämiä nilkkojaan. Nainen ei juuri liikahdakaan. Hän oli vähän aikaa sitten valppaampi, mutta hämähäkki näyttää uuvuttaneen hänet. Hän ei ole enää saarnannut samaa luiskaotsaista soopaansa. Hän ei ole sanonut mitään. Hän on kussut se jälkeen kun mies kävi huoneessa vajaa tunti sitten. Ammoniakinhaju kirvelee hänen sieraimiaan.

"Miksi sinä olet noin iljettävä?" kysyy Karju katsoen alas häneen.

"Nukkuvatko pojat? En kuule heidän ääniään?" Nainen kuulostaa hourivalta.

"Lakkaa jo naukumasta heistä!"

"Minä tiedän ettet sinä halua satuttaa heitä, minä tiedän että sinä olet kunnon ihminen."

"Turha yrittää", Karju sanoo. "Tuki kitusesi. Sinä et tiedä mistään mitään etkä tule koskaan tietämäänkään. Sinä olet mahdottoman tyhmä ja ruma. Sinä olet ällöttävä. Kukaan ei uskoisi sinua. Pyydä anteeksi. Tämä on kaikki sinun syytäsi."

Hän potkaisee taas naista nilkkoihin, tällä kertaa kovemmin, ja nainen parahtaa kivusta.

"Mikä vitsi! Katso nyt itseäsi. Kuka minun nätti tyttöni nyt on? Sinä olet kuraa. Hemmoteltu kakara, kiittämätön viisastelija. Minä opetan sinut nöyräksi. Pyydä anteeksi!"

Hän potkaisee nilkkoja kovemmin ja nainen kirkaisee ja kyyneleet täyttävät hänen silmänsä ja kiiltävät kuin lasi kuutamossa.

"Eipä sitä enää ollakaan niin mahtavaa ja koppavaa. Luuletko olevasi paljon muita parempi ja fiksumpi? Katso nyt itseäsi! Minun on selvästikin keksittävä jokin tehokkaampi tapa rangaista sinua. Laita kengät takaisin jalkaan."

Hämmennys käy Evin silmissä.

"Me palaamme ulos. Sinä et muuten kuuntele. Pyydä anteeksi."

Evin lasittuneet silmät tuijottavat häntä.

"Haluatko sinä snorkkelista? Pyydä anteeksi!"

Hän sohaisee Eviä haulikolla ja Evin jalat nytkähtävät.

"Sinä kerrot minulle kohta miten kovasti sinä sitä haluat. Kiität minua koska sinä olet niin ruma ettei kukaan välittäisi koskea sinuun. Sinusta tuntuu että sinua on kohdannut kunnia, eikö totta?" Karju on hiljentänyt ääntään, tietää miten sen saa kuulostamaan pelottavammalta.

Hän sohaisee Eviä taas, tällä kertaa rintoihin.

"Tyhmä ja ruma. Otetaan ne kengät esiin. Sinä et jätä minulle muuta vaihtoehtoa."

Ev ei sano mitään. Karju potkaisee häntä nilkkoihin, potkaisee kovasti, ja kyyneleet valuvat hänen verisiä kasvojaan alas. Hänen nenänsä on todennäköisesti murtunut.

Hän mursi Karjun nenän, läimäytti häntä niin rajusti, että nenästä tuli verta monta tuntia ja Karju tiesi että se murtui. Nenänvarressa tuntuu kyhmy. Nainen läimäytti häntä kun hän teki ruman tempun, kun hän alussa rimpuili vastaan, sen ruman tempun joka sattui siinä huoneessa jonka oven maali hilseilee. Sitten äiti vei hänet siihen yhteen paikkaan jossa rakennukset ovat vanhoja ja jossa sataa lunta. Hän ei ollut koskaan ennen nähnyt lunta, ei ollut koskaan palellut niin kovasti. Äiti vei hänet sinne koska hän valehteli.

"Eikö teekin kipeää?" hän kysyy. "Potku nilkkoihin sattuu mielettömästi kun rautalankaripustimet närsivät nilkkaluita. Sen saat siitä kun et tottele minua. Valehtelemisesta. Katsotaanpas missä se snorkkeli on."

Hän potkaisee taas ja Ev vaikeroi. Hänen jalkansa vapisevat nuhruisen vihreän kaavun alla, hänen päälleen levitetyn kuolleen, vihreän lohikäärmeen alla.

"Minä en kuullut poikien ääniä", Ev sanoo ja hänen äänensä heikkenee, hänen tulensa sammuu.

"Pyydä anteeksi."

"Minä annan sinulle anteeksi", Ev sanoo silmät suurina kiiluen.

Karju nostaa haulikkoa ja osoittaa sillä häntä päähän. Ev tuijottaa suoraan piippuun, tuijottaa kuin ei enää välittäisi, ja Karju kiehuu raivosta.

"Sinä voit antaa anteeksi vaikka miten mutta Jumala on minun puolellani", hän sanoo. "Sinä olet ansainnut häneltä rangaistuksen. Siksi sinä olet täällä. Ymmärrätkö sinä? Se on sinun vikasi. Sinä olet itse kerännyt nämä tuliset hiilet pääsi päälle. Tottele minua! Pyydä anteeksi!"

Hänen isot saappaansa eivät juuri pidä ääntä kun hän kävelee kuumassa, tunkkaisessa huoneessa, ja hän pysähtyy ovella katsomaan taakseen. Surmattu vihreä lohikäärme liikehtii ja lämmin ilma henkii särkyneestä ikkunasta, ja valo hipaisee vihreää lohikäärmettä kun se hohtaa ja välkehtii kuin smaragdinvärinen tuli. Mutta se ei liiku. Se ei ole enää mitään. Se on kuollut ja ruma, ja se on naisen vika.

Karju katsoo hänen kalpeaa ihoaan, kurjaa kalpeaa ihoaan, jossa on hyönteisten puremia ja ihottumaa. Hän haistaa naisen löyhkän käytävään asti. Kuollut vihreä lohikäärme liikahtaa kun nainen liikahtaa, ja Karjua suututtaa ajatella, mitä hän löysi sieppaamansa lohikäärmeen alta. Tämän naisen. Häntä huijattiin. Se on naisen vika. Nainen halusi näin käyvän, halusi huijata häntä. Se on naisen vika.

"Pyydä anteeksi!"

"Minä annan sinulle anteeksi." Naisen isot, kiiltävät silmät tuijottavat häntä.

"Sinä varmaan tiedät mitä nyt tapahtuu", hän sanoo.

Evin suu liikkuu vain hieman eikä siitä tule ääntä.

"No et taida sittenkään tietää."

Karju tuijottaa häntä, iljettävää olentoa likaisella patjalla omassa kurassaan, ja tuntee rinnassaan kylmää, ja tämä kylmyys tuntuu hiljaiselta ja välinpitämättömältä kuin kuolema, kuin kaikki mitä hän on koskaan tuntenut olisi kuollutta kuin tuo lohikäärme.

"Sinä et tosiaankaan taida tietää."

Haulikon pumppu liukuu taakse päästäen äänen joka kalahtaa hiljaisessa talossa kovana.

"Juokse!" Karju sanoo.

"Minä annan sinulle anteeksi", Ev sanoo hyvin hiljaa katsoen häntä isoilla, vetisillä silmillään.

Karju astuu eteiseen ja yllättyy kuullessaan etuoven kolahtavan kiinni.

"Oletko sinä siellä?" hän huutaa.

Hän suuntaa haulikon alas ja kävelee talon etuovelle päin syke kiihtyen. Hän ei odottanut Jumalan tulevan vielä.

"Minähän kielsin tuon." Jumalan ääni puhuu hänelle mutta hän ei vielä näe naista. "Tee vain se mitä minä käsken."

Nainen tulee esiin pimeästä, lipuu mustana ja hulmuavana häntä kohti. Hän on kaunis ja hänellä on paljon valtaa ja Karju rakastaa häntä eikä voisi koskaan olla ilman häntä.

"Mitä sinä oikein aiot?" nainen kysyy.

"Hän ei ole vieläkään pyytänyt anteeksi. Hän ei suostu", Karju yrittää selittää.

"Nyt on liian aikaista. Muistitko sinä tuoda maalin ennen kuin sinulla alkoi mennä lujaa hänen kanssaan?"

"Se ei ole sisällä. Se on autossa. Siellä missä minä käytin sitä edelliseen."

"Tuo se sisään. Valmistaudu ensin. Muista aina valmistautuminen. Sinä menetät hallinnan ja kuinka sitten käy? Sinä tiedät mitä tehdä. Älä tuota minulle pettymystä."

Jumala lipuu lähemmäksi häntä. Jumalan älykkyysosamäärä on sataviisikymmentä.

"Aika on melkein loppu", huomauttaa Karju.

"Sinä et ole mitään ilman minua", Jumala sanoo. "Älä tuota minulle pettymystä."

42

Tohtori Self istuu kirjoituspöytänsä ääressä, tuijottaa uima-altaalle ja alkaa huolestua aikataulusta. Hänen kuuluu tulla keskiviikkoaamuisin kymmeneen mennessä studiolle valmistautumaan suoraan radiolähetykseen.

"En kerta kaikkiaan voi vahvistaa asiaa", hän sanoo puhelimeen ja jos hänellä ei olisi sellainen kiire hän nauttisi tästä keskustelusta, joskin täysin vääristä syistä.

"Ei ole mitään epäilystä siitä, että te määräsitte David Luckille Ritalinia", sanoo tohtori Kay Scarpetta.

Tohtori Self ei voi olla ajattelematta Marinoa ja kaikkea mitä tämä on Scarpettasta sanonut. Tohtori Self ei tunne alemmuutta Scarpettan edessä. Hänellä on tällä hetkellä yliote tästä naisesta, jonka hän on tavannut vain kerran ja josta hän kuulee loputtomasti joka ainoa viikko.

"Kymmenen milligrammaa kolmesti päivässä", sanoo tohtori Scarpettan voimakas ääni puhelimesta.

Hän kuulostaa väsyneeltä, ehkä masentuneelta. Tohtori Self voisi auttaa häntä. Hän sanoi niin kun he tapasivat viime kesäkuussa Akatemiassa tohtori Selfin kunniaksi järjestetyllä päivällisellä.

Meidänlaistemme erittäin hyvin motivoituneiden ja menestyksekkäiden naisten on varottava laiminlyömästä emotionaalista maisemaamme, hän sanoi Scarpettalle kun he sattuivat olemaan naistenhuoneessa yhtä aikaa.

Kiitos luennoistanne. Minä tiedän että opiskelijat pitävät niistä, sanoi Scarpetta, ja tohtori Self näki heti hänen lävitseen.

Tämän maailman Scarpettat ovat taitavia välttämään henkilökohtaista tutkailua tai kaikkea mikä voisi paljastaa heidän salaamansa haavoittuvuuden.

Opiskelijat saavat niistä varmasti paljon innoitusta, sanoi Scarpetta pestessään käsiään, pestessään niitä kuin olisi valmistautunut leikkaukseen. Kaikki ovat kiitollisia siitä että olette uhrannut kiireistä aikaanne vierailemalla täällä.

Minä huomaan että te ette tosissanne tarkoita tuota, sanoi tohtori Self hyvin rehellisesti. Suurin osa lääkärikollegoistani halveksuu kaikkia, jotka ulottavat vastaanottonsa suljettujen ovien ulkopuolelle, kaikkia jotka astuvat radion ja television avoimelle areenalle. Todellinen syy on yleensä tietenkin kateus. Minusta tuntuu, että puolet minun kritisoijistani antaisi sielunsa jos pääsisi radioon tai televisioon.

Olette todennäköisesti oikeassa, Scarpetta sanoi kuivatessaan käsiään.

Tämän huomautuksen saattoi tulkita usealla hyvin erilaisella tavalla: tohtori Self on oikeassa, suurin osa lääkäreistä väheksyy häntä. Tai: puolet hänen arvostelijoistaan on kateellisia. Tai: on totta että hän otaksuu että puolet tohtori Selfin arvostelijoista on kateellisia, mutta hän itse ei ole lainkaan kateellinen. Vaikka hän on kelannut tämän naistenhuoneessa käydyn lyhyen keskustelun mielessään kuinka monta kertaa ja analysoinut tätä nimenomaista huomautusta, hän ei keksi mitä Scarpetta tarkoitti, ja loukkasiko tämä häntä vaivihkaa ja nokkelasti.

"Te kuulostatte siltä että jokin asia vaivaa teitä", tohtori Self sanoo puhelimeen Scarpettalle.

"Kyllä vain. Minä haluan tietää miten teidän potilaanne Davidin kävi." Scarpetta väistää häneen kohdistuneen kommentin. "Määräsitte hänelle hieman yli kolme viikkoa sitten sata tablettia", sanoo Scarpetta.

"En voi vahvistaa tietoa."

"Ei teidän tarvitsekaan. Minä hain lääkepullon hänen kotoaan. Minä tiedän että te määräsitte hänelle Ritalinia ja tiedän tarkalleen milloin ja mistä hän lääkkeen osti. Apteekki on samassa kauppakeskuksessa kuin Evin ja Kristinin kirkko."

Tohtori Self ei vahvista tietoa oikeaksi, mutta oikea se on.

Sen sijaan hän sanoo: "Te jos kuka varmasti ymmärrätte vaitiolovelvollisuuden."

"Minä toivoisin teidän puolestanne ymmärtävän että me olemme erittäin huolissamme Davidista ja hänen veljestään, sekä niistä kahdesta naisesta joiden kanssa he asuvat."

"Onko kukaan ottanut huomioon sitä mahdollisuutta, että pojilla saattoi olla koti-ikävä Etelä-Afrikkaan? En väitä että heillä olisi ollut", hän lisää. "Nostan vain esiin sen mahdollisuuden."

"Heidän vanhempansa kuolivat viime vuonna Kapkaupungissa", Scarpetta sanoo. "Minä keskustelin oikeuslääkärin kanssa, joka ..."

"Kyllä, kyllä", keskeyttää tohtori Self. "Se on kauhean traagista."

"Olivatko molemmat pojat teidän potilaitanne?"

"Osaatteko kuvitella miten traumaattista se oli? Sikäli kuin sain oikean kuvan huomautuksista, joita kuulin terapian ulkopuolella – annoin minä sitä sitten jommallekummalle tai molemmille tai en kummallekaan – he olivat täällä tilapäisesti. Minun käsittääkseni oli alun alkaenkin selvää, että sopivan ajan kuluttua he palaisivat Kapkaupunkiin sukulaisten luokse, joiden piti muuttaa isompaan taloon tai mitä lie, ennen kuin he pystyisivät ottamaan pojat vastaan."

Hän ei varmasti saisi paljastaa tämän enempää, mutta hän nauttii keskustelusta liikaa lopettaakseen sen kesken.

"Kuka antoi heille lähetteen?" kysyy Scarpetta.

"Ev Christian otti minuun yhteyden. Hän tietenkin tunsi nimeni radiosta."

"Sitä täytyy sattua usein. Kuulijat haluavat päästä vastaanotollenne."

"Se on yleistä."

"Toisin sanoen te jouduitte sanomaan useimmille ei."

"Minulla ei ole muuta mahdollisuutta."

"Mikä siis sai teidät ottamaan potilaaksi Davidin ja mahdollisesti hänen veljensä?"

Tohtori Self huomaa uima-altaansa luona kaksi ihmistä. Kaksi miestä, joilla on valkoinen paita, musta lippalakki ja aurinkolasit. He tutkivat hänen hedelmäpuitaan, joiden runkoon on maalattu punainen raita.

"Tontillani näyttää olevan luvattomia tunkeilijoita", hän sanoo ärtyneesti.

"Anteeksi kuinka?"

"Niitä pahuksen tarkastajia. Minä käsittelen juuri sitä aihetta huomenna televisiossa. Nyt minun sappeni kyllä kiehuu siinä ohjelmassa. Noin he vain marssivat minun pihalleni! Minun on lopetettava."

"Tohtori Self, asia on erittäin tärkeä. Minä en olisi soittanut ellei olisi syytä..."

"Minulla on muutenkin kova kiire, ja nyt vielä tämä! Ne idiootit tulivat takaisin varmaankin tappamaan kaikki minun kauniit puuni. Sehän nähdään. Tänne ei noin vain tulla touhuamaan sahojen ja silppureiden kanssa. Ei tämä sota vielä ohi ole", hän sanoo uhkaavasti. "Jos te haluatte minulta tarkempia tietoja, teidän pitää hankkia tuomarilta virkamääräys tai potilaalta lupa."

"Aika vaikea hankkia lupaa potilaalta, joka on kadonnut."

Tohtori Self katkaisee puhelun ja kävelee ulos aurinkoiseen, kuumaan aamuun. Hän marssii määrätietoisesti kohti valkopaitaisia miehiä, joilla näyttää lähempää tarkasteltuna olevan rinnassa jonkinlainen logo, sama kuin lakeissa. Paitojen selkäpuolella lukee isoin mustin kirjaimin "Floridan maatalous- ja kuluttajavirasto". Toisella miehellä on kämmentietokone ja hän häärää sen kanssa toisen miehen puhuessa kännykällä.

"Kuulkaahan", tohtori Self sanoo aggressiivisesti. "Voinko auttaa herroja?"

"Hyvää huomenta. Me olemme maatalousviraston sitrustarkastajia", sanoo kämmykkämies.

"Osaan kyllä lukea", tohtori Self sanoo hymyilemättä.

Kummallakin on valokuvallinen vihreä virkalaatta, mutta tohtori Selfillä ei ole laseja nenällä eikä hän näe nimiä.

"Me soitimme kelloa, ja luulimme ettei kukaan ole kotona."

"Joten te vain iloisesti sipsutatte minun tontilleni?" kysyy tohtori Self.

"Meillä on lupa mennä avoimille pihoille, ja kuten sanoin, emme tienneet että täällä ollaan kotona. Me soitimme kelloa monta kertaa."

"Kello ei kuulu minun työhuoneeseeni", tohtori Self sanoo kuin se olisi miesten vika.

"Pyydämme anteeksi. Mutta meidän on tarkistettava teidän puunne emmekä tienneet että täällä on jo käynyt tarkastaja..."

"Joten te tulitte uudestaan. Eli te myönnätte tunkeutuneenne tontilleni jo kerran aikaisemmin."

"Emme nimenomaan me kaksi. Tarkoitan että me emme ole tutkineet teidän pihaanne tätä ennen, vaan joku muu on. Vaikkei siitä ole merkintää tietokannassa", sanoo kämmykän käyttäjä tohtori Selfille.

"Maalasitteko te itse nämä raidat?"

Tohtori Self katsoo ihmeissään puunrunkojen punaisia raitoja.

"Miksi ihmeessä olisin maalannut? Minä luulin että te maalasitte."

"Emme suinkaan. Ne olivat jo puissa. Ettekö te ole huomannut niitä tätä ennen?"

"Totta kai olen."

"Milloin, jos saan kysyä?"

"Monta päivää sitten. En ole varma."

"Raidat tarkoittavat, että teidän puissanne on sitrusruostetta ja ne on hävitettävä. Niissä on ollut tauti jo vuosia."

"Vuosia?"

"Ne olisi pitänyt hävittää jo kauan sitten", toinen tarkastaja selittää.

"Mitä ihmettä te puhutte?"

"Me lakkasimme maalaamasta punaisia raitoja pari vuotta sitten. Käytämme nykyisin oranssia teippiä. Eli joku merkitsi teidän puunne hävitettäviksi, mutta kukaan ei näköjään tullut niitä kaatamaan. En ymmärrä miksi, mutta näissä puissa todellakin on ruosteen merkkejä."

"Mutta ei vanhoja merkkejä. Minä en ymmärrä."

"Ettekö te saanut ilmoitusta, vihreää ilmoitusta, siitä että me olimme löytäneet oireita? Siinä teitä kehotettiin soittamaan ilmaiseen numeroon. Eikö kukaan näyttänyt teille lomaketta?"

"Minulla ei ole hajuakaan siitä mistä te puhutte", sanoo tohtori Self ja miettii nimetöntä soittoa, jonka hän sai eilen illalla heti Marinon lähdettyä. "Ja näyttääkö todella siltä että minun puissani on tauti?"

Hän astuu greippipuun viereen. Siinä on paljon hedelmiä ja hänestä se näyttää terveeltä. Hän kumartuu päin oksaa, kun toinen tarkastaja osoittaa käsineen suojaamalla sormella lehtiä, joissa on vaaleita alueita, viuhkamaisia mutta niin mitättömiä että niitä tuskin huomaa.

"Näettekö nämä?" hän selittää. "Ne ovat tuoreen tartunnan merkki. Ehkä vain muutaman viikon ikäisen. Mutta ne ovat omituisia."

"Nyt minä en tajua", sanoo toinen tarkastaja. "Punaisista raidoista päätellen puissa pitäisi olla kuolleita oksia ja renkaista pitäisi pystyä laskemaan kuinka kauan sitten puu sai tartunnan. Katsokaas kun vuodessa on neljä tai viisi myrkytystä, renkaat laskemalla..."

"Minua eivät kuulkaa kiinnosta renkaiden laskemiset alkuunkaan. Mitä te ajatte takaa?" huudahtaa tohtori Self.

"Ajattelin itse juuri samaa. Jos raidat maalattiin pari vuotta sitten…"

"Minä en kyllä tajua."

"Yritättekö te olla hauska?" huutaa tohtori Self miehelle. "Minusta tässä ei nimittäin ole mitään hauskaa." Hän katsoo vaaleita viuhkamaisia jälkiä ja miettii edelleen eilispäivän nimetöntä soittoa. "Miksi te tulitte nimenomaan tänään?"

"Se tässä vähän outoa onkin", vastaa tarkastaja jolla on kämmykkä. "Meillä ei ole merkintää siitä, että teidän puunne olisi jo tarkastettu ja määrätty karanteeniin ja kaadettavaksi. Minä en ymmärrä tätä. Kaikesta pitäisi olla merkintä tietokoneessa. Teidän lehtienne kuviot ovat omituisia. Näettekö?"

Hän ojentaa yhtä lehteä, näyttää sitä tohtori Selfille, joka katsoo erikoista viuhkamaista laikkua uudestaan.

"Ne eivät tavallisesti ole tämän näköisiä. Meidän on saatava patologi paikalle."

"Miksi hitto vie juuri minun pihani, ja juuri tänään?" tohtori Self ärähtää.

"Me saimme puhelimitse vihjeen että teidän puissanne voisi olla tauti, mutta…"

"Puhelimitseko? Keneltä?"

"Joltakulta joka tekee täällä päin pihatöitä."

"Tämä on hullua. Minulla käy puutarhuri. Hän ei ole ikinä sanonut että puissani olisi jotain vikaa. Tässä koko sopassa ei ole päätä eikä häntää. Ei ihme että suuri yleisö on kiukustunut. Te tunaroitte minkä ehditte, tupsahdatte noin vain ihmisten pihoille ettekä edes muista mitkä puut piti kaataa."

"Minä ymmärrän miltä teistä tuntuu, mutta ruoste ei ole leikin asia. Jos me emme hävitä sitä, pian Floridassa ei ole jäljellä enää yhtään sitruspuuta…"

"Minä haluan kuulla kuka teille soitti."

"Me emme tiedä sitä. Me selvitämme asian ja pyydämme kovasti anteeksi häiriötä. Haluaisimme selittää mitä vaihtoehtoja teillä on. Milloin olisi hyvä hetki tulla uudestaan? Oletteko kotona myöhemmin tänään? Tuomme patologin katsomaan puita."

"Sanokaa sille halvatun patologillenne ja esimiehillenne ja kaikille muille että minä en jätä tätä asiaa tähän. Tiedättekö te kuka minä olen?"

"En tiedä.

"Pankaa hittolainen radionne päälle tänään kahdeltatoista. Puhutaan asiat halki tohtori Selfin kanssa."

"Ihan totta? Tekö olette tohtori Self?" kysyy toinen tarkastaja, kämmykkämies, ihailevana, kuten kuuluukin. "Minä kuuntelen ohjelmaa aina."

"Minulla on myös uusi televisio-ohjelma. ABC:llä huomenna puoli kahdelta. Joka torstai", sanoo tohtori Self yhtäkkiä tyytyväisenä, ja suhtautuu miehiin jo hiukan ymmärtäväisemmin.

Särkyneen ikkunan takaa tuleva kaapiva ääni kuulostaa siltä kuin joku kaivaisi maata. Ev hengittää huohottaen, käsivarret pään päällä. Hän kuuntelee tarkkaan.

Hänestä tuntuu että hän kuuli saman äänen monta päivää sitten. Hän ei muista milloin. Se saattoi olla yöllä. Hän kuuntelee lapiointia, talon takaa kuuluvaa lapiointia. Hän vaihtaa asentoa patjalla, ja nilkkoihin ja ranteisiin sattuu kuin niitä hakattaisiin, ja hartioita polttaa. Hänen on kuuma ja jano. Hän pystyy tuskin ajattelemaan selvästi, ja hänestä tuntuu että hänellä on kuumetta. Tulehdukset ovat pahat ja jokaista arkaa paikkaa kirvelee sietämättömästi, eikä hän pysty laskemaan käsiä alas ellei nouse seisomaan.

Hän kuolee pian. Hän kuolee vaikkei mies häntä tappaisi. Talossa on hiljaista ja hän tietää että muut ovat poissa.

Hänellä ei ole aavistusta siitä, mitä mies heille teki, mutta he eivät enää ole talossa.

Hän tietää sen nyt.

"Vettä", hän yrittää huutaa.

Sanat kumpuavat hänen sisimmästään mutta hajoavat ilmassa kuin kuplat. Hän puhuu kuplilla, ne leijuvat haisevaan, kuumaan ilmaan ja katoavat ääntä päästämättä.

"Auta, voi auta minua!" Mutta sanat eivät lähde mihinkään, ja hän alkaa itkeä.

Hän itkee, ja kyyneleet putoilevat hänen syliinsä pilalle menneelle vihreälle kaavulle. Hän itkee kuin olisi sattunut jotain, kuin olisi toteutunut jonkinlainen kohtalo jota hän ei olisi osannut etukäteen edes kuvitella, ja hän tuijottaa tummia täpliä joita kyyneleet maalaavat vihreälle kaavulle, pilalle menneelle upealle kaavulle jota hän piti saarnatessaan. Sen alla on pieni vaaleanpunainen kenkä, vasemman jalan kenkä, lasten tossu. Hän tuntee pikkutytön vaaleanpunaisen kengän reittään vasten mutta hänen kätensä ovat koholla eikä hän pysty pitelemään sitä käsissään eikä piilottamaan sitä paremmin, ja hänen surunsa syvenee.

Hän kuuntelee ikkunan takaa kuuluvaa lapiointia ja haistaa löyhkän.

Mitä kauemmin kaivaminen jatkuu, sitä pahemmaksi löyhkä huoneessa käy, mutta se on erilainen löyhkä, hirvittävä, kuoleman kitkerä mädänlöyhkä.

Hän onnistuu nousemaan polvilleen, ja kaivamisen ääni lakkaa, alkaa sitten uudelleen ja lakkaa taas. Hän huojuu, on kaatua, pakottaa itsensä seisomaan, horjahtaa ja kaatuu ja yrittää uudestaan, itkien, ja sitten hän on seisaallaan ja kipu on niin hirvittävä että hän näkee kaiken mustana. Hän huokaisee syvään ja pimeys katoaa.

Näytä minulle, hän rukoilee.

Köydet ovat ohutta valkoista muovia. Toinen on sidottu hänen tulehtuneiden ja turvonneiden ranteidensa ympäri väännettyyn rautalankaripustimeen. Kun hän seisoo, köysi löystyy. Kun hän istuu, käsivarret nousevat pään ylle. Hän ei pysty enää käymään pitkäkseen. Miehen uusin julmuus, köyden lyhentäminen, joka pakottaa hänet seisomaan niin pitkään kuin hän jaksaa, nojaamaan seinään kunnes ei enää jaksa olla jaloillaan ja istuutuu, jolloin käsivarret nousevat suoriksi ylös. Miehen tuorein julmuus, se kun hän pakotti hänet leikkaamaan tukkansa, ja sitten köyden lyhentäminen.

Hän katsoo ylös kattoparruun, sen yli heitettyihin köysiin, joista toinen on sidottu hänen ranteitaan yhdessä pitelevään vaateripustimeen, toinen hänen nilkkojensa ympäri taivutettuun vaateripustimeen.

Näytä minulle. Näytä, rakas Jumala.

Kaivaminen lakkaa ja löyhkä peittää huoneesta kaiken valon ja kirvelee silmiä, ja hän tietää mistä löyhkä tulee.

He ovat poissa. Hän yksin on jäljellä.

Hän katsoo ylös köyteen joka on sidottu ranteita pitelevään vaateripustimeen. Jos hän seisoo, köysi on sen verran löysällä että hän pystyy kietomaan sen kerran päänsä ympäri, ja hän haistaa löyhkän ja tietää mistä se tulee, ja hän rukoilee taas ja kietoo köyden kerran kaulansa ympäri, ja jalat pettävät hänen allaan.

43

Ilma on sakeaa ja aaltomaista kuin vesi ja iskee lujaa, mutta V-Rod ei tutise eikä vaikuta stressatulta, kun Lucy puristaa nahkasatulaa reisillä ja nostaa nopeuden sataanyhdeksäänkymmeneen kilometriin tunnissa. Hän pitää pään kumarassa ja kyynärpäät kylkiä vasten kuin jockey testatessaan uusinta ostostaan radalla.

Aamu on aurinkoinen ja vuodenaikaan nähden kuuma. Kaikki eilispäivän myrskyn merkit ovat kadonneet. Hän hellittää kaasua nopeuden noustua kahteensataankahdeksaan ja kierrosten yhdeksääntuhanteen. Hän on vakuuttunut siitä, että tämä Harley pystyy isompien nokka-akselien ja mäntien ja muutettujen välitysten sekä moottoria ohjaavan uuden sirun ansiosta tarvittaessa käryttämään asfalttia, mutta hän ei halua koetella onneaan liian pitkään. Jo sadassakahdeksassakymmenessä hän liikkuu nopeammin kuin pystyy näkemään, eikä sellaiseen ole hyvä tottua. Hänen ratansa pidetään huippukunnossa, mutta yleisillä teillä pienikin pintavaurio tai metallipala voi osoittautua tappavaksi.

"Mihin se pystyy?" kysyy Marinon ääni hänen integraalikypärästään.

"Siihen mihin pitääkin", vastaa Lucy hidastaen sataankolmeenkymmeneen ja työntää kevyesti tankoa väistääkseen pienet, oranssinväriset kartiot.

"Se on perkule hiljainen. Sitä tuskin edes kuulee tänne asti", Marino sanoo valvontatornista.

Sen kuuluukin olla hiljainen, Lucy ajattelee. V-Rod on hiljainen Harley, kilpapyörä, joka näyttää maantiepyörältä eikä herätä huomiota. Hän suoristautuu satulassa ja laskee nopeuden sataan, ja kiristää peukalolla kitkaruuvia, joka pitää kaasukahvan samalla paikalla eräänlaisena alkeellisena vakionopeudensäätimenä. Hän kallistuu kurviin ja vetää neljäkymmentäkaliiperisen Glock-pistoolin mustien housujensa oikeasta reisitaskusta.

"Ei ketään kantamalla?" sanoo Lucy.

"Vapaata on."

"Okei. Anna paukkua."

Marino katsoo valvontatornista, kun Lucy kiertää tiukan mutkan mailin mittaisen radan pohjoispäässä.

Hän tutkii katseellaan maavallia, tutkii sinistä taivasta, ruohoa kasvavaa ampumarataa, tietä joka johtaa keskeltä alueen läpi, ja sitten helikopterihallia ja kiitotietä joka on vajaan kilometrin päässä. Hän varmistaa ettei alueella ole ainuttakaan ihmistä, ajoneuvoa tai ilma-alusta. Kun radalla testataan, ketään ei päästetä edes puolentoista kilometrin päähän siitä. Jopa ilmatila suljetaan.

Hän kokee monenlaisia tunteita Lucya katsoessaan. Lucyn pelottomuus ja monipuoliset taidot tekevät vaikutuksen. Hän rakastaa Lucya ja on hänelle katkera, ja jossain mielessä toivoo ettei välittäisi Lucysta lainkaan. Yhdessä tärkeässä asiassa Lucy on samanlainen kuin tätinsä, saa Marinon tuntemaan ettei hän kelpaa sellaisille naisille joista hän salaa pitää, mutta joita hänellä ei ole rohkeutta havitella. Hän katsoo kun Lucy kaahaa radalla, ohjailee uutta superpyöräänsä kuin se olisi hänen ruumiinsa jatke, ja hän ajattelee että Scarpetta on matkalla lentokentälle, matkalla tapaamaan Bentonia.

"Kuumana vitosella", hän sanoo mikrofoniin.

Mustiin pukeutunut Lucy kiitää kaukana ikkunan toisella puolella mustalla pyörällä miltei äänettömästi. Marino huomaa Lucyn oikean käden liikkuvan, kun hän vie pistoolin eteen kyynärpää vyötäröä vasten jotta tuuli ei riuhtaise asetta kädestä. Marino seuraa sekuntien etenemistä pöytään upotetusta digitaalikellosta, ja painaa viiden sekunnin kohdalla kakkosvyöhykkeen nappia. Radan itäpuolella ponnahtaa esiin pieniä metallimaaleja, jotka kaatuvat melkein saman tien kovaa pamahtaen luotien osuessa niihin. Lucy ei ammu ohi. Hän saa sen näyttämään helpolta.

"Pitkältä kantamalta pohjakurvissa", sanoo Lucyn ääni Marinon kuulokkeista.

"Myötätuuleen?"

"Kyllä."

Hänen askeleensa ovat kovemmat ja innokkaammat, kun hän kävelee nopeasti käytävällä. Hän kuulee mielialansa kuvastuvan siitä miten hänen jalkansa liikkuvat naarmuisilla vanhoilla laudoilla, ja hänellä on haulikko mukana. Hänellä on myös kenkälaatikko jossa on ilmasivellin, punaista maalia ja malline.

Hän on valmis aloittamaan.

"Nyt sinä pyydät anteeksi", hän sanoo käytävän päässä olevalle avoimelle ovelle. "Nyt saat ansiosi mukaan", hän sanoo kävellessään nopeasti saappaat kopisten.

Hän astuu löyhkään, joka on vastassa kuin seinä kun hän astuu ovesta, pahempi kuin ulkona montussa. Sisällä ilma ei vaihdu eikä kuoleman haju pääse mihinkään, ja hän tuijottaa järkyttyneenä.

Ei voi olla totta!

Miten Jumala antoi näin käydä?

Hän kuulee Jumalan askeleet käytävästä ja tämä leijuu ovelle ja pudistaa hänelle päätään.

"Minä valmistauduin kuten sinä käskit!" Karju huutaa.

Jumala katsoo naista, hirttäytynyttä joka pääsi pois rangaistuksetta, ja pudistaa päätään, se on Karjun vika, hän on tyhmä, hän ei osannut arvata mitä oli tulossa, hänen olisi pitänyt varmistaa ettei sitä pääsisi tapahtumaan.

Nainen ei pyytänyt anteeksi, vaikka kaikki pyytävät lopuksi, kun haulikon piippu on heidän suussaan, puhuvat siitä huolimatta, yrittävät, *Minä pyydän anteeksi. Anna anteeksi!*

Jumala katoaa ovelta, jättää hänet yksin, ja hänellä on seuranaan vain hänen virheensä ja pikkutytön vaaleanpunainen tossu joka on likaisella patjalla, ja hän alkaa vapista sisältä, vapista niin voimakkaasta raivosta että hän ei tiedä mitä hän sillä tekisi.

Hän huutaa harppoessaan lattian poikki, lattian joka on tahmea ja saastainen naisen kusesta ja paskasta, ja hän potkaisee naisen elotonta, kuvottavaa alastonta ruumista niin kovaa kuin pystyy. Ruumis nytkähtää jokaisella potkulla. Se keinuu kaulan ympäri kierretyn köyden varassa, köyden joka nousee vasemman korvan vierestä, ja naisen kieli pistää esiin kuin hän ilkkuisi, hänen kasvonsa ovat sinertävänpunaiset kuin hän huutaisi. Naisen paino lepää patjalla polvien varassa ja hänen päänsä on vinossa kuin hän rukoilisi jumalaansa, hänen sidotut käsivartensa ovat suorina pystyssä, kämmenet yhdessä kuin hän juhlisi voittoa.

Kyllä! Kyllä! Nainen keinuu köyden varassa voittoisana pieni vaaleanpunainen kenkä vierellään.

"Turpa tukkoon!" Karju huutaa hänelle.

Hän potkii lakkaamatta isoilla saappaillaan kunnes hänen jalkansa väsyvät eikä hän enää jaksa.

Hän hakkaa ruumista haulikon tukilla kunnes hänen kätensä väsyvät eikä hän enää jaksa.

44

Marino odottaa valmiina aktivoimaan sarjan ihmisen muotoisia maalitauluja, jotka ponnahtavat pystyyn pensaiden, aidan ja yhden puun takaa pohjakaarteessa, jota Lucy sanoo kuolleen miehen kurviksi.

Hän vilkaisee oranssinväristä tuulipussia, joka on keskikentällä, varmistaen että tuulee edelleen idästä. Tuulen nopeus on noin kolme metriä sekunnissa. Hän katsoo kun Lucyn oikea käsi vie Glockin koteloon ja kurkottaa isoon, nahkaiseen satulalaukkuun hänen ajaessaan tasaista sadan kilometrin tuntinopeutta sivutuulessa kaarteesta suoralle myötätuuleen.

Lucy vetää ketterästi esiin yhdeksänmillimetrisen karabiinin, Baretta Cx4 Stormin.

"Kuumana vitosella", sanoo Marino.

Storm on valmistettu valoa heijastamattomasta mustasta polymeeristä ja siinä on samanlainen teleskooppilukko kuin Uzikonepistoolissa. Storm on Lucyn suuri rakkaus. Se painaa reilusti alle kolme kiloa, siinä on pistoolimainen perä, joten sitä on helppo käsitellä, ja hylsyaukon voi asettaa joko vasemmalle tai oikealle. Ase on ketterä ja asiallinen, ja kun Marino aktivoi kolmosvyöhykkeen, Lucy ajaa sille ja messinkiset hylsyt alkavat kimallella auringossa lentäessään hänen taakseen. Hän tappaa kaikki kuolleen miehen kurvissa, tappaa kaikki useammin kuin kerran. Marino laskee hänen ampuneen viisitoista laukausta. Kaikki maalit ovat kumossa ja Lucylla on yksi patruuna jäljellä.

Marino ajattelee naista nimeltä Stevie. Hän ajattelee sitä että Lucy tapaa hänet tänä iltana Deucessa. Stevien Lucylle antaman

617-alkuisen puhelinnumeron haltija on muuan Doug joka asuu Concordissa Massachusettsissa. Hän kertoi hukanneensa matka-puhelimensa muutama päivä sitten eräässä baarissa Ptownissa. Hän sanoi ettei hän ole vielä sulkenut liittymää koska joku nainen ilmeisesti löysi hänen puhelimensa, soitti yhteen siinä olleeseen numeroon ja sai kiinni jonkun Dougin kaverin, joka antoi hänelle Dougin lankapuhelinnumeron. Nainen soitti, kertoi löytäneensä puhelimen ja lupasi laittaa sen hänelle postissa.

Toistaiseksi sitä ei ole kuulunut.

Taitava temppu, ajattelee Marino. Jos löytää tai varastaa matkapuhelimen ja lupaa lähettää sen omistajalle, hän ei välttämättä heti käske palveluntarjoajaa estämään soittoja, ja silloin löytäjä tai varas pystyy käyttämään puhelinta vähän aikaa, kunnes uhri oivaltaa tulleensa huijatuksi. Marino ei kuitenkaan täysin ymmärrä, miksi Stevie, kuka tämä sitten lieneekin, näkisi niin paljon vaivaa. Jos Stevie ei halunnut tehdä sopimusta Verizonin, Sprintin tai muun operaattorin kanssa, miksei hän ottanut prepaid-liittymää?

Kuka Stevie sitten onkin, hän on vaarallinen. Lucy elää nykyisin aivan liian lähellä rotkon reunaa, on elänyt jo lähemmäs vuoden. Hän on muuttunut. Hänestä on tullut huolimaton ja välinpitämätön, ja toisinaan Marinosta tuntuu, että hän kenties haluaa satuttaa itseään, satuttaa oikein pahasti.

"Takaapäin on tulossa auto", Marino sanoo radiopuhelimeen. "Sinä olet historiaa."

"Olen ladannut uudestaan."

"Puhu pukille." Marino ei usko.

Lucy on jotenkin onnistunut pudottamaan tyhjän lippaan ja työntämään tilalle täyden Marinon huomaamatta.

Lucy pysyttää pyöränsä valvontatornin juurelle. Marino ottaa kuulokkeet korvilta ja laskee ne ohjauspöydälle, ja kun hän on päässyt puuportaat alas, Lucy on riisunut kypärän ja käsineet ja avaa takkinsa vetoketjua.

"Miten sinä pystyit siihen?" Marino kysyy.

"Huijaamalla."

"Arvasinhan minä."

Marino siristää silmiään auringossa ja miettii minne hän jätti aurinkolasinsa. Näyttää siltä että hän hukkaa nykyään tavaroitaan vähän väliä.

"Minulla oli täällä varalipas." Lucy taputtaa taskua.

"Todellisuudessa sinulla tuskin olisi. Siinä mielessä sinä todella huijasit."

"Eloonjääneet kirjoittavat säännöt."

"Mitä mieltä olet Z-Rodista? Vaihdetaanko kaikki Z-Rodeiksi?" Marino kysyy ja hän tietää mitä mieltä Lucy on asiasta, mutta hän kysyy silti toivoen että Lucy on muuttanut mielensä.

Ei ole järkeä suurentaa iskutilavuutta noin kolmetoista prosenttia jo entuudestaan laajennetuista 1 150 kuutiosenttimetristä 1 318:aan ja tehoa jo nostetusta 120 hevosvoimasta 170:een, jotta pyörä kiihtyy nollasta 225 kilometriin tunnissa 9,4 sekunnissa. Mitä enemmän pyörän painoa karsitaan, sitä parempi on suorituskyky, mutta silloin nahkapenkki ja takalokasuoja pitäisi vaihtaa lasikuituisiin ja satulalaukut pitäisi irrottaa, vaikka ne ovat välttämättömät. Hän toivoo ettei Lucy halua teurastaa heidän uusia erikoisoperaatioissa käytettäviä pyöriään. Hän toivoo että Lucy kerrankin olisi tyytyväinen siihen mitä hänellä jo on.

"Epäkäytännöllinen ja tarpeeton", Lucy vastaa yllättäen Marinon täysin. "Z-Rodin kone kestää vain kymmenentuhatta mailia, joten voit kuvitella millainen päänsärky huollosta tulee, ja jos me riisumme niistä painoa, ne herättävät huomiota. Sitä paitsi ne pitävät paljon kovempaa meteliä jos moottorin hengitystä parannetaan."

"No mitä nyt?" Marino ärähtää kun hänen matkapuhelimensa soi. "Niin?" hän vastaa tylysti.

Hän kuuntelee hetken, lopettaa puhelun, kiroaa ja selittää Lucylle: "Rupeavat etsimään jälkiä siitä farmarista. Pääsetkö sinä Simisterin talolla alkuun ilman minua?"

"Ilman muuta. Minä käsken Lexin tulla."

Lucy ottaa vyöltään la-radiopuhelimen ja sanoo: "Nolla nolla yksi kutsuu tallia."

"Miten voin auttaa, nolla nolla yksi?"

"Tankatkaa minun heppani. Minä vien sen kadulle."

"Pitääkö satulan alle panna isompi takiainen?"

"Ei, polle kelpaa sellaisenaan."

"Hyvä kuulla. Hetkinen vain."

"Me lähdemme South Beachiin yhdeksän kieppeillä", Lucy sanoo Marinolle. "Nähdään siellä."

"Meidän voisi olla parempi mennä yhdessä", Marino sanoo

katsoen häntä ja yrittäen keksiä mitä hänellä on mielessä.

Hän ei koskaan keksi, ei Lucyn ajatuksia. Jos Lucy olisi vielä hiukankin mutkikkaampi, Marino tarvitsisi tulkin.

"Emme voi ottaa sitä riskiä että hän näkee meidät samassa autossa", sanoo Lucy riisuessaan ballistisen takkinsa. Hän valittaa usein että sen hihat ovat kuin kiinalaiset käsiraudat.

"Se voi olla jonkinlainen kulttihomma", sanoo Marino. "Vaikka noitaporukka, joka maalailee iholleen punaisia käsiä. Salem on siellä pohjoisessa samassa maankolkassa. Siellähän on vaikka millaisia noitia."

"Mutta noidat ovat kaikki akkoja, eivät ukkoja." Lucy tökkäisee häntä olkapäähän.

"Ehkä hän on noitaporukassa", Marino jatkaa. "Sinun uusi kaverisi saattaa olla kännyjä varasteleva noita."

"Jospa minä kysyn häneltä suoraan", sanoo Lucy.

"Sinun pitää olla varovainen ihmisten kanssa. Se on sinun ainoa akilleenkantapääsi, se miten huonosti sinä seulot seuralaisiasi. Olisit ihmeessä varovaisempi."

"Meissä taitaa olla sama vika kummassakin. Sinä näytät olevan sillä saralla lähes yhtä taitava kuin minä. Kay-täti sanoi että Reba on tosi kiva ja että sinä kohtelit häntä Simisterin talolla tosi kettumaisesti."

"Tohtori ei saisi puhua sellaisia. Hän ei saisi puhua koko asiasta."

"Hän sanoi paljon muutakin. Hän sanoi että Reba on fiksu, uusi työssään, mutta fiksu. Ei suinkaan tyhmä kuin säkillinen saappaita, vai mitä kuluneita vertauksia sinä nyt käytätkään."

"Älä puhu paskaa!"

"Hänen täytyy olla se nainen jonka kanssa sinä seurustelit jonkin aikaa", sanoo Lucy.

"Kuka sinulle kertoi?" Marino möläyttää.

"Sinä itse juuri nyt."

45

Lucylla on makroadenooma. Aivolisäkkeessä, aivojen tyvessä sijaitsevassa hypotalamuksen pienessä ulokkeessa, on kasvain.

Normaali aivolisäke on suunnilleen herneen kokoinen. Se toimii ohjausrauhasena, joka vaikuttaa kilpirauhasen, lisäkilpirauhasen, naisilla munasarjojen ja miehillä kivesten toimintaan säädelleen niiden hormonieritystä, joka vaikuttaa voimakkaasti aineenvaihduntaan, verenpaineeseen, sukupuolielinten toimintaan ja muihin elintoimintoihin. Lucyn kasvain on halkaisijaltaan noin kaksitoista millimetriä. Se on hyvänlaatuinen mutta ei katoa itsestään. Hänellä on oireena päänsärkyä ja prolaktiinin liikaeritystä, joka aiheuttaa raskautta jäljitteleviä epämiellyttäviä oireita. Toistaiseksi hänen tilaansa on hallittu lääkkeillä, joiden tarkoitus on alentaa prolaktiinitasoa ja saada kasvain pienenemään. Hän ei ole reagoinut lääkitykseen toivotulla tavalla. Hän ei mielellään ota lääkettä ja on jättänyt sen usein väliin. Hän saattaa joutua lopulta leikkaukseen.

Scarpetta pysäköi Fort Lauderdalen lentokentällä Signaturen eteen, missä Lucy pitää suihkukonettaan. Hän nousee autosta ja menee halliin tapaamaan lentäjiä miettien Bentonia. Hän ei ole varma antaako hän tälle koskaan anteeksi, hän on niin täynnä mielipahaa ja vihaa, että hänen sydämensä hakkaa ja kätensä vapisevat.

"Siellä on vielä paikallisia lumikuuroja", sanoo pilotti Bruce. "Lentoaikamme pitäisi olla noin kaksi tuntia kaksikymmentä minuuttia. Meillä on kohtalainen vastatuuli."

"Minä tiedän että te ette halunnut tarjoilua, mutta meillä on juustolautanen", perämies sanoo. "Onko teillä laukkuja?"

"Ei", Scarpetta vastaa.

Lucyn pilotit eivät käytä univormua. He ovat hänen valitsemiaan erikoiskoulutettuja agentteja, jotka eivät juo eivätkä polta eivätkä käytä huumeita, ovat erinomaisessa fyysisessä kunnossa ja ovat saaneet myös henkivartijakoulutuksen. He saattavat Scarpettan asfaltille, jossa Citation X odottaa kuin iso valkoinen lintu, jolla on pullea maha. Se tuo Scarpettan mieleen Lucyn mahan, kaiken mitä Lucylle on sattunut.

Hän istuutuu koneessa isoon nahkanojatuoliin, ja kun pilotit hääräävät ohjaamossa, hän soittaa Bentonille.

"Minä olen perillä suunnilleen yhdeltä tai vartin yli", hän sanoo.

"Kay, yritä ymmärtää. Minä tiedän miltä sinusta tuntuu."

"Puhutaan siitä kun pääsen sinne."

"Me emme koskaan jätä asioita tällä lailla kesken", Benton sanoo.

Se on pelisääntö, vanha viisaus. Älä koskaan anna auringon laskea vihasi ylle, ennen kuin sovit riidan, älä koskaan nouse vihaisena autoon tai lentokoneeseen tai astu ovesta ulos vihaisena. Benton ja Scarpetta jos ketkä tietävät miten yllättäen ja umpimähkään kohtalo voi iskeä.

"Turvallista matkaa", sanoo Benton. "Minä rakastan sinua."

Lex ja Reba kiertävät taloa kuin etsisivät jotain. He lopettavat kierroksensa kun Lucy saapuu kovaa meteliä pitäen Daggie Simisterin pihalle.

Hän sammuttaa V-Rodin moottorin, riisuu mustan kypäränsä ja avaa mustan ballistisen takkinsa vetoketjun.

"Sinä näytät Darth Vaderilta", sanoo Lex iloisesti.

Lucy ei ole koskaan tuntenut toista ihmistä, joka olisi niin kroonisesti iloinen. Lex on todellinen löytö, eikä häntä haluttu päästää Akatemiasta pois kun hän valmistui. Hän on älykäs, huolellinen ja tietää milloin mennä pois tieltä.

"Mitä te täältä etsitte?" Lucy kysyy silmäillessään pientä pihaa.

"Mietimme noita hedelmäpuita", vastaa Lex. "Minä en tietenkään ole etsivä, mutta kun kävimme siinä toisessa talossa josta asukkaat katosivat" – hän viittaa kanavan toisella puolella olevaan vaalean oranssin väriseen taloon – "tohtori Scarpetta sanoi että täällä oli käynyt sitrustarkastaja. Hän sanoi että mies tutki puita mahdollisesti viereisellä tontilla. Täältä sitä ei näe, mutta muutamassa puussa tuolla on näitä samoja punaisia raitoja." Hän osoittaa taas oranssinväristä taloa joka on kanavan vastarannalla.

"Ruoste tietenkin leviää älyttömän nopeasti. Jos näissä puissa on tautia, sitä varmaan on monissa muissakin lähistön puissa. Minä olen muuten Reba Wagner", hän esittäytyy Lucylle. "Olet varmaan kuullut minusta Pete Marinolta."

Lucy katsoo häntä silmiin. "Mitähän minä olen kuullut, jos hän on sinusta puhunut?"

"Miten älyllisesti vähälahjainen minä olen."

"Termi 'älyllisesti vähälahjainen' voisi koetella hänen sanavarastoaan siinä määrin että vammautumisriski olisi huomattava. Hän sanoi varmaan 'vajaaälyinen'."

"Juuri niin."

"Mennään sisään", sanoo Lucy ja kävelee edeltä etukuistille. "Katsotaan mitä sinulta jäi ensimmäisellä kerralla huomaamatta", hän sanoo Reballe, "kun sinä olet niin vähälahjainen."

"Hän laskee leikkiä", Lex selittää Reballe ja ottaa mustan välinelaukkunsa jonka hän on jättänyt etuoven viereen. "Ennen kuin teemme mitään muuta", hän sanoo Reballe, "haluaisin varmistaa että talo on ollut suljettuna siitä saakka kun teidän porukka lähti."

"On toki. Minä huolehdin siitä henkilökohtaisesti. Kaikki ikkunat ja ovet on sinetöity."

"Entä murtohälytin?"

"Täällä on kuule yllättävän paljon taloja joissa ei ole hälytintä."

Lucy huomaa ikkunoissa tarroja, joissa lukee H&W-turvapalvelu, ja sanoo: "Hän ainakin oli huolissaan. Hänellä ei varmaan ollut varaa oikeaan hälytysjärjestelmään mutta hän halusi silti pelästyttää varkaat pois."

"Asiassa on se huono puoli, että pahikset tietävät tämän tempun", sanoo Reba. "Tarrat ja kukkapenkkiin kepin päähän laitetut logot. Tyypillinen murtovaras näkee ensi silmäyksellä, että tässä talossa tuskin on hälytintä. Että asukkaalla ei ole luultavasti varaa siihen, tai että hän on niin vanha ettei viitsi hankkia sitä."

"On totta että monet iäkkäät ihmiset eivät viitsi hankkia hälytintä", Lucy sanoo. "Yksi ongelma on, että he eivät muista salanumeroa. Ihan totta."

Reba avaa oven, ja ummehtunut ilma tervehtii heitä kuin elämä olisi kadonnut talosta jo kauan sitten. Hän ojentaa kätensä sisään ja napsauttaa valot päälle.

"Mitä täällä on tätä ennen tutkittu?" Lex kysyy katsoen laattalattiaa.

"Ei mitään paitsi makuuhuone."

"Selvä, pysähdytään hetkeksi tähän miettimään", sanoo Lucy. "Me tiedämme kaksi asiaa. Murhaaja pääsi jollain keinolla sisään rikkomatta ovea. Sen jälkeen hän ampui naisen ja lähti talosta jotain kautta. Taaskin ovesta?" hän kysyy Rebalta.

"Minä sanoisin niin. Talossa on noita säleikkunoita. Niistä ei pääse sisään kuin menninkäinen."

"Siinä tapauksessa aloitetaan suihkuttamalla tältä ovelta talon perälle makuuhuoneeseen, missä hänet tapettiin", sanoo Lucy. "Sitten tehdään sama temppu muilta ovilta alkaen. Kolmiomittauksella."

"Toisin sanoen tältä ovelta, keittiön ovelta ja lasiselta liukuovelta, josta pääsee ruokailutilasta aurinkokuistille, ja itse kuistin liukuovelta", sanoo Reba. "Pete sanoi että kumpikaan liukuovi ei ollut lukossa hänen tullessaan."

Reba astuu eteiseen ja Lucy ja Lex seuraavat perässä. He sulkevat oven.

"Onko siitä sitrustarkastajasta saatu lisää tietoa? Siitä jonka sinä ja tohtori Scarpetta satuitte näkemään samoihin aikoihin kuin tämä nainen ammuttiin?" kysyy Lucy. Hän ei työssä koskaan sano Scarpettaa tädikseen.

"Minä sain selville pari juttua. Ensinnäkin he työskentelevät pareittain. Meidän näkemämme mies oli yksin."

"Mistä sinä tiedät ettei hänen parinsa ollut poissa näkyvistä? Vaikka etupihalla?" kysyy Lucy.

"Emme me tiedäkään. Mutta me näimme vain yhden miehen. Eikä virastossa ole merkintää siitä, että täällä olisi käynyt tarkastajia. Toinen seikka on, että mies käytti sellaista hedelmänpoimintakeppiä, sellaista pitkää keksiä jonka päässä on jonkinlainen koura, jolla voi napsia hedelmiä korkeilta oksilta. Minulle sanottiin että tarkastajat eivät käytä sellaista."

"Mitä ajat takaa?" kysyy Lucy.

"Hän purki sen osiin ja pani isoon mustaan pussiin."

"Mitähän muuta siinä pussissa oli?" Lex sanoo.

"Haulikko kenties", Reba sanoo.

"Ei rajata tulkintoja vielä liikaa", Lucy evästää.

"Minä sanoisin että se oli iso haistatus", Reba lisää. "Minä olen kanavan toisella puolella selvästi näkyvissä. Poliisin univormussa. Minulla on seuranani tohtori Scarpetta ja on selvää että me etsimme jotain, tutkimme pihaa, ja se mies katselee meitä vastarannalta esittäen tutkivansa sitruspuita."

"Mahdollisesti, mutta me emme voi olla siitä varmoja", sanoo Lucy. "Ei rajata tulkintoja vielä liikaa", hän muistuttaa taas.

Lex kyyristyy viileällä lauttalattialla ja avaa välinelaukkunsa. He sulkevat kaikki sälekaihtimet ja pukeutuvat kertakäyttöisiin suojavaatteisiinsa. Sitten Lucy avaa jalustan, kiinnittää siihen kameran ja kiertää kameraan lankalaukaisimen samalla kun Lex sekoittaa luminolin ja kaataa seoksen mustaan suihkepulloon. Lucy ottaa valokuvan ulko-oven edustasta sisäpuolelta. Sitten he sammuttavat valot ja onni potkaisee heitä ensi yrityksellä.

"No johan on!" sanoo Reba pimeässä.

Tarkat kengänjäljet hohtavat sinivihreinä kun Lex sumuttaa lattiaa ja Lucy ottaa kuvia.

"Hänen kengissään on täytynyt olla valtavasti verta, muuten häneltä ei olisi jäänyt näin selvät jäljet, kun hän oli jo kävellyt talon poikki", sanoo Reba.

"Asiassa on vain yksi mutta", sanoo Lucy pimeästä. "Askeleet menevät väärään suuntaan. Ne johtavat sisälle eivätkä ulos."

46

Hän näyttää tuimalta mutta fantastiselta pitkässä mustassa mokkanahkatakissa, ja hänen hopeanharmaa tukkansa kurkistelee Red Sox -baseball-lippalakin alta. Aina kun Scarpetta on ollut Bentonista pitkään erossa hän panee merkille tämän hienostuneen komeuden, pitkän ja hoikan eleganssin. Hän ei halua olla Bentonille vihainen. Hän ei kestä olla. Se tuntuu pahalta.

"Kuten aina, oli ilo palvella teitä. Soittakaa kun tiedätte tarkan lähtöajan", sanoo pilotti Bruce kätellessään Scarpettaa lämpimästi. "Ottakaa yhteyttä jos tarvitsette jotain. Teillähän on kaikki minun numeroni?"

"Kiitos, Bruce", sanoo Scarpetta.

"Olen pahoillani että jouduitte odottamaan", Bruce sanoo Bentonille. "Vastatuuli vielä voimistui matkalla."

Benton ei ole alkuunkaan ystävällinen. Hän ei sano Brucelle mitään. Hän vain odottaa kunnes Bruce kävelee pois.

"Annahan kun arvaan", Benton sanoo Scarpettalle. "Hänkin on triathlonisti joka haluaa leikkiä rosvoa ja poliisia. Nämä Lucyn sporttiset pilotit ovat ainoa syy miksi en mielelläni lennä Lucyn koneella."

"Minä tunnen oloni turvalliseksi heidän kanssaan."

"Minä en."

Scarpetta sulkee villakankaisen päällystakkinsa napit heidän kävellessään autolle.

"Toivottavasti hän ei yrittänyt jututtaa sinua liikaa, häirinnyt sinua. Minusta hän vaikuttaa sellaiselta mieheltä", Benton sanoo.

"Minustakin on hauska nähdä sinua, Benton." Scarpetta kävelee askeleen Bentonin edellä.

"Minä satun tietämään ettei se ole sinusta ollenkaan hauskaa."

Benton lisää vauhtia, pitää lasiovea auki Scarpettalle, ja sisään hulmahtava tuuli on kylmä ja tuprauttaa mukanaan lumihiutaleita. Taivas on tummanharmaa ja on jo niin hämärää, että pysäköintialueen valot ovat syttyneet.

"Hän pestaa näitä kavereita, jotka ovat kaikki komeita urheiluhulluja ja luulevat olevansa action-sankareita", sanoo Benton.

"Asia ymmärretty. Yritätkö sinä haastaa riitaa ennen kuin minä saan tilaisuuden siihen?"

"Sinun on tärkeää huomata tietyt asiat, eikä noin vain olettaa että toiset ovat ystävällisiä. Minua huolestuttaa se että sinä et välttämättä huomaa tärkeitä signaaleja."

"Naurettavaa puhetta", Scarpetta sanoo ja hänen äänessään on kiukkua. "Minä päin vastoin huomaan liiankin monet signaalit. Viimeisen vuoden aikana minulta on tosin mennyt ohi muutama. Jos haluat tapella niin nyt sinulla on siihen tilaisuus."

He kävelevät lumisen pysäköintialueen poikki. Sen valot sumentuvat hiutaleiden taakse, ja myös äänet vaimenevat. Yleensä he kävelevät käsi kädessä. Scarpetta miettii miten Benton saattoi tehdä sen mitä teki. Hänen silmänsä kostuvat. Ehkä se johtuu tuulesta.

"Minua huolestuttaa se kuka hän on", sanoo Benton oudosti kun hän avaa Porschensa ovilukot. Tämä Porsche on nelivetoinen maasturi.

Benton pitää autoistaan. Hänelle ja Lucylle teho ja voima ja vahvuus ovat tärkeitä asioita. Ero on siinä, että Benton tietää olevansa vahva. Lucy taas ei tunne olevansa.

"Huolestuttaa yleisellä tasolla?" kysyy Scarpetta olettaen Bentonin puhuvan vielä signaaleista, jotka hänen mukaansa menevät Scarpettalta ohi.

"Tarkoitan murhaajaa, joka tappoi täällä erään naisen. NIBIN:istä löytyi natsaava pari haulikon hylsylle. Näyttää siltä että se on laukaistu samalla haulikolla jota käytettiin kaksi vuotta sitten Hollywoodissa tehdyssä murhassa. Elintarvikekioskin ryöstössä. Miehellä oli musta naamari. Hän ampui kaupassa yhden nuorukaisen ja sitten myyjä ampui hänet. Kuulostaako tutulta?"

Hän katsoo vieressään istuvaa Scarpettaa ajaessaan lentokentältä.

"Olen kuullut siitä", Scarpetta sanoo. "Seitsemäntoistavuotias, jolla ei ollut sen vaarallisempaa asetta kuin moppi. Onko kukaan keksinyt miten se haulikko on päässyt takaisin kiertoon?" hän kysyy kun hänen närkästyksensä voimistuu.

"Ei vielä."

"Viime aikoina on tehty paljon haulikkomurhia", Scarpetta sanoo viilean asiallisesti.

Jos Benton haluaa olla tällainen, Scarpettakin osaa olla.

"Mistähän siinä lie kyse?" Scarpetta lisää kuin ohimennen. " Johnny Swiftin kuolinpaikalta katosi haulikko. Daggie Simisterin kuolinpaikalta myös."

Hän joutuu selittämään Bentonille Daggie Simisterin murhan. Benton ei ole vielä kuullut siitä.

"Haulikon kuuluisi olla poliisin hallussa tai hajotettu, mutta sitä käytettiin täällä uudestaan", hän jatkaa. "Ja niiden kadonneiden kotona on Raamattu."

"Mikä Raamattu ja kenen kadonneiden?"

Scarpetta joutuu selittämään senkin, kertomaan nimettömästä soitosta ja soittajasta, joka kutsui itseään Karjuksi. Hän joutuu kertomaan Bentonille kadonneiden naisten ja poikien talossa olleesta satavuotiaasta Raamatusta, joka oli avattu Viisauden kirjan kohdalle, selittämään että säe on sama jonka Karju-niminen mies lausui Marinolle puhelimessa.

Siitä syystä sinä lähetit heille, niin kuin ymmärtämättömille lapsille, rangaistuksen, teit heidät pilkan alaisiksi.

"Kohta oli merkitty lyijykynällä piirretyillä rasteilla", Scarpetta sanoo. "Raamattu on painettu vuonna 1756."

"Harva käyttää niin vanhaa Raamattua."

"Eikä talossa ollut muita vanhoja kirjoja. Etsivä Wagnerin mukaan, jota sinä et tunne. Seurakuntalaiset sanoivat etteivät he olleet koskaan nähneet sitä Raamattua."

"Tutkitteko siitä sormenjäljet ja dna:n?"

"Ei sormenjälkiä. Ei dna:ta."

"Onko teillä hypoteeseja siitä miten heidän on käynyt?" Benton kysyy kuin työasioista puhuminen olisi ollut ainoa syy siihen, että Scarpetta lensi hänen luokseen yksityiskoneella.

"Ei toimivia", ja Scarpetta on entistä katkerampi.

Benton ei tiedä juuri mitään siitä millaista Scarpettan elämä on ollut viime aikoina.

"Onko murhasta viitteitä?"

"Meillä on paljon labratyötä tekemättä. Siellä käydään ylikierroksilla", Scarpetta vastaa. "Löysin ison makuuhuoneen ranskalaisesta ikkunasta korvanjälkiä. Joku oli painanut korvansa lasia vasten."

"Ehkä jompikumpi poika."

"Ei", Scarpetta sanoo kiukku yltyen. "Saimme heidän dna:taan, tai sanotaan oletettavasti heidän dna:taan, vaatteista, hammasharjoista ja reseptilääkepullosta."

"Minä en pidä korvanjälkiä rikostutkimuksen huippuna. Korvanjälkien perusteella on annettu jopa muutama virhetuomio."

"Ne ovat yksi työväline muiden joukossa kuten valheenpaljastuskoe", Scarpetta melkein tiuskaisee.

"Kay, en minä väitä vastaan."

"Dna otetaan korvanjäljistä samalla tavalla kuin sormenjäljistä", Scarpetta sanoo. "Olemme jo tehneet ajon ja se on tuntematonta, eikä näytä olevan kenenkään talossa asuneen dna:ta. CODIS:ista ei löytynyt mitään. Minä otin yhteyden Sarasotaan ja

pyysin tuttujamme DNAPrint Genomicsissa testaamaan suku-
puolen ja sukuviitteet tai rotutaustan, mutta se vie valitettavasti
monta päivää. Minä en tosissani välitä tippaakaan löydänkö so-
pivaa korvaa korvanjälkeen."

Benton ei sano mitään.

"Onko sinulla kotona ruokaa? Ja minä tarvitsen paukun. Ol-
koon kello vaikka kaksitoista päivällä. Ja meidän pitää puhua
jostain muustakin kuin töistä. Minä en lentänyt tänne lumimyrs-
kyssä juttelemaan töistä."

"Ei lumimyrsky ole vielä alkanut", sanoo Benton vakavasti.
"Mutta tulossa se on."

Scarpetta tuijottaa ikkunasta ulos kun Benton ajaa kohti
Cambridgea.

"Minulla on kotona paljon ruokaa. Ja kaikkea mahdollista
juotavaa", Benton sanoo hiljaa.

Hän sanoo jotain muutakin. Scarpetta ei ole varma kuuliko
hän oikein. Benton ei voinut sanoa sitä mitä hän luuli hänen sa-
novan.

"Anteeksi, mitä sinä sanoit?" Scarpetta kysyy hämmästy-
neenä.

"Jos sinä haluat vapaaksi, toivoisin että sanoisit sen nyt."

"Jos minä haluan vapaaksi?" Scarpetta katsoo häntä mykisty-
neenä. "Eikö siihen tämän enempää tarvita, Benton? Meille tulee
yksi kunnon erimielisyys ja meidän pitää heti ruveta keskustele-
maan suhteemme lopettamisesta?"

"Minä vain tarjoan sinulle sen mahdollisuuden."

"Sinun ei tarvitse tarjota minulle yhtään mitään."

"En tarkoittanut että sinä tarvitsisit minulta luvan. Minä vain
en ymmärrä miten suhteemme voi toimia jos sinä et enää luota
minuun."

"Saatat olla oikeassa." Scarpetta yrittää hillitä kyyneleensä,
kääntää kasvonsa pois Bentonista, katsoo ulos hangille.

"Sinä siis todella tarkoitat ettet enää luota minuun?"

"Mitä jos minä olisin tehnyt sen sinulle?"

"Minä olisin järkyttynyt", vastaa Benton. "Mutta minä yrit-
täisin ymmärtää miksi. Lucylla on oikeus yksityisyyteen, juridi-
nen oikeus. Minä tiedän kasvaimesta vain siksi, että hän kertoi
minulle että hänellä on ongelma ja kysyi voisinko minä järjestää
hänelle kuvauksen McLeanissa, voisinko minä pitää asian salas-

sa kaikilta, olla kertomatta kenellekään. Hän ei halunnut varata aikaa mistä vain sairaalasta. Tiedäthän sinä millainen hän on. Varsinkin nykyään."

"Ennen minä tiesin millainen hän on."

"Kay." Benton vilkaisee häneen päin. "Hän ei halunnut mustaa valkoisella. Nykyisin mikään ei ole enää yksityistä, kun säädettiin terroristilait."

"Se on kyllä totta."

"On lähdettävä siitä, että FBI tutkii meidän itse kunkin potilastietoja, lääkemääräyksiä, pankkitilejä, ostotottumuksia, kaikkea mikä on elämässä yksityistä. Ja sitä tutkitaan terroristien pysäyttämisen nimissä. Hänen kiistaa herättänyt entinen uransa FBI:ssä ja ATT:ssä on realistinen huolenaihe. Hän ei luota siihen, etteikö hänestä selvitettäisi kaikkea mikä selvitettävissä on ja etteikö hän joudu verontarkastukseen, lentokieltolistalle, skandaaliuutisiin ja saisi syytettä sisäpiirikaupoista ja ties mistä kaikesta."

"Entä sinä ja sinun kaikkea muuta kuin sopuisa menneisyytesi FBI:ssä?"

Benton kohauttaa olkapäitään. Hän ajaa lujaa. Lunta sataa vain hiljakseen eivätkä hiutaleet näytä juuri koskevankaan tuulilasiin.

"FBI ei voi juuri tämän enempää minulle tehdä", Benton sanoo. "Totta puhuen minä olisin heille todennäköisesti ajanhukkaa. Minua huolestuttaa paljon enemmän se, kenellä hullulla on hallussaan haulikko, jonka kuuluisi olla Hollywoodin poliisin todistevarastossa tai romutettuna."

"Mitä Lucy aikoo tehdä reseptilääkkeilleen? Jos hän kerran pelkää jättää paperi- tai sähköisiä jälkiä."

"Hänellä on syytä huoleen. Hän ei ole suotta peloissaan. He saavat käsiinsä melkein kaiken mitä haluavat – ja ovatkin saaneet. Vaikka siihen tarvittaisiin tuomarin lupa. Mitä luulet, että käytännössä tapahtuu, jos FBI haluaa etsintäluvan tuomarilta, jonka nykyisin vallassa oleva puolue on – kas mikä sattuma – nimittänyt virkaan? Tuomarilta joka pelkää seurauksia jos hän ei ole avulias? Tarvitseeko minun maalata sinulle noin viisikymmentä mahdollista skenaariota?"

"Amerikassa oli ennen mukava asua."

"Me hoidimme Lucyn osalta kaiken sisäisesti", Benton sanoo.

Hän puhuu vielä pitkään McLeanista, vakuuttaa Scarpettalle että Lucy ei olisi voinut tulla parempaan paikkaan. Vähintäänkin McLeanissa on maan ellei maailman parhaat lääkärit ja tutkijat. Mikään mitä Benton sanoo ei saa Scarpettan oloa helpottumaan.

He ovat nyt Cambridgessa, ajavat Brattle Streetin upeiden vanhojen talojen ohi.

"Hän ei ole joutunut hoitamaan mitään asiaa normaaleja kanavia pitkin, ei edes hankkimaan lääkkeitään. Mistään ei jää merkintöjä paperille eikä tietokoneeseen ellei joku tee virhettä tai puhu sivu suunsa", sanoo Benton.

"Pettämätöntä järjestelmää ei ole olemassakaan. Lucy ei voi lopun ikäänsä jännittää, että joku pääsee selville hänen aivokasvaimestaan ja siitä että hän käyttää jotain dopamiiniagonistia jotta kasvaimen vaikutus pysyy hallinnassa. Tai että hänet on leikattu, jos leikkaus tulee eteen."

Hänen on vaikea sanoa sitä ääneen. Vaikka aivolisäkkeen kasvainten poistoleikkaukset tilastojen mukaan onnistuvat lähes poikkeuksetta, aina on mahdollista että jokin menee vikaan.

"Hänellä ei ole syöpää", sanoo Benton. "Jos olisi, olisin todennäköisesti kertonut sinulle vaikka hän kielsi."

"Hän on minun siskontyttöni. Minä kasvatin hänet kuin oman tyttären. Sinulla ei ole oikeutta ratkaista, mikä on vakava riski hänen terveydelleen."

"Sinä jos kuka tiedät etteivät aivolisäkkeen kasvaimet ole suinkaan harvinaisia. Tutkimusten mukaan noin kahdellakymmenellä prosentilla väestöstä on sellainen."

"Riippuu siitä kuka niitä on tutkinut. Kymmenellä prosentilla. Kahdellakymmenellä. Viis minä tilastoista."

"Olet varmasti nähnyt niitä ruumiinavauksissa. Ennen ihmiset eivät aina edes tienneet että heillä oli aivolisäkkeen kasvain – eivät he sen takia ruumishuoneelle joutuneet."

"Lucy kuitenkin tietää että hänellä on kasvain. Ja tilastot perustuvat potilaisiin, joilla oli mikro- eikä makroadenooma ja jotka olivat oireettomia. Lucyn kasvain oli uusimmassa kuvauksessa halkaisijaltaan kaksitoista millimetriä eikä hän ole oireeton. Hänen on otettava lääkettä, jotta epänormaaliksi kohonnut prolaktiinitaso laskee ja hän voi joutua käyttämään lääkkeitä lopun ikäänsä ellei kasvainta leikata pois. Minä tiedän että sinä tunnet riskit, joista pienin on se että leikkaus epäonnistuu ja kasvain jää aivoihin."

Benton kääntyy pihalleen ja avaa erillisen tallin oven kaukosäätimellä. Tämä sivurakennus palveli toissavuosisadalla vaunutallina. Kumpikaan ei sano mitään kun Benton ajaa maasturin toisen suuritehoisen Porschensa viereen ja sulkee autotallin oven. He kävelevät hänen vanhan talonsa sivuovelle. Talo on punatiilinen, viktorianaikainen ja sijaitsee hieman Harvard Squaresta sivuun.

"Kuka Lucyn lääkäri on?" Scarpetta kysyy astuessaan keittiöön.

"Ei tällä hetkellä kukaan."

Scarpetta katsoo häntä pitkään kun hän riisuu päällystakkinsa ja laskee sen siististi tuolin selälle.

"Eikö hänellä ole lääkäriä? Et voi olla vakavissasi. Mitä hittoa te olette hänelle täällä tehneet?" hän kysyy rimpuillessaan irti takistaan. Hän heittää sen vihaisesti tuolille.

Benton avaa tammikaapin ja ottaa esiin pullon skottilaista mallasviskiä ja kaksi lasia joihin hän kilauttelee jääpaloja.

"Selitys ei tee sinun oloasi yhtään paremmaksi", Benton sanoo. "Hänen lääkärinsä on kuollut."

Akatemian ajoneuvojentutkimustilana on iso lentokonehalli, jossa on kolme autotallinovea. Ne avautuvat tielle, joka johtaa toiselle hallille, missä Lucy pitää helikoptereita, moottoripyöriä, panssaroituja Humvee-maastureita, pikaveneitä ja kuumailmapalloa.

Reba tietää että Lucylla on helikoptereita ja moottoripyöriä. Kaikki sen tietävät. Mutta Reba ei ole varma uskoako mitä Marino sanoi helikopterihallin muista kulkupeleistä. Hän epäilee Marinon syöttäneen hänelle pajunköyttä, mikä ei ole ollut hauskaa, koska Reba olisi näyttänyt tyhmältä, jos olisi uskonut ja kertonut muille mitä Marino oli hänelle paljastanut. Marino on valehdellut hänelle usein. Marino sanoi että hän piti Rebasta. Hän sanoi että kukaan nainen ei vetänyt sängyssä vertoja Reballe. Hän sanoi että kävi miten kävi he olisivat aina ystävät. Valheita kaikki.

Reba tapasi Marinon muutama kuukausi sitten kun hän oli vielä moottoripyöräosastolla ja Marino tuli kerran töihin Softaililla jolla hän ajoi ennen kuin hankki kustomoidun Deucen. Reba oli juuri pysäköinyt Road Kinginsä poliisilaitoksen takaoven lähelle kun hän kuuli Marinon pyörän valtavan papatuksen, ja siinä Marino sitten oli.

Vaihdetaan, Marino sanoi ja heilautti jalkansa satulan yli kuin hevosen selästä loikkaava cowboy.

Marino kiskaisi farkkujaan ylös ja astui katsomaan Reban pyörää, kun Reba pani sitä lukkoon ja otti jotain satulalaukuista.

Varmaan haluaisitkin, Reba kommentoi.

Monestiko olet kaatanut sen?

En kertaakaan.

Ajajia on vain kahdenlaisia. Niitä jotka ovat kaatuneet ja niitä joilla kaatuminen on vielä edessä.

On kolmaskin ryhmä, sanoi Reba, jolla oli aika rehvakka olo virkapuvussaan ja pitkävartisissa mustissa saappaissaan. Ne jotka ovat kaatuneet mutta valehtelevat etteivät ole.

Minä en kuulu siihen ryhmään.

Minä olen kuullut toista, Reba sanoi, ja hän härnäsi Marinoa, flirttaili pikkuisen. Minä kuulin sellaisen tarinan että sinä unohdit laittaa seisontatuen alas bensapumpulla.

Älä puhu paskaa.

Minä kuulin myös että kerran sinä unohdit avata etuhaarukan lukon ennen kuin ajoit illalla seuraavaan baariin.

Tuollaista hevonpaskaa minä en ole kuullut ikinä.

Entäs se kerta kun sinä painoit sammutusnappia kun piti painaa oikeaa vilkkua?

Marino rupesi nauramaan ja pyysi häntä ajamaan kanssaan Miamiin lounaalle Monty Trainerin ravintolaan joka on ihan rannassa. He ajoivat sen jälkeen aika monta kertaa yhdessä, kerran Key Westiin lentäen kuin linnut ykköstietä ja ylittäen meren kuin olisivat osanneet kävellä sen pinnalla, tietä jonka länsipuolella on vanha Flaglerin rautatie, se josta puuttuu pätkiä, myrskyjen runnoma muistomerkki romanttiselle menneisyydelle jolloin Etelä-Florida oli art deco -hotellien, Jackie Gleasonin ja Hemingwayn trooppinen paratiisi, ei toki yhtä aikaa kaikkien kolmen.

Kaikki meni hyvin kunnes Reba vajaa kuukausi sitten ylennettiin etsiväksi. Marino alkoi vältellä seksiä. Hän käyttäytyi omituisesti. Reba epäili että se johtui hänen ylennyksestään, pelkäsi ettei Marino enää tuntenut häneen vetoa. Miehet olivat väsyneet häneen ennenkin, mikseivät väsyisi taas? Heidän suhteensa katkesi lopullisesti, kun he olivat päivällisellä Hootersilla, joka ei ole Reban lempiravintola, sanottakoon se sivumennen, ja rupesivat jostain syystä puhumaan Kay Scarpettasta.

Varmaan joka toinen kundi poliisilaitoksella on kuumana häneen, Reba sanoi.

Hä, sanoi Marino ja hänen ilmeensä muuttui.

Yhtäkkiä hänestä tuli ihan toinen ihminen.

Minä en tiedä siitä mitään, Marino sanoi, eikä hän kuulostanut siltä Marinolta, josta Reba oli oppinut pitämään kovasti.

Tiedätkö Bobbyn? kysyi Reba, ja nyt häntä harmittaa ettei hän pitänyt suutaan kiinni.

Marino sekoitti sokeria kahviinsa. Reba ei ollut koskaan ennen nähnyt hänen tekevän niin. Marino oli sanonut lopettaneensa sokerin käytön.

Ensimmäinen murha, jota me tutkimme yhdessä, Reba jatkoi. Tohtori Scarpetta oli siellä ja kun hän oli valmis siirrättämään vainajan ruumishuoneelle, Bobby kuiskasi minulle: minä voisin kuolla jotta hän kävisi minuun käsiksi. Ja minä sanoin, kuule kun sinä kuolet, minä pyydän häntä sahaamaan sinun kallosi auki jotta nähdään onko siellä aivot vai rusina.

Marino joi makeutettua kahviaan, katseli isotissistä tarjoilijaa joka kumartui viemään pois hänen salaattilautasensa.

Bobby tarkoitti Scarpettaa, Reba sanoi koska ei ollut varma oliko Marino ymmärtänyt, toivoi että hän olisi nauranut tai muuten reagoinut eikä vain katsellut ohikulkevia tissejä ja perseitä etäinen katse silmissään. Tapasin Scarpettan silloin ensimmäisen kerran, Reba jatkoi hermostuneesti, ja muistan ajatelleeni että ehkä sinulla ja hänellä oli ollut yhteistä säpinää. Oli mukava kuulla myöhemmin että se ei ollut totta.

Sinun kannattaisi ottaa Bobby mukaan kaikkiin murhatutkimuksiin, sanoi Marino sitten, sanoi vaikkei se liittynyt mitenkään siihen mistä Reba oli juuri puhunut. Sinun ei kannata hoidella tutkimuksia soolona ennen kuin opit miten homma kuuluu hoitaa. Itse asiassa sinun voisi kannattaa anoa vapautusta etsivän tehtävistä. En usko että olet tajunnut millaiseen soppaan olet lusikkasi pistänyt. Se ei ole sellaista miltä se televisiossa näyttää.

Reba katsoo ympärilleen ja tuntee itsensä kelvottomaksi. Häntä nolottaa. Iltapäivä on lopuillaan. Teknikot ovat tehneet työtään monta tuntia, harmaa farmariauto on hydraulisen nosturin päällä, ikkunat ovat liimahöyrystä sameat, matot on jo imuroitu ja tutkittu. Kuljettajan puoleisessa matossa näkyi jotain kirkasta, kenties verta.

Teknikot keräävät hiukkastodisteita renkaista harjaamalla maalisiveltimillä roskia kulutuspinnan urista valkoiselle paperille, jonka he taittavat kokoon ja sulkevat keltaisella teipillä. Hetki sitten yksi teknikko, kaunis nuori nainen, sanoi Reballe että he eivät käytä metallitölkkejä hiukkasten keräämiseen sen tähden että kun hiukkaset laitetaan SEM:iin...

Mikä se on? kysyi Reba.

Pyyhkäisyelektronimikroskooppi.

Aha, Reba sanoi, ja kaunis teknikko selitti että jos hiukkastodisteita laittaa metallitölkkeihin ja pyyhkäisyssä todetaan rautaa tai alumiinia, mistä tiedetään ettei se ole tölkistä irronnutta mikroskooppista metallia?

Se oli hyvä pointti eikä olisi ikinä tullut Reban mieleen. Teknikoiden työ on täynnä asioita, jotka eivät tulisi hänelle mieleen. Hän tuntee itsensä kokemattomaksi ja yksinkertaiseksi. Hän seisoo sivussa poissa toisten tieltä ja miettii sitä kun Marino sanoi ettei hänen kannattaisi työskennellä soolona, miettii Marinon ilmettä ja sitä millaisella äänellä hän sen sanoi. Hän katsoo hinausautoa, muita hydraulisia nostureita ja pöytiä joilla on valokuvausvälineitä, Mini Crimescopeja, luminesenssijauhetta ja siveltimiä, hiukkastodisteimureita, Tyvek-suojavaatteita, Super Glue -liimaa ja ison viehe- tai perholaukun näköisiä tutkimusvälinepakkeja. Hallin toisessa päässä on jopa katapulttikelkka ja törmäysnukkeja. Samassa hän kuulee päässään Marinon äänen. Kuulee kuin se tulisi korvista.

Se ei ole sellaista miltä se televisiossa näyttää.

Marinolla ei ollut oikeutta sanoa niin.

Sinun voisi kannattaa anoa vapautusta etsivän tehtävistä.

Sitten hän kuulee Marinon äänen oikeasti ja hän säikähtää ja kääntyy ympäri.

Marino kävelee kohti farmaria, kävelee hänen ohitseen kahvimuki kädessä.

"Onko löytynyt mitään uutta?" kysyy Marino kauniilta teknikolta joka teippaa kokoon taittelemaansa paperiarkkia kiinni.

Marino katsoo nosturin päällä ilmassa olevaa farmariautoa ja käyttäytyy kuin Reba olisi varjo seinällä, kangastus maantiellä, kuin häntä ei olisi olemassakaan.

"Sisältä saattoi löytyä verta", kaunis teknikko vastaa. "Jotain mikä reagoi luminoliin."

"Minä lähdin hakemaan kahvia ja heti meni hyvä pala sivu suun. Onko sormenjälkiä?"

"Emme ole vielä avanneet sitä. Alan olla valmis avaamaan, koska en halua ylikypsentää sitä."

Kauniilla teknikolla on pitkä tukka, kiiltävä ja tummanruskea, joka tuo Reban mieleen kastajanvärisen hevosen. Hänellä on kaunis iho, täydellinen iho. Mitä Reba antaisikaan tuollaisesta ihosta, siitä että saisi anteeksi kaikki Floridan auringossa vietetyt vuodet. Siitä on turha enää välittää, ja ryppyinen iho näyttää vielä kamalammalta kalpeana, joten hän ottaa aurinkoa, ottaa vieläkin. Hän katsoo kauniin teknikon sileää ihoa ja nuorekasta vartaloa, ja hänen tekee mieli itkeä.

Olohuoneen lattiat ovat kuusilautaa ja ovet ovat mahonkia, ja kivitakka on valmis sytytettäväksi. Benton kyyristyy takan eteen ja raapaisee tikun, ja pian savukiehkurat alkavat luikerrella sytykkeistä.

"Johnny Swift valmistui Harvardin lääketieteellisestä tiedekunnasta, suoritti kandivaiheen Mass Generalissa ja sai stipendin neurologian laitokselle McLeaniin", sanoo Benton, suoristautuu ja palaa sohvalle. "Pari vuotta sitten hän avasi vastaanoton Stanfordissa ja lisäksi Miamissa. Me annoimme Lucylle lähetteen Johnnyn vastaanotolle, koska hänet tunnettiin McLeanissa hyvin, hän oli erinomaisen pätevä ja hänellä oli vastaanotto Lucyn lähistöllä. Hänestä tuli Lucyn neurologi ja luullakseni myös aika hyvä ystävä."

"Lucyn olisi pitänyt kertoa minulle." Asia ei vieläkään mahdu Scarpettan päähän. "Me tutkimme Johnnyn kuolemaa ja Lucy salaa tällaisen kytkennän?" Scarpetta vatvoo. "Johnny on kenties murhattu eikä Lucy kerro mitään?"

"Johnnyssa oli itsemurha-alttiutta. En väitä etteikö häntä murhattu mutta hänellä oli jo Harvardin vuosina mielialahäiriöitä, hän oli avohoidossa McLeanissa ja hänellä todettiin kaksisuuntainen mielialahäiriö, jota alettiin hoitaa litiumilla. Kuten sanoin, hänet tunnettiin McLeanissa hyvin."

"Ei sinun tarvitse vakuutella että hän oli pätevä ja myötätuntoinen eikä vain joku umpimähkään valittu spesialisti."

"Hän oli enemmän kuin pätevä eikä häntä taatusti valittu umpimähkään."

"Me tutkimme hänen kuolemaansa, erittäin epäilyttävää kuolemaa", Scarpetta sanoo jälleen. "Eikä Lucy voi olla sen vertaa rehellinen että kertoisi minulle totuuden. Miten ihmeessä hän pystyy olemaan objektiivinen?"

Benton siemaisee viskiä ja katsoo takkaan, ja liekkien varjot leikkivät hänen kasvoillaan.

"Liekö sillä merkitystä. Johnnyn kuolema ei liity millään tavoin Lucyyn."

"Minä en ole siitä ollenkaan varma", Scarpetta sanoo.

47

Reba katselee kun Marino katselee kaunista teknikkoa tämän laskiessa siveltimen kädestään puhtaalle valkoiselle paperiarkille ja avatessa auton vasemman etuoven. Marinon silmät ahmivat teknikon muotoja.

Marino seisoo hyvin lähellä kaunista teknikkoa kun tämä ottaa autosta alumiinifoliossa olevat Super Glue -pakkaukset ja pudottaa ne oranssinväriseen biojäteastiaan. He ovat vierekkäin, kumarassa, katsovat auton etupenkille ja sitten takapenkille, ensin vasemmalta ja sitten oikealta, ja sanovat toisilleen kaikenlaista mitä Reba ei kuule. Kaunis tutkija nauraa jollekin mitä Marino sanoo, ja Reballe tulee hirveä olo.

"Minä en erota lasissa mitään", Marino sanoo kuuluvammin ja suoristaa selkänsä.

"En minäkään."

Hän kyykistyy ja katsoo uudestaan oven sisäpuolta, vasemman takaoven. Hän vitkastelee kuin olisi löytänyt jotain.

"Tulehan tänne", hän sanoo kauniille teknikolle kuin Rebaa ei olisi olemassakaan.

He seisovat niin lähekkäin että heidän väliinsä ei mahtuisi edes yhtä teknikon valkoista paperiarkkia.

"Bingo!" sanoo Marino. "Tuossa metallikielessä joka työnnetään vyön solkeen."

"Osittainen." Kaunis teknikko katsoo tarkemmin. "Siinä näkyy hiukan harjanteita."

He eivät löydä muita sormenjälkiä, eivät osittaisia eivätkä kokonaisia, eivät edes tahriintuneita, ja Marino miettii ääneen onko auton sisätilat pyyhitty.

Hän ei tee Reballe tilaa kun hän yrittää päästä lähemmäksi. Reba sentään johtaa tutkimusta. Hänellä on oikeus nähdä mistä he puhuvat. Tämä on hänen tutkimuksensa eikä Marinon. Ajatelkoon ja sanokoon Marino hänestä mitä haluaa, hän on etsivä ja tämä on hänen tutkimuksensa.

"Anteeksi", Reba sanoo määräilevästi vaikkei tunne pystyvänsä määräilemään ketään. "Tekisittekö vähän tilaa?" Sitten kauniille teknikolle: "Mitä löysit matoilta?"

"Ne ovat verraten siistit, vain hiukan hiekkaa, suunnilleen sellaiset miltä ne näyttävät ravistamisen ja imuroinnin jälkeen jos imurissa ei ole kunnolla tehoa. Yhdessä saattoi olla verta, mutta se jää nähtäväksi."

"Siinä tapauksessa tätä autoa ehkä käytettiin ja se ajettiin lopulta takaisin talon pihaan." Reba puhuu rohkeasti, ja Marinon kasvoille tulee taas sama kova ilme, sama kova, etäinen ilme kuin silloin Hooterilla. "Eikä sillä ole ajettu yhdenkään tietullin kautta sen jälkeen kun ne neljä katosivat."

"Mistä sinä puhut?" Marino katsoo viimein häneen.

"Me tarkistimme SunPassin mutta se ei välttämättä vielä kerro kovin paljon." Reballakin on uutta tietoa. "Eihän tietulleja ole läheskään kaikilla teillä. Ehkä sillä ajettiin maksuttomia teitä pitkin."

"Siinä on iso ehkä", Marino sanoo eikä enää katso Rebaan.

"Ei oletuksissa mitään vikaa ole", Reba sanoo.

"Katsopa vain miten niiden käy oikeudessa", Marino sanoo, eikä hän suostu taaskaan katsomaan Rebaan. "Noiden oletusten. Jos sinä sanot 'ehkä', puolustusasianajaja syö sinut lounaaksi."

"Lisäksi sietää miettiä muita oletuksia tyylin 'mitä jos'", Reba sanoo. "Esimerkiksi mitä jos joku tai jopa kaksi tai useampi henkilö sieppasi ne neljä tällä farmariautolla ja ajoi sen myöhemmin takaisin talon pihalle osittain nurmikolle ja jätti ovet lukitsematta? Eikö se olisi ollut aika nokkela temppu? Jos joku näki auton ajavan pois pihalta, siinä ei ollut mitään tavallisuudesta poikkeavaa. Eikä naapureista näyttäisi tavallisuudesta poikkeavalta sekään, jos auto ajettaisiin takaisin pihalle. Ja minä veikkaan etteivät naapurit nähneet mitään koska auto tuotiin takaisin pimeällä."

"Hiukkaset pitää tutkia heti ja sormenjälki etsiä AFIS:ista." Marino yrittää päästä takaisin niskan päälle ja kuulostaa siksi entistä uhoavammalta.

"Ilman muuta", kaunis teknikko sanoo ivallisella äänellä. "Minä haen taikurinvälineeni."

"Kysyn ihan uteliaisuuttani", Reba sanoo teknikolle. "Onko totta, että Lucylla on tuossa toisessa hallissa luodinkestäviä Humvee-maastureita, pikaveneitä ja kuumailmapallo?"

Kaunis teknikko nauraa, kiskaisee käsineet kädestään ja heittää ne jäteastiaan. "Mistä ihmeestä sinä sellaista olet kuullut?"

"Yhdeltä mäntiltä", Reba vastaa.

Puoli kahdeksalta sinä iltana kaikki Daggie Simisterin talon valot sammuvat. Myös kuistin valo on sammutettu.

Lucy pitelee lankalaukaisinta valmiina painamaan nappia.

"Nyt!" hän sanoo ja Lex alkaa sumuttaa luminolia etukuistille.

He eivät voineet tehdä sitä aikaisemmin. Heidän oli odotettava pimeää. Kengänjäljet hohtavat hetken ja häipyvät, hohtavat tällä kertaa kirkkaammin. Lucy ottaa kuvia mutta lopettaa kesken.

"Mikä hätänä?" Lex kysyy.

"Minulla on outo aavistus", Lucy sanoo. "Annahan se suihkepullo."

Lex ojentaa sen.

"Mikä on yleisin väärä positiivinen, jonka me saamme luminolilla?" kysyy Lucy.

"Kloori."

"Arvaa uudestaan."

"Kupari."

Lucy alkaa suihkuttaa pihaa laajoina kaarina, kävellen suihkuttaessaan, ja nurmikko alkaa hohtaa sinivihreänä, hohtaa ja himmenee kuin meri kaikkialla minne luminol leviää. Hän ei ole koskaan nähnyt mitään vastaavaa.

"Sienimyrkkyä", hän sanoo. Se on ainoa järkeen käyvä selitys. "Kuparisuihketta. Sitä käytetään sitruspuissa ruosteen estoon. Se ei tietenkään ole kovin tehokasta. Katso nyt vaikka hänen sairaita puitaan, noita joiden rungossa on punaisia raitoja", sanoo Lucy.

"Joku käveli hänen pihansa poikki ja kantoi sitä jaloissaan sisään", sanoo Lex. "Esimerkiksi joku sitrustarkastaja."

"Meidän on saatava selville kuka hän oli", sanoo Lucy.

48

Marino vihaa South Beachin trendikkäitä ravintoloita eikä koskaan jätä Harleytään lähellekään rantakadun vieressä tähän aikaan seisovia surkeita pyöriä, joista suurin osa on japanilaisia nivusraketteja. Hän ajaa hitaasti ja äänekkäästi Ocean Drivea pitkin mielissään siitä, että hänen pakoputkensa ärsyttävät kaikkia muodikkaita asiakkaita, jotka litkivät maustettuja martinejaan ja viinejään pienissä kynttilöin valaistuissa ulkopöydissä.

Hän pysäyttää pyöränsä muutaman sentin päähän punaisen Lamborghinin takapuskurista, vetää kytkinkahvan sisään ja kiertää kaasua antaen moottorille sen verran polttoainetta, että kaikki tietävät hänen saapuneen. Lamborghini siirtyy hiukan eteenpäin ja Marino seuraa perässä miltei koskettaen takapuskuria, ja hän kaasuttaa taas, ja Lamborghini hivuttautuu edemmäksi ja Marino tekee samoin. Hänen Harleynsa karjuu kuin mekaaninen leijona, ja Lamborghinin avoimesta ikkunasta tulee esiin käsi ja sen keskisormen pitkä punainen kynsi nousee pystyyn.

Marino nauraa kaasuttaessaan taas, ja ujuttautuu autojen väliin, pysähtyy Lamborghinin viereen ja katsoo alumiinisen ohjauspyörän takana istuvaa naista, jolla on oliivinvärinen iho.

Hän näyttää noin kaksikymppiseltä ja hänellä on päällään farkkuliivit ja sortsit eikä juuri muuta. Pelkääjän paikalla istuva nainen on ruma mutta hänellä on sen korvikkeeksi rintojensa päällä jonkinlainen joustava musta nauha ja jalassa sortsit jotka tuskin peittävät edes sen millä on väliä.

"Miten sinä kirjoitat tietokoneella ja siivoat kotisi noilla kynsillä?" kysyy Marino isojen moottorien jylistessä. Hän levittää valtavat kätensä haralleen kuin kissa käpälänsä. Naisella on sormissa pitkät punaiset akryyliset tekokynnet.

Naisen sievät, ylimieliset kasvot tuijottavat liikennevaloja. Hän todennäköisesti odottaa epätoivoisesti, että ne vaihtuisivat vihreäksi, jotta hän voisi kaasuttaa karkuun tältä mustiin pukeutuneelta punaniskalta, ja hän sanoo: "Ele naarmuta minun auto, vittunaama."

Hän sanoo sen voimakkaasti murtaen latinoaksentilla.

"Hienon naisen ei sovi puhua noin rumasti", sanoo Marino. "Sinä loukkaat minun tunteitani."

"Painu helvetti!"

"Saanko tarjota teille tipusille paukut? Mennään sen jälkeen tanssimaan."

"Jete meidet vittu rauhaan!" ajaja sanoo.

"Mine soitan poliisi!" hänen vieressään istuva nainen uhkaa.

Marino vie käden kypäränsä ohimolle, kypärän jossa on luodinreikätarroja, ja kaasuttaa heiltä karkuun valon vaihduttua vihreäksi. Hän on kääntynyt 14. kadulle ennen kuin Lamborghinin kuljettaja on vaihtanut kakkoselle, ja pysäköi mittarin kohdalle Tattoo's By Loun ja Scooter Cityn eteen, sammuttaa moottorin ja nousee soturisatulasta. Hän lukitsee pyörän ja kävelee kadun yli South Beachin vanhimpaan baariin, ainoaan baariin jossa hän näillä tienoin käy, Mac's Club Deuceen, josta paikalliset asiakkaat käyttävät lyhennettyä nimeä Deuce ja jota ei pidä sekoittaa hänen Harley Deuceensa. Hän sanoo, että tupla-Deuce-ilta on sellainen, jolloin hän ajaa Deucellaan Deuceen, pimeään läävään jossa on mustavalkoruutuinen lattia, poolpöytä ja baarin yllä neonvalonakukuva.

Rosie alkaa kaataa hänelle Budweiseria. Hänen ei tarvitse pyytää.

"Odotatko seuraa?" Rosie työntää vaahtoavan, korkean lasin vanhan tammitiskin yli.

"Sinä et tunne häntä. Sinä et tunne tänä iltana ketään", Marino selittää hänelle käsikirjoituksen.

"Selvä pyy." Rosie mittaa votkaa vesilasiin jollekin vanhalle körmylle joka istuu yksikseen läheisellä baarijakkaralla. "Minä en tunne täällä ketään, varsinkaan teitä kahta. Se sopii. En minä välittäisikään tuntea."

"Älä särje minun sydäntäni", sanoo Marino. "Mitäs jos laittaisit siihen vähän limettiä?" hän työntää oluen takaisin Rosielle.

"Vai on sitä ruvettu hienostelemaan." Rosie pudottaa lasiin muutaman viipaleen. "Kelpaako?"

"Hyvältä näyttää."

"En minä kysynyt miltä se näyttää vaan kelpaako se."

Kuten tavallista, kanta-asiakkaat eivät piittaa heistä. Kanta-asiakkaat istua kyyhöttävät jakkaroilla baaritiskin toisella sivulla ja tuijottavat lasittunein silmin isosta televisiosta tulevaa baseball-ottelua tietämättä mitä siinä tapahtuu. Hän ei tunne heitä nimeltä mutta hän ei tarvitse nimiä. Tuolla on yksi lihava äijä jolla on pukinparta, ja todella lihava nainen joka marmattaa jatkuvasti, ja hänen mieskaverinsa joka on kooltaan kolmanneksen hänestä ja näyttää keltahampaiselta hilleriltä. Marino miettii miten he naivat ja kuvittelee jockeyn kokoisen karjapaimenen sätkivän kuin kala vimmatusti pomppivan sonnin selässä. Kaikki polttavat. Tupla-Deuce-iltoina Marinokin polttaa yleensä muutaman savukkeen eikä ajattele tohtori Selfiä. Kaikki mitä täällä tapahtuu, tapahtuu salassa.

Hän menee limettiviipaleilla maustetun oluensa kanssa poolpöydän ääreen ja ottaa nurkan kirjavasta kokoelmasta köön. Hän laittaa pallot kolmiolla valmiiksi ja kiertää pöytää tupakka suussa hangaten köön kärkinahkaa liidulla. Hän katsoo silmiään siristäen hilleriä, kun tämä laskeutuu jakkaraltaan ja menee oluensa kanssa miesten vessaan. Hän tekee aina niin, kuin pelkäisi jonkun pöllivän häneltä lasin. Marinon silmät näkevät kaiken ja kaikki.

Baariin hoipertelee ruipeloinen kodittoman näköinen mies, jolla on siivoton parta, poninhäntä, tummat, huonosti istuvat Pelastusarmeijan vaatteet, likainen Miami Dolphins -lippalakki ja omituiset punertaviksi sävytetyt lasit. Hän istuutuu lähelle ovea ja sulloo pesulapun väljien housujensa takataskuun. Ulkona jalkakäytävällä pojannulikka ravistaa pysäköintimittaria joka nieli hänen kolikkonsa antamatta aikaa.

Marino pamauttaa kaksi varmaa lyöntiä keskipusseihin ja katsoo siristäen tupakansavun läpi.

"Niin sitä pitää. Pudottele sinä pallejasi pusseihin", Rosie huutaa hänelle kaataessaan olutta. "Missä sinä olet piileskellyt?"

Rosie on kovia kokeneella tavalla seksikäs, pikku voimanpesä jonka silmille kukaan täysjärkinen ei uskalla hyppiä, vaikka olisi änkyräkännissä. Marino näki kerran kun hän mursi sataneljäkymmentäkiloisen körilään ranteen olutpullolla kun mies ei lakannut kähmimästä hänen persettään.

"Unohda ne asiakkaasi ja tule tänne", Marino sanoo ja kumauttaa kahdeksikkoa.

Se pyörii vihreän veran keskelle ja pysähtyy.

"Olkoon", hän mutisee, nojaa keppinsä pöytään ja kävelee levyautomaatille sillä aikaa kun Rosie avaa kaksi Miller Lite -pulloa ja nostaa ne lihavan naisen ja hillerin eteen.

Rosie on aina kiireinen kuin tuulilasinpyyhin nopeimmassa asennossa. Hän kuivaa kätensä farkkujensa takamukseen kun Marino valitsee muutaman suosikin seitsemänkymmentäluvun kimarasta.

"Mitä sinä muljotat?" hän kysyy oven suussa istuvalta kodittoman näköiseltä mieheltä.

"Huvittaisiko peli?"

"En ehdi", Marino vastaa kääntymättä miettiessään vielä kappalevalintojaan.

"Täällä saa pelata vasta kun on ostanut juotavaa", Rosie valistaa kodittoman näköistä miestä joka istuu kyyryssä oven luona. "Äläkä jää tänne vain huvin vuoksi norkoilemaan. Kuinka monta kertaa sinulle pitää sanoa?"

"Minä ajattelin että hän voisi tykätä pelata minun kanssa." Mies vetää pesulappunsa esiin ja alkaa hermostuneesti väännellä sitä käsissään.

"Minä sanon sinulle saman kuin viimeksi kun sinä tulit tänne etkä ostanut mitään ja kävit kuitenkin veskissä: ala kalppia!" Rosie sanoo miehelle äkäisenä kädet lanteilla. "Jos haluat jäädä, kaiva kuvettasi."

Mies nousee hitaasti tuoliltaan väännellen rättiään ja tuijottaa

Marinoa silmissään lannistunut ja väsynyt katse, mutta myös jotain muuta.

"Minä luulin että sinä haluaisit pelata", mies sanoo Marinolle.

"Ulos!" Rosie huutaa hänelle.

"Minä hoidan tämän", sanoo Marino ja kävelee miehen luo. "Tulehan, minä saatan sinut ulos ennen kuin on liian myöhäistä. Tiedäthän sinä miten Rosie suuttuu."

Mies ei pane vastaan. Hän ei haise läheskään niin pahalta kuin Marino odotti, ja Marino seuraa häntä ovesta ulos jalkakäytävälle, missä sama idioottinulikka vieläkin rytkyttää pysäköintimittaria.

"Ei se mikään perkeleen omenapuu ole", Marino sanoo nuorukaiselle.

"Haista vittu!"

Marino astuu hänen luokseen, on ainakin päätä pitempi, ja nulikan silmät suurenevat.

"Mitä sinä mussutit?" Marino kysyy, vie toisen käden korvan taakse ja kumartuu poikaan päin. "Kuulinko minä oikein?"

"Minä laitoin siihen kolme neljännesdollarin lanttia."

"No jopa sattui surkeasti. Minä ehdotan että sinä nouset tuohon autonräppänääsi ja pärisyttelet helvetin kuuseen ennen kuin minä pidätän sinut kaupungin omaisuuden vandalisoinnista", sanoo Marino, vaikkei hänellä ole enää valtuuksia pidättää ketään.

Baarista astunut kodittoman näköinen mies kävelee hitaasti jalkakäytävällä ja vilkaisee taakseen kuin odottaisi Marinon seuraavan perässä. Hän sanoo jotain kun poika käynnistää Mustangin ja kaasuttaa matkoihinsa.

"Minulleko sinä puhut?" Marino kysyy kodittoman näköiseltä mieheltä kävellen häntä kohti.

"Hän tekee sitä aina", kodittoman näköinen mies sanoo hiljaa. "Sama sälli. Hän ei pane koskaan penniäkään näihin mittareihin ja rönkyttää niitä kunnes ne hajoavat."

"Mitä sinä haluat?"

"Johnny kävi täällä edellisiltana ennen kuin se tapahtui", mies sanoo. Hänen kenkärajoistaan puuttuu korot.

"Kenestä sinä puhut?"

"Tiedät kyllä. Ei hän itsemurhaa tehnyt. Minä tiedän kuka hänet tappoi."

Marinon valtaa tietty tunne, samanlainen kuin hänen astuessaan rouva Simisterin taloon. Hän näkee Lucyn korttelin päässä, mistä tämä lähestyy kiireettömästi. Lucy ei ole pukeutunut väljiin mustiin vaatteisiin kuten yleensä.

"Me pelattiin poolia sinä viimeisenä iltana. Hänellä oli kädet lastoissa. Eivät ne näyttäneet häntä haittaavan. Hän pelasi ihan hyvin."

Marino katsoo vaivihkaa Lucya. Tänä iltana hän sopii maisemaan. Hän voisi olla kuka vain näillä main hengaileva lesbo, poikamainen mutta komea ja seksikäs kalliissa farkuissa, haalistuneissa farkuissa joissa on paljon reikiä, ja hänellä on pehmeän mustan nahkapuseron alla valkoinen aluspaita joka on kuin liimautunut rintoihin, ja Marino on aina pitänyt hänen rinnoistaan vaikkei hänen sovi edes huomata niitä.

"Minä näin hänet vain sen ainoan kerran kun hän toi yhden tytön tänne", koditon mies sanoo pälyillen ympärilleen kuin olisi jostain syystä yhtäkkiä hermostunut. Hän kääntyy selin baariin. "Sinun kannattaisi etsiä se tyttö. Ei minulla muuta ollut."

"Mikä tyttö ja miksi minun pitäisi hänestä välittää?" kysyy Marino ja katsoo lähestyvää Lucya silmäillen samalla katua varmistaakseen ettei kukaan saa päähänsä ahdistella Lucya.

"Hyvännäköinen", mies vastaa. "Sellainen jota sekä miehet että naiset katselevat täällä, seksikkäästi pukeutunut. Kukaan ei halunnut häntä tänne."

"Näyttää siltä ettei kukaan halua sinuakaan tänne. Sinut potkittiin baaristakin ulos."

Lucy kävelee Deuceen heihin vilkaisematta, kuin Marino ja koditon mies olisivat näkymättömiä.

"Sinä iltana minua ei potkittu pois koska Johnny osti minulle paukun. Me pelattiin poolia ja se tyttö istui jukeboksin vieressä sen näköisenä ettei häntä ollut koskaan viety tällaiseen räkälään. Hän kävi pari kertaa vessassa ja siellä haisi sen jälkeen ruoholta."

"Onko sinulla tapana käydä naisten vessassa?"

"Minä kuulin kun yksi nainen puhui siitä baaritiskin vieressä. Se tyttö ei tiennyt hyvää."

"Onko sinulla hajua hänen nimestään?"

"Ei minkäänlaista."

Marino sytyttää savukkeen. "Mistä sinä päättelet että hänellä olisi jotain tekemistä sen kanssa miten Johnnyn kävi?"

"Minä en pitänyt siitä tytöstä. Kukaan ei pitänyt. En minä muuta tiedä."

"Oletko varma?"

"Olen."

"Älä kerro tästä muille, tajuatko?"

"Mitä tästä suotta kertomaan."

"Suotta tai ei, pidä suusi kiinni. Ja nyt sinä kerrot mistä helvetistä sinä tiesit että minä tulisin tänä iltana tänne ja miksi sinä kuvittelit että pystyisit juttelemaan minun kanssani."

"Sinulla on melkoinen prätkä", koditon mies katsoo kadun yli. "Tuollaista on vaikea olla huomaamatta. Moni täällä tietää että sinä olit ennen etsivänä murharyhmässä ja että sinä nykyisin teet yksityisetsivän hommia jossain poliisikoulussa tai missä lie täältä vähän pohjoisempana."

"Mitä? Pormestariko minä olen?"

"Sinä olet kanta-asiakas. Minä olen nähnyt sinut muutaman harrikkajätkän kanssa, olen pitänyt sinua silmällä monta viikkoa siinä toivossa että saisin tilaisuuden jutella. Minä lorvin näillä tienoin ja yritän pärjäillä. Tämä ei ole minun elämäni varsinainen kohokohta, mutta minä toivon että joskus koittaa paremmat ajat."

Marino ottaa lompakkonsa esiin ja ojentaa miehelle viidenkymmenen dollarin setelin.

"Jos sinä saat selville jotain muuta siitä tytöstä, jonka sinä täällä näit, minä lupaan ettet jää tyhjin käsin", hän sanoo. "Mistä minä saan sinut kiinni?"

"Joka yö eri paikasta. Kuten sanoin, minä yritän pärjäillä."

Marino antaa hänelle matkapuhelinnumeronsa.

Rosie kaataa pullollisen alkoholitonta olutta lasiin ja tuijottaa Lucyn ohi ovelle kun Marino kävelee takaisin sisään ja astuu baaritiskin eteen.

"Haluatko toisen?" Rosie kysyy.

"Muistatko kun hiukan ennen kiitospäivää joku hyvännäköinen blondi lääkäri kävi täällä jonkun tytön kanssa? Lääkäri pelasi poolia tuon hiipparin kanssa jonka sinä äsken potkit ulos."

Rosie näyttää miettivän pyyhkiessään tiskiä ja pudistaa sitten päätään. "Täällä käy paljon sakkia. Siitä on jo aikaa. Kuinka kauan ennen kiitospäivää?"

Marino katsoo ovelle. Kello on muutamaa minuuttia vaille kymmenen. "Ehkä aattoiltana."

"En ollut täällä. Tiedän että sitä on vaikea uskoa", Rosie sanoo, "mutta minullakin on oma elämäni. Minä en ole täällä töissä joka ilta. Minä olin kiitospäivänä muualla. Atlantassa poikani luona."

"Täällä kuulemma kävi joku tyttö sen lääkärin kanssa josta minä olen sinulle puhunut. Oli hänen kanssaan sinä iltana, ja seuraava päivänä lääkäri kuoli."

"Ei aavistustakaan."

"Hän saattoi käydä täällä sen lääkärin kanssa sinä iltana kun sinä olit poissa."

Rosie pyyhkii vielä tiskiä. "Minä en halua tänne ikävyyksiä."

Lucy istuu ikkunapöydässä levyautomaatin lähellä, Marino eri pöydässä baaritiskin toisella puolella nappikuuloke korvassa ja yhdistettynä matkapuhelimen näköiseen vastaanottimeen. Hän juo alkoholitonta olutta ja tupakoi.

Vastakkaisella puolella istuvat kanta-asiakkaat eivät kiinnitä heihin huomiota. Eivät nyt eivätkä koskaan. Aina kun Lucy on käynyt täällä Marinon kanssa, samat luuserit ovat istuneet samoilla jakkaroilla tupruttamassa mentolisavukkeita ja litkimässä kevytolutta. He puhuvat väliinputoajien klubinsa jäsenten lisäksi vain Rosien kanssa, joka kerran sanoi Lucylle että tuo valtavan lihava nainen ja hänen ruipelo mieskaverinsa asuivat aikoinaan Miamissa hienossa kaupunginosassa, missä oli vartioitu portti ja kaikki, mutta sitten nainen joutui linnaan myytyään huumetta siviilipukuiselle poliisille. Nyt nainen joutuu elättämään itsensä ja ukkonsa pankkivirkailijan palkalla. Pukinpartainen lihava äijä on töissä kokkina yhdessä kuppilassa jossa Lucy ei taatusti halua koskaan syödä. Mies käy täällä joka ilta, juo itsensä känniin ja onnistuu jollain ilveellä ajamaan kotiin.

Lucy ja Marino eivät ole näkevinään toisiaan. Tilanne tuntuu aina kiusalliselta ja tungettelevalta, vaikka he ovat käyneet nämä kuviot läpi kuinka monta kertaa eri keikoilla. Lucy ei pidä siitä, että häntä vakoillaan, vaikka ajatus lähti häneltä itseltään, ja vaikka on kuinka järkevää, että Marino on tänä iltana paikalla, Lucy ei haluaisi häntä sinne.

Lucy tarkistaa langattoman mikrofonin toiminnan. Se on kiinni nahkapuseron sisäpuolella. Hän kumartuu kuin sitomaan kengännauhojaan eikä kukaan näe hänen puhuvan. "Toistaiseksi ei havaintoja", hän sanoo Marinolle mikrofoniin.

Kello on kolme minuuttia yli kymmenen.

Lucy odottaa. Hän siemailee alkoholitonta olutta selkä Marinoon päin ja odottaa.

Hän vilkaisee kelloaan. Se on kahdeksan minuuttia yli kymmenen.

Ovi avautuu ja kaksi miestä astuu sisään.

Kuluu vielä kaksi minuuttia ja hän sanoo mikrofonin kautta Marinolle: "Jotain on vinossa. Minä käyn ulkona katsomassa. Odota täällä."

Lucy kävelee Ocean Avenueta, jonka varrella on art deco - tyylisiä taloja, ja etsii väkijoukosta Stevietä.

Mitä pitemmälle ilta etenee, sitä humalaisempaa ja meluisampaa South Beachin väki on, ja kadulla on niin paljon pysäköintipaikan etsijöitä ja cruisailijoita, että autot tuskin liikkuvat. On järjetöntä etsiä Stevietä. Hän ei tullut. Hän on todennäköisesti miljoonan kilometrin päässä täältä. Mutta Lucy etsii silti.

Hän miettii sitä kun Stevie väitti seuranneensa hänen lumeen jättämiään jälkiä, seuranneensa niitä Anchor Innin takana pysäköintialueella olevan Hummerin luo. Hän miettii miten hän saattoi ottaa täydestä Stevien väitteen, oikeastaan epäilemättä sitä lainkaan. Lucyn jäljet olivat varmasti selvät mökin pihalla, mutta jalkakäytävällä oli paljon muitakin jälkiä. Lucy ei toki ollut ainoa jalankulkija sinä aamuna Ptownissa. Hän miettii matkapuhelinta, jonka omistaa mies nimeltä Doug, miettii punaisia kädenjälkiä, miettii Johnnya, ja häntä suututtaa miten varomaton hän on ollut, miten lyhytnäköinen ja itsetuhoinen.

Stevie ei varmasti aikonutkaan tulla Deuceen tapaamaan Lucya, härnäsi vain häntä, leikitteli hänen kanssaan kuten sinä iltana Lorrainella. Stevie ei ole ensikertalainen missään asiassa. Hän on omien leikkiensä asiantuntija, outojen, sairaalloisten leikkiensä.

"Näitkö häntä missään?" Marinon ääni kuuluu hänen korvastaan.

"Minä käännyn takaisin", Lucy sanoo. "Odota siellä."

Hän kävelee 12. kadun yli ja sitten Washington Avenueta pohjoiseen vanhan kaupungintalon editse, ja hänen ohitseen ajaa valkoinen Chevy Blazer jossa on tummennetut ikkunat. Hän kävelee nopeasti, hermostuneesti, eikä yhtäkkiä enää tunnekaan oloaan kovin itsevarmaksi, ja miettii nilkkakotelossa olevaa pistooliaan ja huohottaa.

49

Taas uusi talvimyrsky on levinnyt Cambridgeen, eikä Benton tahdo edes nähdä kadun toisella puolella olevia taloja. Lunta tulee sakeasti, kun hän seuraa maailman muuttumista valkoiseksi.

"Minä voin keittää lisää kahvia jos haluat", Scarpetta sanoo astuessaan olohuoneeseen.

"Minulle riittää", Benton sanoo selkä Scarpettaan päin.

"Niin minullekin", Scarpetta sanoo.

Benton kuulee kun Scarpetta istuutuu takan eteen ja laskee kädestään kahvimukin. Hän tuntee Scarpettan silmien katsovan häntä ja kääntyy. Hän ei tiedä mitä sanoisi. Scarpettan hiukset ovat märät ja hän on vaihtanut ylleen mustan silkkiaamutakin, jonka alla hänellä ei ole mitään, ja satiininkiiltoinen kangas hyväilee hänen vartaloaan ja paljastaa rintojen välisen syvän vaon, koska hän istuu vinosti tiilitakkaan nähden, kumarassa, vahvat käsivarret polvien ympärillä. Hänen ihonsa on virheetön ja hänen ikäiselleen naiselle sileä. Takkatuli tuikehtii hänen lyhyistä vaaleista hiuksistaan ja tavattoman komeista kasvoistaan, ja tuli ja auringonvalo rakastavat hänen tukkaansa ja kasvojaan samalla tavoin kuin Benton. Benton rakastaa häntä, mutta juuri nyt hän ei tiedä mitä sanoa. Hän ei tiedä miten korjata välit kuntoon.

Eilen illalla Scarpetta sanoi jättävänsä hänet. Scarpetta olisi pakannut laukkunsa jos hänellä olisi ollut laukku, mutta hänellä ei ole koskaan matkalaukkua mukana. Hänellä on tavaroita täällä Bentonin asunnossa. Tämä on heidän yhteinen kotinsa, ja koko aamun Benton on kuunnellut vetolaatikoiden ja komeronovien ääniä, jotka kertovat että Scarpetta muuttaa pois eikä tule koskaan takaisin.

"Et voi lähteä autolla", Benton sanoo. "Taidat olla motissa."

Lehdettömät puut ovat kuin herkkiä lyijykynäpiirroksia hohtavaa valkeutta vasten, eikä missään näy ainuttakaan liikkuvaa autoa.

"Minä tiedän miltä sinusta tuntuu ja mitä sinä haluat", Benton sanoo, "mutta tänään sinä et pääse täältä mihinkään. Et sinä eikä kukaan muukaan. Kaikkia Cambridgen katuja ei aurata heti. Tämä on yksi niistä."

"Onhan sinulla neliveto", Scarpetta huomauttaa tuijottaessaan sylissään olevia käsiään.

"Lunta on luvattu kuusikymmentä senttiä. Vaikka saisin sinut viedyksi kentälle, koneesi ei pysty lähtemään tänään."

"Sinun pitäisi syödä jotain."

"Ei ole nälkä."

"Maistuisiko munakas Vermontin cheddarin kanssa? Täytyyhän sinun syödä. Tulee parempi olo."

Scarpetta katsoo häntä takan luota leuka käteen nojaten. Hän on kiristänyt aamutakin vyötäröltä tiukaksi ja hän on kuin kiiltävä, musta silkkiveistos, ja Benton himoitsee häntä aivan yhtä kovasti kuin ennenkin. Hänen teki Scarpettaa mieli kun he tapasivat ensimmäisen kerran noin viisitoista vuotta sitten. Kumpikin oli silloin johtavassa asemassa. Bentonin läänityksenä oli FBI:n käyttäytymistieteiden yksikkö, Scarpetta johti Virginian oikeuslääkärijärjestelmää. He tutkivat erästä erityisen raakaa rikosta, ja Scarpetta astui neuvotteluhuoneeseen. Benton muistaa vielä miltä Scarpetta näytti kun hän näki tämän ensimmäisen kerran pitkässä valkoisessa laboratoriotakissa, jonka taskuissa oli kyniä ja jonka alla hänellä oli helmenharmaa liituraitapuku. Scarpettalla oli kainalossa pino kansioita. Bentonia kiehtoivat etenkin Scarpettan kädet, vahvat ja pystyvät mutta elegantit.

Hän huomaa tuijottavansa Scarpettaa.

"Kenen kanssa sinä olit puhelimessa hetki sitten?" Benton kysyy. "Kuulin kun juttelit jonkun kanssa."

Scarpetta on soittanut juristilleen, Benton ajattelee. Hän on soittanut Lucylle. Hän on soittanut jollekulle sanoakseen että hän jättää Bentonin ja on tällä kertaa tosissaan.

"Minä soitin tohtori Selfille", Scarpetta vastaa. "Yritin soittaa, jätin viestin."

Benton on ymmällään ja näyttää sen.

"Muistat varmasti hänet", Scarpetta sanoo. "Tai ehkä kuuntelet hänen radio-ohjelmaansa", hän lisää nuivasti.

"Älä viitsi."

"Miljoonat kuuntelevat."

"Miksi sinä hänelle soitit?" Benton kysyy.

Scarpetta kertoo David Luckista ja hänen reseptilääkkeestään. Hän kertoo ettei tohtori Self ollut ollenkaan avulias kun hän soitti ensimmäisen kerran.

"Ei ihme. Hän on sekopää ja täynnä itseään. Hänen kohdallaan nimi on enne."

"Oikeastaan hänellä oli oikeus olla kertomatta. Minulla ei ole toimivaltuuksia. Kukaan ei ole kuollut ainakaan meidän tietääksemme. Tohtori Selfin ei tässä vaiheessa tarvitse vastata yhdenkään kuolinsyyntutkijan kysymyksiin, enkä minä menisi sanomaan häntä sekopääksi."

"Entä psykiatrian huoraksi? Oletko kuunnellut häntä viime aikoina?"

"Sinä siis kuuntelet sittenkin."

"Kutsu seuraavalla kerralla joku oikea psykiatri Akatemiaan luennoimaan äläkä sellaista radiopelleä."

"Se ei ollut minun ideani ja minä tein selväksi että olin sitä vastaan. Mutta Lucy määrää missä kaappi seisoo."

"Älä puhu tyhmiä. Lucy ei voi sietää hänenlaisiaan ihmisiä."

"Minusta tuntuu, että Joe ehdotti tohtori Selfin kutsumista vierailevaksi luennoijaksi. Se oli hänen stipendiaikansa ensimmäinen iso saavutus. Se kun hän sai julkimon Akatemiaan kesälukukaudeksi. Plus pääsi itse Selfin ohjelmaan muutamaksi kerraksi. He keskustelivat radiossa myös Akatemiasta, mistä minä en ole ollenkaan mielissäni."

"Se idiootti! He ovat ansainneet toisensa."

"Lucy ei seurannut asiaa. Hän ei tietenkään käynyt yhdelläkään luennolla. Hänelle oli sama mitä Joe teki. On paljon asioita joista hän ei näytä enää välittävän. Mitä me oikein teemme?"

Tämä kysymys ei koske Lucya.

"Sinä olet psykologi. Sinun pitäisi tietää. Sinä käsittelet ongelmia ja mielipahaa joka päivä."

"Minulla on itselläni tänä aamuna mielipahaa", Benton sanoo. "Siinä olet oikeassa. Jos olisin sinun psykologisi saattaisin tulkita että sinä mahdollisesti purat kiukkuasi ja kärsimyksiäsi minuun, koska et pysty purkamaan niitä Lucyyn. On mahdotonta olla vihainen ihmiselle, jolla on aivokasvain."

Scarpetta avaa luukun ja heittää tuleen klapin, ja kipinät lehahtavat ja puu napsahtelee.

"Hän on saanut minut suuttumaan pienestä saakka", hän tunnustaa. "Kukaan ei ole koetellut kärsivällisyyttäni niin kuin hän."

Hän katsoo ulos lumisateeseen.

"Lucy on ainoa lapsi, jonka kasvattajalla oli borderline-persoonallisuushäiriö", sanoo Benton. "Hän oli hyperseksuaalinen narsisti. Sinun sisaresi. Ja kaiken lisäksi Lucy on poikkeuksellisen lahjakas. Hän ei ajattele samalla tavalla kuin muut. Hän on lesbo. Kaikesta tästä seuraa, että hän oppi jo kauan sitten tulemaan toimiin omin avuin."

"Tarkoitat kai että hänestä tuli äärimmäisen itsekäs."

"Psyykeen kohdistuvat loukkaukset voivat tehdä meistä itsekkään. Hän pelkäsi, että jos sinä tietäisit kasvaimesta, sinä kohtelisit häntä eri tavalla, ja se taas voimisti hänen salaista pelkoaan. Jos sinä tiedät asiasta, siitä tulee jollain tapaa todellinen."

Scarpetta katsoo Bentonin takana olevasta ikkunasta kuin lumen hypnotisoimana. Sitä on jo ainakin kahdenkymmenen sentin paksuudelta, ja kadun varrelle pysäköidyt autot alkavat muistuttaa kinoksia. Jopa lähitalojen lapset pysyvät sisällä.

"Onneksi kävin kaupassa", Benton sanoo.

"Siitä puheen ollen, minä käyn katsomassa millaisen lounaan saisin aikaan. Meidän pitää syödä hyvä lounas. Meidän pitää yrittää tehdä tästä hyvä päivä."

"Oletko koskaan nähnyt maalattua ruumista?" Benton kysyy.

"Omaa vai jonkun toisen?"

Benton hymähtää. "En todellakaan puhu sinusta. Sinun ruumiissasi ei ole mitään kuollutta. Tämä murha täällä. Ihon punaiset kädenkuvat. Olen miettinyt, maalattiinko ne hänen ollessaan elossa vai vasta kun hänet oli tapettu. Olisipa olemassa keino selvittää vastaus."

Scarpetta katsoo häntä pitkään. Takkatuli loimuaa hänen takanaan ja kuulostaa tuulen huminalta.

"Jos nainen oli elossa, kun murhaaja maalasi hänet, kyseessä on aivan toisenlainen peto. Miten pelottavaa ja nöyryyttävää se olisikaan", hän sanoo. "Joutua sidotuksi..."

"Onko varmaa että nainen sidottiin?"

"Ranteissa ja nilkoissa on jälkiä. Punertavia kohtia jotka patologi luokitteli mahdollisiksi turvotuksiksi."

"Mahdollisiksi?"

"Erotuksena kuoleman jälkeen syntyneistä jäljistä", Benton sanoo. "Ruumishan oli kylmässä. Niin hän sanoi."

"Hän?"

"Täkäläinen johtava patologi."

"Jäänne Bostonin kuolinsyyntutkijan viraston kaikkea muuta kuin maineikkaasta menneisyydestä", Scarpetta sanoo. "Vahinko. Hän kykeni yksin voimin lähes romahduttamaan koko viraston."

"Olisin kiitollinen jos vilkaisisit pöytäkirjaa. Minulla on se levyllä. Haluan kuulla mitä mieltä ole ihon maalaamisesta ja kaikesta muusta. Minulle olisi erittäin tähdellistä tietää, maalasiko murhaaja naisen elävänä vai kuolleena. Vahinko ettemme pystyneet kuvaamaan hänen aivojaan ja katsomaan mitä oikein tapahtui."

Scarpetta ottaa tämän kuin vakavan huomautuksen. "Sellaista painajaista sinä tuskin haluat. Edes sinä et haluaisi nähdä sitä. Olettaen että se olisi mahdollista."

"Basil haluaisi minun näkevän."

"Aivan, rakas Basilimme", Scarpetta sanoo. Hän ei ole ollenkaan mielissään siitä että Basil Jenrette on tunkeutunut Bentonin elämään.

"Ihan noin teoriassa", Benton sanoo. "Haluaisitko sinä? Haluaisitko sinä nähdä uusinnan jos se olisi mahdollista?"

"Jos keksittäisiin keino katsoa uudestaan ihmisen viimeiset hetket", Scarpetta vastaa takan edestä, "en tiedä miten luotettavaa tieto olisi. Minusta tuntuu että aivoilla on ihmeellinen kyky käsitellä tapahtumia tavalla, joka takaa että ne selviävät mahdollisimman vähillä traumoilla ja kärsimyksillä."

"Toiset varmaankin turvautuvat dissosiaatioon", Benton sanoo kun Scarpettan puhelin pirisee.

Marino soittaa.

"Soita alanumeroon 243", hän sanoo. "Heti."

50

Alanumerolla 243 pääsee sormenjälkilaboratorioon. Se on Akatemian henkilökunnan suosima kokoontumispaikka, foorumi jossa jutellaan niistä todisteista, joiden tulkinta edellyttää ainakin kahta erilaista teknistä analyysiä.

Sormenjäljet eivät ole enää pelkkiä sormenjälkiä. Niistä voidaan myös saada dna:ta, eikä pelkästään sormenjälkien jättäjän dna:ta vaan syyllisen koskettaman uhrin dna:ta. Niistä voidaan saada lääkkeiden ja huumeiden jäänteitä tai materiaalia, jota oli henkilön käsissä, esimerkiksi mustetta tai maalia, jota sitten tutkitaan kaasukromatografilla, infrapunaspektrofotometrilla tai infrapunamikroskoopilla. Entisaikaan kukin todiste talutettiin yleensä näyttämölle yksin. Nykyisillä pitkälle kehittyneillä ja herkillä tieteellisillä laitteilla ja menetelmillä solistista tulee jousikvartetti tai sinfoniaorkesteri. Mutta suurin ongelma on edelleen siinä, mitä kerätä ensimmäiseksi. Yhden todisteen testaus saattaa hävittää toisen todisteen. Siksi tutkijat kokoontuvat neuvonpitoon, yleensä Matthewin laboratorioon. He keskustelevat siitä mitä pitäisi tehdä ja päättävät kuka aloittaa.

Kun Matthew sai tutkittavaksi lateksikäsineet Daggie Simisterin talosta, hänellä oli edessä lukuisia mahdollisuuksia, joista yksikään ei ollut idioottivarma. Hän saattoi vetää käsiinsä puuvillaiset tutkimuskäsineet ja panna niiden päälle talosta löydetyt, nurin päin käännetyt lateksikäsineet. Täyttämällä lateksin omilla käsillään hänen olisi helpompi levittää käsineille magneettijauhetta ja saada näkyviin latentit sormenjäljet, jotka hän voisi sitten valokuvata ja siirtää teipille. Samalla hän kuitenkin ottaisi riskin, että menetettäisiin kaikki mahdollisuudet höyryttää osa käsineistä liimalla tai tutkia niitä vaihtoehtoisella valonlähteellä tai luminesenssijauheella tai käsitellä niitä ninhydriinillä, diatsafluoreenilla tai muilla kemikaaleilla. Prosessit voivat häiritä toisiaan, ja kun vahinko on tapahtunut, paluuta ei ole.

Kello on puoli yhdeksän ja Matthewin pieni laboratorio on niin täynnä että näyttää kuin siellä olisi käynnissä pieni henkilökuntapalaveri. Matthew, Marino, Joe Amos ja kolme tutkijaa seisoo ison, läpinäkyvän muovilaatikon ympärillä. Se on liima-tankki. Sisällä riippuu klipseistä kaksi nurin päin käännettyä lateksikäsinettä, joista toisessa on verta. Jälkimmäiseen käsinee-seen on pistelty reikiä. Käsineet on muualta – niin sisä- kuin ul-kopuolelta – käyty läpi dna:n etsimiseksi siten, että mahdollisia sormenjälkiä ei ole pilattu. Sen jälkeen Matthewin oli valittava entten tentten teelikamentten, kuten hän kuvailee päätöstä, joka perustuu yhtä lailla vainuun, kokemukseen ja onneen kuin ek-saktiin luonnontieteeseen. Hän päätti laittaa tankkiin käsineet, alumiinifolioon pakattua liimaa ja kupillisen lämmintä vettä.

Näin hän sai yhden näkyvän sormenjäljen, kovaan, vaaleaan liimaan ikuistuneen vasemman peukalon jäljen, jonka hän pys-tyi valokuvaamaan ja siirtämään teipille levitettyään sen päälle mustaa magneettijauhetta.

"Kopla on paikalla", hän sanoo Scarpettalle kaiutinpuheli-meen. "Kuka haluaa aloittaa?" hän kysyy tutkimuspöydän ym-pärille kokoontuneilta. "Randy?"

Dna-tutkija Randy on outo pieni mies, jolla on iso nenä ja jon-ka toinen silmä ei liiku. Matthew ei ole koskaan erityisemmin pitänyt hänestä, ja muistaa syyn heti kun Randy avaa suunsa.

"Minulle tarjoutui kolme potentiaalista dna-lähdettä", Ran-dy aloittaa tyypilliseen pedanttiseen tapaansa. "Kaksi käsinettä ja kaksi korvanjälkeä."

"Neljä siis", Scarpettan ääni kuuluu kaiuttimesta.

"Aivan, tarkoitin neljä. Toiveena oli tietenkin saada dna:ta toisen käsineen ulkopinnasta, ensisijaisesti kuivuneesta veres-tä, ja mahdollisesti myös dna:ta kummankin käsineen sisäpin-nasta. Korvanjäljistä minä sain dna:ta jo aiemmin", hän muistut-taa kaikkia. "Se onnistui jälkiä tuhoamatta välttämällä sanoisin-ko yksilölliset eroavuudet ja mahdolliset leimalliset piirteet, ku-ten korvalehden vastakierukan alemman ulokkeen. Kuten tie-dätte, me syötimme sen profiilin CODIS:iin ja vedimme vesipe-rän, mutta olemme saaneet selville, että korvajäljen dna on sa-maa kuin toisen käsineen sisäpinnan dna."

"Vain toisen?" Scarpettan ääni kysyy.

"Verisen. Toisesta käsineestä en saanut irti mitään. En ole varma oliko sitä edes pantu käteen."

"Sepä outoa", sanoo Scarpetta ymmällään.

"Matthew tietenkin avusti, koska minä en oikeastaan tunne korvan anatomiaa, ja kaikenlaiset jäljet ovat pikemmin hänen alaansa kuin minun", Randy lisää kuin sillä olisi merkitystä. "Kuten juuri totesin, me saimme dna:n eristetyksi korvajäljistä, tarkemmin sanoen kierukasta ja nipukasta. Dna on selvästi samalta henkilöltä joka käytti toista käsinettä, joten ilmeisesti voitaisiin otaksua, että henkilö, joka painoi korvansa ikkunaan siinä talossa josta ne neljä katosivat, oli sama henkilö, joka murhasi Daggie Simisterin. Tai ainakin piti toista noista kahdesta murhapaikan lateksikäsineestä kädessään."

"Montako kertaa sinä teroitit kynäsi kun teit sen kaiken?" Marino kuiskaa.

"Että kuinka?"

"On hyvä ettet jättänyt kertomatta yhtään ainoaa lumoavaa yksityiskohtaa", Marino sanoo hiljaa, jotta Scarpetta ei kuule. "Sinä varmasti lasket montako halkeamaa jalkakäytävän asfaltissa on ja panet ajastimen soimaan ennen kuin alat sekstata."

"Randy, ole hyvä ja jatka", Scarpettan ääni sano. "Eikä CODIS:issa ollut mitään? Se on vahinko."

Randy jatkaa monisanaiseen ja raskassoutuiseen tapaansa ja vahvistaa uudelleen, että lyhenteellä CODIS tunnetusta dna-tietokannasta tehty haku oli tulokseton. Dna:n rikospaikalle jättänyt henkilö ei ole tietokannassa, mistä päätellen häntä ei ole pidätetty kertaakaan.

"Tietokannasta ei myöskään löytynyt samaa dna:ta, jota saimme siitä Las Olasin kaupasta kerätystä verestä. Mutta kaikki ne näytteet eivät ole verta", Randy sanoo pöydällä olevalle mustalle puhelimelle. "En tiedä mitä se on. Jotain joka aiheutti vääriä positiivisia. Lucy otti esiin mahdollisuuden, että se voisi olla kuparia. Hän ounastelee, että luminoliin reagoiva aine saattaa olla sienimyrkkyä, jota täällä käytetään sitrusruosteen ehkäisyyn. Tiedättehän te ne kupariruiskutukset."

"Perustuen mihin?" kysyy Joe, ja hän on toinen työntekijä, jota Matthew ei voi sietää.

"Simisterin rikospaikalla oli paljon kuparia sisällä ja ulkona."

"Mitkä näytteet Beach Bumsissa tarkkaan ottaen olivat ihmisen verta?" Scarpettan ääni kysyy.

"Vessasta otetut. Varaston lattian näytteet eivät ole verta. Ne saattavat olla kuparia. Samoin farmariautosta löytyneet hiukkaset. Ne olivat kuljettajan kohdalla olevalla matolla ja reagoivat luminoliin. Ne eivät ole verta. Toinen väärä positiivinen. Nekin saattavat olla kuparia."

"Phil? Oletko sinä siellä?"

"Olen", vastaa hiukkastodistetutkija Phil.

"Olen todella pahoillani tästä", Scarpetta sanoo ja hän kuulostaa vilpittömältä. "Laita labrassa ylivaihde päälle."

"Minä luulin että se oli jo päällä. Nopeusrajoitus ylittyy ihan pian." Joe ei olisi osannut pitää suutaan kiinni vaikka olisi ollut hukkumaisillaan.

"Kaikki bionäytteet joita ei ole vielä tutkittu. Tutkikaa ne asap", sanoo Scarpettan ääni ja nyt se kuulostaa jämäkämmältä. "Samoin kaikki potentiaaliset dna-lähteet siitä Hollywoodin talosta, josta ne kaksi poikaa ja kaksi naista katosivat. Etsikää kaikki CODIS:ista. Me käsittelemme kaikkia kuin he olisivat jo kuolleet."

Tutkijat, Joe ja Marino katsovat tosiaan. He eivät ole koskaan kuulleet Scarpettan sanovan mitään sellaista.

"Siinä meillä on optimismia", letkauttaa Joe.

"Phil, mitä jos tutkisit mattoimuroinnin, Simisterin talon hiukkaset ja farmariauton hiukkaset eli kaikki hiukkastodisteet SEM-EDS:ssä?" sanoo Scarpettan ääni. "Katsotaan onko se todella kuparia."

"Sitä täytyy olla täällä etelässä kaikkialla."

"Ei ole", Scarpetta sanoo. "Eivät kaikki sitä käytä. Ei kaikilla ole sitruspuita. Mutta toistaiseksi käsittelemissämme tapauksissa se on yhteinen nimittäjä."

"Entä se kauppa siellä rannalla? Siellä tuskin kasvaa sitruspuita."

"Olet oikeassa. Hyvä pointti."

"Sitten riittää kun sovitaan, että osassa hiukkastodisteita on mukana kuparia..."

"Se on merkittävä seikka", Scarpettan ääni sanoo. "Meidän on kysyttävä miksi. Kenen jaloissa sitä tuli varastoon? Kenen jaloissa sitä tuli farmariautoon? Ja nyt meidän pitää mennä takaisin siihen taloon, josta ne neljä katosivat, etsimään sieltäkin kuparia. Onko siitä lattialta löytyneestä punaisesta aineesta ilmennyt mitään mielenkiintoista, niistä betonipaloista jotka toimme labraan?"

"Alkoholipohjaista hennapigmenttiä, jotain mitä ei tietenkään näe seinämaaleissa tai vastaavissa", sanoo Phil.

"Entä tilapäisissä tatuointi- ja ihomaaleissa?"

"Täysin mahdollista."

"On mielenkiintoista, että sitä oli siellä kaupan perällä ja että sitä näyttää olleen siellä varsin pitkään. Joku teistä pitäköön Lucyn ajan tasalla näistä asioista. Missä hän on?"

"En tiedä", Marino vastaa.

"Meidän on saatava Florrie Quincyn ja hänen tyttärensä Helenin dna:ta", sanoo Scarpettan ääni seuraavaksi. Täytyy selvittää, onko Beach Bumsin veri heidän vertaan."

"Vessassa oli vain yhden ihmisen verta", Randy sanoo. "Ei kahden, ja jos olikin, oli selvää että he olivat sukulaisia. Esimerkiksi äiti ja tytär."

"Minä hoidan asian", Phil sanoo. "Siis pyyhkäisymikroskoopin."

"Paljonko uhreja on?" Joe kysyy. "Ja oletatteko kaikkien olevat yhteydessä toisiinsa? Siksikö meidän tulee käsitellä kaikkia kuolleina?"

"Minä en oleta että kaikki murhat liittyvät toisiinsa", vastaa Scarpettan ääni. "Mutta pelkään että ne liittyvät."

"Kuten sanoin Simisterin kohdalla, CODIS veti vesiperän", jatkaa Randy, "mutta verisen lateksikäsineen *sisältä* saatu dna ei ole samaa kuin käsineen *ulkopinnan* veren dna. Mikä ei ole yllättävää. Sisäpinnassa on käsineen käyttäjän ihosta irronneita soluja. Ulkopinnan veri on jonkun toisen henkilön verta, niin voisi ainakin otaksua", hän selittää, ja Matthew miettii miten on mahdollista, että Randy on naimisissa.

Kuka kestäisi elää hänen kanssaan? Kuka sietäisi häntä?

"Onko se Daggie Simisterin verta?" kysyy Scarpetta suoraan.

Kaikkien muiden tavoin hän epäilee loogisesti, että Daggie Simisterin murhapaikalta löydetyssä verisessä käsineessä on hänen vertaan.

"Itse asiassa matossa ollut veri on hänen vertaan."

"Hän tarkoittaa mattoa joka oli ikkunan edessä siellä missä me oletamme naista lyödyn päähän", Joe selittää.

"Puhun nyt sen käsineen verestä. Onko se Daggie Simisterin verta?" Scarpettan ääni kysyy, ja se alkaa kuulostaa kireältä.

"Ei ole. On varmaa että käsineessä ei ole hänen vertaan, mikä on outoa", Randy selittää seikkaperäisesti. "Sen tietenkin olettaisi olevan hänen vertaan."

Voi ei! Hän on taas vauhdissa, ajattelee Matthew.

"Rikospaikalta löydettiin lateksikäsineet, joissa on verta ulkopinnalla mutta ei sisäpinnalla."

"Miksi verta olisi sisäpinnalla?" Marino kysyy äreästi.

"Ei siellä ole verta."

"Tiedetään, mutta miksi siellä olisikaan?"

"No jos murhaaja esimerkiksi olisi satuttanut itsensä jollain tapaa, häneltä olisi tullut verta käsineen sisään. Jos hän olisi vaikka saanut haavan kun hänellä oli käsineet kädessä. Olen nähnyt sitä puukotuksissa. Murhaajalla on käsineet, hän saa haavan ja hänen vertaan vuotaa käsineen sisään, mitä ei selvästikään tapahtunut tässä murhassa. Siitä pääsenkin tärkeään kysymykseen. Jos Simisterin tapauksessa veri on murhaajan verta, miksi sitä on käsineen ulkopinnassa? Ja miksi sen dna ei ole samaa kuin dna, jota minä löysin saman käsineen sisältä?"

"Minusta tuntuu että kysymys on kaikille selvä", sanoo Matthew koska hän ei kestä kuunnella Randyn pitkäpiimäistä yksinpuhelua enää minuuttiakaan.

Matthewista tuntuu että hänen täytyy kohta kävellä laboratoriosta pois, teeskennellä että hänen on käytävä vessassa, hoidettava jokin asia, nieltävä myrkkyä.

"Veren oletaisi olevan käsineen ulkopinnalla, jos murhaaja koski johonkin tai johonkuhun veriseen", Randy sanoo.

He kaikki tietävät vastauksen, mutta Scarpetta ei tiedä. Randy pohjustaa crescendoa, pitkittää sen aloitusta, eikä kukaan saa viedä häneltä sen paljastamisen iloa. Hän on laboratorion dna-asiantuntija.

"Randy?" Scarpettan ääni sanoo.

Hän käyttää tätä äänensävyä, kun Randy hämmentää ja ärsyttää kaikkia Scarpetta mukaan lukien.

"Joko tiedetään, kenen verta siinä käsineessä on?" Scarpetta kysyy.

"Kyllä tiedetään, tai melkein ainakin. Se on joko Johnny Swiftin tai hänen veljensä Laurelin verta. He ovat identtiset kaksoset", hän paljastaa viimein. "Joten heillä on sama dna."

"Vieläkö te olette siellä?" Matthew kysyy Scarpettalta pitkän hiljaisuuden jälkeen.

Sitten Marino sanoo: "Minä en ymmärrä miten se voisi olla Laurelin verta. Hänen vertaan ei ollut olohuoneen lattialla kun hänen veljensä pää oli ammuttu soosiksi."

"Minä olen ainakin ihan ymmälläni", sanoo toksikologi Mary liittyen keskusteluun. "Johnny Swift ammuttiin jo marraskuussa. Kuinka hänen vertaan voisi yhtäkkiä putkahtaa esiin noin kymmenen viikkoa myöhemmin murhassa, jolla ei näytä olevan mitään tekemistä hänen kuolemansa kanssa?"

Miten hänen vertaan ylipäänsä on Daggie Simisterin murhapaikalla?" Scarpetta kysyy kaiuttimesta.

"On toki mahdollisuuksien rajoissa, että käsineet on laitettu murhapaikalle harhautukseksi", Joe sanoo.

"Ehkä sinun pitäisi sanoa ääneen se mikä on itsestään selvää", Marino nälvii. "Itsestään selvää on nimittäin se, että sen vanhan naisraukan murhaaja kertoo meille, että hänellä oli jotain tekemistä Johnny Swiftin kuoleman kanssa. Joku vittuilee meille."

"Hän oli ollut äskettäin leikkauksessa…"

"Älä jauha paskaa!" Marino ärähtää. "Ne käsineet eivät taatusti ole mistään rannekanavaleikkauksesta. Jumatsukka! Sinä etsit yksisarvisia vaikka hevosia laukkaa siellä täällä!"

"Mitä?"

"Minusta viesti on päivänselvä", Marino sanoo taas kävellen lattialla edestakaisin ja puhuen kovalla äänellä kasvot helakanpunaisina. "Daggie Simisterin murhaaja sanoo, että hän murhasi myös Johnny Swiftin. Ja käsineet ilkkuvat meille."

"Emme voi olettaa, että niissä ei ole Laurelin verta", Scarpettan ääni sanoo.

"Jos on, se selittäisi paljon", Randy huomauttaa.

"Se ei selitä hevon pillua. Jos Laurel murhasi rouva Simisterin, minkä helvetin takia hän jättäisi dna:taan pesualtaaseen?" Marino ärjyy.

"Ehkä se on sitten Johnny Swiftin verta."

"Pää kiinni, Randy. Minulla kähertyy tukka sinun takiasi."

"Ei sinulla ole tukkaa, Pete", Randy sanoo vakavissaan.

"Voisitko selittää, miten me saamme selville, onko se Laurelin vai Johnnyn verta, jos heillä kerran on sama dna?" Marino huudahtaa. "Tämä on niin syvältä etten minä jaksa enää edes nauraa."

Hän katsoo syyttävästi Randya ja sitten Matthewia ja uudestaan Randya. "Oletko varma ettei sinulta mennyt mikään sekaisin kun teit kokeet?"

Marino ei koskaan piittaa, kuka on kuulemassa, kun hän kyseenalaistaa toisen henkilön uskottavuuden tai on muuten vain ilkeä.

"Jos esimerkiksi joku teistä sekoitti vahingossa näytteet keskenään", Marino sanoo.

"Ei missään nimessä", Randy puolustautuu. "Matthew otti näytteet vastaan ja minä tein irrotuksen ja analyysin sekä CODIS-haun. Todisteiden hallussapitoketjussa ei ole katkoja, ja Johnny Swiftin dna on tietokannassa, koska nykyisin sinne viedään kaikkien ruuminavausten dna. Toisin sanoen Johnny Swiftin dna syötettiin tietokantaan viime marraskuussa. Uskon olevani siltä osin oikeassa? Oletteko vielä siellä?" hän kysyy Scarpettalta.

"Olenhan minä..." Scarpetta aloittaa.

"Viime vuonna astui voimaan käytänne, että kaikki tapaukset, ovat ne sitten itsemurhia, tapaturmia, henkirikoksia tai jopa luonnollisia kuolemia, syötetään tietokantaan", esitelmöi Joe tapansa mukaan keskeyttäen Scarpettan. "Vaikka ihminen olisi rikoksen uhri tai vaikkei hänen kuolemansa liittyisi rikokseen, siitä ei vielä seuraa etteikö hän ole saattanut jossain elämänsä vaiheessa olla mukana rikoksessa. Minä muuten oletan että me olemme varmoja siitä, että Swiftin veljekset ovat identtiset kaksoset."

"Näyttävät samanlaisilta, puhuvat samalla lailla, pukeutuvat samalla lailla, naivat samalla lailla", Marino kuiskaa hänelle.

"Marino?" Scarpetta sanoo kaiuttimesta. "Ottiko poliisi Laurel Swiftiltä dna-näytteen kun hänen veljensä kuoli?"

"Ei. Siihen ei ollut syytä."

"Ei edes poissulkemista varten?" Joe kysyy.

"Miten niin? Dna:lla ei ollut merkitystä", Marino sanoo. "Laurelin dna:ta oli varmasti siellä täällä koko talossa. Hänhän asuu siellä."

"Olisi hyvä jos voisimme tutkia Laurelin dna:n", sanoo Scarpettan ääni. "Matthew? Käytitkö sinä kemikaaleja kun tutkit verisen käsineen, sen joka löytyi Daggie Simisterin murhapaikalta? Käytitkö mitään sellaista mistä voisi tulla ongelmia, jos teemme uusia kokeita?"

"Liimaa", vastaa Matthew. "Ja minä muuten etsin tietokannasta sitä yhtä ainoaa sormenjälkeä jonka löysin. Vesiperä. Sitä ei ollut AFIS:issa. En pystynyt varmistamaan, oliko se samalta henkilöltä kuin farmariauton turvavyön osittainen jälki. Yksityiskohtia ei ollut riittävästi."

"Mary? Ota verinäyte siitä käsineestä."

"Liiman ei pitäisi haitata, koska se reagoi ihoon erittyneiden rasvojen aminohappojen ja hien, mutta ei veren kanssa", Joe tuntee tarvetta selittää. "Eiköhän se onnistu."

"Minä otan hänelle näytteen mielelläni", Matthew sanoo mustalle puhelimelle. "Veristä lateksia on jäljellä paljon."

"Marino?" Scarpettan ääni sanoo. "Käy kuolinsyyntutkijan virastossa hakemassa Johnny Swiftin kansio."

"Minä voin tehdä sen", Joe kiirehtii sanomaan.

"Marino?" Scarpetta toistaa. "Kansiossa pitäisi olla hänen dna-korttinsa. Me teemme aina varakappaleita."

"Jos sinä kosket siihen kansioon, sinun hampaat siirtyvät takaraivoon", Marino kuiskaa Joelle.

"Voit laittaa yhden kortin todistekuoreen ja kuitata sen Marylle", Scarpettan ääni neuvoo. "Ja Mary? Ota verinäyte siitä kortista ja käsineestä."

"Nyt en taida ymmärtää", Mary sanoo eikä Matthew voi syyttää häntä.

Matthew ei käsitä mitä toksikologi voisi tehdä dna-kortin kuivalla veripisaralla ja yhtä pienellä määrällä käsineeseen kuivunutta verta.

"Tarkoitattekohan Randya?" Mary kysyy. "Haluatteko että dna-kokeita jatketaan?"

"En", Scarpetta vastaa. "Etsi näytteistä litiumia."

Scarpetta huuhtelee pesualtaassa kokonaista broileria. Treo on hänen taskussaan ja nappikuuloke on korvassa.

"Koska sitä ei silloin etsitty hänen verestään", hän sanoo Marinolle puhelimeen. "Jos hän vielä käytti litiumia, hänen veljensä ei ilmeisesti vaivautunut mainitsemaan siitä poliisille."

"Olisi luullut poliisin löytävän talosta lääkepurkin", Marino sanoo. "Mistä se ääni tulee?"

"Minä availen kanaliemitölkkejä. Vahinko ettet ole täällä. En tiedä miksi he eivät löytäneet litiumia", Scarpetta sanoo ja kumoaa tölkkejä kuparikattilaan. "On mahdollista, että veli keräsi lääkepullot pois, jotta poliisi ei löytäisi niitä."

"Miksi? Eivät ne sentään kokaiinia ole."

"Johnny Swift oli tunnettu neurologi. Hän ei välttämättä halunnut muiden tietävän, että hänellä oli psykiatrinen sairaus."

"Täytyy sanoa, että minä en hitto vie ainakaan antaisi jonkun mielialahäiriöisen sorkkia aivojani."

Scarpetta pilkkoo sipuleita. "Käytännössä bipolaarihäiriö ei todennäköisesti vaikuttanut lainkaan hänen lääkärintaitoihinsa, mutta maailma on täynnä tietämättömiä ihmisiä. On siis mahdollista, että Laurel halusi salata veljensä ongelman poliisilta ja kaikilta muilta."

"Se ei käy järkeen. Jos Laurel puhui totta, hän juoksi talosta ulos heti ruumiin löydettyään. Ei kuulosta siltä että hän pysähtyi keräilemään lääkepurkkeja."

"Sinun pitää kai kysyä häneltä itseltään."

"Heti kun saamme litiumtuloksen. Menen sinne mieluummin vasta kun tiedän mikä on homman nimi. Ja juuri nyt meillä on isompikin ongelma", hän sanoo.

Benton on lopettanut puhelunsa, ja lorauttaessaan oliiviöljyä paistinpannuun ja sytyttäessään kaasuliekin Scarpetta kuulee kun hän laskeutuu alakertaan.

"Minä en ole varma miten ongelmat voisivat enää tämän isompia olla", Scarpetta sanoo viipaloidessaan broileria.

"Puhun siitä haulikon hylsystä", Marino sanoo. "Siitä joka löytyi NIBIN:istä siihen Walden Pondin murhaan liittyen."

"En halunnut puhua siitä muiden kuullen", Marino selittää puhelimessa. "Joku sisäpiiristä. Pakko olla. En keksi muuta selitystä."

Hän istuu työhuoneessaan kirjoituspöydän ääressä. Hän on sulkenut oven, lukinnutkin sen.

"Näin siinä kävi", Marino jatkaa. "Aiemmin tänä aamuna minä juttelin yhden kaverini kanssa joka hoitaa Hollywoodin poliisilaitoksen todistevarastoa. Hän katsoi tietokoneelta. Hän sai viidessä minuutissa esiin tiedot siitä haulikosta, jota käytettiin siinä elintarvikekioskin ryöstössä kaksi vuotta sitten. Arvaapa, tohtori, missä sen haulikon kuuluisi olla. Istutko tukevasti?"

"Istuminen ei ole koskaan auttanut", Scarpetta sanoo. "Kerro."

"Meidän omassa vertailukokoelmassa."

"Akatemiassa? Meidän vertailuasekokoelmassamme Akatemiassa?"

"Hollywoodin poliisilaitos lahjoitti sen meille noin vuosi takaperin kun saimme läjän muitakin aseita joita siellä ei enää kaivattu. Muistatko?"

"Oletko käynyt aselabrassa katsomassa ettei se ole siellä?"

"Ei se voi olla. Me tiedämme että sillä ammuttiin vasta äsken joku nainen siellä pohjoisessa missä sinä olet."

"Käy katsomassa nyt heti", Scarpetta sanoo. "Soita minulle."

51

Karju seisoo jonossa.

Hänen edessään on lihava nainen kirkuvan pinkissä puvussa. Karjulla on saappaat toisessa kädessä ja kassi, ajokortti ja tarkistuskortti toisessa. Hän siirtyy edemmäksi ja nostaa saappaansa ja takkinsa muovilaatikkoon.

Hän nostaa laatikon ja kassinsa mustalle liukuhihnalle, ja ne kulkevat pois. Hän seisoo valkoisten jalanjälkien päällä sukkasillaan, kumpikin jalka täsmälleen mattoon merkityillä paikoilla, ja lentokentän turvatarkastaja nyökkää häntä astumaan röntgenlaitteen läpi, ja hän astuu eikä laite piippaa, ja hän näyttää tarkastajalle korttinsa, ottaa saappaat ja takin laatikosta ja laukun hihnan päästä. Hän alkaa kävellä portille kaksikymmentäyksi. Kukaan ei kiinnitä häneen huomiota.

Hän haistaa mädät ruumiit vieläkin. Löyhkä ei näytä lähtevän sieraimista. Ehkä se on hajuaistiharha. Hänellä on ollut niitä ennenkin. Joskus hän haistaa kölninveden, Old Spicen, jonka hän haistoi kun hän teki sen ruman tempun patjalla ja hänet vietiin sinne missä oli vanhoja tiilitaloja, sinne missä satoi lunta ja oli pakkasta, sinne minne hän on nytkin menossa. Sataa lunta, ei kovin paljon, mutta hiukan, hän katsoi säätilan ennen kuin ajoi taksilla kentälle. Hän ei halunnut jättää Blazeriaan pitkäaikais-pysäköintiin. Se on kallista ja olisi huono juttu jos joku kurkistaisi auton perään. Hän ei ole siivonnut sitä kovin hyvin.

Hänellä on laukussa hyvin vähän tavaraa. Hän tarvitsee vain vaihtovaatteet, muutaman peseytymistarvikkeen, toiset saappaat jotka sopivat paremmin jalkaan. Vanhoja saappaita hän ei tarvitse enää pitkään. Ne ovat vaarallista biojätettä, ja ajatus huvittaa häntä. Kun hän ajattelee asiaa nyt saappaiden kävellessä porttia kohti hänestä tuntuu että hänen kannattaisi ehkä sittenkin säilyttää saappaat. Niillä on takanaan aikamoinen historia, ne ovat kävelleet paikoissa kuin hän olisi omistanut ne, ottaneet ihmisiä mukaan kuin hän olisi omistanut heidät, palanneet paikkoihin ja kiivenneet paikkoihin urkkimaan, kävelleet rehvakkaasti sisään, vieneet häntä paikasta paikkaan, kun hän on tehnyt mitä Jumala on käskenyt. Rangaissut. Hämmentänyt ihmisiä. Haulikolla. Käsineellä. Jotta he näkisivät.

Jumalan älykkyysosamäärä on sataviisikymmentä.

Saappaat veivät hänet taloon ja hän veti hupun päähän ennen kuin he edes tiesivät mitä tapahtui. Tyhmät hihhulit. Tyhmät orpokakarat. Se tyhmä orpokakara kävi apteekissa, äiti numero yksi piteli häntä kädestä kun hän kävi hakemassa reseptilääkettä. Mielipuoli. Karju vihaa mielipuolia, kaikkia saatanan uskonkiihkoilijoita, vihaa pikkupoikia, pikkutyttöjä, vihaa Old Spicea. Marino käyttää Old Spicea, se tyhmä kytänvotkale. Karju vihaa tohtori Selfiä, olisi pitänyt laittaa hänet sinne patjalle, pitää vähän hauskaa köysien kanssa, antaa hänelle takaisin siitä mitä hän teki.

Karjulta loppui aika. Jumala on tyytymätön.

Ei ollut aikaa rangaista suurinta syntistä.

Sinun pitää mennä takaisin, Jumala sanoi. Tällä kertaa Basilin kanssa.

Karjun saappaat kävelevät kohti porttia, vievät häntä Basilin luokse. Heillä on taas edessä hauskoja hetkiä ihan kuin silloin ennen kuin Karju oli tehnyt sen ruman tempun ja lähetettiin pois ja sitten takaisin, ja tapasi sen jälkeen Basilin yhdessä baarissa.

Hän ei koskaan pelännyt Basilia, ei tuntenut pienintäkään inhoa siitä alkaen kun he sattuivat istumaan vierekkäin juomassa tequilaa. He joivat yhdessä monta paukkua ja Basilissa oli jotain erikoista. Karju aisti sen.

Hän sanoi: Sinä olet erilainen.

Minä olen kyttä, sanoi Basil.

Tämä sattui South Beachissa missä Karju usein cruisaili ja hengaili etsimässä seksiä, etsimässä huumeita.

Sinä et ole pelkkä kyttä, Karju sanoi hänelle. Minä aavistan sen.

Ihan totta?

Minä aavistan sen. Minä osaan tulkita ihmisiä.

Mitä jos lähdetään yhdessä jonnekin, ja Karjusta tuntui että Basil oli puolestaan arvannut mikä hän oli miehiään. Sinä voit auttaa minua yhdessä asiassa, Basil sanoi Karjulle.

Miksi minä sinua auttaisin?

Koska sinä tykkäät siitä.

Myöhemmin illalla Karju oli Basilin autossa, ei poliisiautossa vaan valkoisessa Ford LTD:ssä joka näytti poliisien käyttämältä siviiliautolta mutta ei ollut. Se oli hänen oma autonsa. He eivät olleet Miamissa eikä hän voinut ajaa siellä poliisiautolla jonka ovissa on Daden piirikunnan merkki. Joku voisi muistaa nähneensä sen. Karju oli hiukan pettynyt. Hän rakastaa poliisiautoja, rakastaa sireenejä ja vilkkuvaloja. Ne tuovat hänen mieleensä Christmas Shopin.

He eivät osaa epäillä mitään jos sinä juttelet heidän kanssaan, Basil sanoi sinä ensimmäisenä iltana jolloin he tapasivat, ajeltuaan vähän aikaa siellä täällä ja poltettuaan crackia.

Miksi minä? Karju kysyi eikä häntä pelottanut ollenkaan.

Terveellä järjellä ajatellen häntä olisi pitänyt pelottaa. Basil tappaa kenet haluaa, on aina tappanut. Hän olisi voinut tappaa Karjun. Helposti.

Jumala sanoi Karjulle mitä tehdä. Siksi Karju oli turvassa.

Basil sen tytön löysi. Myöhemmin ilmeni että hän oli vasta kahdeksantoista. Tyttö nosti rahaa pankkiautomaatista. Hän oli jättänyt autonsa siihen lähelle ja moottorin käymään. Tyhmää. Pankkiautomaatilla ei koskaan kannata käydä pimeällä, ei varsinkaan nuoren tytön, nätin tytön, joka on yksin ja jolla on sortsit ja piukka t-paita. Nuorelle ja nätille tytölle sattuu ikäviä.

Anna pyssy ja puukko, Karju sanoi Basilille.

Karju pisti aseen housuihin vyön alle ja viilsi puukolla sormeensa haavan. Hän tahri verta kasvoihinsa ja kiipesi selkänojan yli ja kävi pitkäkseen takapenkille. Basil ajoi hitaasti pankkiautomaatille ja nousi autosta. Hän avasi takaoven ja katsoi Karjua kasvoillaan sopivan huolestunut ilme.

Kyllä sinä selviät, hän sanoi Karjulle. Tytölle hän sanoi: Auta meitä. Kaveri on satuttanut itsensä. Missä on lähin sairaala?

Voi kamala! Meidän pitää soittaa ambulanssi, ja tyttö kaivoi hädissään matkapuhelinta käsilaukustaan ja Basil tyrkkäsi hänet takapenkille ja sitten Karju osoitti häntä pyssyllä naamaan.

He ajoivat pois.

Helvetti, sanoi Basil. Sinä olet taitava, hän sanoi, ja hän oli aineessa ja nauroi. Meidän pitää varmaan funtsia mihin mennään.

Älkää satuttako minua, tyttö itki, ja Karju tunsi jotain istuessaan takapenkillä ja osoittaessaan tyttöä aseella, kun hän itki ja mankui. Häntä naitatti.

Turpa kiinni, Basil sanoi tytölle. Ei vollotus auta. Meidän pitää etsiä joku paikka. Puisto? Ei, siellä käy kyttiä.

Minä tiedän yhden paikan, Karju sanoi. Sieltä meitä ei löydetä ikinä. Se on täydellinen. Siellä meidän ei tarvitse pitää hoppua, meillä on aikaa vaikka miten, ja hänellä seisoi. Häntä panetti, panetti ihan älyttömästi.

Hän neuvoi Basilille tien talolle, joka oli ränsistynyt ja jossa ei ollut sähköjä eikä juoksevaa vettä. Perähuoneessa oli patjoja ja pornolehtiä. Karju keksi miten sitoa naiset niin että heidän käsivartensa oikenivat ylös jos he istuivat, kuin

Kädet ylös!

Kuin piirretyissä.

Kädet ylös!

Kuin hölmöissä länkkäreissä.

Basil sanoi että Karju oli nero, kekseliäämpi kuin kukaan hänen tapaamansa ihminen, ja kun he olivat muutaman kerran vieneet talolle naisia ja pitäneet heitä siellä kunnes he alkoivat haista liikaa tai olivat jo liian tautisia tai muuten vain liian kuluneita, Karju kertoi Basilille Christmas Shopista.

Oletko nähnyt sen?

En.

Sitä ei voi olla näkemättä. Se on rannalla A1A:n varressa. Se eukko on äveriäs.

Karju selitti että lauantaisin vain eukko ja hänen tyttärensä ovat paikalla. Kaupassa ei käy juuri lainkaan asiakkaita. Kuka ostaisi joulukoristeita heinäkuussa?

Ihan totta.

Hän ei olisi saanut tehdä sitä siellä.

Ennen kuin Karju tiesi mitä oli tapahtunut Basil vei eukon kaupan perälle, raiskasi hänet, silpoi, ja verta oli joka paikassa, ja Karju katseli ja mietti miten he välttyisivät joutumasta kiinni.

Oven vieressä oleva metsuri oli puolitoista metriä korkea. Se oli veistetty käsin. Sillä oli kädessä oikea kirves, antiikkiesine, jossa oli käyrä puuvarsi ja kiiltävä terä, puoliksi verenpunaiseksi maalattu. Oli Karjun idea käyttää sitä.

Noin tunnin päästä Karju kantoi jätesäkit ulos varmistaen ettei kukaan ollut näkemässä. Hän nosti ne Basilin auton tavaratilaan. Kukaan ei nähnyt heitä.

Meillä kävi säkä, Karju sanoi Basilille heidän palattuaan salaiseen paikkaansa, hylätylle talolle.

Kuukauden päästä hän teki taas jotain, yritti saada kaksi naista kerralla. Karju ei ollut mukana. Basil pakotti heidät autoon ja sitten se perkele hajosi. Basil ei kertonut Karjusta kenellekään. Hän suojeli Karjua. Nyt on Karjun vuoro.

Siellä on tekeillä yksi tutkimus, Karju kirjoitti hänelle. Vankilassa tiedetään siitä ja sieltä on pyydetty vapaaehtoisia. Se tekisi sinulle hyvää. Voisit tehdä jotain rakentavaa.

Se oli mukava, viaton kirje. Vankilaviranomaiset eivät nähneet siinä mitään ihmeellistä. Basil pyysi ilmoittamaan vankilanjohtajalle että hän halusi tarjoutua osallistumaan tutkimukseen, joka oli parhaillaan käynnissä Massachusettsissa, että hän halusi tehdä jotain syntiensä hyvitykseksi, että jos lääkärit saisivat selville jotain siitä, mikä hänenlaisiaan ihmisiä vaivaa, siitä saattaisi olla apua muille. On arvailun varassa, ottiko johtaja Basilin manipuloinnin täydestä, mutta oli miten oli, viime joulukuussa Basil siirrettiin Butlerin sairaalaan.

Kaikki oli Karjun ansiota, tuon Jumalan käden.

Sen jälkeen heidän kirjeenvaihtonsa on ollut pakostakin juonikkaampaa. Jumala neuvoi Karjulle, miten kertoa Basilille kaiken mitä halusi. Jumalan älykkyysosamäärä on sataviisikymmentä.

Karju käy istumaan portin kaksikymmentäyksi edustalle, mutta niin kauas muista kuin suinkin, odottamaan yhdeksän lentoa. Se on aikataulussa. Hän on perillä kahdeltatoista. Hän avaa laukkunsa vetoketjun ja vetää esiin kirjan jonka sai Basililta yli kuukausi sitten.

Minä sain ne kalastuslehdet. Paljon kiitoksia. Artikkeleista oppii aina jotain uutta. Basil Jenrette.

PS. Minut laitetaan taas siihen saatanan putkeen, torstaina 17. helmikuuta. Mutta lupasivat ettei se kestä pitkään. "Sisään viideltä ja ulos vartin yli." Lupauksia, lupauksia.

52

Lumisade on lakannut ja kanaliemi hautuu liedellä. Scarpetta mittaa neljä desilitraa italialaista avorioriisiä ja avaa pullon kuivaa valkoviiniä.

"Pääsetkö tulemaan alas?" hän astuu lähemmäs ovea ja huutaa ylös Bentonille.

"Voisitko sinä tulla tänne?" Bentonin ääni kysyy takaportaiden yläpäästä.

Scarpetta sulattaa voita kuparisessa paistinpannussa ja alkaa ruskistaa broileripaloja. Hän kaataa riisin kanaliemeen. Hänen matkapuhelimensa pirisee. Benton soittaa.

"Tämä on naurettavaa", Scarpetta sanoo katsoen portaita jotka johtavat toisessa kerroksessa olevaan Bentonin työhuoneeseen. "Etkö sinä voisi tulla alas? Minä laitan ruokaa. Floridassa on piru merrassa. Minulla on sinulle asiaa."

Hän valelee ruskistuvia broileripaloja kanaliemellä.

"Ja sinun pitää ehdottomasti katsoa tätä", Benton sanoo.

On outoa kuulla hänen äänensä yhtä aikaa puhelimesta ja yläkerrasta.

"Tämä on naurettavaa", Scarpetta sanoo taas.

"Minulla on sinulle kysymys", Bentonin ääni sanoo puhelimesta ja suoraan yläkerrasta kuin kaksi identtistä miestä puhuisi yhtä aikaa. "Miksi hänellä oli tikkuja lapaluiden välissä? Mistä ne tulivat?"

"Puutikkuja?"

"Raapiutunut ihoalue, johon on uponnut tikkuja. Selässä la-paluiden välissä. Ja onkohan mahdollista selvittää, ovatko ne jääneet ihoon ennen kuolemaa vai sen jälkeen?"

"Jos häntä kiskottiin puulattialla tai hakattiin puuesineel-lä. Syitä voisi kai olla lukuisia." Scarpetta kääntelee ruskistuvia broileriviipaleita haarukalla.

"Jos häntä olisi kiskottu lattialla ja ihoon olisi jäänyt tikkuja, eikö niitä olisi muuallakin ruumiissa? Olettaen että hän oli alasti kun häntä vedettiin vanhalla, tikkuisella puulattialla?"

"Ei välttämättä."

"Etkö sinä voisi tulla yläkertaan?"

"Oliko hänellä puolustusvammoja?"

"Mikset sinä tule?"

"Heti kun ruoka on hallinnassa. Raiskauksen merkkejä?"

"Ei, mutta motiivi oli selvästikin seksuaalinen. Minun ei ole nälkä."

Scarpetta hämmentää riisiä ja laskee lusikan kaksin kerroin taittamalleen talouspaperille.

"Onko muita mahdollisia dna-lähteitä?" hän kysyy.

"Kuten esimerkiksi?"

"En minä tiedä. Ehkä hän puri murhaajalta nenänpään tai sormen ja se löydettiin hänen mahalaukustaan."

"Mutta ihan tosissaan."

"Sylki, murhaajan veri", Scarpetta sanoo. "Toivottavasti ruu-mis tutkittiin helvetin perusteellisesti."

"Mitä jos jutellaan tästä täällä ylhäällä?"

Scarpetta riisuu esiliinan ja kävelee portaita kohti puhelin korvalla ja miettii miten älytöntä on puhua puhelimessa kun kumpikin on samassa talossa.

"Minä katkaisen nyt", hän sanoo portaiden yläpäässä ja kat-soo Bentonia.

Tämä istuu mustalla nahkatuolillaan ja heidän katseensa kohtaavat.

"Onneksi et yllättänyt minua sekunti sitten", Benton sanoo. "Minä olin juuri puhelimessa yhden uskomattoman kauniin naisen kanssa."

"Hyvä ettet ollut keittiössä kuulemassa kenen kanssa minä juttelin."

Scarpetta työntää pyörillä varustetun tuolin Bentonin viereen ja katsoo tietokoneen näytöllä olevaa valokuvaa, katsoo naisen ruumista joka on vatsallaan ruumiinavauspöydällä, katsoo hänen ihoonsa maalattuja punaisia kämmeniä.

"Ne on saatettu maalata mallineella ja ilmasiveltimellä", Scarpetta toteaa.

Benton suurentaa lapaluiden väliä ja Scarpetta katsoo raapiutunutta ihoa tarkkaan.

"Yhteen kysymykseesi vastatakseni", Scarpetta sanoo, "kyllä, on mahdollista selvittää, ovatko naarmut syntyneet ja tikut jääneet ihoon ennen vai jälkeen kuoleman. Ero on siinä, onko kudosreaktiosta merkkejä. Meillä ei taida olla histologiaa."

"En tiedä onko", Benton vastaa.

"Onko Thrushilla mahdollisuus käyttää sem-edsiä, alkuaineanalysaattorilla varustettua pyyhkäisyelektronimikroskooppia?"

"Osavaltion poliisin labrassa on kaikki mahdolliset laitteet."

"Haluaisin ehdottaa, että hän ottaa näytteen noista oletetuista puutikuista ja suurentaa ne sata- tai viisisataakertaisiksi nähdäkseen, miltä ne näyttävät. Ja olisi hyvä tarkistaa myös, onko niissä kuparia."

Benton katsoo häntä, kohauttaa olkapäitään. "Miksi?"

"On mahdollista, että sitä löytyy joka paikasta. Jopa entisen Christmas Shopin varastosta. Se saattaa olla peräisin kuparisuihkutuksista."

"Quincyn perhe oli puutarha-alalla. Olettaisin että monissa kaupallisissa sitrustarhoissa tehdään kuparisuihkutuksia. Ehkä rouva ja tytär kantoivat kuparia jaloissaan Christmas Shopiin."

"Ja mahdollisesti ihomaalia – varaston puolelle, mistä veri löytyi."

Benton vaikenee, hänen mieleensä tulee jotain muuta.

"Yhteinen nimittäjä Basilin murhissa", hän sanoo. "Kaikissa uhreissa, tai ainakin niissä joiden ruumis on löydetty, oli kuparia. Hiukkastodisteissa oli kuparia ja sitruskasvien siitepölyä, joka ei sano oikein mitään. Floridassa sitruskasvien siitepölyä on kaikkialla. Kuparisuihkutukset eivät tulleet kenellekään edes mieleen. Basil saattoi viedä uhrinsa johonkin paikkaan, jossa käytettiin kuparisuihkeita, jonnekin missä on sitruspuita."

Hän katsoo ikkunasta harmaata taivasta ja kadulla kulkevaa aurausautoa.

"Mihin aikaan sinun pitää lähteä?" Scarpetta napsauttaa kuvaa, jossa näkyy kuolleen naisen selän hiertymä.

"Vasta myöhemmin iltapäivällä. Basil tulee viideltä."

"Loistavaa. Huomaatko miten tulehtunut iho on tuosta yhdestä, selvärajaisesta kohdasta?" Hän näyttää sormella. "Ihon epiteelikerros on irronnut hiertyessään jonkinlaista karheaa pintaa vasten. Ja jos kuvaa zoomaa."

Hän suurentaa sitä.

"Näkyy, että ennen kuin iho puhdistettiin, abraasion pinnassa oli herais-veristä nestettä. Näetkö?"

"Okei. Hienoisen rupeutuman näköistä. Mutta sitä on vain osalla alueesta."

"Jos abraasio on tarpeeksi syvä, suonista vuotaa nestettä. Ja olet oikeassa, alue ei ole arpeutunut kauttaaltaan, mistä päättelisin että hiertyneellä alueella on itse asiassa useita eri-ikäisiä naarmuja, jotka ovat syntyneet toistuvasta kosketuksesta karheaan pintaan."

"Kuulostaa oudolta. Yritän kuvitella miten."

"Kunpa minulla olisi histologia käytettävissä. Liuskatumaiset granulosyytit osoittaisivat vamman olevan noin neljästä kuuteen tunnin ikäinen. Punaruskeat ruvet taas alkavat yleensä ilmetä aikaisintaan kahdeksassa tunnissa. Hän eli ainakin jonkin aikaa sen jälkeen kun sai tämän vamman, nämä naarmut."

Scarpetta tutkii muita valokuvia, tutkii tarkkaan. Hän kirjoittaa muistiinpanoja keltaiseen lehtiöön.

Hän sanoo: "Jos katsot kuvia kolmetoista viiva kahdeksantoista erotat nipin napin kohtia, jotka näyttävät paikalliselta, punoittavalta turvotukselta säärien takaosassa ja pakaroissa. Minusta ne näyttävät hyönteisen puremilta tai pistoilta, jotka ovat alkaneet parantua. Jos jos palaat abraasiokuvaan, siinä näkyy paikallista turvotusta ja hyvin heikosti erottuvia hiussuonipurkaumia, jotka minä yhdistäisin hämähäkinpuremiin.

"Jos olen oikeassa, mikroskoopissa pitäisi näkyä verisuonikuroumia ja valkosolukeräytymiä, lähinnä eosinofiilejä, elimistön reaktiosta riippuen. Voisimme myös tutkia tryptaasitason siltä varalta, että hänellä oli anafylaktinen reaktio. Mutta pitäisin sitä epätodennäköisenä. Ainakaan hän ei kuollut hyönteisenpureman aiheuttamaan anafylaktiseen sokkiin. Hitto vie kun minulla olisi se histologia. Ihossa saattaa olla muutakin kuin tikkuja. Polttiaiskarvoja. Hämähäkit, etenkin tarantelit, heittelevät niitä puolustautuessaan. Evin ja Kristinin kirkon vieressä on lemmikkieläinkauppa, jossa myydään taranteleja."

"Kutina?" Benton kysyy.

"Jos hämähäkki heitti hänen iholleen karvoja, hänellä oli helvetinmoinen kutina", Scarpetta vastaa. "Hän saattoi hangata selkäänsä jotain karheaa vasten, kunnes iho meni puhki."

53

Hän kärsi.

"Kaikkialla missä mies häntä piti, hän kärsi puremista, jotka olivat kipeitä ja hirveitä ja kutisivat", Scarpetta sanoo.

"Hyttysistäkö?" Benton kysyy.

"Vain yhdestä? Vain yksi paha purema lapaluiden välissä? Muualla ruumiissa ei ole muita samanlaisia, tulehtuneita abraasioita paitsi kyynärpäissä ja polvissa", Scarpetta jatkaa. "Lieviä abraasioita, naarmuja, sellaisia joita voi saada polvistuessa tai nojatessa kyynärpäät karkeaan pintaan. Mutta ne eivät näytä läheskään näin pahoilta."

Hän osoittaa taas lapaluiden välistä tulehtunutta aluetta.

"Minun hypoteesini on että hän oli polvillaan kun mies ampui hänet", Benton sanoo. "Housujen veriroiskeesta päätellen. Voivatko polvet naarmuuntua, jos polvistuu housut jalassa?"

"Toki."

"Siinä tapauksessa mies tappoi hänet ensin ja riisui hänet sen jälkeen. Eikö vain että se kertoo aivan erilaisen tarinan? Jos mies todella olisi halunnut nöyryyttää häntä seksuaalisesti ja pelotella, hän olisi käskenyt hänen riisuutua, polvistua alastomana, pannut sitten haulikon piipun hänen suuhunsa ja vetänyt liipaisimesta."

"Entä haulikon hylsy hänen peräsuolessaan?"

"Saattoi olla vihan merkki. Tai mies halusi meidän löytävän sen ja kytkevän sen siihen Floridan tapaukseen."

"Sinä tarkoitat, että hänen murhansa saattoi olla impulsiivinen, mahdollisesti vihan seuraus. Sinä tarkoitat toisaalta että murhassa oli mukana huomattava harkintaelementti, leikkielementti, jos hän halusi meidän kytkevän murhan siihen ryöstömurhaan." Scarpetta katsoo häntä.

"Se kaikki merkitsee jotain, ainakin hänelle itselleen. Tervetuloa väkivaltaisten sosiopaattien maailmaan."

"Yksi asia on varma", Scarpetta sanoo. "Hän oli ainakin jonkin aikaa panttivankina jossain paikassa, missä oli hyönteisiä. Mahdollisesti tulimuurahaisia, mahdollisesti hämähäkkejä, toisin sanoen ei täällä. Ei tähän vuodenaikaan."

"Paitsi taranteleja. Yleensä niitä on lemmikkeinä, joten ilmasto ei vaikuta asiaan", Benton sanoo.

"Hänet siepattiin jostain muualta. Mistä ruumis tarkkaan ottaen löydettiin?" Scarpetta kysyy. "Aivanko Walden Pondin rannalta?"

"Noin viidentoista metrin päästä polusta, jolla ei tähän aikaan vuodesta kovin paljon kuljeta, mutta jotkut sitä pitkin kävelevät. Lammen lähellä kävelyllä ollut perhe löysi ruumiin. Heidän musta labradorinsa juoksi metsään ja rupesi haukkumaan."

"On siinä järkytys kun on lasten kanssa kävelyllä Walden Pondilla."

Scarpetta silmäilee näytöllä olevaa ruumiinavauspöytäkirjaa.

"Hän ei ollut siellä pitkään, ruumis oli jätetty metsään pimeän tultua", hän sanoo. "Jos näihin tietoihin voi luottaa. Kuulostaa uskottavalta että ruumis jätettiin sinne pimeällä. Ja ehkä mies jätti hänet sinne polulta sivuun ja pois näkyvistä, koska hän ei halunnut ottaa riskiä että hänet huomattaisiin. Jos joku olisi putkahtanut paikalle – mikä ei toki ole todennäköistä pimeällä – hän oli ruumiin kanssa syvemmällä metsässä poissa näkyvistä. Ja tämän", hän osoittaa huppua ja jonkinlaista vaipan näköistä lisäkettä, "tämän ehtii tehdä muutamassa minuutissa jos sen suunnittelee etukäteen, leikkaa reiät pikkuhousuihin valmiiksi, jos ruumis oli jo alasti ja niin edelleen. Kaikesta tästä päätellen alue on hänelle tuttu."

"Se kävisi järkeen."

"Onko sinun nälkä vai aiotko sinä vatvoa tätä koko päivän?"

278

"Mitä sinä laitoit? Minä päätän sitten."

"Risotto alla sbirragliaa. Toisin sanoen kanarisottoa."

"Sbirragliaa?" Benton tarttuu häntä kädestä. "Onko se jokin harvinainen venetsialainen kanarotu?"

"Nimi tulee tiettävästi sanasta *sbirro*, joka tarkoittaa jeparia. Hiukan huumoria päivänä, josta on ollut nauru kaukana."

"Minä en käsitä mitä tekemistä poliisilla on kanaruoan kanssa."

"Kerrotaan, että kun Itävalta hallitsi Pohjois-Italiaa Frans Joosefin aikana, itävaltalaiset poliisit olivat persoja tälle ruoalle, sikäli kuin minun kulinaristisiin lähteisiini on luottamista. Ja minä ajattelin ruokajuomaksi Soavea tai täyteläisempää Piave Pino Biancoa. Sinulla on kumpaakin kellarissa, ja kuten venetsialaiset sanovat, 'joka juo hyvin nukkuu hyvin, ja joka nukkuu hyvin ei ajattele pahoja, ei tee pahoja ja pääsee taivaaseen' tai jotain sinne päin."

"Valitettavasti maailmassa ei ole sellaista viiniä, joka saisi minut unohtamaan pahuuden", Benton sanoo. "Enkä minä usko taivaaseen vaan ainoastaan helvettiin."

54

Akatemian tilavan päämajan ensimmäisessä kerroksessa tuliaselaboratorion oven yllä palaa punainen valo, ja Marino kuulee käytävään laukausten vaimeita jymähdyksiä. Hän astuu ovesta, sillä hän ei piittaa vaikka radalla ammutaan, kunhan ampuja on Vince.

Vince ottaa pienen pistoolin teräksisen luodinpalautustankin aukosta. Säiliö painaa viisi tonnia, kun se on täynnä vettä, mikä selittää sen miksi laboratorio on ensimmäisessä kerroksessa.

"Oletko viime aikoina käynyt lentämässä?" Marino kysyy ja nousee alumiiniportaat ampumatasolle.

Vincellä on musta lentopuku ja nilkkapituiset mustat nahkasaappaat. Hän on yksi Lucyn helikopterilentäjistä silloin kun ei ole uppoutunut aseiden ja työkalujen jälkien maailmaan. Hänen kohdallaan pitää paikkansa sama seikka kuin eräiden muidenkin Lucyn työntekijöiden: hänen ulkonäkönsä on ristiriidassa hänen tehtävänsä kanssa. Vince on kuusikymmentäviisivuotias, lensi Black Hawkia Vietnamissa ja siirtyi sitten ATT:n palvelukseen. Hänellä on lyhyet jalat, tynnyririnta ja harmaa poninhäntä, jota hän ei kuulemma ole leikannut kymmeneen vuoteen.

"Sanoitko sinä jotain?" Vince kysyy riisuttuaan kuulosuojaimet ja suojalasit.

"Ihme että sinä kuulet vielä huutamatta."

"Kuulo ei ole enää sitä mitä ennen. Kotona vaimo väittää että minä olen umpikuuro."

Marino huomaa pistoolin, jolla Vince on ampunut koelaukauksia. Se on Daggie Simisterin sängyn alta löytynyt Black Widow, jossa on ruusupuukahva.

"Herttainen pikku kakskakkonen", sanoo Vince. "Ajattelin ettei olisi pahitteeksi lisätä se tietokantaan."

"Minusta se näyttää siltä ettei sillä ole ammuttu koskaan."

"En yhtään ihmettelisi. Et arvaakaan miten moni hankkii aseen kotiaan puolustaakseen eikä sitten muista koko asetta tai missä se on tai edes huomaa jos se katoaa."

"Siitä puheen ollen, meillä on yksi katoamisongelma", Marino sanoo.

Vince avaa ammuslaatikon ja alkaa ladata rullaa patruunoilla.

"Haluatko kokeilla?" hän kysyy. "Aika outo rauta vanhan rouvan itsepuolustukseen. Hän varmasti sai sen joltakulta. Yleensä minä suosittelen käyttäjäystävällisempää asetta, vaikka Lady Smith kolmekasia tai pit bullia. Kuulin että tämä oli sängyn alla ulottumattomissa."

"Kuka niin sanoi?" Marino kysyy ja saa saman tunteen kuin jo useamman kerran viime aikoina.

"Tohtori Amos."

"Hän ei ollut murhapaikalla. Mitä hän siitä muka tietää?"

"Ei puoliakaan siitä mitä kuvittelee tietävänsä. Hän ramppaa täällä vähän väliä. Joskus meinaan tulla hulluksi. Toivottavasti tohtori Scarpetta ei aio ottaa häntä töihin kun hänen stipendiaikansa päättyy. Jos ottaa, minä saatan siirtyä markettiin hommiin. Tässä."

Hän tarjoaa pistoolia Marinolle.

"Ei kiitos. Juuri nyt minun tekee mieli ampua vain hänet."

"Mitä sinä tarkoitit katoamisella? Mitä on kadonnut?"

"Vertailukokoelmasta on hävinnyt yksi haulikko."

"Mahdotonta", Vince sanoo pudistaen päätään.

He laskeutuvat tasanteelta ja Vince laskee pistoolin todiste-pöydälle, joka on täynnä lapuilla merkittyjä aseita, ammusra-sioita, erilaisia maalitauluja joissa on etäisyysmääritykseen käy-tettyjä testiruutukuvioita ja karkaistu autonikkuna.

"Mossberg 835 Ulti-Mag -pumppu", Marino sanoo. "Sitä käytettiin ryöstömurhassa täällä kaksi vuotta sitten. Murha sel-visi poikkeuksellisen nopeasti, kun tiskin takana ollut myyjä tä-räytti epäillyn hengiltä."

"Jännä että otit sen puheeksi", Vince sanoo hämmästyneenä. "Tohtori Amos soitti minulle korkeintaan viisi minuuttia sitten ja kysyi voisiko hän käydä katsomassa tietokoneesta yhden asian."

Vince astuu tiskille jolla on vertailumikroskooppeja, digitaa-linen liipaisinvoimamittari ja tietokone. Hän naputtelee näp-päimistöä etusormella, avaa valikon ja valitsee vertailukokoel-man. Hän syöttää kyseisen haulikon nimen.

"Minä sanoin ei, hän ei voi tulla. Minä sanoin että minulla oli testiammunta kesken ja nyt on huono hetki. Minä kysyin mitä hän halusi tarkistaa ja hän sanoi että antaa olla."

"Minä en käsitä miten hän voi olla selvillä tästä", Marino sa-noo. "Miten hän saattoi tietää asiasta? Yksi kaverini Hollywoo-din poliisilaitoksella tietää eikä hän kertoisi kenellekään. Hänen lisäkseen olen sanonut asiasta vain tohtorille ja nyt sinulle."

"Maastomaalattu tukki, kahdenkymmenenneljän tuuman piippu, tritium-haamurengastähtäin", Vince lukee, "Olet oikeas-sa. Sitä käytettiin murhassa. Syyllinen kuoli. Saatu lahjoituksena Hollywoodin poliisilaitokselta maaliskuussa viime vuonna." Hän vilkaisee Marinoon. "Muistaakseni se oli yksi noin kymmenestä aseesta jotka poliisi karsi varastostaan tavalliseen anteliaaseen ta-paansa. Sillä ehdolla että me tarjoamme ilmaista koulutusta ja konsultaatiota, olutta ja yllätyslahjoja. Katsotaanpa", hän vyöryt-tää näyttöä. "Tämän mukaan se haulikko on lainattu vain kah-desti sen jälkeen kun me sen saimme. Kerran sen lainasin minä viime vuonna kahdeksas huhtikuuta – kävin sen kanssa etäam-muntatasolla tarkistamassa, ettei siinä ollut mitään vikaa."

"Närhen munat!" Marino sanoo lukien Vincen olan yli.

"Ja tohtori Amos lainasi sen viime kesäkuun kahdeskymme-neskahdeksas päivä kello viisitoista viisitoista."

"Mitä varten?"

"Ehkä koeampuakseen sillä ammusgelatiiniin. Tohtori Scarpetta rupesi viime kesänä pitämään hänelle keittotunteja. Amos juoksee täällä niin usein että minun on vaikea muistaa. Tämän mukaan hän käytti sitä kahdeskymmeneskahdeksas ke-säkuuta ja palautti sen kokoelmaan samana päivänä varttia yli viisi. Ja jos minä katson tietokoneesta sen päivän kohdalta, siinä se merkintä on. Se tarkoittaa että minä hain sen holvista ja vein takaisin."

"Miten se sitten on kadulla ja tappaa ihmisiä?"

"Ellei näissä merkinnöissä sitten ole jotain vikaa", Vince miettii otsa rypyssä.

"Ehkä hän juuri sen takia halusi roplata tietokonetta. Se saa-tana! Kuka lokia pitää yllä, sinä vai käyttäjät itse? Saako tähän tietokoneeseen koskea kukaan muu paitsi sinä?"

"Sähköisesti vain minä. Käyttäjät kirjaavat tilauksensa tuo-hon vihkoon tuolla." Vince viittaa kierrelehtiöön joka on puheli-men vieressä. "Sitten ase kirjataan ulos ja takaisin sisään, kaikki omalla käsialalla ja nimikirjaimilla. Sen jälkeen minä syötän tie-dot koneeseen varmistaen, että lainaaja on vienyt aseen ja tuo-nut sen takaisin holviin. Sinä et ole vissiin koskaan leikkinyt pyssyillä täällä näin."

"Minä en ole tuliasetutkija. Minä annan sinun hoitaa sen homman. Helkkarin kusisukka."

"Tilaukseen kirjoitetaan, millaisen aseen kukin haluaa ja milloin haluaa varata ampumaradan tai vesitankin. Minä voin näyttää."

Hän hakee kierrelehtiön ja avaa sen viimeiselle täytetylle au-keamalle.

"Tässä on tohtori Amos taas", hän sanoo. "Ammusgelatiini-koelaukauksia Taurus PT-145:llä kaksi viikkoa sitten. Tällä ker-taa hän sentään vaivautui kirjautumaan sisään. Hän kävi täällä joku päivä sitten eikä viitsinyt."

"Miten hän pääsi holviin?"

"Hän toi mukana oman pistoolin. Hän kerää aseita, on varsi-nainen asehullu."

"Näetkö sinä siitä, milloin syötit Mossbergin lainaamisen tähän koneeseen?" Marino kysyy. "Samalla lailla kuin tiedostoissa näkyy, milloin ne on viimeksi tallennettu. Minä mietin vain että olisiko Joe pystynyt jollain keinolla muuttamaan tietoja jälkikäteen niin että näyttää siltä että sinä lainasit haulikon hänelle ja hän palautti sen holviin."

"Se on pelkkä tekstinkäsittelytiedosto nimeltä 'loki'. Eli minä suljen sen nyt tallentamatta. Katsopa tuoreinta aikaleimaa." Hän katsoo tarkkaan, hämmästyy. "Tämän mukaan se on tallennettu viimeksi kaksikymmentäkolme minuuttia sitten. Uskomatonta!"

"Eikö koneessa ole salasanasuojausta?"

"Totta kai on. Vain minä pääsen siihen käsiksi. Paitsi tietenkin Lucy myös. Joten minä ihmettelen miksi tohtori Amos soitti ja pyysi lupaa käydä katsomassa koneesta jotain. Jos hän muutti lokia, miksi hän soitti minulle?"

"Siihen on helppo vastata. Jos sinä avasit tiedoston hänelle ja tallensit sen sulkiessa, se selittäisi uuden päivämäärän ja kellonajan."

"Siinä tapauksessa hän on hemmetin ovela."

"Pian nähdään, miten ovela."

"Tämä on hyvin huolestuttavaa. Jos hän teki sen, hänellä on minun salasanani."

"Oletko kirjoittanut sen jonnekin?"

"En. Minä olen hyvin varovainen."

"Kuka sinun lisäksesi tietää holvin lukkoyhdistelmän? Tällä kertaa minä saan sen nulkin kiinni. Tavalla tai toisella."

"Lucy tietää. Hän pääsee kaikkialle. Tulehan. Katsotaan."

Holvi on tulenkestävä huone, jonka teräsoven saa auki vain numerosarjalla. Holvissa on arkistokaapeissa tuhansia tunnettuja luoti- ja hylsynäytteitä ja telineissä ja seinillä tappeihin ripustettuna satoja kivääreitä, haulikoita ja käsiaseita, kaikki numeroituja."

"Aikamoinen karkkikauppa", Marino sanoo katsellen ympärilleen.

"Etkö sinä ole koskaan käynyt täällä?"

"En minä ole asehullu. Minulla on ollut ikäviä kokemuksia pyssyjen kanssa."

"Millaisia?"

"Esimerkiksi se että olen joutunut ampumaan niillä."

Vince silmäilee pitkäpiippuisten aseiden hyllyjä, ottaa haulikot yksitellen käteen ja tarkistaa numerolapun. Hän käy ne läpi kahdesti. Hän siirtyy Marinon kanssa hyllystä toiseen etsien Mossbergia. Se ei ole holvissa.

Scarpetta osoittaa lautumakuviota, siniviolettia värjääntymää, joka johtuu siitä, että verenkierron pysähdyttyä veri laskeutuu painovoiman vaikutuksesta ruumiin alimpiin osiin. Kuolleen naisen oikean posken, rintojen, vatsan, reisien ja kyynärvarsien sisäpintojen vaaleat alueet johtuvat siitä, että nämä kohdat olivat painautuneet lattiaa tai muuta kiinteää pintaa vasten.

"Hän oli varsin pitkään vatsallaan", Scarpetta selittää. "Ainakin useita tunteja pää vasempaan käännettynä, mikä selittää oikean posken kalpeuden – se oli lattiaa tai jotain muuta pintaa vasten."

Hän avaa tietokoneen näytölle toisen valokuvan. Tämä esittää kuollutta naista vatsallaan ruumiinavauspöydällä sen jälkeen, kun ruumis oli pesty ja iho ja hiukset olivat vielä märät. Punaiset kämmenjäljet näkyvät kirkkaina ja ehjinä, ne ovat selvästikin vedenkestävät. Hän palaa valokuvaan, jota hän katsoi juuri äsken, selaa muutamaa kuvaa edestakaisin yrittäen koostaa tämän naisen kuoleman olosuhteet.

"Siis kun mies oli tappanut hänet", Benton sanoo, "hän saattoi kääntää naisen vatsalleen maalatakseen kämmenenjäljet selkään ja hääräsi ruumiin kimpussa monta tuntia. Veri laskeutui ruumiin alaosaan, ja vähitellen kehittyi lautuma, ja siksi meillä on tällainen kuvio edessämme."

"Minulla on mielessä toinen skenaario", Scarpetta sanoo. "Mies maalasi ensin naisen kasvot, käänsi hänet sitten toisin päin, maalasi selkää ja jätti hänet tähän asentoon. Hän ei taatusti maalannut ruumista ulkona pimeässä ja kylmässä vaan jossain, missä ei tarvinnut pelätä, että joku kuulisi haulikon pamahduksen tai näkisi kun hän nosti ruumiin autoon. Hän saattoi itse asiassa maalata ruumiin autossa jossa hän ruumista siirsi, pakettiautossa, maasturissa tai kuorma-autossa. Ampui naisen, maalasi hänet, siirsi hänet."

"Täyden palvelun tavaratalo."

"Sillä tavoin menetellen riski olisi pienempi. Jos hän siis ensin sieppasi naisen, vei hänet autolla jonnekin syrjäiseen paikkaan ja tappoi hänet autossa – kunhan autossa oli riittävästi tilaa – ja kävi sitten heittämässä ruumiin metsään." Scarpetta napsauttelee valokuvia ja pysähtyy sitten katsomaan uudestaan erästä kuvaa jota hän on jo katsonut.

Tällä kertaa hän näkee sen eri lailla, kuvan naisen aivoista, siitä mitä niistä on jäljellä, leikkuulaudalla. Kallon sisäpintaa vuoraavan sitkeän, kuitumaisen kovakalvon, *dura materin*, kuuluisi olla kermanvalkoista. Tässä kuvassa se on värjääntynyt kellertävänoranssiksi, ja hän kuvittelee sisarukset, Evin ja Kristinin, vaellussauvoineen katsomassa silmiään siristäen aurinkoon makuuhuoneensa lipaston päällä olevassa kuvassa. Hänen mieleensä tulee toisen sisaruksen hieman kellertävä iho, ja hän napsauttaa uudestaan auki ruumiinavauspöytäkirjan, tarkistaa mitä siinä sanotaan kuolleen naisen silmien kovakalvoista, *scleroista*. Ne olivat normaalit.

Hänen mieleensä palaavat jääkaapin kasvikset, yhdeksäntoista pussia porkkanoita Evin ja Kristinin keittiössä, ja hän miettii valkoisia pellavahousuja, jotka kuolleella naisella oli jalassa kuin vaippana, housut jollaisia pidetään etenkin lämpimässä ilmastossa.

Benton katsoo häntä uteliaana.

"Ihon ksantokromia", Scarpetta sanoo. "Keltaisuus, jota ei ole silmien kovakalvoissa. Syynä saattaa olla hyperkarotenemia. Saatamme tietää kuka hän on."

55

Tohtori Bronson on työhuoneessaan ja siirtelee preparaattia mikroskooppinsa näytepöydällä. Marino koputtaa avoimeen oveen.

Tohtori Bronson on älykäs ja pätevä. Hänellä on aina päällään siistiksi silitetty valkoinen laboratoriotakki. Hän on ollut kunnollinen johtaja mutta hän ei kykene irtautumaan menneisyydestä. Hän tekee kaiken siten kuin se tehtiin ennen, ja tämä periaate koskee myös sitä, miten hän arvioi toiset ihmiset. Marinosta tuntuu ettei tohtori Bronson viitsi selvittää ihmisten taustoja tai suorittaa muitakaan perusteellisia tarkistuksia, joiden tulisi olla nykymaailmassa normaalikäytäntö.

Hän koputtaa uudestaan, tällä kertaa kovemmin, ja tohtori Bronson nostaa katseensa mikroskoopista.

"Astu toki peremmälle", hän sanoo hymyillen. "Mistä moinen kunnia?"

Hän on vanhan koulun mies, kohtelias ja ystävällinen. Hänellä on täysin kalju pää ja hieman häilyvät, harmaat silmät. Hänen siistillä pöydällään on tuhkakupissa kylmä briarpuinen piippu, ja huoneessa on aina heikko hajustetun tupakan tuoksu.

"Täällä aurinkoisessa etelässä saa sentään vielä polttaa sisällä", Marino sanoo ja vetää tuolin lähemmäksi.

"Minä en saisi", tohtori Bronson sanoo. "Emäntä sanoo että minä saan kurkku- tai kielisyövän. Minä sanon aina että jos saan, en pysty ainakaan valittamaan ääneen matkalla tuonelaan."

Marino muistaa että hän jätti oven auki. Hän nousee, sulkee sen ja istuutuu uudelleen.

"Jos minulta leikataan kieli tai äänihuulet, luulisi marmatuksen jäävän vähiin", tohtori Bronson sanoo kuin Marino ei olisi ymmärtänyt vitsiä.

"Minä tarvitsen apua parissa asiassa", Marino sanoo. "Ensinnäkin me haluaisimme tutkia Johnny Swiftin dna-näytettä. Tohtori Scarpetta sanoi että Swiftin papereiden joukossa pitäisi olla useita dna-kortteja."

"Hänen kannattaisi astua minun tilalleni. En panisi pahakseni jos hänestä tulisi seuraajani", tohtori Bronson sanoo, ja hän sanoo sen tavalla, josta Marino päättelee hänen tietävän liiankin hyvin, mitä ihmiset ajattelevat.

Kaikki haluavat hänen jäävän eläkkeelle. Halusivat jo vuosia sitten.

"Minä tiedätkö perustin tämän laitoksen", hän jatkaa. "En voi sallia ihan kenen vain tupsahtaa tänne tuulen mukana pilaamaan kaiken. Se olisi väärin suurta yleisöä kohtaan. Ja varsinkin minun alaisiani kohtaan." Hän tarttuu luuriin ja painaa nappia. "Polly? Hakisitko Johnny Swiftin kansion? Ja me tarvitsemme asiaankuuluvat lomakkeet." Hän kuuntelee ja sanoo: "Koska meidän on kuitattava yksi dna-kortti Petelle. Aikovat tehdä sille jotain laboratoriossa."

Hän laskee luurin alas, riisuu lasinsa ja puhdistaa niitä nenäliinalla.

"Voiko tästä päätellä, että asiassa on tullut vastaan uusi käänne?" hän kysyy.

"Siltä se alkaa näyttää", Marino vastaa. "Kun se on varmaa, kerromme teille ensimmäiseksi. Mutta sanotaan vaikka näin: on ilmennyt seikkoja, joiden tähden on hyvin todennäköistä, että Johnny Swift murhattiin."

"Korjaan mielelläni kuolintavan jos voitte osoittaa niin. En ollut alun alkaenkaan oikein tyytyväinen siihen tapaukseen. Mutta minun on nojauduttava todisteisiin eikä tutkimuksissa tullut esiin mitään niin merkittävää, jotta olisin ollut varma yhtään mistään. Lähinnä minä olen epäillyt itsemurhaa."

"Paitsi että haulikko hävisi rikospaikalta." Marino ei malta olla muistuttamatta.

"Pete, monenlaisia outoja asioita sattuu. Et arvaakaan miten monesti olen murhapaikalle tullessani saanut huomata, että omaiset ovat sotkeneet sen suojellakseen rakkaan edesmenneen mainetta. Varsinkin autoeroottisissa tukehtumisissa. Siinä vaiheessa, kun minä ehdin sinne, siellä ei ole ainuttakaan pornolehteä tai masokismivälinettä näkyvissä. Sama juttu itsemurhissa. Omaiset eivät halua muiden tietävän tai he havittelevat vakuutusrahoja, joten he piilottavat aseen tai puukon. He tekevät vaikka mitä."

"Meidän pitää jutella Joe Amosista", Marino sanoo.

"Melkoinen pettymys", tohtori Bronson sanoo, ja hänen tuttu, joviaali ilmeensä katoaa. "Totta puhuen minua kaduttaa että suosittelin häntä teidän hienoon instituuttiinne. Olen erityisen pahoillani siksi, että Kay on ansainnut peijakkaan paljon parempia avustajia kuin sen ylimielisen kukkoilijan."

"Sitä minä juuri ajan takaa. Millä perusteella te häntä suosittelitte?"

"Vaikuttavan koulutuksen ja muiden henkilöiden suositusten perusteella. Hänellä on melkoisesti sulkia hatussa."

"Missä hänen kansionsa on? Onko se vielä teillä? Alkuperäinen?"

"Onpa toki. Minä säilytin alkuperäisen ja annoin Kaylle jäljennöksen."

"Kun te kävitte läpi hänen hienon koulutuksensa ja suosituksensa, tarkistitteko te niiden aitouden?" Marinoa nolottaa kysyä. "Nykyisin väärennetään kaikenlaista. Varsinkin tietokonegrafiikan, Internetin sun muiden ansiosta. Ne ovat yksi syy siihen, että identiteettivarkauksista on tullut iso ongelma."

Tohtori Bronson rullaa tuolillaan arkistokaapin eteen ja vetää yhden laatikon auki. Hän kävelyttää sormiaan siistein etiketein merkityillä riippukansioilla ja vetää esiin kansion, jossa on Joe Amosin nimi. Hän ojentaa sen Marinolle.

"Ollos hyvä", hän sanoo.

"Sopiiko että istun tässä hetken?"

"Minä en käsitä missä Polly viipyy", tohtori Bronson sanoo ja rullaa tuolillaan takaisin mikroskoopin luo. "Ei pienintäkään hoppua, Pete. Minä jatkan preparaattien katselua. Surkea tapaus. Naisparka löydettiin kuolleena uima-altaasta." Hän kiertää tarkennusnuppia okulaariin kurkistaen. "Kymmenvuotias tyttönsä löysi hänet. Avoimeksi on jäänyt se, hukkuiko nainen vai oliko hänen kuolemaansa jokin muu syy, esimerkiksi sydäninfarkti. Hän oli buliimikko."

Marino selaa kirjeitä, joita lääketieteellisten tiedekuntien johtajat ja patologit ovat kirjoittaneet Joe Amosille suositukseksi. Hän lukaisee myös viisi liuskaa pitkän elämäkerran.

"Tohtori Bronson? Soititteko te yhdellekään näistä ihmisistä?" Marino kysyy.

"Koskien mitä?" Hän ei irrota katsettaan okulaarista. "Sydämessä ei ole vanhoja arpeutumia. Tässä ei tietenkään näy mitään, jos hänellä oli infarkti ja hän pysyi sen jälkeen elossa muutaman tunnin. Minä kysyin oliko hän ehkä oksentanut aiemmin. Se panee elektrolyytit aivan sekaisin."

"Koskien Joeta", Marino sanoo. "Varmistaaksenne että nämä lääkärit todella tuntevat hänet."

"Totta kai he hänet tuntevat. Ne kirjeethän ovat heidän kirjoittamiaan."

Marino nostaa yhtä kirjettä valoa vasten. Hän huomaa vesileiman. Se näyttää kruunulta jonka läpi on työnnetty miekka. Hän nostaa yksitellen kirjeitä ylös. Kaikissa on sama vesileima. Kirjeisiin merkityt nimet ja osoitteet ovat vakuuttavia, mutta koska ne eivät ole koholla tai syvennetyt, ne on saatettu skannata tai jäljentää grafiikkaohjelmalla. Hän ottaa kirjeen, jonka kirjoittajaksi on merkitty Johns Hopkinsin patologian laitoksen johtaja, ja soittaa numeroon. Puhelunvälittäjä vastaa.

"Hän on matkoilla", nainen sanoo Marinolle.

"Soittoni koskee tohtori Joe Amosia", Marino sanoo.

"Ketä?"

Hän selittää. Hän pyytää naista tarkistamaan arkistoistaan.

"Hän kirjoitti tohtori Amosille suosituskirjeen hieman yli vuosi sitten seitsemäs joulukuuta", Marino kertoo. "Kirjeen lopussa lukee, että sen naputtelijan nimikirjaimet ovat LFC.

"Ei täällä ole kellään sellaisia nimikirjaimia. Ja minä olisin kirjoittanut puhtaaksi sellaisen kirjeen, eivätkä ne todellakaan ole minun nimikirjaimeni. Mistä tässä on kyse?"

"Aivan tavallisesta väärennöksestä", Marino vastaa.

56

Lucy ajaa yhdellä monista viritetyistä V-Rodeistaan A1A:ta pohjoiseen ja joutuu pysähtymään joka ainoissa valoissa matkalla Fred Quincyn talolle.

Quincy pyörittää Internet-suunnittelutoimistoaan kotonaan Hollywoodissa. Hän ei tiedä Lucyn tulosta, mutta Lucy tietää hänen olevan kotona tai ainakin olleen puoli tuntia sitten, kun hän soitti tyrkyttääkseen hänelle *Miami Heraldin* tilausta. Quincy oli kohtelias, paljon kohteliaampi kuin Lucy olisi ollut jos joku kaupustelija olisi juljennut häiritä häntä puhelimitse. Quincyn talo on kaksi korttelia hiekkarannasta länteen, joten hänellä täytyy olla rahaa. Talo on kaksikerroksinen vaaleanvihreä stukkorakennus, jossa on mustat takorautasomisteet, ja piha on suljettu portilla. Lucy pysäyttää pyöränsä porttipuhelimen luo ja painaa nappia.

"Voinko auttaa?" miesääni vastaa.

"Poliisi", sanoo Lucy.

"Minä en soittanut poliisille."

"Tulin puhumaan äidistänne ja sisarestanne."

"Miltä poliisilaitokselta te olette?" Ääni kuulostaa epäluuloi-
selta.

"Browardin seriffiasemalta."

Lucy vetää lompakkonsa esiin ja näyttää väärennettyä virka-
korttiaan ja laattaansa turvakameralle. Kuuluu surinaa ja tako-
rautaportti alkaa liukua auki. Lucy painaa vaihteen päälle, ajaa
graniittilaatoilla päällystetylle pihalle ja pysäköi pyöränsä ison
mustan oven eteen. Ovi avautuu heti kun hän sammuttaa moot-
torin."

"Mahtava pyörä", sanoo mies jonka Lucy olettaa Frediksi.

Hän on keskimittainen ja solakka ja hänellä on kapeat harti-
at. Hänen tukkansa on tummanvaalea, hänen silmänsä ovat si-
niharmaat. Hän on herkällä tavalla varsin komea.

"En ole varmaan koskaan nähnyt juuri tuollaista harrikkaa",
hän sanoo kiertäessään Lucyn pyörää.

"Ajatko itse?" Lucy kysyy.

"En. Minä jätän vaaralliset hommat muille."

"Sinun täytyy olla Fred." Lucy kättelee. "Saanko tulla si-
sään?"

Lucy seuraa hänen perässään marmorilaatoitetun eteisen
poikki olohuoneeseen, jonka ikkunoista näkee kapealle, synke-
älle kanavalle.

"Mitä äidistäni ja Helenistä? Oletteko saaneet selville jotain?"

Hän esittää kysymyksen vilpittömän tuntuisesti. Hän ei ole
pelkästään utelias tai vainoharhainen. Kärsimys täyttää hänen
silmänsä, ja hänessä on hanakkuutta, heikkoa toivoa.

"Fred", sanoo Lucy. "Minä en ole Browardin piirikunnan se-
riffiasemalta. Minulla on yksityisetsiviä ja laboratorioita ja meitä
on pyydetty avuksi."

"Eli sinä valehtelit minulle tuolla portilla", Fred sanoo, ja sil-
miin tulee epäystävällinen ilme. "Se ei ollut kiva temppu. Sinä
varmaan soitit sen lehtitarjouksenkin. Halusit selvittää olinko
minä kotona."

"Olet oikeassa kummassakin asiassa."

"Ja minun pitäisi muka vastailla sinulle?"

"Pyydän anteeksi", Lucy sanoo. "Asia on liian mutkikas
porttipuhelimessa selitettäväksi."

"Mitä on sattunut? Miksi asia kiinnostaa taas? Miksi juuri nyt?"

"Valitettavasti kysymysten on tultava minulta", Lucy sanoo.

"Setä Samuli osoittaa SINUA sormellaan ja sanoo: MINÄ HALUAN SINUN SITRUSHEDELMÄSI."

Tohtori Self pitää dramaattisen tauon. Hän näyttää itsevarmalta ja tyytyväiseltä nahkatuolillaan studiossa, josta hänen televisio-ohjelmansa lähetetään. Hänellä ei ole ohjelmassaan vieraita. Hän ei tarvitse vieraita. Hänellä on tuolinsa vieressä pöydällä puhelin, ja kamerat kuvaavat häntä eri suunnista kun hän painelee nappeja ja sanoo: "Tohtori Self täällä. Mikä painaa mieltänne?"

"Mitä siitä tuumitte?" hän jatkaa. "Loukkaako maatalousministeriö meidän kansalaisoikeuksiamme?"

Premissi on yksioikoinen, ja hän malttaa tuskin odottaa, että pääsee lyömään lyttyyn sen tomppelin, joka juuri soitti ohjelmaan. Hän vilkaisee monitoria ja on tyytyväinen siihen, miten valot ja kamera on suunnattu häneen.

"Tottavie loukkaa", sanoo tomppeli kaiutinpuhelimesta.

"Mikä sinun nimesi olikaan? Sandy?"

"Joo, minä..."

"Hillitse hilusi, Sandy."

"No mitä..."

"Setä Samuli kirves kädessä? Eikö vain että sellainen mielikuva suurella yleisöllä on?"

"Meitä huijataan. Se on salaliitto."

"Niinkö sinä ajattelet? Vanha kunnon setä Samuli kaataa sinun puitasi niin että rytinä käy."

Tohtori Self huomaa kuvaajien ilmeet. Tuottajakin hymyilee.

"Ne hullut tulevat omine lupineen minun pihalleni ja kas kummaa, yhtäkkiä minun puuni kaadetaan..."

"Ja sinä asut missä, Sandy?"

"Cooper Cityssä. Ymmärrän hyvin ihmisiä, jotka haluavat ampua heidät tai usuttaa koiransa heidän kimppuunsa..."

"Asia on kuule Sandy näin." Tohtori Self kumartuu kuin alleviivatakseen sitä mitä aikoo sanoa, ja kamerat zoomaavat kohti. "Te ihmiset ummistatte silmänne tosiasioilta. Oletteko te osallistuneet kokouksiin? Oletteko te kirjoittaneet valtuutetuille? Oletteko te vaivautuneet esittämään suorasukaisia kysymyksiä ja ottamaan huomioon, että on mahdollisuuksien rajoissa, että maatalousministeriön kannassa on järkeä?"

Hänen tyylinsä on olla vastarannan kiiski, edustaa aina vastakkaista kantaa kuin soittaja. Hän on siitä kuuluisa.

"No ne puheet hurrikaaneista ovat (piip)", tomppeli tiuskaisee, ja tohtori Self arvasi ettei kirosanoja tarvitsisi odottaa kauan.

"Eivät ne ole *piip*", tohtori Self ilkkuu. "Ei siinä asiassa ole mitään piippaamista. Totuus on", hän katsoo kameraan, "että täällä oli viime syksynä neljä isoa hurrikaania, ja totuus on, että sitrusruoste on tuulen levittämä bakteeritauti. Mainostauon jälkeen paneudumme tämän pelätyn kasvitaudin todellisuuteen ja keskustelemme siitä studiovieraamme kanssa. Pian jatketaan."

"Kuva poikki", sanoo kameramies.

Tohtori Self ottaa vesipullonsa. Hän juo siitä pillillä, jotta ei sotke huulipunaansa, ja odottaa että maskeeraaja tulee ehostamaan hänen otsansa ja nenänsä, ärtyy siitä kun maskeeraaja viipyy, ärtyy siitä kun maskeeraaja on hidas työssään.

"No niin. Okei. Nyt riittää." Tohtori Self nostaa toisen käden ylös hätistääkseen maskeeraajan pois. "Tämä menee hyvin", hän sanoo tuottajalle.

"Seuraavassa jaksossa meidän pitäisi minusta keskittyä vahvasti psykologiaan. Siksi sinun ohjelmaasi seurataan, Marilyn. Ei politiikan tähden vaan siksi että yleisöllä on ongelmia naisystävien, esimiesten, äitien ja isien kanssa."

"En minä kaipaa valmennusta."

"En tarkoittanut..."

"Kuulehan. Minun ohjelmani on ainutlaatuinen siksi, että yhdistelen siinä ajankohtaisia asioita ja meidän tunnereaktioitamme."

"Ilman muuta."

"Kolme, kaksi, yksi."

"Tervetuloa takaisin", tohtori Self hymyilee kameralle.

57

Marino seisoo palmun takana Akatemian pihalla ja katsoo kun Reba kävelee Crown Victoriansa luokse. Hän huomaa Reban askelten määrätietoisuuden, yrittää keksiä onko se aitoa vai teeskenneltyä. Hän miettii näkeekö Reba hänet palmun alla, missä hän seisoo tupakalla.

Reba haukkui häntä mäntiksi. Häntä on haukuttu mäntiksi ennenkin, mutta hän ei olisi arvannut että Reba käyttäisi sitä sanaa.

Reba avaa autonsa lukot ja näyttää sitten muuttavan mielensä eikä avaakaan ovea. Hän ei katso Marinon suuntaan mutta Marinosta tuntuu että hän tietää hänen seisovan palmun varjossa Treo kädessä, nappikuuloke korvassa, tupakka suussa. Reba ei olisi saanut puhua sellaisia. Hänellä ei ole oikeutta puhua tohtori Scarpettasta. Effexor pilasi kaiken. Sen piti auttaa masennukseen, mutta se päin vastoin aiheutti masennusta, ja sitten se huomautus Scarpettasta, siitä että kaikki kytät olivat kuumana häneen.

Effexorista oli pelkkää kiusaa. Tohtori Selfillä ei ollut oikeutta määrätä häntä nauttimaan lääkettä, joka pilasi lemmenelämän. Hänellä ei ole oikeutta ottaa Scarpettaa puheeksi vähän väliä kuin Scarpetta muka olisi Marinon elämän tärkein ihminen. Rebankin oli pakko muistuttaa häntä asiasta. Reba sanoi sen mitä sanoi muistuttaakseen häntä siitä ettei hänellä ollut potenssia, muistuttaakseen häntä miehistä joilla sitä on ja jotka haluavat naida Scarpettaa. Marino ei ole ottannut Effexoria moneen viikkoon ja hänen ongelmansa alkaa helpottaa, mutta hänellä on masennusta.

Reba avaa tavaratilan lukon, kävelee auton taakse ja avaa luukun.

Marino miettii mitä hän tekee. Hän päättää ottaa selvää ja olla ihmisiksi ja sanoa Reballe että hänellä ei ole valtuuksia pidättää ketään ja että Reban apu olisi tervetullutta. Hän voi uhkailla ihmisiä minkä haluaa, mutta hänellä ei ole laillisia valtuuksia pidättää ketään. Se on ainoa asia jota hän poliisityössä ikävöi. Reba ottaa auton perästä jonkinlaisen pussin, joka näyttää pyykki-säkiltä, ja heittää sen takapenkille kuin vihapäissään.

"Ruumisko sinulla siellä on?" Marino kysyy kävellessään Rebaa kohti. Hän heittää tupakantumpin nurmikolle.

"Oletko kuullut roskapöntöistä?"

Reba paiskaa oven kiinni eikä juuri katso häneen päinkään.

"Mitä siinä pussissa on?"

"Minun pitää käydä pesulassa. En ole ehtinyt käydä siellä viikkoon, vaikkei se sinulle kuulukaan", Reba sanoo piileskellen aurinkolasien takana. "Älä kohtele minua enää niin inhottavasti ainakaan toisten kuullen. Jos haluat olla mäntti, yritä edes salata se muilta."

Marino katsoo taakseen palmuun päin kuin se olisi hänen lempipaikkansa, katsoo kirkkaansinistä taivasta vasten kohoavaa stukkotaloa ja hapuilee oikeita sanoja.

"Sinä olit epäkunnioittava", hän sanoo.

Reba katsoo häntä pöyristyneenä. "Minäkö? Mitä sinä meinaat? Hulluko sinä olet? Minä muistan että meillä oli kiva ajelu ja sinä kiskoit minut väkisin Hootersille kysymättä halusinko minä mennä sinne. Kuka tässä oikein epäkunnioittava oli? Pakotit minut istumaan siellä ja koko ajan kuolasit kun ne hutsut kulkivat puskurit hyllyen ohi."

"Enkä kuolannut."

"Kuolasitpas."

"En muuten kuolannut", Marino sanoo ja vetää esiin tupakka-askin.

"Sinä poltat liikaa."

"En minä kenenkään tissejä katsellut. Minä join kaikessa rauhassa kahvia ja sitten sinä rupesit noin vain jauhamaan paskaa tohtorista, enkä minä kuuntele sellaista epäkunnioittavaa sontaa."

Reba on mustasukkainen, Marino ajattelee tyytyväisenä. Reba sanoi mitä sanoi koska luuli Marinon tuijottavan Hootersin tarjoilijoita, ja saattoihan hän tuijottaakin. Viestittääkseen Reballe jotain.

"Minä olen ollut hänen kanssaan työasioissa tekemisissä miljoona vuotta enkä minä ole antanut kenenkään puhua hänestä siihen sävyyn enkä aio antaa vastedeskään", Marino jatkaa ja sytyttää savukkeen. Hän katsoo auringonpaisteessa silmiään siristäen opiskelijoita, jotka kävelevät ohi kenttävaatteissa kohti pysäköintialueen maastureita luultavasti ajaakseen Hollywoodin poliisilaitoksen koulutuskeskukseen pommiryhmän havaintoesitykseen.

Näyttää siltä että heille on sovittu se esitys tälle päivälle. He pääsevät leikkimään RemoTecin rakentamalla Eddie-robotilla, katsomaan kun se ryömii perävaunun luiskalta alas telaketjuillaan rehvastelemaan taidoillaan valokaapelin ohjaamana, ja he pääsevät katsomaan myös kun pommikoira Bunky rehvastelee taidoillaan ja palomiehet isoine autoineen rehvastelevat taidoillaan ja pommiryhmän kaverit rehvastelevat taidoillaan dynamiitin ja sytytyslankojen ja keskeyttimien kanssa ja kenties räjäyttävät malliksi auton.

Marino kaipaa sitä kaikkea. Hän on kyllästynyt jäämään ulkopuolelle.

"Olen pahoillani", Reba sanoo seisten autonsa vierellä takaovi vielä auki. "En tarkoittanut sanoa hänestä mitään epäkunnioittavaa. Sanoin vain että jotkut kaverit meillä poliisilaitoksella..."

"Sinun pitää pidättää yksi ihminen", Marino keskeyttää katsoen kelloaan. Häntä ei kiinnosta kuunnella uudestaan sitä minkä Reba jo kertoi hänelle Hootersilla, häntä ei kiinnosta kohdata sitä, että hän oli pieneltä osin itse väärässä.

Tai suurimmalta osin.

Effexor. Reba olisi saanut sen selville ennemmin tai myöhemmin. Perkeleen lääke koitui hänen tuhokseen.

"Ehkä puolen tunnin päästä. Jos voit lykätä itsepalvelupesulassa käyntiä", Marino sanoo.

"Kuivapesulassa, mäntti!" Reba sanoo äänessään äkäisyyttä joka ei ollenkaan uskottavaa.

Reba pitää hänestä vielä.

"Minulla on oma pesukone ja kuivausrumpu", Reba sanoo. "En minä veneen alla asu."

Marino yrittää Lucyn matkapuhelinnumeroa samalla kun sanoo Reballe: "Minä sain idean. En ole varma onnistuuko se, mutta sitä kannattaa kokeilla."

Lucy vastaa ja sanoo ettei hän pysty puhumaan.

"Asia on tärkeä", Marino sanoo katsoen Rebaa ja muistaa heidän viikonloppunsa Key Westissä silloin kun hän ei vielä käyttänyt Effexoria. "Anna minulle kaksi minuuttia."

Hän kuulee Lucyn keskustelevan jonkun kanssa, sanovan että hänen on pakko vastata puhelimeen ja että siihen menee vain hetki. Miesääni sanoo että ilman muuta. Marino kuulee kun Lucy kävelee. Hän katsoo Rebaa ja muistaa kun he joivat itsensä känniin Captain Morgan -rommilla hotellin cocktailbaarissa ja katselivat auringonlaskua ja valvoivat illalla myöhään porealtaassa silloin kun hän ei vielä käyttänyt Effexoria.

"No niin", Lucy sanoo hänelle.

"Onko mahdollista järjestää neuvottelupuhelu, jossa on mukana kaksi kännyä, yksi lankapuhelin ja vain kaksi ihmistä?" Marino kysyy.

"Onko tämä joku Mensan testikysymys?"

"Minä haluan järjestää tilanteen, jossa näyttää siltä kuin olisin työhuoneessani ja juttelisin puhelimessa sinun kanssasi, mutta todellisesti puhunkin sinun kanssasi kännykällä. Haloo? Kuulitko sinä?"

"Tarkoitatko sinä että joku saattaa salakuunnella puheluita, jotka sinä soitat Akatemian vaihteeseen yhdistetyllä lankapuhelimella?"

"Kirjoituspöydälläni olevalla puhelimella", Marino sanoo katsoen Rebaa joka katsoo häntä, yrittäen nähdä onko hän tehnyt tähän vaikutuksen.

"Sitä minä tarkoitin. Kuka?" Lucy kysyy.

"Aion ottaa selvää mutta olen melko varma että tiedän jo."

"Se on mahdotonta ilman järjestelmän hallinnoijan salasanaa. Toisin sanoen ilman minua."

"Minusta tuntuu että joku on saanut salasanan selville. Se selittäisi monta asiaa. Onko mahdollista järjestää sellainen tilanne jonka kuvailin?" Marino kysyy. "Voinko minä soittaa sinulle työhuoneestani lankapuhelimella, ottaa neuvottelupuheluun mukaan matkapuhelimeni ja jättää lankapuhelimen päälle, jotta näyttää siltä että minä puhun sillä vaikka en olekaan huoneessa?"

"Kyllä se onnistuu", Lucy vastaa. "Mutta ei juuri tällä minuutilla."

Tohtori Self painaa välkkyvää puhelinnappia.

"Seuraava soittaja... hän on odottanut vuoroaan jo monta minuuttia ja hänellä on erikoinen lempinimi. Karju? Olen pahoillani. Oletko vielä linjalla?"

"Olen", hiljainen ääni kuuluu studiossa.

"Lähetys on käynnissä", tohtori Self sanoo. "Kuulehan, Karju, kerro meille ensimmäiseksi lempinimestäsi. Kaikki ovat varmasti uteliaita."

"Se on minun oikea nimeni."

Seuraa hiljaisuus, mutta tohtori Self täyttää sen heti. Radiossa ei voi olla hiljaisuutta.

"Olkoon nimesi siis Karju. Sinä soitit kertoaksesi hyvin ihmeellisen tarinan. Olet töissä puutarhapalvelussa. Ja olit eräässä kaupunginosassa ja huomasit jollain pihalla sitrusruostetta…"

"Ei, ei se ihan niin mennyt."

Tohtori Selfiä ärsyttää. Karju on poikennut käsikirjoituksesta. Kun Karju soitti tiistaina iltapäivällä ja tohtori Self teeskenteli olevansa joku muu, Karju sanoi että hän oli havainnut ruostetta jonkun vanhan naisen pihalla Hollywoodissa, vain yhdessä ainoassa appelsiinipuussa, ja nyt kaikki naisen pihan ja naapuripihojen sitruspuut jouduttiin kaatamaan, ja kun hän mainitsi ongelmasta sairaan puun omistajalle, vanhukselle, tämä uhkasi tappaa itsensä jos Karju ilmoittaisi ruosteesta maatalousviranomaisille. Hän uhkasi ampua itsensä tyttärensä haulikolla.

Naisen mies oli istuttanut puut heidän mentyään naimisiin. Mies on kuollut ja vain puut ovat jäljellä, ovat ainoa elävä muisto hänestä. Puiden kaataminen tuhoaa naisen elämästä arvokkaan osan, johon kenelläkään ei ole oikeutta kajota.

"Puiden kaataminen pakottaa naisen hyväksymään puolison menetyksen", tohtori Self selittää yleisölleen. "Ja sen myötä hän ei näe elämässä enää mitään elämisen arvoista. Hän haluaa kuolla. Sinä olet aikamoisessa pinteessä, Karju. Joudut leikkimään Jumalaa", tohtori Self sanoo kaiutinpuhelimelle.

"En minä leiki Jumalaa. Minä teen mitä Jumala käskee. Ei tämä leikkiä ole."

Tohtori Self menee ymmälleen, mutta jatkaa: "Millaisen valinnan edessä sinä oletkaan! Noudatatko valtion määräyksiä vai kuunteletko omaa sydäntäsi?"

"Minä maalasin niihin punaisia raitoja", Karju sanoo. "Nyt nainen on kuollut. Sinä olit seuraava. Mutta aika loppui kesken."

58

He istuvat keittiössä pöydässä jonka vieressä olevasta ikkunasta näkee kapealle kanavalle.

"Kun poliisit tulivat mukaan", Fred Quincy sanoo, "he pyysivät esineitä, joissa voisi olla heidän dna:taan. Hiusharjan, hammasharjan, en muista mitä muuta. Minulle ei kerrottu mitä niille tehtiin."

"Niitä ei todennäköisesti tutkittu lainkaan", Lucy sanoo miettien asiaa josta hän äsken puhui Marinon kanssa. "Esineet ovat luultavasti vieläkin todistevarastossa. Me voimme tiedustella asiaa, mutta en haluaisi jäädä odottamaan."

On uskomatonta ajatellakaan, että joku olisi saanut haltuunsa järjestelmän hallinnoijan salasanan. Järkyttävää suorastaan. Marinon on täytynyt erehtyä. Lucy ei saa asiaa mielestään.

"Poliisit eivät selvästikään pidä tapausta kiireisenä. He ovat alun alkaenkin uskoneet, että he karkasivat. Väkivallan merkkejä ei näkynyt", Fred sanoo. "Poliisien mukaan olisi pitänyt näkyä kamppailun merkkejä tai jonkun olisi pitänyt nähdä jotain. Se sattui aamupäivällä ja ihmisiä oli liikkeellä. Ja äidin maasturi oli kadonnut."

"Minulle sanottiin että hänen autonsa oli vielä siellä. Audi."

"Ei suinkaan. Eikä hän Audilla ajanut. Minulla oli Audi. Joku varmasti näki minun autoni kun minä kävin siellä myöhemmin etsimässä heitä. Äidillä oli Chevy Blazer. Hän kuljetti siinä tavaroita. Ihmiset sotkevat usein asiat perinpohjaisesti. Minä ajoin sinne kaupalle kun olin yrittänyt soittaa koko päivän. Äidin käsilaukku ja auto olivat hävinneet eikä hänestä ja siskosta näkynyt merkkiäkään."

"Entä oliko siellä merkkejä että he olivat käyneet sisällä kaupassa?"

"Valot oli sammutettu. Ikkunassa oli suljettu-kyltti."

"Puuttuiko sieltä mitään?"

"Ei minun tietääkseni. Ei ainakaan mitään minkä olisin heti huomannut. Kassakone oli tyhjä, mutta se ei vielä välttämättä kerro mitään. Äiti jätti siihen yöksi korkeintaan pikkuisen rahaa.

Jotain on täytynyt ilmetä, jos sinä kerran yhtäkkiä tarvitset heidän dna:taan."

"Minä ilmoitan sinulle", Lucy sanoo. "Meillä saattaa olla johtolanka."

"Etkö sinä voi kertoa?"

"Minä lupaan kertoa myöhemmin. Mikä oli ensimmäinen ajatuksesi, kun menit etsimään heitä, kun ajoit kaupalle?"

"Totta puhuen? Minä ajattelin että he eivät olleet edes menneet sinne vaan lähteneet matkohinsa."

"Miksi sinä niin sanot?"

"Ongelmia oli paljon. Taloudellisia vastoinkäymisiä. Henkilökohtaisia ongelmia. Isällä oli erittäin hyvin menestyvä puutarhafirma."

"Palm Beachissa."

"Siellä sen toimisto oli. Mutta hänellä oli kasvihuoneita ja taimitarhoja muuallakin, myös täällä päin. Sitten kahdeksankymmentäluvun puolivälissä hänen firmaltaan romahti pohja pois sitrusruosteen takia. Joka ainoa hänen sitruspuunsa jouduttiin hävittämään ja hän joutui erottamaan suurimman osan työntekijöistä ja oli vähällä tehdä konkurssin. Se oli äidille vaikeaa. Isä pääsi takaisin jaloilleen ja menestyi taas entistä paremmin, ja sekin oli äidille vaikeaa. En tiedä saisinko minä kertoa sinulle tätä kaikkea."

"Fred, minä yritän auttaa. Minä pystyn auttamaan vain jos sinä olet minulle avoin."

"Minä aloitan vaikka siitä, kun Helen oli kaksitoistavuotias", Fred sanoo. "Minä olin silloin ensimmäistä vuotta collegessa. Olen siis tietenkin häntä vanhempi. Helen muutti noin puoleksi vuodeksi asumaan meidän setämme ja tätimme luo."

"Miksi?"

"Se oli surullista. Hän oli niin kaunis ja lahjakas tyttö. Hän pääsi Harvardiin jo kuusitoistavuotiaana, mutta ei kestänyt siellä edes yhtä lukukautta vaan romahti täysin ja palasi kotiin."

"Milloin?"

"Edellisenä syksynä ennen kuin hän ja äiti katosivat. Hän kesti vain marraskuuhun asti, Harvardissa siis."

"Kahdeksan kuukautta ennen kuin hän ja äitinne katosivat?"

"Aivan. Helen peri todella kehnot geenit."

Fred vaikenee kuin miettien, vieläkö jatkaisi, ja sanoo sitten: "Hyvä on. Äiti ei ollut kovin tasapainoinen ihminen. Olet jo saattanut tehdä sen johtopäätöksen hänen joulukoristevimmastaan. Hulluutta ja taas uutta hulluutta aika ajoin niin kauan kuin muistan. Mutta äidin tila kävi todella pahaksi, kun Helen oli kaksitoista. Äiti teki aivan järjettömiä temppuja."

"Kävikö hän psykiatrilla?"

"Parhaalla mitä rahalla sai. Sillä julkkiksella. Hän asui siihen aikaan Palm Beachissa. Tohtori Self. Hän suositteli laitoshoitoa. Se oli varsinainen syy siihen että äiti lähetti Helenin asumaan tädin ja sedän luokse. Äiti oli sairaalassa ja isällä oli työkiireitä eikä hän halunnut hoitaa yksin kaksitoistavuotiasta lasta. Äiti tuli kotiin. Sitten Helenkin tuli eikä kumpikaan ollut enää normaali."

"Kävikö Helenkin psykiatrilla?"

"Ei siihen aikaan", Fred sanoo. "Hän oli vain omituinen. Ei tasapainoton kuten äiti mutta omituinen. Hän menestyi koulussa hyvin, oikein hyvin, siirtyi sitten Harvardiin ja tuli sitten alas niin että rojahti. Hänet löydettiin sieltä jonkin hautaustoimiston eteisestä. Hän ei edes tiennyt omaa nimeään. Eikä siinä vielä kylliksi, vaan sitten isä kuoli. Äidillä alkoi todellinen syöksykierre. Hän kävi viikonloppuisin jossain eikä kertonut minulle missä, ja minä olin aivan hädissäni. Se oli hirveää."

"Poliisit siis päättelivät että hän oli tasapainoton ja oli ennenkin tehnyt katoamistemppuja ja oli nyt ehkä lähtenyt Helenin kanssa matkoihinsa?"

"Mietin itsekin sitä mahdollisuutta. Sitä että äiti ja sisko ovat tuolla jossain."

"Miten isäsi kuoli?"

"Putosi tikkailta kirjastossa. Palm Beachin talo oli kolmikerroksinen. Kaikkialla oli marmoria ja kivilaattoja."

"Oliko hän yksin kotona kun se sattui?"

"Helen löysi hänet ensimmäiseltä porrastasanteelta."

"Talossa ei siis ollut silloin muita heidän kahden lisäksi?"

"Helenin poikakaveri ehkä. En tiedä kuka."

"Milloin tämä sattui?"

"Pari kuukautta ennen kuin hän ja äiti katosivat. Helen oli silloin seitsemäntoistavuotias, varhaiskypsä, tai totta puhuen, kun hän tuli Harvardista takaisin hän oli täysin hillitön. Olen aina miettinyt, oliko se reaktio isään, setään ja muuhun isänpuoleiseen sukuun. Sen jäsenet ovat erittäin uskonnollisia ja totisia, Jeesus sitä ja Jeesus tätä, näkyvästi mukana seurakunnissaan. Opettavat pyhäkoulussa ja yrittävät aina *todistaa* ihmisille."

"Etkö koskaan tavannut Helenin poikakavereita?"

"En. Hän oli paljon menossa, katosi usein moneksi päiväksi. Isoja vaikeuksia. Minä kävin kotona vain jos oli pakko. Äidin jouluvillitys on varsinainen vitsi. Meidän kodissamme ei ollut koskaan joulua. Siellä oli aina hirveää."

Fred nousee pöydästä. "Onko epäkohteliasta jos otan oluen?"

"Ole hyvä vain."

Fred valitsee Michelobin ja kiertää korkin auki. Hän sulkee jääkaapin oven ja istuutuu taas.

"Oliko sisaresi koskaan laitoshoidossa?" Lucy kysyy.

"Samassa paikassa kuin äiti. Kuukauden ajan heti kun hän jätti Harvardin kesken. Minä kutsuin paikkaa Club McLeaniksi. Sukumme mainiot geenit, kuten sanoin."

"Massachusettsin McLeaniako tarkoitat?"

"Kyllä. Etkö tee muistiinpanoja? Minä en käsitä miten sinä muistat kaiken tämän."

Lucy hypistelee kynää joka hänellä on kädessään. Pieni tallennin on käynnissä hänen taskussaan katseilta piilossa.

"Me tarvitsemme sinun äitisi ja siskosi dna:ta", hän sanoo.

"Minä en käsitä mistä sitä enää saisi. Ellei poliisilla ole ne tavarat tallessa."

"Sinun dna:si kelpaa. Se on tavallaan sukupuun dna:ta", Lucy sanoo.

59

Scarpetta katsoo ulos lumiselle kadulle. Kello on lähes kolme ja hän on ollut melkein koko päivän puhelimessa.

"Millainen seulonta teillä on? Täytyyhän teillä olla jonkinlainen menetelmä, jolla valvotte, kuka ohjelmaan pääsee", hän sanoo.

"Totta kai. Joku tuottajistamme keskustelee soittajan kanssa ja varmistaa ettei hän ole mielipuoli."

Sana tuntuu oudolta psykiatrin suusta kuultuna.

"Tämän miehen kanssa minä olin jo keskustellut itse, siis sen nurmikonleikkaajan kanssa. Se on pitkä tarina." Tohtori Self puhuu nopeasti.

"Hänkö sanoi nimekseen Karju kun te juttelitte ensimmäisen kerran?"

"En edes ajatellut asiaa. Hassut lempinimet ovat yleisiä. Minä haluan vastauksen vain yhteen kysymykseen. Onko kukaan iäkäs nainen äskettäin kuollut, tehnyt itsemurhaa? Tehän siitä tietäisitte, eikö totta? Se mies uhkasi tappaa minut."

"Valitettavasti iäkkäitä naisia kuolee jatkuvasti paljon", Scarpetta vastaa vältellen. "Voisitteko antaa tarkempia tietoja? Mitä mies tarkalleen sanoi?"

Tohtori Self kertoo tarinan vanhan naisen pihalla kasvavista sairaista sitruspuista, leskeksi jäämisen surusta, siitä miten nainen uhkasi ampua itsensä miesvainajansa haulikolla jos nurmikonleikkaaja – Karju – olisi kaadattanut hänen puunsa. Benton astuu olohuoneeseen kahden kahvikupin kanssa ja Scarpetta siirtää tohtori Selfin kaiutinpuhelimeen.

"Sitten hän uhkasi tappaa minut", tohtori Self kertoo uudestaan. "Tai sanoi että aikoi tappaa mutta muutti sitten mielensä."

"Minulla on täällä seuranani henkilö, jonka on hyvä kuulla tämä", Scarpetta sanoo ja esittelee Bentonin. "Kertokaa hänelle mitä kerroitte juuri minulle."

Benton istuu sohvalla kun tohtori Self sanoo ettei hän käsitä miksi Floridassa mahdollisesti sattunut itsemurha kiinnostaisi Massachusettsissa toimivaa oikeuspsykologia. Mutta Bentonilla voi olla painavaa sanottavaa tohtori Selfin tappouhkauksesta ja hän ottaisi Bentonin mielellään ohjelmaansa joskus tulevaisuudessa. Millainen ihminen häntä saattaisi uhata? Onko hän vaarassa?

"Pidetäänkö studiossa kirjaa soittajien numeroista?" Benton kysyy. "Tallennetaanko numerot edes tilapäisesti?"

"Luulisin."

"Pyydän teitä selvittämään asian viipymättä", Benton sanoo. "Olisi hyvä tietää mistä hän soitti."

"Sen minä tiedän että me emme ota vastaan soittoja, jos numeron näyttö on estetty. Näytönesto on kumottava, sillä kerran yksi mielenvikainen nainen uhkasi lähetyksen aikana tappaa minut. On sitä sattunut ennenkin. Hän oli estänyt numeronsa näytön. Sitten panimme stopin."

"Siinä tapauksessa on tietenkin selvää, että te saatte soittajien numerot näkyviin", Benton sanoo. "Pyydän teitä tulostamaan kaikki numerot ja soittajien nimet tämän iltapäivän ohjelmasta. Mainitsitte myös keskustelleenne tämän nurmikonleikkaajan kanssa jo aiemmin. Milloin, ja oliko se paikallispuhelu? Jäikö numero teidän puhelimeenne?"

"Tiistaina myöhään iltapäivällä. Minulla ei ole soittajan numeron näyttöä. Minulla on salainen numero joten en tarvitse sitä."

"Esittäytyikö soittaja?"

"Hän sanoi nimekseen Karju."

"Soittiko hän teille kotiin?"

"Yksityisvastaanotolleni. Minä otan potilaita vastaan taloni takaosassa. Oikeastaan vastaanottoni on erillisessä vieras- kautta uima-allastalossa."

"Miten hän olisi voinut saada numeron?"

"Ei aavistusta, nyt kun kysytte. Numero on tietenkin kaikilla työtovereillani ja muilla joiden kanssa olen tekemisissä työasioissa, sekä potilaillani."

"Voisiko mies olla joku potilaanne?"

"En tunnistanut häntä äänestä. En keksi kuka hän voisi olla. Tässä on kyse jostain isommasta asiasta." Tohtori Self alkaa painostaa. "Minulla on mielestäni oikeus tietää, jos tässä miehessä on jotain tiedettävää. Ensinnäkään te ette ole kertoneet, onko joku vanha nainen tehnyt itsemurhan haulikolla, koska hänen sitruspuunsa ovat sairastuneet."

"Ei mitään juuri sellaista", sanoo Scarpetta vuorostaan, "mutta äskettäin sattui tapaus, joka kuulostaa samankaltaiselta kuin kuvailemanne tapaus. Eräs iäkäs nainen jonka puut oli merkitty kaadettavaksi. Haulikkokuolema."

"Laupias taivas! Sattuiko se kuuden jälkeen tiistai-iltana?"

"Todennäköisesti ennen sitä", Scarpetta vastaa melko varmana siitä miksi tohtori Self kysyy.

"Se on helpotus. Siinä tapauksessa nainen oli kuollut jo kun se Karju, se nurmikonleikkaaja, soitti minulle. Hän soitti ehkä viisi tai kymmenen yli kuuden ja pyysi päästä minun ohjelmaani. Hän kertoi tarinan siitä vanhasta naisesta joka uhkasi tappaa itsensä. Naisen on siis täytynyt tehdä se jo ennen. En haluaisi ajatella että hänen kuolemansa liittyy mitenkään siihen että se mies halusi mukaan ohjelmaani."

Benton luo Scarpettaan katseen joka sanoo: uskomattoman narsistinen narttu. Hän sanoo kaiutinpuhelimeen: "Tohtori Self, me yritämme parhaillaan keksiä vastauksen moneen muuhunkin asiaan. Meille olisi suuri apu siitä jos voisitte kertoa meille edes hiukan enemmän David Luckista. Te määräsitte hänelle Ritalinia."

"Kerrotteko te seuraavaksi, että hänellekin on sattunut jotain kamalaa? Minä tiedän että hän on kateissa. Onko hänestä uutta tietoa?"

"On syytä olla vakavasti huolissaan." Scarpetta toistaa saman mitä hän on sanonut jo aiemminkin. "Meillä on aihetta olla erittäin huolestuneita hänestä, hänen veljestään ja sisaruksista joiden kanssa he asuivat. Kuinka pitkään olette hoitanut Davidia?"

"Viime kesästä saakka. Muistaakseni hän tuli vastaanotolleni ensimmäisen kerran viime heinäkuussa. Saattoi olla kesäkuun lopulla. Hänen isänsä ja äitinsä olivat saaneet surmansa kolarissa ja hän kapinoi voimakkaasti ja menestyi huonosti koulussa, oikeammin sanoen kotiopetuksessa, jossa hän oli veljensä kanssa."

"Kuinka usein hän kävi vastaanotollanne?" Benton kysyy.

"Yleensä kerran viikossa."

"Kuka hänet toi vastaanotolle?"

"Joskus Kristin, joskus Ev. Silloin tällöin he toivat hänet yhdessä ja joskus keskustelin kaikkien kolmen kanssa."

"Keneltä David sai lähetteen teille?" Scarpetta kysyy. "Miten hän tuli teidän potilaaksenne?"

"Se tapahtui varsin koskettavasti. Kristin soitti ohjelmaan. Hän ilmeisesti kuuntelee sitä usein ja ajatteli että hän sen kautta saisi yhteyden minuun. Hän siis soitti ohjelmaan ja kertoi hoitavansa eteläafrikkalaista poikaa, joka oli juuri menettänyt vanhempansa ja tarvitsi apua ja niin edelleen ja niin edelleen. Se oli riipaiseva tarina ja minä lupasin jo ohjelman aikana ottaa pojan vastaanotolleni. Ette arvaakaan miten paljon postia minä sain sen jälkeen kuuntelijoilta. Kirjeitä ja kortteja tulee vieläkin kun kuuntelijat kysyvät, mitä sille eteläafrikkalaiselle orvolle kuuluu."

"Onko teillä kyseinen ohjelma nauhalla?" Benton kysyy.

"Meillä on kaikki nauhalla."

"Kuinka pian saisitte minulle kopion siitä nauhasta ja tämänpäiväisestä televisio-ohjelmastanne? Me olemme ikävä kyllä lumisateen takia motissa. Me teemme parhaamme täältä käsin mutta mahdollisuutemme ovat rajalliset."

"Olen kuullut että siellä on melkoinen lumimyrsky. Toivottavasti teiltä eivät mene sähköt", tohtori Self sanoo kuin he olisivat jutelleet mukavia viimeiset puoli tuntia. "Voin soittaa tuottajalleni heti ja hän voi lähettää äänitiedostot teille sähköpostin liitteenä. Hän haluaa varmasti keskustella kanssanne siitä että tulisitte joskus ohjelmaani vieraaksi."

"Ja soittajien numerot", Benton muistuttaa.

"Tohtori Self?" sanoo Scarpetta ja katsoo pettyneenä ikkunasta.

Lumisade on alkanut uudestaan.

"Entä Tony? Davidin veli?"

"He tappelivat usein."

"Oliko Tonykin potilaanne?"

"En tavannut häntä koskaan", tohtori Self vastaa.

"Te sanoitte että tunsitte sekä Evin että Kristinin. Oliko kummallakaan syömishäiriötä?"

"Minä en hoitanut kumpaakaan. He eivät olleet minun potilaitani."

"Luulisi sen paljastuvan ulkonäöstä. Toinen oli porkkanadieetillä."

"Ulkonäöstä päätellen Kristin", tohtori Self vastaa.

Scarpetta katsoo Bentoniin. Hän käski Akatemian dna-laboratoriota ottamaan yhteyden etsivät Thrushiin heti kun hän huomasi kovakalvon keltaisuuden. Bostonista löydetyn kuolleen naisen dna on todettu samaksi kuin dna, jota oli Kristinin ja Evin talossa olleen paidan kellertävissä tahroissa. Bostonin ruumishuoneella oleva vainaja on todennäköisesti Kristin, mutta Scarpetta ei välitä kertoa sitä tohtori Selfille, joka saattaisi hyvinkin puhua siitä radiossa.

Kun Scarpetta lopettaa puhelun, Benton nousee sohvalta laittamaan klapin takkaan. Scarpetta katsoo ulos lumisateeseen.

Hiutaleet vilisevät Bentonin etuportin lamppujen valossa.

"Ei enää kahvia", Benton sanoo. "Minun hermoni ovat saaneet tarpeeksi kofeiinia."

"Tuleeko täällä aina lunta?"

"Päätiet on luultavasti jo aurattu. Täällä auraus hoidetaan hämmästyttävän nopeasti. En usko että pojilla on mitään tekemistä tämän kanssa."

"On heillä jotain", Scarpetta sanoo astuessaan takan eteen. Hän istuutuu. "He ovat kadonneet. Näyttää siltä että Kristin on kuollut. Todennäköisesti he kaikki ovat."

60

Marino soittaa Joelle ja Reba istuu sillä aikaa hiljaa syventyneenä helvettitilanteisiin.

"Minun pitää käydä sinun kanssa läpi muutama juttu", Marino sanoo Joelle. "On ilmennyt ongelma."

"Millainen ongelma?" Joe kysyy varovasti.

"Minun täytyy kertoa nokatusten. Minun pitää ensin vastata soittopyyntöihin ja hoitaa pari asiaa. Missä sinä olet seuraavan tunnin ajan?"

"Huoneessa satakaksitoista."

"Oletko sinä siellä nyt?"

"Menossa sinne."

"Annahan kun yritän arvata", Marino sanoo. "Sinä valmistelet seuraavaa minulta varastamaasi helvettitilannetta."

"Jos sinä kutsut minut juttelemaan niistä..."

"En", Marino sanoo. "Kyse on paljon pahemmasta asiasta."

"Sinä olet aika epeli", Reba sanoo Marinolle laskiessaan helvettitilanteiden käsikirjoitukset takaisin hänen pöydälleen. "Ne ovat todella hyviä. Itse asiassa loistavia, Pete."

"Aloitetaan viiden minuutin päästä, jotta hän ehtii huoneeseensa", ja nyt hän on puhelimessa Lucyn kanssa. "Anna tulla, mitä minun pitää tehdä."

"Sinä katkaiset puhelun ja minä kanssa, painat sitten pöytä-puhelimesi neuvottelunäppäintä ja soitat minun matkapuheli-meeni. Kun minä vastaan, painat neuvottelunäppäintä uudes-taan ja näppäilet oman kännykkänumerosi. Sitten voit joko pan-na pöytäpuhelimen pitoon, jotta linja pysyy auki, tai katkais-ta puhelun mutta jättää luurin pöydälle. Jos joku salakuunte-lee meidän puheluamme, hän olettaa sinun olevan työhuonees-sasi."

Marino odottaa muutaman minuutin ja tekee sitten kuten Lucy neuvoi. Hän kävelee Reban kanssa pihalle ja puhuu samal-la Lucyn kanssa matkapuhelimessa. He puhuvat oikeista asiois-ta ja Marino toivoo että Joe kuuntelee salaa. Hänellä ja Lucyl-la on ollut tähän asti onnea. Kuuluvuus on hyvä. Lucyn ääni on selvä kuin tulisi viereisestä huoneesta.

He juttelevat uusista moottoripyöristä ja kaikenlaisista asiois-ta samalla kun Marino ja Reba kävelevät.

Motelli Last Stand on tehty tuplaleveästä siirtoparakista, jo-ka on jaettu kolmeen huoneeseen rikospaikkalavastuksia var-ten. Kaikissa huoneissa on oma numeroitu ovensa. Huone 112 on keskimmäinen. Marino huomaa, että etuikkunan verho on suljettu, ja hän kuulee ilmastointilaitteen hurinan. Hän kokeilee ovea ja se on lukossa, ja hän potkaisee sitä kovasti isolla moot-toripyöräsaappaan suojaamalla jalallaan, ja hutera ovi revähtää auki ja paiskautuu seinää vasten. Joe istuu pöydän ääressä luu-ri korvalla. Hän on yhdistänyt puhelimeen nauhurin. Hänen il-meensä on ensin järkyttynyt ja sitten pelästynyt. Marino ja Reba katsovat häntä.

"Arvaa miksi tämän talon nimi on motelli Last Stand?" Ma-rino kysyy astuessaan Joen luokse. Hän kiskaisee Joen tuolilta ylös kuin hän ei painaisi mitään. "Koska sinä olet yhtä varmasti kuollut kuin kenraali Custer viimeisessä taistelussaan."

"Päästä irti! Minuun sattuu!"

Marino pudottaa hänet. Joe jymähtää kipeästi lattiaan.

"Tiedätkö miksi hän on täällä?" Hän viittaa Rebaan. "Hän pi-dättää sinut."

"En minä ole mitään pahaa tehnyt!"

"Paitsi väärentänyt asiakirjoja, syyllistynyt varkauteen ja mahdollisesti tappoon koska sinä selvästikin varastit sen hauli-kon jolla tapettiin eräs nainen toisessa osavaltiossa. Ai niin ja petokseen myös", Marino lisää piittaamatta siitä, ovatko syytteet perusteltuja.

"Enkä! Minä en tiedä mistä sinä puhut!"

"Lakkaa kiljumasta, en minä kuuro ole. Etsivä Wagner on paikalla todistajana, eikö niin?"

Reba nyökkää tuima ilme kasvoillaan. Marino ei ole koskaan nähnyt hänellä niin pelottavaa ilmettä.

"Oletteko nähnyt minun koskevan häneen sormellanikaan?" Marino kysyy Rebalta.

"En todellakaan", Reba vastaa.

Joe pelkää niin että voisi kastella housunsa.

"Haluatko kertoa miksi sinä sen haulikon varastit ja kenelle sen annoit tai myit?" Marino vetää kirjoituspöydän takana olevan tuolin esiin, pyöräyttää sen ympäri, istuutuu sille takaperin ja nojaa paksut käsivartensa sen selälle. "Vai sinäkö sen rouvan ammuit? Ehkä sinä elät todeksi helvettitilanteita. Minä en tosin kirjoittanut sen tilanteen käsikirjoitusta. Sinun on täytynyt varastaa se joltain muulta."

"Minkä naisen? En minä ole ketään tappanut. En minä mitään haulikkoa ole varastanut. Mistä haulikosta sinä puhut?"

"Siitä jonka sinä lainasit 28. kesäkuuta vartin yli kolme iltapäivällä. Siitä joka on siinä tiedostossa jonka sinä juuri päivitit syyllistyen taas yhteen väärennökseen."

Joen suu on auki ja hänen silmänsä ovat tapilla.

Marino vetää takataskustaan paperilapun, avaa sen suoraksi ja ojentaa Joelle. Se on valokopio kansion lehdestä, johon Joe on merkinnyt lainanneensa Mossberg-haulikon ja muka palauttaneensa sen.

Joe katsoo valokopiota kädet vapisten.

Hän sanoo: "Minä vannon etten minä vienyt sitä. Minä muistan miten siinä kävi. Minä tein lisää kokeita räjähdegelatiinilla ja saatoin ampua sillä yhden koelaukauksen. Sitten menin labran keittiöön jollekin asialle, muistaakseni katsomaan muita kimpaleita jotka olin juuri tehnyt, niitä joilla me simuloimme lento-onnettomuuteen joutuneita matkustajia. Muistatko kun Lucy pudotti sillä isolla helikopterilla lentokoneen rungon taivaalta, jotta opiskelijat pääsivät…"

"Mene asiaan!"

"Kun tulin takaisin, haulikko oli viety. Minä oletin että Vince oli vienyt sen takaisin holviin lukkojen taakse. Oli jo ilta. Hän pani sen sinne todennäköisesti siksi että oli lähdössä kotiin. Muistan että se potutti minua koska olisin halunnut ampua sillä vielä pari kertaa."

"Ei ihme että sinun pitää varastaa minun helvettitilanteitani", Marino sanoo. "Sinulla ei ole mielikuvitusta. Yritä uudestaan."

"Minä puhun totta."

"Haluatko sinä että hän vie sinut täältä käsiraudoissa?" Marino kysyy heilauttaen peukaloaan Rebaan päin.

"Sinä et pysty todistamaan mitään."

"Minä pystyn todistamaan, että sinä olet syyllistynyt väärentämiseen", Marino sanoo. "Haluatko jutella niistä suosituskirjeistä, jotka sinä väärensit, jotta tohtori myönsi sinulle stipendin?"

Hetken ajaksi Joe menee sanattomaksi. Sitten hän alkaa löytää malttiaan takaisin. Hänen kasvoilleen tulee taas sama näsäviisas ilme.

"Todista se!" hän sanoo.

"Kaikki kirjeet ovat samanlaisella vesileimatulla paperilla."

"Ei todista yhtään mitään."

Joe nousee seisomaan ja hieroo alaselkäänsä.

"Minä haastan sinut oikeuteen", hän sanoo.

"Hyvä. Siinä tapauksessa minä voin yhtä hyvin satuttaa sinua kunnolla", Marino sanoo ja hieroo nyrkkiään. "Voisin vaikka taittaa sinulta niskat nurin. Tehän ette ole huomannut minun koskevankaan häneen, etsivä Wagner?"

"En todellakaan", Reba sanoo. Ja lisää: "Jos te ette varastanut haulikkoa, kuka sen vei? Oliko aselabrassa sinä iltapäivänä teidän lisäksenne ketään muita?"

Joe miettii hetken aikaa ja jotain näkyy hänen silmissään.

"Ei", hän vastaa.

61

Valvomossa olevat vartijat pitävät vuorokauden ympäri silmällä vankeja, jotka on arvioitu itsemurhariskeiksi.

He tarkkailevat Basil Jenrettea. He katselevat häntä kun hän nukkuu, kun hän käy suihkussa, kun hän syö. He katselevat häntä kun hän käyttää teräksistä wc:tä. He katselevat kun hän kääntää selkänsä kameralle ja purkaa seksuaalista jännitystään lakanoiden välissä kapealla teräslaverillaan.

Hän kuvittelee vartijoiden nauravan hänelle. Hän kuvittelee mitä he sanovat valvomossa katsellessaan häntä näytöistä. He tekevät hänestä pilaa toisille vartijoille, hän tietää sen heidän virneestään kun he käyvät tuomassa hänelle syötävää tai päästävät hänet sellistä hetkeksi liikkumaan tai soittamaan. Joskus he letkauttelevat hänelle suoraan. Joskus he ilmestyvät hänen sellinsä ovelle juuri kun hän on purkamassa seksuaalista jännitystään ja matkivat hänen ääniään ja nauravat ja rynkyttävät ovea.

Basil istuu sängyllä ja katsoo vastakkaiselle seinälle katon rajaan asennettua kameraa. Hän selailee metsästys- ja kalastuslehtiään, joita hänellä on monen kuukauden ajalta, ja muistelee ensimmäistä kertaa, jolloin hän tapasi Benton Wesleyn ja teki virheen vastaamalla yhteen kysymykseen rehellisesti.

Ajatteletko koskaan itsesi tai toisten satuttamista?

Minä olen jo satuttanut toisia joten kai minä sitä ajattelen, Basil vastasi.

Millaisia ajatuksia sinulla on? Voitko kuvailla, mitä sinun mielessäsi käy kun ajattelet toisten ihmisten tai itsesi satuttamista?

Minä ajattelen silloin että tekisin uudestaan sitä mitä ennenkin. Että näkisin jonkun naisen ja minulle tulisi hinku. Ottaisin hänet poliisiautoni kyytiin ja vetäisin aseen ja ehkä poliisilätkän esiin ja sanoisin että minä pidätän hänet, ja jos hän panisi vastaan, jos hän edes koskisi ovenkahvaan, minulla ei olisi muuta vaihtoehtoa kuin ampua hänet. He kaikki tottelivat.

Yksikään ei pannut vastaan.

Vain ne kaksi viimeistä. Koska auto reistaili. Se oli ihan älytöntä.

Ne muut, ennen niitä kahta viimeistä, uskoivatko he että sinä olit poliisi ja että oikeasti pidätit heidät?

He uskoivat että minä olin poliisi. Mutta he tiesivät mistä oli kyse. Minä halusin heidän tietävän. Minulla rupesi seisomaan. Minä näytin heille että minulla seisoi, käskin heidän laittaa kätensä päälle. He tiesivät kuolevansa. Se oli ihan älytöntä.

Mikä on älytöntä, Basil?

Ihan älytöntä. Minä olen sanonut sen vaikka kuinka monta kertaa. Olethan sinä kuullut kun olen sanonut? Haluaisitko sinä, että minä ampuisin sinut heti sinne autooni vai vasta kun olisin vienyt sinut jonnekin missä voisin rauhassa tehdä sinulle kaikenlaista? Miksi antaisit minun viedä sinut jonnekin salaiseen paikkaan ja sitoa sinut?

Basil, kerro miten sinä sidoit heidät. Aina samalla tavallako?

Joo. Minulla on tosi näppärä systeemi. Se on aivan ainutlaatuinen. Minä keksin sen kun aloin pidättää naisia.

Pidättämisellä tarkoitat sieppaamista ja raiskaamista.

Kun minä aloitin, joo.

Basil hymyilee istuessaan laverillaan ja muistellessaan miten innostavaa oli kiertää rautalankavaateripustimet heidän nilkkoihinsa ja ranteisiinsa ja pujottaa niihin köysi, josta hän pystyi ripustamaan heidät.

He olivat minun sätkynukkejani, hän selitti tohtori Wesleylle ensimmäisessä haastattelussa ja mietti millainen paljastus saisi tohtorin hätkähtämään.

Tohtori Wesleyn katse pystyi tyynenä, sanoi Basil mitä vain. Tohtori kuunteli eikä antanut Basilin paljastusten näkyä kasvoiltaan. Ehkä hän oli tunteeton. Ehkä hän on samanlainen kuin Basil.

Katsokaas kun siinä talossa jota minä käytin oli kattoparrut paljaana, koska sisäkatto oli romahtanut, varsinkin yhdessä perähuoneessa. Minä heitin köydet parrun yli ja sitten pystyin kiristämään ja löysäämään niitä miten halusin, antamaan naisille enemmän tai vähemmän liekaa.

Eivätkä he panneet koskaan vastaan, edes tajuttuaan mitä heillä oli edessä kun olit saanut heidät siihen rakennukseen. Millainen se oli? Omakotitaloko?

En muista.

Mutta panivatko he vastaan, Basil? Kuulostaa siltä että heidät oli vaikea sitoa niin monimutkaisella tavalla, jos samalla uhkasit heitä aseella.

Minä olen aina haaveillut siitä että joku olisi paikalla katsomassa, Basil sanoi kiertäen kysymyksen. Ja että naisin kun se olisi ohi. Naisin monta tuntia ja ruumis olisi vieressä samalla patjalla.

Naisit ruumista vai jotakuta toista?

Se ei ole kiinnostanut minua koskaan. En minä sellaisesta välitä. Minä haluan kuulla ääniä. Tarkoitan että sen piti sattua helvetisti. Joskus heiltä meni olkapää sijoiltaan. Sitten minä löysäsin köyttä sen verran että he pääsivät tekemään tarpeensa. Sitä minä inhosin. Ämpärin tyhjentämistä.

Entä heidän silmänsä, Basil?

No katsotaanpas, hah hah.

Tohtori Wesleytä ei naurattanut, ja se ärsytti Basilia hiukan.

Minä annoin heidän tanssia köyden jatkona kuin hirtetyt. Eikö teitä koskaan naurata? Onhan tässä hyvänen aika mukana hauskojakin puolia.

Basil, minä kuuntelen sinua. Minä kuuntelen sinun jokaista sanaasi.

Se oli sentään hyvä. Ja kuuntelihan hän. Tohtori Wesley kuunteli ja piti jokaista sanaa tärkeänä ja kiehtovana, piti Basilia mielenkiintoisimpana ja omaperäisimpänä henkilönä jota hän oli koskaan haastatellut.

Heti kun olin valmis panemaan heitä, hän jatkoi. Silloin minä hoidin silmät. Jos minulla olisi kunnollisen kokoinen kulli, se ei olisi ollut tarpeen.

He olivat tajuissaan kun sinä puhkaisit heidän silmänsä.

Jos minä olisin pystynyt antamaan heille jonkinlaista kaasua tai kopauttamaan heidät tajuttomiksi sen leikkauksen ajaksi, olisin tehnyt sen. Ei minusta ollut ollenkaan mukavaa että he huusivat ja piehtaroivat kuin elukat. Mutta minä en voinut naida heitä ennen kuin he olivat sokeita. Minä selitin sen heille. Minä sanoin: *Olen todella pahoillani että minun pitää tehdä tämä, ymmärrätkö? Minä teen sen mahdollisimman äkkiä. Se sattuu pikkuisen.*

Eikö ole hauskaa? *Se sattuu pikkuisen.* Aina kun minulle sanotaan niin, minä tiedän että se sattuu jumalattomasti. Sitten minä sanoin että minä avaisin köydet ja rautalangat jotta me voisimme naida. Minä sanoin että jos he yrittäisivät karata tai tehdä jotain tyhmää, minä tekisin heille jotain vielä kurjempaa kuin olin jo tehnyt. Siinä kaikki. Me naimme.

Kuinka kauan tätä jatkui?

Ai naimistako?

Kuinka kauan sinä pidit heidät elossa ja nait heitä?

Miten nyt milloinkin. Jos minä tykkäsin naida heitä, pidin jotkut elossa monta päivää. Pisin aika taisi olla kymmenen päivää. Mutta se oli virhe, koska hän sai pahan tulehduksen ja se oli iljettävää.

Teitkö sinä heille mitään muuta? Sen lisäksi että puhkaisit heiltä silmät ja nait heidän kanssaan?

Minä tein kokeiluja. Joskus.

Kidutitko sinä heitä?

Minä sanoisin että silmien puhkaiseminen... no jaa, Basil vastasi, ja nyt häntä kaduttaa että hän sanoi niin.

Siitä avautui avain uusi kysymysten sarja. Tohtori Wesley aloitti hyvän ja pahan erottamisesta ja siitä, ymmärsikö Basil toisille ihmisille aiheuttamansa kärsimykset sanoen että jos hän tiesi että jokin asia oli kiduttamista, hän tiesi mitä hän teki jo teon hetkellä samoin kuin myöhemmin tekoa muistellessaan. Ei hän sitä ihan noin sanonut, mutta sitä hän ajoi takaa. Samaa tylsää litaniaa jota hän kuuli Gainesvillessä, kun kallonkutistajat yrittivät selvittää, oliko hän täyttä ymmärrystä vailla vai voisiko hänet viedä oikeuteen. Hän ei olisi saanut paljastaa että hän oli täysjärkinen. Sekin oli tyhmä virhe. Vankilamielisairaala on viiden tähden hotelli verrattuna tavalliseen vankilaan, varsinkin jos joutuu odottamaan kuolemantuomion täytäntöönpanoa klaustrofobisen ahtaassa sellissä, missä tuntee itsensä sirkuspelleksi sinivalkoraitaisissa housuissa ja oranssinvärisessä t-paidassa.

Basil nousee teräslaveriltaan ja venyttelee. Hän teeskentelee ettei hän välitä seinällä olevasta kamerasta. Hän ei olisi saanut myöntää ajattelevansa toisinaan itsemurhaa, että jos hän tekisi sen hän viiltäisi ranteensa auki ja katsoisi kun hän vuotaisi kuiviin tippa tipalta, katsoisi kun lammikko leviää lattialle, koska se muistuttaisi häntä entisistä nautinnon hetkistä kuinka monen naisen kanssa? Hän oli mennyt laskuissaan sekaisin. Hän sanoi tohtori Wesleylle kahdeksan. Vai kymmenen?

Hän venyttelee vielä. Hän käyttää teräksistä wc:tä ja palaa laverille. Hän avaa metsästys- ja kalastuslehden tuoreimman numeron, katsoo sivua 52, jossa pitäisi olla kolumni erään metsästäjän ensimmäisestä kaksikymmentäkaksikaliiperisesta kivääristä ja onnellisista metsästysmuistoista ja kalareissuista Missourissa.

Sivu 52 ei ole alkuperäinen. Oikea sivu 52 repäistiin irti, skannattiin tietokoneeseen, ja sitten lehden tekstiin vaihdettiin kirje, jossa käytettiin samaa kirjasinta ja tekstin asettelua kuin alkuperäisessä jutussa. Korjailtu sivu 52 tulostettiin ja sijoitettiin selkäpuolensa, sivun 51, kanssa huolellisesti lehden väliin käyttäen hiukan liimaa, ja metsästys- ja kalastusjutulta näyttävä kolumni onkin salainen viesti Basilille.

Vartijoilla ei ole mitään sitä vastaan että vangeille tulee kalastuslehtiä. He eivät yleensä edes selaa niitä, sellaisia pitkäveteisiä lehtiä joissa ei ole lainkaan seksiä eikä väkivaltaa.

Basil menee peiton alle, kääntyy sängyllä vinosti vasemmalle kyljelle selkä kameraan päin kuten aina kun hänelle tulee tarve lievittää seksuaalista jännitystään. Hän vetää ohuen patjan alta kangassuikaleet, jotka on hän viikon mittaan vähitellen repinyt kaksista valkoisista alushousuista.

Hän ryhtyy taas repimään peiton alla hampaillaan ja käsillään. Hän käärii suikaleet tiiviille kerälle, jossa on jo lähes kaksi metriä suikaleista solmittua narua. Kangasta on vielä jäljellä kahteen suikaleeseen. Hän repii niitä hampailla ja käsillä. Hän huohottaa ja keinuttaa itseään hieman kuin purkaisi seksuaalista jännitystään ja repii ja solmii uuden suikaleen narun päähän ja repii ja sitoo sitten viimeisen suikaleen.

62

Lucy istuu Akatemian tietokonekeskuksessa kolmen ison videonäytön edessä ja lukee sähköposteja palauttaessaan niitä palvelimelle.

Hän ja Marino ovat saaneet tähän mennessä selville, että ennen stipendivuotensa alkua Joe Amos oli ollut yhteydessä televisiotuottajaan, joka väitti olevansa kiinnostunut kehittämään kaapeliverkkoon taas yhden rikostutkimussarjan. Joelle luvattiin konsultoinnista viisituhatta dollaria jaksolta edellyttäen, että joku kaapeliverkko ostaisi sarjan. Ilmeisesti Joe alkoi saada neronleimauksia tammikuun lopulla, suunnilleen samoihin aikoihin kuin Lucya alkoi oksettaa hänen testatessaan erään helikopterinsa uutta hallintalaitteistoa. Hän juoksi wc:hen ja unohti Treonsa helikopteriin. Aluksi Joe toimi varovasti ja plagioi ainoastaan helvettitilanteita. Sitten hän lakkasi kursailemasta, varasti käsikirjoituksia sellaisenaan ryhdyttyään penkomaan tietokantoja sydämensä kyllyydestä.

Lucy palauttaa seuraavan sähköpostin, joka on päivätty kymmenes helmikuuta vuosi sitten. Sen kirjoitti viime kesän harjoittelija Jan Hamilton, tyttö, joka sai neulanpiston ja uhkasi haastaa Akatemian oikeuteen:

Arvoisa tohtori Amos, kuuntelin tohtori Selfin ohjelman, jossa olitte mukana, ja minua kiinnosti kovasti se mitä sanoitte Rikostutkimusakatemiasta. Se kuulostaa uskomattomalta paikalta. Haluan myös onnitella teitä saamastanne stipendistä. Se on vaikuttava saavutus. Voisittekohan auttaa minua pääsemään Akatemiaan kesäharjoittelijaksi? Opiskelen tumabiologiaa ja genetiikkaa Harvardissa. Haluan töihin oikeuslaboratorioon ja toiveeni on erikoistua dna-tutkijaksi. Liitän oheen tiedoston, jossa on valokuvani ja muuta henkilökohtaista tietoa. Jan Hamilton.

PS. Minut tavoittaa varmimmin tästä osoitteesta. Harvardinosoitteeni on suojattu palomuurilla ja pystyn käyttämään sitä ainoastaan ollessani kampuksella.

"Vittu", Marino sanoo. "Voi vittujen kevät perkele."

Lucy palauttaa lisää sähköposteja, avaa niitä kymmenittäin, sähköposteja jotka muuttuvat koko ajan henkilökohtaisemmiksi, sitten romanttisiksi, sitten irstaiksi, Joen ja Janin välisiä posteja, jotka jatkuivat Janin ollessa harjoittelijana Akatemiassa aina siihen sähköpostiin asti, jonka Joe lähetti Janille heinäkuun alussa ja jossa Joe ehdotti Janin kokeilevan jotain uutta helvettitilanteessa, joka oli määrä järjestää Ruumistarhassa. Joe sopi että Jan kävisi hänen työhuoneessaan hakemassa neuloja ja kaikkea muuta *mukavaa mitä haluat.*

Lucy ei ole katsonut videota, joka kuvattiin tästä pahasti vikaan menneestä helvettitilanteesta. Hän ei ole katsonut videoita muistakaan helvettitilanteista. Ne eivät ole tätä ennen kiinnostaneet häntä.

"Mikä se on nimeltään?" hän kysyy hermostuen.

"Ruumistarha", Marino vastaa.

Lucy löytää videotiedoston ja avaa sen.

He katsovat opiskelijoita, jotka kiertävät ruumista. Vainaja on lihava mies; Lucy ei ole juuri sen lihavampaa miestä nähnyt. Ruumis on maassa päällään halpa harmaa puku, todennäköisesti sama jossa hän koki äkkikuoleman sydänpysähdyksen yllättämänä. Mätäneminen on jo alkanut. Toukat kuhisevat miehen kasvoilla.

Kamera kääntyy kauniiseen nuoreen naiseen, joka penkoo vainajan takintaskua. Nainen kääntyy kameraan, vetäisee kätensä ulos ja kirkaisee. Hän huutaa että hän on saanut piston käsineen läpi.

Stevie.

Lucy yrittää saada Bentonin kiinni. Hän ei vastaa. Hän yrittää tätinsä numeroa eikä saa häntäkään kiinni. Hän soittaa kuvantamoon ja tohtori Susan Lane vastaa puhelimeen. Hän sanoo Lucylle että sekä Bentonin että Scarpettan pitäisi tulla minä hetkenä hyvänsä, että heillä on tapaaminen erään potilaan kanssa, potilaan nimeltä Basil Jenrette.

"Minä lähetän sinulle sähköpostilla videoleikkeen", Lucy sanoo. "Noin kolme vuotta sitten otitte magneettikuvia naispotilaasta nimeltä Helen Quincy. Haluaisin tietää voisiko hän olla sama henkilö kuin videolla näkyy."

"Lucy, minä en saisi…"

"Tiedetään, tiedetään. Mutta tämä on todella tärkeä asia."

KOLIN… KOLIN… KOLIN… KOLIN…

Tohtori Lane ottaa magneettikuvia Kenny Jumperista. Kennyn rakenteellinen kuvaus on meneillään ja kuvantamislaitteen tuttu meteli täyttää laboratorion.

"Voisitko katsoa tietokannasta yhden asian?" tohtori Lane

kysyy tutkimusapulaiseltaan. "Olemmeko me skannanneet potilasta nimeltä Helen Quincy? Mahdollisesti kolme vuotta sitten. Josh, jatka sinä", hän sanoo magneettiresonanssiteknikolle. "Kestätkö sinä hetken ilman minua?"

"Minä yritän", Josh hymyilee.

Tutkimusassistentti Beth naputtelee takapöydällä tietokoneen näppäimistöä. Häneltä ei mene kauan löytää Helen Quincy. Tohtori Lane soittaa Lucylle.

"Onko sinulla hänestä valokuvaa?" Lucy kysyy.

NAKS NAKS NAKS NAKS, magneettikuvauslaitteen ääni muistuttaa tohtori Lanen mielestä sukellusveneen kaikuluotaimen naksutusta.

"Vain hänen aivoistaan. Me emme valokuvaa potilaita."

"Joko katsoit sitä videoleikettä jonka minä lähetin sähköpostissa? Se voi auttaa."

Lucy kuulostaa pettyneeltä, turhautuneelta.

NAKS NAKS NAKS NAKS...

"Odotahan. Mutta minä en ymmärrä mitä sinä ajattelet minun sillä tekevän", tohtori Lane sanoo.

"Jos vaikka muistaisit hänet ulkonäöltä. Sinähän olit siellä töissä kolme vuotta sitten. Sinä tai joku muu skannasi hänet. Johnny Swift oli siellä samaan aikaan stipendiaattina. Johnnykin saattoi nähdä hänet. Katsoa hänen magneettikuviaan."

Tohtori Lane ei oikein ymmärrä.

"Ehkä sinä skannasit hänet", Lucy penää. "Ehkä sinä näit hänet kolme vuotta sitten ja saatat muistaa hänet jos näet hänen kuvansa..."

Tohtori Lane ei muistaisi kuitenkaan. Hänellä on paljon potilaita ja kolme vuotta on pitkä aika.

"Odotahan", hän sanoo taas.

PIIP PIIP PIIP PIIP...

Hän astuu toisen tietokoneen luo ja avaa sähköpostinsa istuutumatta. Hän napsauttaa videotiedoston ja katsoo sen alusta loppuun monta kertaa, katsoo kaunista nuorta naista, vaaleatukkaista ja tummasilmäistä, kun tämä nostaa katseensa tavattoman lihavan miehen ruumiista, miehen jonka kasvot ovat toukkien peitossa.

"Hyvä tavaton", sanoo tohtori Lane.

Videoleikkeen kaunis nuori nainen katsoo ympärilleen, katsoo suoraan kameraan, hänen silmänsä kääntyvät suoraan kohti tohtori Lanea, ja kaunis nuori nainen työntää käsineen suojaaman kätensä lihavan vainajan harmaan takin taskuun. Siihen leike katkeaa, ja tohtori Lane katsoo sen taas uudestaan ja oivaltaa jotain.

Hän katsoo pleksilasin läpi Kenny Jumperia ja erottaa hänen päänsä magneetin toiselta puolelta vain hämärästi. Kenny on pieni ja hoikka ja hänellä on liian isot vaatteet, huonosti sopivat kengät, hän näyttää jotenkin kodittomalta mutta herkällä tavalla komealta. Hänen vaalea tukkansa on poninhännällä. Hänellä on tummat silmät ja tohtori Lanen oivallus vahvistuu. Mies muistuttaa niin kovasti valokuvan tyttöä, että he voisivat olla sisarukset, jopa kaksoset.

"Josh?" sanoo tohtori Lane. "Voisitko sinä tehdä sen lempitemppusi hahmonnuksella?"

"Hänestäkö?"

"Hänestä. Nyt heti", tohtori Lane sanoo kireästi. "Beth, anna hänelle Helen Quincyn cd. Nyt heti."

63

Bentonia hieman kummeksuttaa nähdä taksi seisomassa kuvantamislaboratorion edessä. Se on sininen kaupunkimaasturi ja se on tyhjänä. Ehkä se on sama taksi, jonka oli määrä hakea Kenny Jumper hautaustoimiston edestä, mutta minkä tähden se seisoo vielä täällä ja missä kuljettaja on? Taksin lähellä on valkoinen vankilan pakettiauto, jolla Basil tuotiin tänne kello viiden haastatteluaan varten. Hänellä ei mene hyvin. Hän sanoo että hänellä on voimakkaita itsetuhoajatuksia ja että hän ei enää halua osallistua tutkimukseen.

"Me olemme panostaneet häneen paljon aikaa ja vaivaa", Benton sanoo Scarpettalle heidän kävellessään laboratorioon. "Et arvaakaan miten tuhoisaa on kun koehenkilöt keskeyttävät. Varsinkin hän. Hemmetti. Ehkä sinä voit vaikuttaa häneen myönteisesti."

"Minä en edes kommentoi ehdotusta", Scarpetta sanoo.

Kaksi vanginvartijaa seisoo pienen huoneen ovella missä Benton haastattelee Basilia yrittäen suostutella hänet jatkamaan Peto-tutkimusta, suostutella hänet luopumaan itsemurha-ajatuksesta. Huone kuuluu magneettikuvauslaboratorioon ja Benton on käyttänyt sitä ennenkin Basilia haastatellessaan. Scarpetta panee merkille että vartijoilla ei ole asetta.

Scarpetta ja Benton astuvat haastatteluhuoneeseen, jossa Basil istuu pienen pöydän ääressä. Häntä ei ole kahlehdittu edes muovisilla käsi- ja nilkkasiteillä. Peto-tutkimuksen pisteet Scarpettan silmissä laskevat entisestään, vaikkei hän olisi uskonut sen olevan mahdollista.

"Tämä on tohtori Scarpetta", Benton sanoo Basilille. "Hän kuuluu tutkijaryhmäämme. Sopiiko sinulle että hän on läsnä haastattelussa?"

"Se olisi mukavaa", Basil sanoo.

Basilin silmät näyttävät pyörivän päässä. Ne ovat karmeat. On kuin ne pyörisivät hänen katsoessaan Scarpettaa.

"Kerrohan mitä sinulle kuuluu", Benton sanoo hänen ja Scarpettan istuutuessa pöydän ääreen.

"Te olette läheiset toisillenne", Basil sanoo katsoen Scarpettaa. "Ei mikään ihme", hän sanoo Bentonille. "Minä yritin hukuttautua vessanpönttöön, ja arvaa mitä hassua siinä on? Vartijat eivät edes huomanneet. Eikö ole hurjaa? Kamera vakoilee minua koko ajan, ja kun minä yritän tappaa itseni, kukaan ei huomaa."

Hänellä on farkut, tennistossut ja valkoinen paita. Hänellä ei ole vyötä. Eikä koruja. Hän ei ole ollenkaan sellainen kuin Scarpetta kuvitteli. Hän luuli Basilia pitemmäksi. Hän on lyhyt ja mitättömän näköinen, hintelä, hänellä on harva vaalea tukka, mutta hän ei ole ruma, vain mitättömän näköinen. Scarpetta arvelee että kun Basil lähestyi uhrejaan heistä tuntui todennäköisesti samalta kuin hänestä, aluksi ainakin. Basil ei ollut mikään eikä kukaan, hän oli vain mitättömän näköinen mitättömyys. Silmät ovat hänen ainoa erikoinen piirteensä. Juuri nyt ne ovat oudot ja hermostuttavat.

"Saanko esittää sinulle kysymyksen?" Basil sanoo Scarpettalle.

"Antaa tulla." Scarpetta ei ole hänelle erityisen ystävällinen.

"Mitä tekisit, jos minä tulisin kadulla puheillesi ja käskisin sinun astua autooni ja uhkaisin ampua ellet tottelisi?"

"Antaisin sinun ampua minut", Scarpetta vastaa. "Minä en tulisi autoosi."

Basil katsoo Bentoniin ja osoittaa häntä sormella kuin se olisi pistooli. "Bingo", hän sanoo. "Hänestä ei kannata luopua. Mitä kello on?"

Huoneessa ei ole kelloa.

"Yksitoista yli viisi", Benton vastaa. "Basil, meidän pitää puhua siitä miksi sinä haluat tappaa itsesi."

Kahden minuutin päästä tohtori Lanella on tietokoneen näytöllä Helen Quincyn ssd-kuva. Sen vieressä on magneettikuvauslaitteessa parhaillaan olevan niin sanotun normaalin verrokin ssd-kuva.

Kenny Jumperin kuva.

Vajaa minuutti sitten Kenny kysyi sisäpuhelimen kautta paljonko kello on. Sen jälkeen ei mennyt minuuttiakaan kun hän kävi levottomaksi ja alkoi valittaa.

KLONK, KLONK, KLONK. Kuvantamosta kuuluu kolinaa samalla kun Josh pyörittää näytössä Kenny Jumperin kaljua, kalpeaa ja silmätöntä päätä. Se päättyy rosoisesti leuan alle kuin hänet olisi mestattu, mikä johtuu signaalin päättymisestä kuvannusalueen rajalla. Josh pyörittää kuvaa näytössä vielä hiukan yrittäen saada sen täsmälleen samaan asentoon kuin Helen Quincyn karvaton, silmätön, mestatun näköinen kuva viereisellä näytöllä.

"Voi veljet", hän sanoo.

"Minun pitää päästä pois täältä", Kennyn ääni sanoo kaiuttimesta. "Paljonko kello on nyt?"

"Voi veljet", Josh sanoo tohtori Lanelle pyörittäessään kuvaa vielä hiukan ja katsoessaan näyttöjä vuorotellen.

"Minun on päästävä pois."

"Hiukan tuonne päin", sanoo tohtori Lane katsoen hänkin vuorotellen vasenta ja oikeaa näyttöä, vertaillen kahta kalpeaa, silmätöntä, kaljua päätä.

"Päästäkää minut ulos!"

"Siinä se on", tohtori Lane sanoo. "Voi luoja."

"Vaude!" Josh sanoo.

Basil alkaa olla jo hyvin levoton ja pälyilee suljettua ovea. Taas hän kysyy paljonko kello on.

"Seitsemäntoista yli viisi", Benton vastaa. "Onko sinulla kiire jonnekin?" hän lisää ivallisesti.

Mihin Basililla olisi kiire? Selliinsä, jossa ei ole herkkua olla. Hän saisi olla kiitollinen siitä että pääsee käymään täällä. Hän ei ole ansainnut tällaista vaihtelua.

Basil vetää jotain hihansuustaan, ensin Scarpetta ei näe mikä se on eikä ymmärrä mitä tapahtuu, mutta sitten Basil ponkaisee tuoliltaan ylös ja kiertää pöydän Scarpettan puolelle ja kietaisee narun hänen kaulaansa, kietaisee pitkän ja valkoisen ja ohuen narun hänen kaulansa ympäri.

"Älä yritä perkele mitään tai minä kiristän sitä näin!" Basil sanoo.

Scarpetta näkee että Benton kavahtaa seisaalleen ja huutaa Basilille. Scarpetta tuntee sykkeensä selvästi. Sitten ovi lennähtää auki. Sitten Basil kiskoo Scarpettan ovesta ja hänen sydämensä jyskyttää ja Basil kiristää pitkää valkoista narua hänen kaulansa ympärillä ja vetää häntä ja Benton huutaa ja vartijat huutavat.

64

Helen Quincyllä todettiin dissosiàtiivinen identiteettihäiriö kolme vuotta sitten McLeanissa.

Hänellä ei ole viittätoista tai kahtakymmentä erillistä ja itsenäistä rinnakkaista persoonallisuutta vaan ainoastaan kolme tai neljä tai kahdeksan. Benton jatkaa selostustaan tästä häiriöstä, joka johtuu siitä, että potilas irtautuu ensisijaisesta persoonallisuudestaan.

"Sopeutumisreaktio ylivoimaiseen traumaan", Benton sanoo kun hän ajaa Scarpettan kanssa länteen kohti Evergladesia. "Yhdeksänkymmentäseitsemän prosenttia henkilöistä, joilla häiriö on todettu, kokivat seksuaalista ja tai ruumiillista pahoinpitelyä, ja häiriö on naisilla yhdeksän kertaa niin yleinen kuin miehillä", Benton sanoo kun aurinko valaisee tuulilasin valkoiseksi ja Scarpetta siristää silmiään, vaikka hänellä on aurinkolasit.

Kaukana edessäpäin Lucyn helikopteri pysyttelee paikoillaan ilmassa hylätyn sitrustarhan yllä. Tontti on vielä Quincyn suvun omistuksessa, tarkemmin sanoen Helenin sedän Adger Quincyn. Ruoste levisi sitrustarhaan parikymmentä vuotta sitten, ja kaikki greippipuut kaadettiin ja poltettiin. Sen jälkeen tarha on ollut autiona, rikkaruohot ovat vallanneet sen, ja ränsistynyt autio talo on rapistunut entistä pahemmin – pelkkä sijoitus, joka voidaan myöhemmin myydä tontiksi uusille taloille. Adger Quincy on vielä elossa, hintelä mies, ulkonäöltään varsin mitäänsanomaton, äärimmäisen hurskas, hihhuli kuten Marino sanoo.

Adger kiistää että olisi sattunut mitään tavallisuudesta poikkeavaa, kun Helen kaksitoistavuotiaana muutti hänen ja hänen puolisonsa luokse asumaan siksi aikaa kun Florrie oli hoidossa McLeanissa. Adger itse asiassa tähdentää, että hän piti varsin hyvää huolta kurittomasta ja holtittomasta tytöstä, *joka kaipasi pelastusta*, kun tämä asui heidän luonaan.

Minä tein voitavani, minä tein parhaani, Adger sanoi kun Marino nauhoitti hänen kanssaan eilen käymänsä keskustelun.

Mistä hän sai tietää teidän vanhasta hedelmäpuutarhastanne ja vanhasta talostanne? oli yksi Marinon esittämä kysymys.

Adger ei oikein välittänyt puhua siitä, mutta sen hän kertoi että hän ajoi silloin tällöin kaksitoistavuotiaan Helenin kanssa vanhalle, hylätylle hedelmätarhalle *tarkistamaan asioita*.

Mitä asioita?

Katsomaan ettei siellä ollut käynyt vandaaleja.

Mitä vandalisoitavaa siellä muka oli? Viisi hehtaaria tyngäksi poltettuja puita ja rikkaruohoja ja purkukypsä talo.

Ei siinä mitään pahaa ole jos asioita tarkistaa. Ja minä rukoilin hänen kanssaan. Puhuin hänelle Herrasta.

"Se että hän sanoi sen niin", Benton sanoo autoa ajaessaan ja samalla kun Lucyn helikopteri näyttää leijuvan alas kuin höyhen, valmiina laskeutumaan kaukana edessä Adgerin edelleen omistaman hylätyn hedelmäpuutarhan yllä, "osoittaa hänen tietävän että hän teki jotain pahaa."

"Se hirviö", Scarpetta sanoo.

"Emme todennäköisesti saa koskaan selville, mitä pahaa hän ja mahdollisesti muut Helenille tekivät", sanoo Benton. Hän on hieman vaisun oloinen ja hänen leukansa on kireä.

Hän on vihainen. Häntä järkyttää se mitä hän epäilee tapahtuneen.

"Mutta se on varmaa", hän jatkaa, "että Helenin eri identiteetit, rinnakkaiset persoonallisuudet, olivat hänen sopeutumisreaktionsa sietämättömään traumaan tilanteessa, jossa hän ei voinut kääntyä kenenkään muun puoleen. Samanlainen ilmiö on havaittu joissakin keskitysleireiltä hengissä säilyneissä."

"Se hirviö.'"

"Hyvin sairas mies. Ja nyt hyvin sairas nuori nainen."

"Miehen kuuluisi saada rangaistus."

"Minusta tuntuu että hän on jo saanut."

"Toivottavasti hän joutuu helvettiin", Scarpetta sanoo.

"Todennäköisesti hän on jo siellä."

"Miksi sinun pitää puolustella häntä?" Scarpetta katsoo Bentonia ja hieroo ajatuksissaan kurkkuaan.

Se on mustelmilla. Sitä aristaa vieläkin, ja aina siihen koskiessaan hän muistaa miten Basil kietaisi sen ympäri valkoisista kangassuikaleista sitomansa narun sulkien tilapäisesti suonet, joiden kautta aivot saavat verta ja siten happea. Scarpetta menetti tajuntansa. Hän on taas kunnossa. Hän ei olisi elleivät vartijat olisi niin nopeasti saaneet häntä irti Basilin kuristuksesta.

Basil ja Helen ovat telkien takana Butlerissa. Basil ei ole enää Bentonin Peto-tutkimuksen koehenkilö. Basilin käynnit McLeanissa ovat ohi.

"En minä häntä puolusta. Minä yritän selittää tapahtunutta", Benton sanoo.

Hän hidastaa vauhtia maantiellä 27 lähellä Citgon rekkahuoltoaseman tienhaaraa. Hän kääntyy oikeaan kapealle hiekkatielle ja pysäyttää auton. Tien poikki on vedetty paksu, ruostunut ketju. Se kilahtaa kun hän heittää sen sivuun. Hän ajaa läpi, pysähtyy, nousee uudestaan autosta ja laittaa ketjun takaisin tien poikki. Lehdistö ja muut uteliaat eivät vielä tiedä mitä täällä on tekeillä. Ruostunut ketju ei toki pysäytä ei-toivottuja ja kutsumattomia. Mutta ei siitä haittaakaan ole.

"Toiset väittävät, että kaikki dissosiatiiviset identiteettihäiriöt ovat samanlaisia", Benton sanoo. "Oireet ovat hämmästyttävän yhdenmukaiset ottaen huomioon, miten uskomattoman monimutkainen ja omituinen häiriö on. Potilaassa ilmenee dramaattinen muutos, kun persoonallisuus vaihtuu, kun rinnakkaispersoonallisuudet ovat hallitsevia ja määrittävät käyttäytymistä. Ilmeet muuttuvat, ryhti muuttuu, käynti, maneerit, jopa äänen korkeus ja puhetapa muuttuu täysin. Häiriöön yhdistetään usein demonin riivaamana oleminen."

"Luuletko, että Helenin rinnakkaispersoonat – Jan, Stevie, se joka esiintyi sitrustarkastajana ja tappoi ihmisiä, ja ties ketkä kaikki muut – ovat tietoisia toisistaan?"

"McLeanissa ollessaan Helen kiisti olevansa monipersoonainen, vaikka henkilökunta todisti hänen moneen kertaan vaihtaneen persoonaa heidän nähtensä. Hänellä oli kuulo- ja näköhallusinaatioita. Joskus persoonat keskustelivat keskenään lääkärin läsnä ollessa. Sitten hän oli taas Helen Quincy ja istui kiltisti hiljaa tuolillaan ja käyttäytyi kuin psykiatri olisi hullu kun uskoi hänen olevan monipersoonainen."

"Mahtaakohan Helen tulla enää koskaan esiin?" Scarpetta sanoo.

"Kun hän ja Basil tappoivat Helenin äidin, Helen vaihtoi identiteettinsä Jan Hamiltoniksi. Tämä oli pelkkä tarpeen sanelema ulkoinen muutos, ei rinnakkainen persoona. On virhe luulla, että Jan olisi ollut oma persoonansa, jos ymmärrät mitä ajan takaa. Jan oli pelkkä väärennetty henkilöys, jonka takana Helen, Stevie, Karju ja ties kuka muu heidän lisäkseen piileskeli."

Pöly tuprahtelee ilmaan kun he ajavat rikkaruohoja kasvavaa, töyssyistä hiekkatietä. Ränsistynyt talo näkyy kaukana edessä ja kaikkialla rehottaa rikkaruohoja ja pensaikkoa.

"Minä epäilen, että kuvallisesti sanoen Helen Quincy lakkasi olemasta kaksitoistavuotiaana", Scarpetta sanoo ja katsoo Lucyn helikopteria.

Se on laskeutunut pienelle aukiolle ja roottori pyörii vielä hänen sammutettuaan moottorin. Talon lähellä seisoo muuttopalvelun pakettiauto, kolme poliisiautoa, kaksi Akatemian maasturia ja Reban Ford LTD.

Lomahotelli Sea Breeze on niin kaukana rannikosta, että merituuli ei sinne puhalla, vaikka nimestä voisi niin luulla. Se ei ole lomahotellikaan, sillä siellä ei ole edes uima-allasta. Nuhruisessa vastaanotossa on muovikukkia ja rämisevä ilmastointilaite. Tiskin takana seisovan miehen mukaan pitkäaikaisvieraat saavat huoneesta alennusta.

Hän sanoo että Jan Hamiltonilla oli epäsäännölliset tavat. Hän katosi joskus moneksi päiväksi varsinkin viime aikoina, ja joskus hän pukeutui oudosti. Välillä seksikkäästi, välillä vähän kuin transvestiitti.

Minun mottoni? Elä ja anna toistenkin elää, sanoi vastaanottovirkailija kun Marino jäljitti Janin hotelli Sea Breezeen.

Se ei ollut vaikeaa. Kun Jan kömpi esiin magneetin sisältä ja vartijat olivat kaataneet Basilin lattialle kumoon ja kaikki oli ohi, Jan kyyristyi nurkkaan itkemään. Hän ei ollut enää Kenny Jumper, ei ollut koskaan kuullutkaan Kennystä, kiisti ymmärtävänsä mistä kaikki puhuivat, kiisti jopa tuntevansa Basilin ja tietävänsä miksi hän itse oli McLeanin sairaalan magneettikuvausosaston lattialla Belmontissa Massachusettsissa. Hän oli hyvin kohtelias ja yhteistyöhaluinen Bentonin seurassa, antoi hänelle osoitteensa, sanoi olevansa osa-aikatyössä baarimikkona South Beachissa ravintolassa nimeltä Rumors jonka omisti eräs oikein mukava mies nimeltä Laurel Swift.

Marino kyyristyy avoimen komeron eteen. Siinä ei ole ovea, ja sisällä on vain tanko vaateripustimille. Likaisella matolla on siististi taiteltuja vaatteita. Hän tutkii niitä käsineet kädessä, ja hikipisarat tipahtelevat silmiin, sillä ikkunaan asennettu ilmastointilaite toimii kehnosti.

"Pitkä musta, hupullinen päällystakki", hän sanoo Gusille, joka on yksi Lucyn agenteista. "Kuulostaa tutulta."

Hän ojentaa kokoon taitellun takin Gusille, joka laittaa sen ruskeaan paperipussiin, kirjoittaa päälle päivämäärän, löytöpaikan ja sisällön. Hän on jo täyttänyt kymmeniä ruskeita paperipusseja ja sulkenut ne teipillä. Käytännössä he pakkaavat mukaan Janin huoneen kaikki tavarat. Marino kirjoitti etsintämääräyksen, jollaista kukaan teknikko ei haluaisi lukea: *pankaa siihen kaikki, tuhkatkin uunista*, Marinon omin sanoin.

Hän penkoo isoilla kourillaan vaatteita, nukkavieruja, väljiä miesten vaatteita, kengät joista on irrotettu korot, Miami Dolphinsin lippalakin, valkoisen paidan jonka selässä lukee Maatalousministeriö, ei muuta, ei Floridan osavaltion maatalousministeriö vaan ainoastaan Maatalousministeriö, kirjoitettuna Marinon oletuksen mukaan mallineen avulla.

"Miten sinä et arvannut että se mies olikin nainen?" Gus kysyy teipatessaan seuraavaa pussia kiinni.

"Et olisi itsekään arvannut."

"Täytyy uskoa sinua", Gus sanoo ojentaen kätensä ottaakseen vastaan seuraavan pakattavan, mustat sukkahousut.

Gusilla on ase ja kenttähousut, koska se on nykyisin Lucyn erikoisoperaatioagenttien saama määräys, voimassa silloinkin kun se on tarpeetonta, ja kun lämpötila on yli kolmekymmentä astetta ja syylliseksi epäilty kaksikymmentävuotias tyttö on telkien takana Massachusettsissa asti sairaalassa, oli todennäköisesti hätävarjelun liioittelua lähettää hotelli Sea Breezeen neljä agenttia, mutta niin Lucy halusi. Niin hänen agenttinsa halusivat. Vaikka Marino onkin tarkasti kertonut kaiken mitä Benton selitti hänelle Helenin persoonallisuuksista, agentit eivät oikein pysty uskomaan, etteikö vapaalla jalalla olisi muita vaarallisia henkilöitä, etteikö Helenillä olisi ollut rikostovereita – he viittaavat Basil Jenretteen.

Kaksi agenttia tutkii tietokonetta joka on pysäköintialueen puolella olevan ikkunan edessä. Samalla pöydällä on skanneri, väritulostin, tyhjää aikakauslehtipaperia ja puolen tusinaa kalastuslehteä.

Etukuistin lankut ovat vääntyneet kieroiksi, osa on lahonnut, osa puuttuu, ja niiden alta näkyy hiekkamaa, jolle yksikerroksinen puutalo on rakennettu vähän matkan päähän Evergladesista.

Paikalla on hiljaista lukuun ottamatta kaukaista liikenteen melua, joka kuulostaa tuulenpuuskalta, ja lapioiden ääniä. Kuolema saastuttaa ilmaa, ja iltapäivän helteessä se tuntuu leijuvan aaltoina, jotka haisevat sitä pahemmilta mitä lähemmäksi kuoppia astuu. Agentit, poliisit ja teknikot ovat löytäneet neljä hautaa. Maanpinnan väristä ja jäljistä päätellen niitä on enemmänkin.

Scarpetta ja Benton seisovat eteisessä, missä on akvaario ja kiven päällä iso, kuollut hämähäkki. Seinää vasten nojaa kaksitoistakaliiperinen Mossberg-haulikko ja lattialla on viisi laatikollista patruunoita. Scarpetta ja Benton katsovat kun kaksi solmiot kaulassa puvuissaan hikoilevaa miestä työntää pyörät kolisten ulos paarit, joilla on pussissa Ev Christianin jäänteet. Miehillä on siniset Nitrile-käsineet. He pysähtyvät ovelle, joka on selällään.

"Kun olette vienyt hänet ruumishuoneelle", Scarpetta sanoo miehille, "tulkaa heti takaisin."

"Niin me arvelimmekin. En ole varmasti koskaan nähnyt mitään näin kamalaa", toinen sanoo Scarpettalle.

"Teillä riittää töitä", sanoo toinen.

He taittavat paarin jalat kokoon kovasti kalautellen ja alkavat kantaa Ev Christiania paareilla kohti tummansinistä pakettiautoa.

"Miten tämän jutun käy oikeudessa?" toinen miehistä kysyy portailla. "Tämä nainen on tehnyt itsemurhan. Miten ketään voi syyttää itsemurhasta?"

"Tulkaa pian takaisin", Scarpetta sanoo.

Miehet empivät ja jatkavat sitten kantamista, ja Scarpetta huomaa Lucyn ilmestyvän talon takaa. Lucylla on suojavaatteet päällä ja aurinkolasit silmillä, mutta hän on riisunut hengityssuojuksen ja käsineet. Hän juoksee helikopterille päin, saman helikopterin johon hän unohti Treonsa hieman sen jälkeen kun Joe Amos aloitti stipendivuotensa.

"Mikään ei oikeastaan viittaa siihen etteikö hän tehnyt sitä", Scarpetta sanoo Bentonille avatessaan pakkauksia, joissa on kertakäyttöiset suojavaatteet, toiset hänelle, toiset Bentonille, ja nyt Scarpetta puhuu Helen Quincystä.

"Eikä siihen että hän teki. He ovat oikeassa." Benton katsoo paareihin ja sen synkkään kuormaan kun miehet taivuttavat alumiinijalat takaisin suoriksi voidakseen avata pakettiauton ovet. "Itsemurha joka on murha ja jossa murhaajalla on identiteettihäiriö. Juristit ovat onnessaan."

Paarit kallistuvat rikkaruohojen peittämässä hiekkamaassa, ja Scarpetta on huolissaan että ne kaatuvat. Sitä on sattunut ennenkin, pussiin suljettu ruumis on pudonnut maahan, mikä on täysin sopimatonta, täysin epäkunnioittavaa. Hänen jännityksensä kasvaa hetki hetkeltä.

"Ruumiinavaus osoittaa todennäköisesti, että hän kuoli hirttäytymällä", Scarpetta sanoo ja katsoo kirkkaaseen ja kuumaan auringonpaisteeseen, jossa on käynnissä vilkas hyörinä, katsoo kun Lucy hakee jotain helikopterista, kylmälaukun.

Samasta helikopterista johon hän unohti Treon. Se virhe käynnisti monella tavalla kaiken ja johdatti heidät lopulta tähän kyynpesään, tähän rotankoloon.

"Muuta siinä tuskin ilmenee hänen kuolemastaan", Scarpetta sanoo. "Mutta muilta osin tilanne on toinen."

Muut osat ovat nämä: Evin piina ja kärsimys, hänen alaston, turvonnut ruumiinsa kattoparrun yli heitettyjen köysien varassa, yksi köysi hänen kaulansa ympärillä. Hänen ihonsa on hyönteistenpuremien ja ihottuman peitossa, hänen ranteensa ja nilkkansa tulehduksesta punaisina. Kun Scarpetta tunnusteli hänen päätään, hän tunsi luunsirujen liikkuvan somiensa alla, ja naisen kasvot oli murskattu, hänen hiuspohjansa oli haavoilla, päässä oli siellä täällä ruhjeita, punertavia, hiertyneitä kohtia, jotka olivat syntyneet joko kuolinhetkellä tai hieman sitä ennen tai sen jälkeen. Scarpetta ounastelee, että Jan tai Stevie tai Karju tai kuka hän olikin kiduttaessaan Eviä tässä talossa potkaisi Eviä monta kertaa kovaa löydettyään hänet hirttäytyneenä. Evin ristiselässä, vatsassa ja pakaroissa on saappaan tai muun jalkineen muotoisia punertavia alueita. Scarpetta erotti niissä jopa kengänpohjan kuvion.

Reba astuu esiin talon päästä ja nousee lahot portaat varovasti ja kulkee sitten yhtä varovasti kuistin poikki. Hän on vitivalkoinen kertakäyttövaatteissaan ja vetää hengityssuojuksen alas. Hänellä on kädessä ruskea paperipussi, jonka suun on hän käärinyt kokoon.

"Löysin mustia jätesäkkejä", hän sanoo. "Eri haudasta, matalasta. Niissä on pari joulukoristetta. Ne ovat rikki, mutta näyttävät Ressulta, jolla on tonttulakki päässä, ja toinen taitaa olla Punahilkka."

"Niinkö monta ruumista?" Benton kysyy ja hän on taas siinä tietyssä tilassa.

Kun kuolema, julminkin mahdollinen kuolema, katsoo häntä, hän ei edes räpäytä silmiään. Hän vaikuttaa rationaaliselta ja tyyneltä. Hän vaikuttaa miltei välinpitämättömältä, kuin Ressu- ja Punahilkka-koristeet olisivat pelkkää informaatiota, joka pitää tallentaa muistiin.

Benton on rationaalinen, mutta ei tyyni. Scarpetta näki millainen hän oli autossa vain muutama tunti sitten, ja äskettäin tässä talossa, kun heille alkoi valjeta paljon aiempaa selvemmin ensimmäisen rikoksen luonne, sen joka sattui kun Helen Quincy oli kaksitoistavuotias. Keittiössä on ruostunut jääkaappi ja siinä on Yoohoo-suklaajuomia, Nehi-greippi- ja appelsiinijuomia ja purkillinen kaakaojuomaa. Kaikkien viimeiset myyntipäivät ovat kahdeksan vuoden takaa, jolloin Helen oli kaksitoista ja joutui muuttamaan tätinsä ja setänsä luokse. Talossa on kymmeniä pornolehtiä samalta ajalta, mistä päätellen hurskas pyhäkoulunopettaja Adger toi nuoren veljentyttönsä tänne montakin kertaa.

"No ne kaksi poikaa", Reba vastaa, ja hengityssuojus liikkuu hänen leuallaan ylösalas hänen puhuessaan. "Minusta näyttää siltä että heidän päänsä on isketty lommolle. Mutta se ei ole minun alaani", hän sanoo Scarpettalle. "Ja sitten toisiinsa sekoittuneita jäänteitä. Näyttävät minusta alastomilta, mutta seassa on vaatteitakin. Ei ruumiiden päällä mutta samoissa haudoissa, kuin uhreja olisi heitetty sinne ja sitten vaatteet olisi nakattu päälle."

"On selvää että hän murhasi enemmän ihmisiä kuin myönsi", Benton sanoo kun Reba avaa paperipussin. "Pani toiset esille ja hautasi toiset."

Reba raottaa pussia jotta Scarpetta ja Benton näkevät snorkkelin ja likaisen, vaaleanpunaisen tossun, joka on lasten kokoa.

"Pari sille kengälle joka on tuolla patjalla", Reba sanoo. "Löysin tämän kuopasta, jossa me oletimme olevan lisää ruumiita. Mutta siellä oli vain nämä", hän viittaa snorkkeliin ja vaaleanpunaiseen tossuun. "Lucy löysi ne. Minä en tajua mistä on kyse."

"Minä valitettavasti tajuan", Scarpetta sanoo ja ottaa pussista snorkkelin ja pikkutytön kengän käsineet kädessä ja kuvittelee että kaksitoistavuotias Helen oli siinä kuopassa, kun hänen päälleen lapioitiin hiekkaa, ja snorkkeli oli ainoa tapa hengittää kun setä kidutti häntä.

"Piti lapsia kirstussa, sitoi heitä ketjuilla kellariin, hautasi heitä maahan niin että he pystyivät hengittämään vain letkua pitkin", Scarpetta sanoo kun Reba katsoo häntä.

"Ei ihme että hänessä on näitä kaikkia ihmisiä", sanoo Benton joka ei ole enää yhtä tyynen rauhallinen. "Perkeleen ukko, saatana."

Reba kääntyy pois, tuijottaa eteensä, nielaisee. Hän kokoaa itsensä kun hän käärii paperipussin suun uudestaan kiinni, hitaasti, siististi.

"No niin", hän sanoo ja rykäisee. "Meillä on kylmää juotavaa. Emme ole koskeneet mihinkään. En avannut niitä säkkejä, jotka ovat samassa haudassa kuin Ressu-koriste, mutta hajusta päätellen niissä on ruumiinosia. Yksi pussi on revennyt ja siitä näkyy punaista tukkaa, sanoisin, sellaista hennavärjättyä. Käsivarsi ja hiha. Luulen että sillä ruumiilla on vaatteet päällä. Muilla ei ole. Coca-Cola lightia, Gatoradea ja vettä. Minä otan tilauksia vastaan. Tai jos te haluatte jotain muuta, me voimme lähettää jonkun hakemaan. Tai no ehkä ei."

Hän katsoo talon sivulle hautoihin päin. Hän nieleskelee ja räpyttelee silmiään, hänen alahuulensa värisee.

"Minusta tuntuu ettei kukaan meistä juuri nyt oikein kelpaa käymään ihmisten ilmoilla", hän lisää rykäisten taas. "Ei varmaan parane käydä kioskissa jos haisee näin kamalalta. Minä vain en tajua miten... jos äijä teki sen, meidän on pakko saada hänetkin nalkkiin. Hänelle pitää tehdä sama temppu minkä hän teki tytölle. Hänet pitää haudata elävältä, mutta hänelle ei kannata antaa snorkkelia. Ja siltä perkeleeltä pitää leikata munat!"

"Pannaanpa suojapuvut päälle", Scarpetta sanoo hiljaa Bentonille.

He avaavat kertakäyttöiset valkoiset haalarit ja alkavat vetää niitä jalkaan.

"Me emme ikinä pysty todistamaan sitä", Reba sanoo. "Emme mitenkään."

"Älä ole siitä niin varma", Scarpetta sanoo ja ojentaa Bentonille kenkäsuojukset. "Hän jätti tänne valtavasti jälkiä. Hän ei tiennyt että me tulisimme etsimään."

He peittävät hiuksensa valkoisilla lakeilla ja laskeutuvat vinot vanhat portaat, vetävät käsineet käteen ja peittävät suunsa naamareilla.